道家文化研究

第六輯

陳鼓應主編

文史哲出版社印行

國家圖書館出版品預行編目資料

道家文化研究 / 陳鼓應主編. -- 校訂一版. -- 臺北市: 文史哲, 民 89
面 ; 公分
ISBN 957-549-300-1 (一套：精裝) ISBN 957-549-301-x (第一輯)ISBN 957-549-302-8 (第二輯)ISBN 957-549-303-6(第三輯)ISBN 957-549-304-4 (第四輯)ISBN 957-549-305-2 (第五輯) ISBN 957-549-306-0 (第六輯) ISBN 957-549-307-9 (第七輯) ISBN 957-549-308-7 (第八輯) ISBN 957-549-309-5 (第九輯) ISBN 957-549-310-9 (第十輯) ISBN 957-549-311-7 (第十一輯) ISBN 957-549-312-5 (第十二輯)

1.道家 - 論文-講詞等 2. 道教 - 論文-講詞等
121.307 89011271

道家文化研究 第六輯

主編者：陳鼓應
出版者：文史哲出版社
登記證字號：行政院新聞局版臺業字五三三七號
發行人：彭正雄
發行所：文史哲出版社
印刷者：文史哲出版社
臺北市羅斯福路一段七十二巷四號
郵政劃撥帳號：一六一八〇一七五
電話 886-2-23511028・傳眞 886-2-23965656

精裝全十二冊售價新台幣 元

中華民國八十九年八月校訂一版

ISBN 957-549-300-1 全
ISBN 957-549-306-0 (六)

《道家文化研究》在臺重版序言

八十年代以來，在中國大陸陸續創辦了一些學術性的刊物，如《管子學刊》、《孔子研究》等，對推動儒家、管子思想及稷下學的研究，起了積極的作用。在此之前，1979年創刊的《中國哲學》，它是以書代刊的形式出版，給我留下深刻的印象，為此我和一些研究道家的學者曾多次商議想辦一個專門討論道家思想的專刊，這想法終於得到香港道教學院院長侯寶垣先生和副院長羅智光先生的大力支持。於是，《道家文化研究》第一輯很快就於 1992 年面世了。

時光荏苒，轉眼之間，《道家文化研究》已經出版了十八輯，辦刊的過程是艱辛的，但每一輯的出版也都帶來收穫的愉快。特別是它能夠獲得海內外學術界的廣泛關注與好評。

眾所周知，《道家文化研究》一直是在大陸印行的。這對於臺灣感興趣的讀者帶來諸多不便。兩年多前，我剛回臺大的時候，就感到了這個問題，也就有了在臺灣重新印行它的念頭。當然，我也知道，這並不是很容易做到的。因為，任何一個出版公司若要出版它，大半是要賠錢的。所以，我非常感謝我的老朋友——文史哲出版社的彭正雄社長，願意幫忙印行《道家文化研究》一到十二輯，目前僅印三百部提供專業學者研究之需。同時，我也要借此機會，向上海古籍出版社和北京三聯書店表示感謝，由於他們的慷慨，得以使本刊在臺重印。

陳 鼓 應

1999年8月

《道家文化研究》臺灣版出版開言

《道家文化研究》是道家及道教研究的專業研究性刊物，在知名道家專家陳鼓應教授多年努力耕耘下，今天它已經是國際同行不可或缺的學術園地。世界學人只要想用中文發表有關這個領域的研究成果，莫不努力爭取在這個學術園地刊出。試看《道家文化研究》出版至今共十餘輯，作者群就已經遍佈世界各地了，除了海峽兩岸外，更包括韓國、日本、新加坡、澳洲、加拿大、美國及歐洲等地。而且其中更包括張岱年、柳存仁、王叔岷、湯一介、李學勤、朱伯崑、金谷治、余敦康、許抗生、蒙培元、李豐楙、劉笑敢、陳鼓應等等知名學者。

可惜，從前受限於現實情況，海峽兩岸資訊交流不易，臺灣地區的學者專家，並不容易取得這一份刊物的。而且《道家文化研究》從創刊號到今天，已經出版了十八本了，好些早已銷售一空；特別是期數較早的，更是一冊難求。有鑒於此，本社認爲需要重印整套《道家文化研究》，以饗讀者。

也許關心我們的讀者會替本社擔心成本效益問題，但我們的老客戶都知道本社成立近三十年，始終沒有只以營利爲唯一的宗旨。雖然我們還不至於像莊子所說的「舉世而譽之而不加勸，舉世而非之而不加沮」，但是，正如同許多讀者一般，我們欣賞這樣高水準的學術雜誌，我們更希望能讓更多人分享到這許許多多知名學人的學術成就。當然學術性專業期刊的銷路，本身就很有限，所以本社也將限量發售，只印三百套，供有興趣的專家學人們選購，當然更希望學校機關及圖書館能夠購備，以便更多讀者可以讀到這份雜誌。這樣，我們的辛勞就不會白費。

最後，我們得感謝陳鼓應教授的信賴，更感謝上海古籍出版社及北京三聯書店的慷慨，使得我們的重印計畫得以實現。

彭　正　雄

文史哲出版社發行人

2000年7月15日

《道家文化研究》合刊總目

《道家文化研究》第一輯目錄

《道家文化研究》創辦的緣起…………………………………… 陳鼓應 1
儒道兩家思想在中國何以影響深遠長久不衰…………………… 任繼愈 1
道家學說與流派述要………………………………………………… 牟鍾鑒 7
道家注重個體說……………………………………………………… 涂又光 31
道家思想的現代性世界意義……………………………………… 董光璧 39
論老子在哲學史上的地位………………………………………… 張岱年 74
老子對死亡的看法——《道德經》第五章新解……〔美〕陳張婉莘 83
"無"的思想之展開——從老子到王弼……………………〔日〕金谷治 91
生命・自然・道——論莊子哲學…………………………………… 顏世安 101
《周易》的思想精髓與價值理想
——一個儒道互補的新型的世界觀…………………………… 余敦康 122
《易傳》與楚學齊學………………………………………………… 陳鼓應 143
《易傳・繫辭》思想與道家黃老之學相通……………………… 胡家聰 157
從馬王堆帛書本看《繫辭》與老子學派的關係………………… 王葆玹 175
《黃帝四經》書名及成書年代考………………………………… 余明光 188
《黃帝四經》和《管子》四篇……………………………………… 王 博 198
論尙黃老與《淮南子》……………………………………………… 潘雨廷 214
《大學》、《中庸》與黃老思想………………………〔臺灣〕莊萬壽 230
道家理論思維對荀子哲學體系的影響…………………………… 李德永 249
莊子與印度商羯羅之比較研究…………………………………… 馮 禹 265
《莊子》與《壇經》………………………………………………… 陸玉林 276
道家古籍存佚和流變簡論………………………………………… 王 明 285
論道教儀式的結構——要素及其組合…………………………… 陳耀庭 293
道家內丹養生學發凡 ……………………………………………… 胡孚琛 310
略論隋唐老莊學……………………………………………………… 李大華 319
《鶡冠子》與兩種帛書……………………………………………… 李學勤 333

《列子》考辨……………………………………………… 許抗生 344
漫遊：莊子與查拉斯圖拉 ［美］格拉姆・帕克斯 胡軍、王國良譯 359
《衆妙之門——道教文化之謎探微》評介……………… 劉良明 378
陳鼓應《老莊新論》評介………………………………… 李維武 383
稿 約……………………………………………………………… 390

《道家文化研究》第二輯 目錄

道家風骨略論……………………………………………… 蕭萐父 1
道家的思維方式與中國形上學傳統………………………… 朱伯崑 11
超越的思想理論之建構——論道家思想對中華
民族精神形成的傑出貢獻…………………………… 王樹人 41
道家開闢了中國的審美之路………………………………… 成復旺 67
李約瑟的道家觀……………………………………………… 董光璧 87
莊子思想簡評………………………………………………… 蔡尚思 106
老莊哲學思維特徵…………………………………………… 蒙培元 111
論《莊子》內七篇…………………………………………… 潘雨廷 125
道家與海德格爾……………………………………………… 熊 偉 130
我讀《老子》書的一些感想………………………………… 葉秀山 133
以海德格爾爲參照點看老莊………………………………… 鄭 湧 153
稷下道家精氣說的研究……………………………………… 裘錫圭 167
西漢國家宗教與黃老學派的宗教思想……………………… 王葆玹 193
董仲舒與"黃老"之學——《黃帝四經》對董仲舒的影響 余明光 209
《淮南子》的易道觀………………………………………… 周立升 223
莊子思想與兩晉佛學的般若思想…………………………… 崔大華 236
論理學的道家化……………………………………………… 吳重慶 248
道教與楊朱之學的關係……………………………………… 李養正 259
杜道堅的生平及其思想……………………………………… 卿希泰 272
論李筌的道教哲學思想……………………………………… 李 剛 286
唐代的《老子》注疏………………………………………… 李 申 301
管子的《心術》等篇非宋尹著作考………………………… 張岱年 320

《管子・輕重》篇的年代與思想………………………… 李學勤 327
《管子・水地》篇考論………………………………… 黃　釗 336
《尹文子》並非僞書…………………………………… 胡家聰 348
論《繫辭傳》是稷下道家之作
——五論《易傳》非儒家典籍………………… 陳鼓應 355
論《周易參同契》的宇宙模型………………………… 蕭漢明 366
《陰符經》與《周易》………………………………… 詹石窗 384
人與自然——尼采哲學與道家學說之比較研究
………………………〔美〕格拉姆・帕克斯 隋宏譯 402
讀任繼愈主編的《中國道教史》……………………… 唐明邦 421
《道家思想史綱》評介………………………………… 劉周堂 427
《道家文化與現代文明》讀後………………………… 張明慧 434

《道家文化研究》第三輯　目錄

初觀帛書《繫辭》……………………………………… 張岱年 1
帛書《繫辭傳》"大恒"說…………………………… 饒宗頤 6
帛書《繫辭》"易有大恒"的文化意蘊……………… 余敦康 20
馬王堆帛書《周易・繫辭》校讀……………………… 張政烺 27
帛書本《繫辭》文讀後………………………………… 朱伯崑 36
讀帛書《繫辭》雜記…………………………………… 樓宇烈 47
略談帛書《老子》與帛書《易傳・繫辭》…………… 許抗生 55
《繫辭傳》的道論及太極、大恒說…………………… 陳鼓應 64
帛書《繫辭》與戰國秦漢道家《易》學……………… 王葆玹 73
帛本《繫辭》探源……………………………………… 陳亞軍 89
帛書《繫辭傳》校證…………………………………… 黃沛榮 104
帛書《繫辭》與通行本《繫辭》的比較……………… 張立文 120
論帛書《繫辭》與今本《繫辭》的關係……………… 廖名春 133
從帛書《易傳》看今本《繫辭》的形成過程………… 王　博 144
帛書《繫辭》初探……………………………………… 陳松長 155
帛書《繫辭傳》與《文子》…………………………… 李定生 165

帛書《繫辭》和帛書《黃帝四經》……………………… 陳鼓應 168
帛書《周易》所屬的文化地域
及其與西漢經學一些流派的關係…………………… 王葆玹 181
帛書《二三子問》簡說…………………………………… 廖名春 190
帛書《易之義》簡說……………………………………… 廖名春 196
帛書《要》簡說…………………………………………… 廖名春 202
帛書《繆和》、《昭力》簡說…………………………… 廖名春 207
帛書《繆和》、《昭力》中的老學與黃老思想之關係…… 陳鼓應 216
論《黃帝四經》產生的地域……………………………… 王 博 223
《稱》篇與《周祝》……………………………………… 李學勤 241
馬王堆帛書《老子》乙本卷前古佚書并非《黃帝四經》 裘錫圭 224
楚帛書與《道原篇》……………………………………… 饒宗頤 256
帛書《道原》和《老子》論道的比較………………… 胡家聰 260
《黃老帛書》哲學淺議…………………………………… 蕭萐父 265
馬王堆帛書《經法・大分》及其他…………………… 李學勤 274
帛書"十四經"正名……………………………………… 高 正 283
董仲舒和黃老思想…………………………… [美]薩拉・奎因 285
書《馬王堆老子寫本》後……………………………… 饒宗頤 297
關于帛書《老子》——其資料性的初步探討………… [日]金谷治 299
帛書《周易》與卦氣說…………………………………… 邢 文 317
前黃老形名之學的珍貴佚篇
——讀馬王堆漢墓帛書《伊尹・九主》…………… 魏啓鵬 330
帛書《伊尹・九主》與黃老之學……………………… 余明光 340
馬王堆漢墓帛書《五行篇》所見的身心問題……… [日]池田知久 349
馬王堆古佚書的道家與醫家…………………………… 魏啓鵬 360
帛書《卻穀食氣》義證…………………………………… 胡翔驊 378
道家與《帛書》…………………………………………… 李 零 386
從馬王堆出土文物看我國道家文化…………………… 周世榮 395
馬王堆漢墓帛書的道家傾向…………………………… 陳松長 408
帛書《繫辭》釋文………………………………………… 陳松長 416
帛書《二三子問》、《易之義》、《要》釋文… 陳松長 廖名春 424

《馬王堆漢墓文物》述評…………………………………… 王少聞 436

《道家文化研究》第四輯 目錄

道家玄旨論………………………………………………… 張岱年 1
試論道家文化在中國傳統文化中的地位……………………… 卿希泰 9
論道家的自然哲學……………………………………………… 劉蔚華 16
道家傳統與泰州學派…………………………………………… 牟鍾鑒 32
老子思維方式的史官特色……………………………………… 王 博 46
老子：嬰兒與水…………………………………………… [南]拉多薩夫 58
莊學生死觀的特徵及其影響
——兼論道家生死觀的演變過程…………………………… 朱伯崑 63
《莊子》的音樂美學思想…………………………………… 蔡仲德 77
漢賦中所見《老》《莊》史料述略…………………………… 董治安 91
論荀學是稷下黃老之學………………………………………… 趙吉惠 103
尹文黃老思想與稷下"百家爭鳴"…………………………… 胡家聰 118
黃老學說：宋鈃和慎到論評…………………………… [美]史華慈 128
《文言》解《易》的道家傾向………………………………… 陳鼓應 147
道家陰陽剛柔說與《繫辭》作者問題………………………… 王葆玹 153
《黃帝內經》與《老》《莊》………………………………… 潘雨廷 159
蘇轍和道家……………………………………………………… 孔 繁 163
陸王心學與老莊思想——心的解放與老莊思想之一……… 成復旺 180
白沙心學與道家自然主義……………………………………… 陳少明 198
揚雄自然哲學述要……………………………………………… 鄭萬耕 210
嚴遵與王充、王弼、郭象之學源流…………………………… 王德有 222
郭象哲學的"有"範疇及其文化含蘊………………………… 馮達文 232
略論道教的幾個思想特徵……………………………………… 許抗生 241
道家小說略論…………………………………………… 詹石窗 汪 波 252
道教義理與《管子》之關係…………………………………… 李養正 277
也論《太平經鈔》甲部及其與道教上清派之關係………… 李 剛 284
孫登"托重玄以寄宗"的思想根源…………………………… 盧國龍 300

李白與道教………………………………………………………… 蔣見元 318
全眞盤山派以道合禪心性論研究………………………………… 張廣保 326
明抄本《玉笈金箱》及其主要內容……………………………… 陳耀庭 345
西方道教研究鳥瞰………………………………………………… 蔣見元 355
追求道家形而上學的中心思想——希臘形而上學和道家
形而上學的比較……………………………………… [美]陳張婉華 381
從“思”之大道到“無”之境界——海德格與老子……… 張天昱 396
論《老子》晚出說在考證方法上常見的謬誤
——兼論《列子》非僞書………………………………… 陳鼓應 411
《老子》早期說之新證…………………………………………… 劉笑敢 419
文子其人考………………………………………………………… 李定生 438

《道家文化研究》第五輯 目錄

陰陽：道器之間…………………………………………………… 龐 樸 1
道家學說與明清文藝啓蒙………………………………………… 成復旺 20
關于對話哲學的對話……………………………………………… 滕守堯 36
老子之道的史官特色……………………………………………… 王 博 57
《莊子》的生死觀………………………………………… [日]金谷治 70
從接受美學看《莊子》…………………………………………… 王 玫 84
莊子語言符號與“副墨之子”章之解析………………………… 莊萬壽 95
莊子與惠施………………………………………………………… 李存山 104
尚水與守雌——《老子》學說探源……………………………… 劉寶才 122
試談《文子》的年代與思想……………………………………… 張岱年 133
說“黃老”………………………………………………………… 李 零 142
《管子·經言》思想“法、道、儒”融合的特色
——再論《經言》并非管仲遺著………………………… 胡家聰 158
《管子》論攝生和道德自我超越………………………………… 劉長林 171
秦漢新道家之“殿軍”諸葛亮…………………………………… 熊鐵基 187
《象傳》中的道家思維方式……………………………………… 陳鼓應 197
陰陽五行、八卦在西藏…………………………………………… 王 堯 214

楚帛書與道家思想…………………………………………………… 李學勤 225
《孫子兵法》所受老子思想的影響……………………………… 姜國柱 233
從竹簡《十問》等看道家與養生………………………………… 周一謀 239
老莊玄學與僧肇佛學……………………………………………… 洪修平 247
周敦頤與道教……………………………………………………… 容肇祖 262
氣質之性源于道教說……………………………………………… 李　申 271
“理一分殊”思想源流論………………………………………… 任澤峰 282
傅山哲學中的老莊思想…………………………………………… 魏宗禹 291
照徹幽暗，破獄度人——論燈儀的形成及其社會思想內容 陳耀庭 303
再論墨家與道教…………………………………………………… 秦彥士 317
道教與玄學歧異簡論……………………………………………… 劉仲宇 327
兩漢宇宙期與道教的產生………………………………………… 馬良懷 342
昊天上帝、天皇大帝和元始天尊
——儒教的最高神和道教的最高神 ………… [日]福永光司 353
養生和飛升——魏晉時期道家和道教生死觀的一個側面 李　慶 383
隋唐時期的道教內丹學…………………………………………… 李大華 404
元後期江南全眞道心性論研究…………………………………… 張廣保 420
太原龍山全眞道石窟初探………………………………………… 李養正 439
墨子與《老子》思想上的聯繫——《老子》早出說新證… 陳鼓應 457
《文子》非僞書考………………………………………………… 李定生 462
顏鈞《論三教》附記……………………………………………… 黃宣民 474
劉鶚手記考釋……………………………………………………… 高　正 477

《道家文化研究》第六輯　目錄

道家在中國哲學史上的地位……………………………………… 張岱年 1
存在自然論………………………………………………………… 王中江 10
先秦道家研究的新方向——從馬王堆
漢墓帛書《黃帝四經》　說起………………………………… 陳鼓應 23
簡論“道法自然”在中國哲學史上的影響…………………… 王德有 47
老子的道論及其現代意義………………………………………… 牟鍾鑒 59

申論《老子》的年代…………………………………………… 李學勤 72
從劉向的敘錄看《列子》並非僞書………………………… 胡家聰 80
范蠡及其天道觀……………………………………………… 魏啓鵬 86
莊子的觀點主義……………………………………………… 劉昌元 102
莊子的薪火之喻與“懸解” ………………………………… 李存山 116
老子對孟子思想的影響——本心本性及其喪失與復歸…… 郭 沂 124
《管子》心氣論對孟子思想的影響………………………… 白 奚 137
稷下黃老之學對孟子思想的影響…………………………… 孫開泰 150
荀子思想與黃老之學………………………………………… 余明光 160
論儒家荀況思想與道家哲學的關係………………………… 胡家聰 175
韓非與老子…………………………………………………… 陳奇猷 183
我對《淮南子》的一些看法……………………………… [加]白光華 192
《淮南鴻烈》與《春秋繁露》 …………………………… 張國華 200
董仲舒的黃老思想…………………………………………… 陳麗桂 217
魏晉玄學與儒道會通………………………………………… 余敦康 232
道與禪——道家對禪宗思想的影響………………………… 方立天 249
程朱理學與老學……………………………………………… 馮達文 265
論王陽明與道家的思想聯繫………………………………… 昊 光 284
帛書《繫辭》駢枝…………………………………………… 魏啓鵬 293
帛書《繫辭》校勘札記……………………………………… 陳松長 304
帛書本《易》說讀後………………………………………… 朱伯崑 310
《要》篇略論………………………………………………… 王 博 320
論《易》之名“易”——兼談帛書《要》篇……………… 劉昭瑞 329
《鶡冠子》與帛書《要》…………………………………… 邢 文 336
帛書《要》與《易之義》的撰作時代及其與《繫辭》的關係 王葆玹 350
馬王堆帛書《繆和》、《昭力》釋文……………………… 陳松長 367
海德格論“道”與東方哲學……………………… 張祥龍 編譯 381
道、佛關於經驗的形而上學及其挑戰……………… [美]稻田龜男 393

《道家文化研究》第七輯　目錄

論道教心性之學……………………………………………… 張廣保 1
簡論道教倫理思想的幾個問題………………………………… 卿希泰 18
道教功過格解析……………………………………………… 李　剛 26
中國外丹黃白術仙學述要…………………………………… 胡孚琛 40
從道家到道教………………………………………………… 李　申 59
道教追求長生——《湘綺樓說詩》卷一紀夢衍義…… ［澳］柳存仁 70
道教神仙譜系的演變………………………………………… 石衍豐 85
論道教神仙體系的結構及其意義…………………………… 郭　武 103
試論道教咒語的起源和特點………………………………… 劉仲宇 116
道教"守一"法非濫觴佛經議……………………………… 李養正 132
遍游山川說輿地——道教地學思想簡述…………………… 賀聖迪 137
法國道教學研究……………………………………………… 劉楚華 149
《太平經注》序……………………………………………… 龍　晦 165
成玄英"道"概念分析……………………………… ［韓］崔珍晳 175
成玄英《道德經義疏》中的重玄思想……………………… 強　昱 199
周敦頤《太極圖》淵源愼思………………………… 姜廣輝　陳寒鳴 211
論敦煌本《本際經》的道性論……………………………… 姜伯勤 221
《坐忘論》的"安心"思想研究……………………… ［日］中嶋隆藏 244
論《陰符經》產生的歷史過程及其唐代詮釋的思想特點… 李大華 259
介紹《道藏》中收錄的幾種易著…………………………… 潘雨廷 275
論《老子想爾注》中的黃容"僞伎"與天師道"合氣"說 劉昭瑞 284
彭山道教銅印與道教養生…………………………………… 王家佑 294
江西高安出土南宋淳熙六年徐永墓"酆都羅山拔苦超生
　　鎮鬼眞形"圖石刻——兼論歐陽文受《太上元始天
　　尊說北帝伏魔神咒妙經》的時代……………………… 張勛燎 300
試論我國南方地區唐宋墓葬出土的道教
　　"柏人俑"和"石眞"………………………………… 張勛燎 312
試論早期道教在巴蜀發生的文化背景……………………… 江玉祥 323

道教與玄言詩…………………………………………………… 張松輝 338
論元代道教戲劇的兩個藝術特徵………………………………… 詹石窗 352
《金瓶梅》與明代道教活動……………………………………… 王 堯 373

《道家文化研究》第八輯 目錄

道的突破——從老子到金岳霖……………………………………… 王中江 1
道家黃老學的“天、地、人”一體觀……………………………… 胡家聰 18
道教的超越哲學與中國文藝的超越精神…………………………… 成復旺 31
道家中興和中古美學風氣的轉換…………………………………… 朱良志 50
道實在的雙重結構…………………………………………………… 金吾倫 72
“終極關懷”的儒道兩走向…………………………………………… 馮天瑜 86
莊子氣論發微………………………………………… 王世舜 王 蒨 91
莊子超越精神賞析…………………………………………………… 李德永 110
中國古代哲學中的混沌……………………………… [日]池田知久 122
漫談莊子的“自由”觀………………………………………………… 葉秀山 137
莊子言與不言………………………………………………………… 劉 光 156
試論莊子的辯學思想及其影響……………………………………… 張斌峰 170
論田駢、愼到學術之異同…………………………………………… 白 奚 183
宋鈃思想及其道、墨融合的特色…………………………………… 胡家聰 193
鄒衍與道家的關係…………………………………………………… 孫開泰 213
《易》《老》相通論……………………………………………………… 周立升 227
《彖傳》道論三題……………………………………………………… 魏啓鵬 240
漢代的氣化宇宙論及其影響………………………………………… 陳麗桂 248
兩漢之際的儒學與老莊學…………………………………………… 王 卡 267
貴無之學——王弼…………………………………………………… 湯周彤 277
簡論魏晉玄學是新道家……………………………………………… 許抗生 286
晉宋山水詩與道家精神……………………………………………… 王 玫 299
北宋理學與唐代道教………………………………………………… 李大華 310
北宋儒學三派的《老子》三注……………………………………… 盧國龍 322
憨山德清的以佛解老莊……………………………………………… 張學智 339

海德格理解的“道”……………………………… 張祥龍 351
道與本文………………………………………… 滕守堯 366
德里達與道家之道……………………………… 劉 鑫 382

《道家文化研究》第九輯 目錄

道家與道教學術研討會紀要………………………………………… 1
道教的文化意義………………………………… 羅智光 4
道教的文化根柢………………………………… 陳 兵 7
簡述道教的倫理思想…………………………… 許抗生 17
論道教生命哲學………………………………… 李 剛 24
《太平經》的民衆政治思想…………………… 張偉國 41
論《太平經》中的儒家思想…………………… 龍 晦 54
道教的創立與佛教東傳無關…………………… 李養正 66
六朝道教的終末論——末世、陽九百六與劫運說…… 李豐楙 82
隋唐孝道宗源…………………………………… 王 卡 100
朱熹與先天學…………………………………… 劉仲宇 122
對全眞教心性學說的幾點思考………………… 鄺國強 135
從《磻溪集》看丘處機的苦修………………… 朱越利 158
道士傅金銓思想述略…………………………… 曾召南 177
內丹之丹及其文化特徵……………… 王家祐 郝 勤 190
論精氣神………………………………………… 鍾肇鵬 201
榮格的道教研究………………………………… 王宗昱 225
東漢墓葬出土的解注器材料和天師道的起源…… 張勛燎 253
文物所見中國古代道符述論…………………… 王育成 267
北魏姚伯多道教造像碑考論…………………… 劉昭瑞 302
一張新出土的明代酆都冥途路引……………… 江玉祥 319
論道教對中國傳統小說之貢獻………………… 張振軍 332
道教與中國畫略論……………………………… 丁若木 347
論道教對宋詩的影響…………………………… 詹石窗 374
從《小山樂府》看張可久的道家道教思想…… 韋金滿 387

正一道音樂與全眞道音樂的比較研究…………………… 甘紹成 402
道教音樂特徵簡論……………………………………… 蒲亨強 424
道教對雲南文化的影響………………………………… 郭　武 438
論《揚善半月刊》……………………………………… 吳亞魁 462

《道家文化研究》第十輯　目錄

道家學風述要…………………………………………… 蕭萐父 1
道家在先秦哲學史上的主幹地位……………………… 陳鼓應 7
道家學說及其對先秦儒學的影響……………………… 胡家聰 65
道家與中國古代的“現代化”——重讀先秦諸子的提綱… 李　零 71
道家思想中的語言問題……………………　［斯洛文尼亞］瑪亞 86
試析“棄儒從道”……………………………………… 朱越利 96
《老子》爲中國哲學主根說…………………………… 涂又光 105
老子哲學的中心價值及體系結構
——兼論中國哲學史研究的方法論問題………… 劉笑敢 112
論老子“不爭”的智慧………………………………… 王樹人 135
帛書《老子》含義不同的文句………………………… 尹振環 145
論韓非《解老》和《喻老》…………………………… 李定生 159
自我和無我……………………………………………… 湯一介 170
自由與自然——莊子的心靈境界說…………………… 蒙培元 176
試論莊子的技術哲學思想……………………………… 劉　明 193
莊子、尼采與藝術的世界觀…………………………… 劉昌元 206
讀莊論叢………………………………………………… 王叔岷 226
呂氏春秋引用莊子舉正………………………………… 王叔岷 250
爲張湛辨誣——《列子》非僞書考之一……………… 陳廣忠 267
《列子》三辨——《列子》非僞書考之二…………… 陳廣忠 278
從古詞語看《列子》非僞——《列子》非僞書考之三…… 陳廣忠 289
《管子・水地》新探…………………………………… 魏啓鵬 300
《呂氏春秋》道家說之論證…………………………… 牟鍾鑒 312
道、玄與二程理學……………………………………… 蔡方鹿 327

王陽明的良知說與道家哲學…………………………………… 陳少峰 336
謝靈運山水詩與道家之關係………………………………… 王 玫 356
道家哲學的現代理解——以嚴、章、梁、王、胡爲例…… 王中江 373
金岳霖論“道” ……………………………………………… 胡 軍 390
重建本體論：熊十力與道家哲學…………………………… 李維武 400
馮友蘭“境界說”的精神與傾向…………………………… 金春峰 416
馮友蘭道家觀舉隅…………………………………………… 羅 熾 434
略論道家思想在日本的傳播………………………………… 徐水生 445
《道家文化研究》十輯編後………………………………………… 457

《道家文化研究》第十一輯 目錄

編者寄言………………………………………………………………… 1
道教易學論略………………………………………………… 盧國龍 1
以科學的觀點看象數學——兼論道家與易學……………… 董光璧 25
《周易參同契》的易學特徵………………………………… 蕭漢明 46
論《周易參同契》的外丹術……………………… 蕭漢明 郭東升 64
論唐五代道教的生機觀
——《參同契》與唐五代道教的外丹理論………… 盧國龍 76
《參同契》與唐宋內丹道之流變…………………………… 盧國龍 121
陳摶易學思想探微…………………………………………… 李遠國 159
論邵雍的物理之學與性命之學……………………………… 余敦康 201
論邵雍的先天之學與後天之學……………………………… 余敦康 223
論朱熹易學與道家之關係…………………………………… 詹石窗 239
《悟眞篇》易學象數意蘊發秘……………………………… 詹石窗 258
論俞琰易學中的道教易……………………………………… 蕭漢明 265
李道純易學思想考論………………………………………… 詹石窗 292
雷思齊的河洛新說——兼論宋代的河洛九、十之爭……… 張廣保 309
道教科儀和易理……………………………………………… 陳耀庭 338
道藏之易說初探……………………………………………… 張善文 358
《道藏》《續道藏》《藏外道書》中易學著作提要……… 劉韶軍 372

《道家文化研究》第十二輯 目錄

先秦道家易學發微…………………………………………………… 陳鼓應 1
"黃老易"和"莊老易"——道家經典的系統性及其流變 王葆玹 31
《易傳》與道家思維方式合論………………………………… 羅 熾 52
乾坤道論………………………………………………………… 趙建偉 67
《易經》咸卦卦爻辭新解——論其與針灸醫術的關係…… 周策縱 85
老子與周易古經之關係……………………………………… 李中華 103
由帛書《易之義》看《易》《老》之關係……………… 尹振環 120
《周易》與《道德經》在思維方式上的內在聯繫 王樹人 喻柏林 130
《老子》的"道器論"——基於馬王堆漢墓帛書本 [日]池田知久 143
《易傳》與西漢道家………………………………………… 鄭萬耕 157
帛書《繫辭》的年代與道論………………………………… 王 博 174
論《文子·上德》的易傳特色……………………………… 陳鼓應 192
《韓詩外傳》的黃老思想及其易說……………………… 周立昇 206
嚴遵引易入道簡論…………………………………………… 王德有 223
《太玄》·黃老·蜀學——讀《玄》札記之一…………… 魏啓鵬 236
《太玄經》道家易札記——讀《玄》札記之二………… 魏啓鵬 253
讖緯文獻與戰國秦漢間的道家……………………………… 徐興無 269
析鄭玄宇宙生成與衍化的象數模式
——兼談鄭注《乾鑿度》所透顯的道家思想………… 周立昇 284
虞翻的易說與老學…………………………………………… 周立昇 313
論王弼易學之時代精神與歷史意義……………………… 張善文 324
王弼的崇本息末觀與易學革命……………………………… 高晨陽 352
王弼用《莊》解《易》論略………………………………… 陳少峰 369
王弼《周易大演論》佚文研究……………………………… 王葆玹 388
王弼《易》學中的政治學說………………………………… 馬良懷 412
周敦頤《易》學的道家思想淵源…………………………… 陳少峰 423
《蘇氏易傳》與三蘇的道家思想…………………………… 曾棗莊 432
程頤易學和道家哲學………………………………………… 陳少峰 453

道家文化研究

第六輯

香港道教學院　主辦

陳鼓應　主編

上海古籍出版社

《道家文化研究》編委會

目　錄

本刊聲明
道家在中國哲學史上的地位 …………………… 張岱年(1)
存在自然論 ……………………………………… 王中江(10)
先秦道家研究的新方向 —— 從馬王堆
　漢墓帛書《黃帝四經》說起 …………… 陳鼓應(23)
簡論"道法自然"在中國哲學史上的影響 …… 王德有(47)
老子的道論及其現代意義 ……………………… 牟鍾鑒(59)

申論《老子》的年代 …………………………… 李學勤(72)
從劉向的敘錄看《列子》並非僞書 ………… 胡家聰(80)
范蠡及其天道觀 ………………………………… 魏啟鵬(86)
莊子的觀點主義 ……………………………… 劉昌元(102)
莊子的薪火之喻與"懸解" ………………… 李存山(116)

老子對孟子思想的影響 —— 本心本性
　及其喪失與復歸 ………………………… 郭　沂(124)
《管子》心氣論對孟子思想的影響 ………… 白　奚(137)
稷下黃老之學對孟子思想的影響 ………… 孫開泰(150)
荀子思想與黃老之學 ……………………… 余明光(160)
論儒家荀況思想與道家哲學的關係 ……… 胡家聰(175)

韓非與老子 …………………………………… 陳奇猷(183)

我對《淮南子》的一些看法 …………… [加]白光華(192)
《淮南鴻烈》與《春秋繁露》 ………………… 張國華(200)
董仲舒的黃老思想 ………………………… 陳麗桂(217)

魏晉玄學與儒道會通 ……………………… 余敦康(232)
道與禪——道家對禪宗思想的影響 ……… 方立天(249)
程朱理學與老學 …………………………… 馮達文(265)
論王陽明與道家的思想聯繫 ……………… 吴　光(284)

帛書《繫辭》駢枝 ………………………… 魏啟鵬(293)
帛書《繫辭》校勘札記 …………………… 陳松長(304)
帛書本《易》説讀後 ……………………… 朱伯崑(310)
《要》篇略論 ……………………………… 王　博(320)
論《易》之名"易"——兼談帛書《要》篇 …… 劉昭瑞(329)
《鶡冠子》與帛書《要》 …………………… 邢　文(336)
帛書《要》與《易之義》的撰作時代及其與
　　《繫辭》的關係 ………………………… 王葆玹(350)

首次公布的珍貴帛書文獻

馬王堆帛書《繆和》、《昭力》釋文 ………… 陳松長(367)

海德格論"道"與東方哲學 ………… 張祥龍　編譯(381)
道、佛關於經驗的形而上學及其
　　挑戰 ……………………………[美]稻田龜男(393)

道家在中國哲學史上的地位

張岱年

春秋戰國時代，學術昌盛，百家争鳴。"百家"一詞，古已有之。《莊子·天下篇》云："古之人其備乎！……其數散於天下而設於中國者，百家之學時或稱而道之。"又云："百家往而不反，必不合矣。"百家者，言其多也。春秋戰國時代，在學術上貢獻較多、影響較大的，實爲儒、道、墨、名、法、陰陽六家。漢代史學家司馬談著《論六家要旨》，可謂得其要領。在這六家中，墨、名兩家在漢代中絶了；法家主要是政治學説，陰陽家著作亦多不傳；在歷史上流傳久遠、形成中華民族精神文明的核心的，實爲儒、道兩家。韓非曾説："世之顯學，儒墨也。"儒、墨并稱顯學，道家學者既不遊説諸侯，也不聚徒講學，故不在顯學之列，但在學術思想上卻有廣泛的影響。漢代"罷黜百家，獨尊儒術"，於是儒學成爲統治思想。但是，就哲學理論而言，道家的貢獻是巨大的，其影響是深遠的，因而在歷史上具有卓特的地位。

一、道家的起源與演變

道家的名稱起於何時？先秦著作中《莊子》、《荀子》以及《吕氏春秋》中尚無"道家"之稱。近年有人認爲道家的名稱始於司馬談《論六家要旨》，其實在司馬談之前，漢代初年已有"道家"之稱了。《史記·陳丞相世家》云："始陳平曰：我多陰謀，是道家之所禁。”又《齊悼惠王世家》記齊相召平説：“道家之言：當斷不斷，反受其亂。”足證秦漢之際已有道家的名稱了。

道家的名稱來自“道”的觀念，與天道、人道有别的“道”的觀念是老子提出的。《老子》第二十五章：“有物混成，先天地生，寂兮寥兮，獨立而不改，周行而不殆，可以爲天下母，吾不知其名，字之曰道。”這個“道”是道家學説的最高範疇。老子是道家學派的創始人。這是人所共知的。

據《吕氏春秋》(《不二篇》)、《史記》(《老莊列傳》、《孟荀列傳》)及《漢書·藝文志》的記述，道家學派的重要人物有老子、關尹、楊朱、列御寇、環淵、莊周、田駢、接子等。《莊子·天下篇》述關尹、老聃之學，稱“關尹、老聃”，而不稱“老聃、關尹”，必有其故，但已不可考了。《吕氏春秋·不二篇》則將關尹列於老聃之後。據《莊子》外、雜篇所述，列子應是關尹的晚輩。孟子曾説：“楊朱、墨翟之言盈天下”，即以楊朱爲道家的代表。環淵、田駢曾遊齊國稷下，其書俱不傳。

道家學説在漢代初年曾受到統治者的尊崇。道家在漢初受尊崇是由於曹參的提倡。《史記·曹相國世家》：“孝惠帝元年，除諸侯相國法，更以參爲齊丞相，……參盡召長老諸生，問所以安集百姓，如齊故俗諸儒以百數，言人人殊，參未知所定，聞膠西有蓋公，善治黄老言，使人厚幣請之。既見蓋公，蓋公爲言治道貴清静，而民自定。推此類具言之，參於是闢正堂，舍蓋公焉。其治要用黄老術，故相齊九年，齊國安集，大稱賢相。”其後曹參任漢相國，亦用黄老術。又《樂毅傳·贊》云：“樂臣公學黄帝老子。樂臣公教蓋公，蓋公教於齊高密膠西，爲曹相國師。”曹參以後，漢文帝、竇后、景帝，都推崇黄老之學。《漢書·儒林傳》云：“竇太后喜老子言，不悦儒術。”又《外戚傳》云：“竇太后好黄帝、老子言，景帝及諸竇不得不讀《老子》，尊其術。”武帝初年，太史令司馬談著《論六家要旨》，亦推崇道家。《史記》屢稱“黄老”，但今存先秦古籍中，《莊子》、《韓非子》、《吕氏春秋》中皆無“黄老”或以黄帝、老子并舉之例。疑黄老并稱始於蓋公。漢初治道家之言的還有司馬談之師黄子。司馬遷稱其父"習道論於黄子",黄子曾與儒者轅固生辯論,可惜其名字失傳了。漢武帝尊儒,《漢書・儒林傳》說:"及竇太后崩,武安君田蚡爲丞相,黜黄老刑名百家之言,延文學儒者以百數,而公孫弘以治《春秋》爲丞相封侯,天下學士靡然鄉風矣。"於是以儒家經學爲正宗的時代開始了。

儒學獨尊之後,道家學說仍流傳不絕。西漢末年的道家學者有嚴君平。《漢書・王貢兩龔鮑傳》云:"蜀有嚴君平。君平卜筮於成都市,才日閱數人,得百錢足自養,則閉肆下簾而授《老子》。依老子、嚴(莊)周之指著書十餘萬言。"嚴君平所著書是《老子指歸》、《漢書・藝文志》未著録,因爲《藝文志》以劉歆《七略》爲據,而《七略》中未列《老子指歸》。

後漢末年,張陵創立了道教,以老子爲教祖。在三國西晉時期,道家與道教還是彼此有别、不相混淆的。何晏、王弼祖述老子,大倡玄風。阮籍、嵇康推崇老莊,"越名教而任自然"。於是道家之學復盛了。

魏晉玄談之風興盛,學術思想出現了活躍的景況,但是其社會效果卻不同於漢初黄老之學。漢代黄老之學導致了社會的安定;魏晉清談之風卻破壞了社會生活的穩寧。西晉末年,天下大亂,晉室南遷。在北方堅持平亂的劉琨總結一生的經歷說:"昔在少壯,未嘗檢括,遠慕老莊之齊物,近嘉阮生之放曠,怪厚薄何由而生,哀樂何由而至! 自頃輈張,困於逆亂,國破家亡,親友凋殘,負杖行吟,則百憂俱至;塊然獨坐,則哀憤兩集,……然後知聃周之爲虚誕,嗣宗之爲妄作也!"(《答盧諶書》)這個沉痛的總結是具有深刻意義的。

兩晉之際的學者葛洪既是一個道家學者,又是一個煉丹的道士,於是道家與道教合流了。到唐代,成玄英、司馬承禎等,都是以道士的身份宣揚道家學説的,没有不當道士的道家了。

如上所述,道家興起於春秋戰國時代,到漢代初年而受到尊崇,在魏晉時期而再次興盛。唐代以來,道家與道教合流,作爲三教之一,一直延續下來。

二、道家與哲學本體論

道家在中國哲學史上的最大貢獻,是開創了哲學本體論。孔子罕言天道,認爲天是最大的,"唯天爲大,唯堯則之"。老子則提出了天地起源的問題,認爲天不是最根本的,而最根本的是"先天地生"的"道"。提出天地起源的問題,這是理論思維的大突破,在哲學史上具有重要意義。老子説:"有物混成,先天地生,寂兮寥兮,獨立而不改,周行而不殆,可以爲天下母,吾不知其名,字之曰道,強爲之名曰大。"(二十五章)這是老子道論的綱領。道是先天地生的,是天地之本,又是"獨立而不改",即是永恆性的,"周行而不殆",即是普遍性的。關於老子道的學説,我已多次著文加以闡釋,兹不多贅,僅就老子道論是一種本體論,更略加論證。如果老子所謂道僅僅是天地之始,那麼道論就是一種宇宙生成論;如果老子的道不僅是天地之始,而且是天地萬物存在的依據,那麼道論就是一種本體論。從老子對於道的説明來看,道不僅僅是天地之始,而且是天地萬物存在的依據。六十二章:"道者萬物之奥,善人之寶,不善人之所保。"所謂萬物之奥即萬物存在的深藏的根據。五十一章:"道生之,德畜之,物形之,勢成之。是以萬物莫不尊道而貴德。"道不但生天生地,而且生萬物,道是萬物所由以生的根據。三十四章:"大道泛兮其可左右,萬物恃之而生而不辭。"道是無所不在的,萬物都恃道而生。這都表明,道是萬物存在的根據。作爲天地萬物存在的根據的道就是天地萬物的本體。二十五章所謂"獨立而不改,周行而不殆"即表示道是永恆性的、普遍性的,而不僅僅是天地之始。

莊子論道,所説更爲顯明。《莊子·大宗師》云:"夫道有情有信,無爲無形,可傳而不可受,可得而不可見,自本自根,未有天地,自古以固存,神鬼神帝,生天生地,在太極之先而不爲高,在六極之下而不爲深,先天地生而不爲久,長於上古而不爲老。"這是對於老子道論的提煉。又《知北遊篇》云:"東郭子問於莊子曰:所謂道,惡乎在?莊子曰:無所不在。……汝唯莫必,無乎逃物,至道若是,大言亦然,周遍咸三者,異名同實,其指一也。"這明確表示道的普遍性,道無所不在,也即是萬物存在的根據。

老子的道論是中國哲學本體論的開始,這是確然無疑的。《周易大傳》提出太極觀念:"易有太極,是生兩儀。"《周易大傳》的年代晚於老子,太極觀念的提出當是受了老子的影響。《莊子·大宗師》斷言道"在太極之先",這是對於太極觀念的遮撥。

西漢末年,揚雄著《太玄》,以"玄"爲世界的本體,玄的觀念也是受了老子的影響而提出的。三國時代,王弼的道論乃是老子道論的推衍。

北宋時代,理學興起,理學家反對道釋學説,要求回到孔孟,而爲孔孟學説提供本體論的基礎。理學家在建構本體論學説之時吸取了道家的一些思想觀念。周敦頤著《太極圖説》,以"無極而太極"爲宇宙本體(一本作"自無極爲太極",從《圖説》的全部內容來看,作"無極而太極"是正確的。),太極觀念來自《易傳》,"無極"觀念來自老子。張載以"氣化"爲道,氣的觀念來自莊子。按中國古代,氣的觀念起源較早。西周末年,伯陽父曾講"天地之氣",到戰國時期,《莊子》與《管子》書都講氣,而《莊子》的影響較大。《莊子·知北遊》云:"通天下一氣耳",開闢了氣一元論的端緒。理學的本體論是在道家本體論的影響下建立起來的。

應該承認,老莊的本體論是後代本體論思想的理論源泉。

三、道家的批判精神

道家的一個特點是具有批判意識,表現了批判精神。道家着重揭示了文化生活中的偏失與流弊。儒家創始人孔子"祖述堯舜,憲章文武”,對於夏、商、周三代的文化成就進行了一次總結,孟子稱贊孔子爲“集大成”,正是表示孔子總結了三代的成就。老子與孔子不同,而是揭示文化所導致的弊端。老子指陳了聲色之害:“五色令人目盲,五音令人耳聾,五味令人口爽,馳騁畋獵令人心發狂,難得之貨令人行妨。”(十二章)又説:“大道甚夷,而民好徑。朝甚除,田甚蕪,倉甚虚,服文綵,帶利劍,厭飲食,財貨有餘,是謂盗誇,盗誇非道也哉!”(五十三章)爲了消除這些弊害,老子主張“見素抱樸,少私寡欲”。(十九章)甚至企望取消一切文化成就,回到結繩的原始生活:“小國寡民,使有什佰之器而不用,使民重死而不遠徙;雖有舟輿,無所乘之;雖有甲兵,無所陳之,使民復結繩而用之;甘其食,美其服,安其居,樂其俗,鄰國相望,鷄犬之聲相聞,民至老死不相往來。”(八十章)《易傳》曾説:“上古結繩而治,後世聖人易之以書契。”老子卻要求回到結繩之治,這是對於文化的全面否定。老子指出了文化的偏弊,是深刻的;但全面否定文化的價值,又走向一偏了。

莊子提出對於等級制度的批判,《莊子·應帝王篇》云:“肩吾見狂接輿,狂接輿曰:日中始何以語汝?肩若曰:告我君人者以己出經式義度,人孰敢不聽而化諸?狂接輿曰:是欺德也!其於治天下也猶涉海鑿河而使蚊負山也!夫聖人之治也,治外乎?正而後行,確乎能其事而已矣。且鳥高飛以辟矰弋之害,鼷鼠深穴乎神丘之下以辟熏鑿之患,而曾二蟲之無知!”統治者設立許多規矩法度來限制人民,人民是不會接受的。鳥鼠猶能辟害,而况於人乎?這是對於一切人爲的制度的否定。

莊子揭示了儒家所提倡的仁義的相對性,指出仁義可能被人利用來達到不道德的目的。《胠篋篇》云:“彼竊鈎者誅,竊國者爲諸侯,諸侯之門而仁義存焉,則是非竊仁義聖知耶?”莊子學派歌頌原始社會,認爲是理想境界。《馬蹄篇》云:“彼民有常性,織而衣,耕而食,是謂同德,一而不黨,命曰天放。故至德之世,其行填填,其視顛顛,當是時也,山無蹊隧,澤無舟梁,萬物群生,連屬其鄉，禽獸成群，草木遂長，是故禽獸可繫羈而遊，烏鵲之巢可攀援而窺。夫至德之世，同與禽獸居，族與萬物并，惡乎知君子小人哉！同乎無知，其德不離；同乎無欲，是謂素樸，素樸而民性得矣！”這與儒家的態度大不相同。孔子嘗説：“鳥獸不可與同群”，莊學卻頌揚了“與鳥獸同群”。孟子説：“當堯之時，天下猶未平，洪水橫流，氾濫於天下，草木暢茂，禽獸繁殖，五穀不登，禽獸偪人，獸蹄鳥跡之道交於中國。”認爲禽獸繁殖是應該加以治理的；莊學卻認爲“同與禽獸居”是理想境界。《馬蹄篇》這段話的精義在於反對君子小人的區分。君子小人之别有兩層意義，一指上下貴賤之别，二指賢與不賢之别。道家反對君子小人的區分，亦兼含兩層意義，而其最重要的意蘊是反對貴賤上下的等級差别，這是道家在中國思想史上的一大貢獻。

四、儒道兩家的對峙與交融

春秋末期，孔老同時并生，傳説孔子曾問禮於老子，據《史記》所説，“上下篇”《五千言》是老子晚年應關尹的要求而寫的，孔子不可能看到這“上下篇”。所以老子雖然長於孔子，但是他的思想發生影響卻晚於孔子。《莊子·外篇》中所載老子與孔子對話的故事都是寓言，不可信據。孔子提出以“仁”爲中心觀念的倫理學説，老子提出以“道”爲最高範疇的本體論，在中國哲學史上雙峯并峙，都發生了極其深遠的影響。

春秋戰國時代，諸子并起，百家争鳴，諸子之間展開了辯論，其中儒墨兩家的争辯最爲激烈，所以《莊子·齊物論》中着重評議了“儒墨之是非”。孟子辟楊墨，以楊朱爲道家的代表，未涉及本體論的問題。荀子著《非十二子》，抨擊了十二家，而十二子中無老子與莊子。荀子在别的篇章中亦曾批評老莊：“老子有見於屈，無見於伸”（《天論》）；“莊子蔽於天而不知人”（《解蔽》），足見荀子對於老莊有所瞭解，但未將老莊列入所“非”的諸子中，即未將老莊列爲主要的論敵。到漢代初期,道家黄老與儒家曾經争奪思想上的領導地位,漢景帝時,儒者轅固生與道家黄生有一場争論。司馬談是黄生的學生,"習道論於黄子",著《論六家要旨》,推崇道家,批評儒家。於是司馬遷慨嘆道:"世之學老子者則絀儒學,儒學亦絀老子。道不同不相爲謀,豈謂是耶?"(《史記・老子列傳》)司馬遷在《老莊申韓列傳》中稱"老子深遠",在《孔子世家》中稱孔子爲"至聖"。司馬遷是并尊孔老的。後來班固批評司馬遷"論大道則先黄老而後六經",這句用來批評司馬談則可,用來批評司馬遷則是不恰當的。應該承認,司馬遷是并尊孔老的。

三國時代,何晏、王弼闡發老子思想,而亦尊崇孔子。阮籍、嵇康崇尚老莊,"非湯武而薄周孔",將孔與老對立起來。玄學家兩派的態度有所不同。

北宋理學家張載、程顥,早年都曾研究道家學説,張載"訪諸釋老之書,累年盡究其説,知無所得,反而求之六經"。(呂大臨《横渠先生行狀》)程顥"泛濫於諸家,出入於老、釋者幾十年,返求諸六經而後得之"。(程頤《明道先生行狀》)這都説明,張、程早年都曾研讀老、釋之説,後來又回到儒家,實際上也受了老、釋的影響。就其與老、釋的關係來講,在本體論方面受道家的影響較多;在心性論方面受佛家的影響較多。宋明理學表現了儒、道、釋的交光互映,其中儒、道思想的交融更爲顯著。

總而言之,道家是中國哲學本體論的開創者,漢宋時代的本體論學説無不受到道家的啟發。儒家是中國倫理學説與傳統道德的奠立者,古代的封建道德與有益於社會發展的傳統美德都是儒家所提倡的。在中國哲學本體論的發展過程中,道家學説居於主導地位;同時道家又提出對於封建道德的批評意見,在這方面也起了激勵新思想的獨特作用。

1994年5月29日

作者簡介　張岱年,1909年生,河北獻縣人。北京大學哲學系教授、清華大學思想文化研究所所長、中國哲學史學會名譽會長。著有《中國哲學大綱》、《張岱年文集》等。

存在自然論

王中江

内容提要 在道家哲學中,"自然"概念的重要性是不言而喻的。但是,它的意理結構、它與"道"或"存在"的關係,仍需要我們有新的揭示和理解。本文以道家哲學的"自然"觀念爲潛在的思想資源,試圖對"自然"及其與"存在"的關係提供一個解釋模型。

在老子哲學中,有一個命題是非常重要的,這就是"道法自然"。儘管在如何解釋和表述這一命題的意義上,一直存在着大的或小的差别,但可以肯定的是,老子的這一命題最直接地把"道"與"自然"這兩個核心概念聯繫在了一起。如果説"道"是老子哲學中的一個最高或最根本的概念,那麼,"自然"概念就得隸屬於"道"之下。我們傾向於認爲,"自然"是界定"道"的謂詞,借助於它,道的基本活動方式在很大程度上得以把握。如果"道"也可以被理解爲整體上的"存在",那麼,道的活動方式,也就是"存在"的存在方式;道與自然的關係,也就是存在與自然的關係。本文的目的,主要是以道家哲學爲基礎,討論"自然"所具有的基本意理結構以及它與存在的關係。

道是存在的總稱,那麼,我們現在要問的是,道作爲存在是如何存在的呢?或存在是如何存在的呢?存在總是一種由出發點"朝着"方向和目標的活動,是存在展開(敞開)自己、充實自己的過程。在存在的活動和過程中,它有自己的一貫方式,有自己的"本來"狀態,而這就是"自然"。它指稱存在之活動和展開是按"自己如之"的方式和法則來進行的,指稱存在達到的狀態"將"是一種本來的"本真狀態"和"如實性"。在道家哲學中,老子最早地揭示了存在的"自然"特質。對於老子所說的"自然",一般都解釋爲"自己如此",或"自己如此"的一種狀態①。這種解釋不能說有什麼錯,但是"如此"的"此",有"此在"或"當下"的意義,它容易被理解爲一種完成的結果或狀態。實際上,"自然"總是伴隨着一種"連續"的過程和不停息的活動,伴隨着一種"尚未"的狀態,伴隨着存在一起永遠"朝着"去,因此,"自然"的"然",不應是"已然",應是"未然",而"自然"就可以說是"自己如之"或"自己如向"的一種存在的最高方式,這正如王弼所說:"自然者,無稱之言,窮極之辭也。"(王弼《〈老子〉二十章注》)同時,由於自然與存在是不可分的,自然是存在的自然,因而"自己如之"的自然,在使用過程中,就被"物化"、"對象化"或"客體化",反過來,又成爲存在的代名詞,最典型的例子是阮籍的說法。他在《大人先生傳》中說:"天地生於自然,萬物生於天地。自然者無外,故天地名焉;天地者有內,故萬物生焉。……人生天地之中,體自然之形。"很明顯,這裏的"自然"就被"物化"爲整體存在或"有形"的宇宙。在科學認識範式成爲人類認識的主要形式被泛化後,"自然"就完全成爲人所面對的存在對象而被"客體化"和"物化",說到自然,在人們的心目中,就浮現出空間中廣大的物質世界。而"自然"的最基本的原始意義——"自己如之",在很大程度上已被遺忘了。現在我們有必要復興"自然"的本義,以重新奠定存在的基礎方式。

說"存在之如何存在"的方式是自然,即"自己如之",那麼,這裏的"自己"是指誰呢?我們能找到"自己"嗎?不管從存在的絶對或無對的意義上說,還是從存在相對或有對的意義上說,"自

① 參閲張岱年《中國古典哲學概念範疇要論》(中國社會科學出版社,1989年,第79－81頁)和陳鼓應《老子注譯及評價》(中華書局,1984年,第30頁。)

己”只能是指存在者本身。絶對的存在是無相對於“他”的自己,而相對的存在者則是相對着每一個他的“自己”。因而,“自然”的“自己如之”就是“存在者自身如之”。在存在之外没有“自己”,也就没有“自己如之”。找到了“自己如之”的“自己”,是存在本身,那麼,存在“自然”,也就是説是由“存在”自己或自身而發出的“然”,而不是由存在之外的“他”而役使的“然”。前者可稱之爲“由自”或“自主”,後者可稱之爲“由他”或“他主”。“由自”或“自主”就是主動,“由他”或“他主”就是被動。從存在的“由自”性,所能引出的就是“主體”原則和“自由”原則。存在都有一種“天性”或內在傾向,它要“自己來”,“自己去”,而不喜歡“由他來”,“由他去”。朝着這種傾向“去”,就是主體和自由的成長,就是“自然”。但是,“由自”的這種自由傾向。如果自己不去向“由自”展開,讓外在於自己的“他”來“代理”自己去[①],就會逐漸滑向“由他”的深淵。其結果就是“自由”的代替物——被役和制壓。盧梭有一句著名的話:“人是生而自由的,但卻無往不在枷鎖之中。”(盧梭《社會契約論》,商務印書館,1987年,第8頁。)這裏的“人是生而自由的”,就是説人先天具有一種自由的傾向性或潛能。但自由的傾向性或潛能,并不等於存在的自由的實際“現出”。人要生後實際上是自由的,他就得不斷地朝向自由,不斷地使自己“由自”活動。先在性只是有導致後在性的可能,而不等於後在性。後在性只有通過不斷的後在活動才能“在”。否則,就會出現盧梭所説的“無時不在枷鎖中”這種向“深淵的沉淪”。這就是説,人并没有固定不變的生來就有的“由自”的能力,“由自”的“自由”只能存在於在不斷的由自的“現出”中。強調自然的“由自”性,并不意味着完全排除外在因素對由自性的關係或影響,但這種影響只是對存在的“由自”選擇所提供的一種參照,它不能直接替存在本身作出決斷或強使存在如何如何去,否則存在就成爲被壓抑者,而不是

① 與海德格爾所説的“einspringen”(有譯爲“代庖”,這是“我”自己主動爲别人“籌劃”)不同,由他人“代理”我,是我自己“交出”自己,讓“他”人來替我“籌劃”。

“由自”的自然存在。

接着而來的問題應該是,“自然”所意味的“自己如之”,當然排除了“由外”而來的役使和外力決定的預設,但“由自去”或“自己如之”,在“自己”那裏是一種什麽結構呢? 自然的“自己如之”是否就是説自己“不著不察”,“無心”,是一種無意識、無覺的“聽之任之”呢? 如果是的話,説“由自”是“要”不斷去“現出”的“要”,不恰恰就是“非自然”嗎? 不恰恰就是“自然”的反面“作爲”呢? 的確,在“自然”概念的使用中,它有從其相對的“作爲”概念來規定自己的一面。但是,這只有在“作爲”被理解爲“違背自然”的意義上才是如此。老子所説的“自然”“無爲”同“非自然”的“有爲”的相對性就是如此。儘管在老子那裏,特别是到了莊子,“無爲”確有對立於一切作爲的“一無所爲”的層面,即“蔽於天而不知人”,或更廣泛地説,是“蔽於無自而暗於有自”。“無自”就是在一切存在那裏,都没有“我”爲的作爲,而只有“我”不爲的無爲。之後,王充、王弼等也仍有相續這一意義層面的表現。在王充的思想中,天道人道的根本特性都是“自然無爲”,如他説:“夫人之施氣也,非欲以生子,氣設而子自生矣;天動不欲生物而物自生,此則自然也;施氣不欲爲物而物自爲,此則無爲也。謂天自然無爲者何? 氣也,恬澹無欲,無爲無事者也。”①在王充那裏,一切存在的“化”、“成”,都是“無心”、“無意”的“無爲”,“無心於爲而物自化,無意於生成而物自成”。②照王弼的説法:“自然已足,爲則敗之。”(王弼《〈老子〉二章注》)他們都有要求排除“自然”中的“任何爲”的傾向,而强調“無爲無造”。但是,在道家哲學和其後發展的另一個意義層面上,體現自然而與“有爲”不同的“無爲”,不就等於“一無所爲”,“無所作爲”。“無爲”的積極的深刻性在於,它强烈要求“不違背内在於存在本身的潛在可能性、可行性”而“能”、而“行之”,要求不違背“存在之走向存在的存在之道”而

---

①②《論衡·自然》。當然,王充并不否認自然又須有輔助,如他説:“然雖則自然,亦須有輔助。耒耜耕耘,固春播種者,人爲之也。”

“存”,反過來説,即要求“遵守內在於存在的潛在可能性、可行性”的“行爲”,要求“存在合乎存在之道”的“作爲”。一種有影響的解釋説,老子的“無爲”,不是説“無所作爲”,而是“禁止反自然的行爲”,或“不採取反自然的行爲”。①這種解釋的問題在於,過濾掉了老子的(當然也是整個道家)“無爲”確有“無所作爲”的一面。同時,“無爲”與“自然”幾乎就是一而二,二而一的概念,最好不用它們來互相定義,而用在它們之外的概念來定義。從自然無爲是要求“合乎存在之道”而“行”來説,“作爲”在整體意義上就不再是自然無爲的對立面或格格不入的東西,而是可以被統合到自然無爲中去的東西,所要反對的“有爲”,就不再是“一切所爲”或“作爲”,而只能是不合乎存在之道的“爲”,違背“存在潛在可能性、可行性”的“爲”。除此之外,“有爲”不但不能反,而且必須去“爲”。老莊的問題在於,他們主張“自然無爲”,而不進而説這仍是“爲”的一種;他們反對“有爲”,而不進而交代只反違反“自然”之“爲”,而不反合乎“自然”之爲。要言之,就是老莊没有把合乎“自然無爲”之“爲”同違背“自然無爲”的“爲”的關係理清,結果留下了義理上的“欠缺”。盧梭的自然主義也有這種“欠缺”。他看到現實存在中的種種“扭曲”和“變態”,看到社會政治的異化、人與人的不協調,就統統歸之於文明,起而反叛文明,要求復歸到没有文明的“自然狀態”中。他没有意識到,反文明的“作爲”,只能是反違反自然的那種文明作爲,而不能反合於自然的文明作爲。他没有意識到他之反違反自然的作爲正是文明作爲的一種表現,而且他正是在文明狀態中而去反的,而不是處在自然狀態中去反的。②

反一切“作爲”的自然主義,也會被不反“作爲”的自然主義所

① 李約瑟、陳榮捷等都持這種解釋。

② 費希特説:盧梭是爲了使命和職責,爲了同胞的高尚而批判人類文明,主張回到自然的,“但是,在他所假定的那種動物狀態中怎麼會有這類考慮呢?要是不具備他只有在文明狀態中才能獲得的教養,他怎麼會有這類考慮呢?因此,他不知不覺地把自己把整個社會連同整個文化發展——都到自然狀態裏去了;他不知不覺假定,社會早已擺脱這種自然狀態,走到了整個文化發展的道路;但社會不應當擺這種狀態,不應當獲得發展。……”(《論學者的使命》,第49頁)

修正。《淮南子》和郭象就曾對反一切作爲的"欠缺"有所彌補,《淮南子·修務訓》説:"若吾所謂無爲者,私志不得入公道,嗜欲不得枉正術,循理而舉事,因資而立功,推自然之勢,而曲故不得容者。"郭象説"無爲者,非拱默之謂也,直各任其自爲,則性命安矣"。(《莊子·在宥注》)"率性而動,謂之無爲也。"(《莊子·天道注》)在此,《淮南子》和郭象都不是從無所"作爲"來解讀"無爲",而是明確把"作爲",納入到"自然無爲"的義理結構中。特别是《淮南子》,已頗爲準確地把握了"無爲"之"作爲",如所説的"循理而舉事",這與我們所説的"合乎存在之道"的"作爲",在意義上是一致的。

"自然"不排斥"作爲",當然也不排斥"意識","所思所慮"。因而"自然"的"行爲"就不等於無意識的行爲,馮友蘭把"自然境界"視之爲"道德的不自覺",因而認爲自然境界是人格的最低境界。但按我們的説法,"自然"行爲可以是有意識、有自覺的行爲,而自然境界應是最高的人格境界。但這種意識和自覺是內在於道德本身的目的,是發自存在的潛能和可行性的,它没有外在的手段性考慮,没有外在的強迫性和約束的被動性。如一個人去救另一個生命被"死"威脅着的人,自然的"作爲"就是,他只考慮他是一個人,他與他自己一樣都有保持生命的內在要求,都應生存而不能死,因而去拯救他。他不能是出於從中得到"好處",或是考慮到怕被"責備"而去救。否則,他的"行爲"就不是"自然的行爲",而只是"違反自然的行爲",因而其人格境界也不是自然境界,而是非自然境界。

如上所説,自然是存在"由自"而存在的存在方式,而這種存在方式與自然的另一意義緊密相聯,即自然又是代表和體現"本性"的符號。希臘語"physis",拉丁語"natura",分别來自 pyuo 和 nasci,都有"出生"、"產生"的意義。而自然就是把這種存在的最初源頭,作爲存在展開其存在的"本性"。亞里士多德把這種自然本性看作爲目的,并認爲事物是爲這個目的而存在的。照他的説法，每一種事物中都具有實現其本性本身的傾向性，而每一種事物就其是按宇宙的內在秩序生成而言，它就是由自然而生成的①。維柯認爲自然即是本性，它是事物的起源，事物都順着起源而生育發展，他説："世間事物都不會離開它們的本性而仍安寧或生存下去。"②中國哲學家同樣強調了自然作爲本性的意義。莊子準確提出了"性者，生之質也"的命題(《莊子・庚桑楚》)，而他的所説的性就是自然，并把它視之爲存在的基礎，要求"天下不淫其性，不遷其德。"(《莊子・在宥》)王弼明確把自然視之爲性，他説："萬物以自然爲性，故可因而不可爲也，可通而不可執也。"③而且他把這自然之性，同存在的起源(或"原")聯繫在一起，他説："論太始之源，以明自然之性。""不以爲爲事，則不敗其性；不以執爲制，則不失其原矣。"(《老子指略》)郭象繼續主張自然即本性觀念，他説："凡所謂天，皆明不爲而自然。自然耳，故曰性。"④在此，哲學家們所顯示的一個共同性是，自然是本性的符號，而本性又是存在之如何存在的先在根據"原在"——即存在生長源頭的傾向性、潛在可能性。同時，自然本性的"原在"，只要通過不斷地去"在"才能充分地"在"。

但我們能指出"原在"本性的傾向性、潛在可能性的具體素質嗎？這些素質能完全以自然方式的作爲去展開嗎？照道家的説法，這原在的本性是"樸"，而"樸"的素質在很大程度上又是指存在的感性要求。所以道家哲學實際上是代表了重在揭示存在"原在"的"感性"本性并要求其展開的那一種觀念類型。與此相對，儒學哲學重在把握存在"原在"的"理性"本性并追求其現實性，在它那裏，"理"是"原在"的自然本性(本然之性)，而氣則是"後在"的非自然存在(氣質之性)。這兩種哲學類型，分別體現了人類揭示存在"原在"自然本性的不同走向。在西方哲學中，理性主義與

① 參閱亞里士多德《物理學》，商務印書館，1982年，第43－46頁。
② 維柯：《新科學》，商務印書館，1989年，第102頁。
③ 王弼：《〈老子〉二章注》。
④ 郭象：《莊子・山木注》。

非理性主義的對立,其中就表現了視存在的自然本性爲理性還是爲感性的不同。重人的理性特質的,就只說"人是理性的動物",關心人的感性特性的,就只說"人是感性的動物",但都不願說"人是感性和理性的雙重動物"。因而,要求只按照理性或只按照感性而生活。如照斯多葛主義的說法:"當理性按照一種更完滿的原則被賦予理性動物時,所謂按照自然生活恰好便是正確地按照理性而生活。""善就是認定按照理性而生活,這就是按照德性而生活,因爲自然引着我們到這上面來。"①但實際上,在人的"原在"自然本性中,存在着感性和理性兩方面的素質,而在人的不斷"後在"存在中,這兩種素質都要求展開和現出。人既要表現他的情感,滿足他的食色欲望,否則他就違背了"由自"的"自然本性";同時,人又要走向理智,現出精神之欲求,否則他也違背了"由自"的"自然本性"。但是,人的感性欲和理性欲,在現出過程中,如果不能按照自然本性實際上所要求的尺度,就會只向一方片面推進而陷入"誤區",這也就是佛教所說的"迷執"。《老子》十二章說:"五色令人目盲;五音令人耳聾;五味令人口爽;馳騁畋獵令人心發狂;難得之貨,令人行妨。"這都是對"感性"欲迷執的結果。如果人只是視五色,而不泥之,食五味,而不耽之等,目就不會盲,口也不會爽。這就是"適度"。這個"度"就是自然之度,即感性的可承受性。盧梭說:"出自造物主之手的東西,都是好的,而一到人的手里,就全變壞了。"②他所強調的就是,人的自然本性在現出過程中被非自然化,即超出了自然本身的要求,被扭曲了。莊子區分"以人養鳥"和"以鳥養鳥",強調了依照自然本性尺度與違反自然本性尺度的不同。總之,人承受感性和理性的能力,都不是無限的,都有自然的限度,一越過這個自然限度,感性和理性都會受損害。

而且,在感性和理性之間,也有自然的尺度,如果感性一面過

① 《西方哲學原著選讀》,商務印書館,1981年,第181－182頁。

② 盧梭:《愛彌兒——論教育》上卷,商務印書館,1985年,第5頁。

分膨脹,那麼,理性一面就會被弱化,反之亦然。在現實中,我們很容易看到這兩種情形,爲了改變這種情形,使感性和理性和諧并進,健全的觀念只是對越出感性或理性自然限度的作爲進行適當調整、矯正和收縮。而不能通過對一個的壓抑來發展另一個。如果爲了理性而大抑感性,或爲了感性而大排理性,永遠也不能平衡兩者,而只會使二者更加衝突和對抗,不斷遭遇對方的報復。因爲感性永遠不能被消滅,但也不是唯一的勝利者;理性始終不能被解除,但也不是高高在上者。把"人"只說成是"理性的動物",要求"存天理,滅人欲",就是要用理性去壓抑或埋藏感性;而把人說成是"感性的動物","恣耳之所欲聽,恣目之所欲視,恣鼻之所欲向,恣口之所欲言,恣體之所欲安,恣意之所欲行"①,就是要用感性取代理性。人們習慣了片面性的東西,不喜歡健全性。但是,不能爲了投人的非自然所好,用"片面的深刻"去刺激人的想象。如果真想使人的自然本性——理性和感性都依照自然的方式現出,使其諧調并進,就必須消除它們相互敵對的情緒,使其握手言歡,達到黑格爾所說的那種自然境界:"思想被物質化了,而物質并没有受到思想的外在決定。相反,就自然的、感性的、情感的自身便擁有它們的尺度、目的與和諧而言,它本身是自由的。當知覺和感覺被提高到了精神的普遍性後,思想不但放棄了與自然的敵對,而且在自然中盡情享樂。感覺、高興和快樂得到了認可和辨護,因此,自然與自由、感性與理性,在它們的統一性中發現了它們的權利和滿足。"②

在存在向自然本性而"在"的過程中,如果出現非自然化,即違背自然本性而"在",就需要"矯正",而這種"矯正",要在繼續向"在"而去來施展,不是通過"往後回"來"恢復"或"復歸"。因爲存在總是向在而去,一旦去了,這個去是拉不回的。同時,所要復歸的回來的地方,只要是往後回,就只能是回到最初的自然的傾向

① 《列子》,中華書局,1979年,第222頁。
② 黑格爾:《美學講演録·導言》,第一卷。

性或潛在可能性中。而要是真的回到這裏,存在就永遠不能展開,就只能停留在原地一動不動。但是,道家哲學,乃至所有的自然主義觀念,爲了對付存在向自然本性而在過程中現出的非自然化現象,解決存在的異化,往往都採取了把存在向後拉的方式,強烈要求存在"復歸"。如老子說:"萬物并作,吾以觀復。夫物芸芸,各復歸其根。歸根曰静,静曰復命"(《老子》十六章)。存在的內在傾向性,就是活動,爲了使之回到原初的自然,使之"静"在那裏而不動,這本身就是非自然。理想的自然狀態,應是處在原初自然向充實和豐富的自然展開的一個又一個的"未來"過程中。爲了這個被昇華的未來的自然理想只能是往前去,而不是往回走。因爲自然在向未來展開過程中出現的非自然化或異化,就要求停止下來,保持在原初自然的狀態中,這是因噎廢食的作法。黑格爾注意到了人類對原初自然在展開過程中出現的"分裂狀態"的不滿和對原初自然的向往,但他不認爲原初自然是理想境界。他說:"這種看法,就其認爲'分裂狀態'(entzweiung)是所有人類無法避免的,不是最後安息之所而言,顯然是對的。但如果認爲這種自然素樸的境界是至善境界,那就不對了。精神不只是直接的素樸的,它本質上包含有曲折的中介的階段。"①黑格爾強調精神應去豐富和充實是對的,但他把現出的精神與原初自然對立起來,并轉而否定原初自然的根源性,我們不能接受,他說:"人只是一個有生命的東西,這東西誠然具有成爲現象的精神的可能性,但是精神并不是屬於自然的。人并不是由於自然本性就是他應有的那樣。動物由於自然本性便是應有的那樣,而這正是他的不幸,它不能向前走。因此人從自然本性就是惡的,他不應該是自然的。人所做的一切惡事都是出於他的自然衝動。精神首先在於對直接性的否定。人也由於超出自然的東西才成爲精神的,才達到真理。"②照我們的說法,存在後在現出的精神自然來

① 黑格爾:《小邏輯》,商務印書館,1981年,第90頁。
② 黑格爾:《哲學史講演録》第三卷,商務印書館,1983年,第263－264頁。

源於存在原初自然本性中理性素質,如果原初自然本性是要否定的,那麼後在的精神自然就不可能現出。

存在由自己的自然本性而去存在,不受制於外,不強使於內,不欺天,不自欺,真實的自然,就展開了。復興或重建自然,同時就是不斷地去展開這種真實的自然。老子崇尚嬰兒,要求"復歸於嬰兒",是因爲嬰兒有一種可貴和美好的特性,即保持着自然真實,他没有造作,率性而動。自然的這種"真實",海德格爾稱之"本真狀態"。但是,原初自然本性在現出的過程中,如果受各種外在因素的決定,不能以自然的方式來作爲,那麼自然的真實就不能被彰顯出來,反而滋生出自然真實的對立物"虚假"或"欺瞞"。這在道家哲學中被稱之爲"僞","喪性失真",在海德格爾那裏被稱之爲"沉淪"或"非本真狀態"。王弼指出:"夫素樸之道不著,而好美之欲不隱,雖極聖明以察之,竭智慮以攻之,巧欲思精,僞欲多變,攻之彌甚,避之彌勤。則乃愚智相欺,六親相疑,樸散離真,事有其奸。"[①]嵇康揭示説:"下逮德衰,大道沉淪。智慧日用,漸私其親。懼物乖離,攘臂立仁。利巧愈競,繁禮屢陳。政教爭馳,夭性喪真。"[②]"仁義澆純樸,前識喪道華,留弱喪自然,天真難可和。"[③]在此,他們所強調的是,自然真實已經被"文明"或"文化"掩没了。

存在本是要向自然真實而去,要"如其所是"而在,卻偏向"非自然的真實",陷入"僞"、"欺瞞",這能通過對"文化"或"文明"的完全拆除來完成嗎?文化、文明本身雖然異化出了非自然的真實,但它原是自然作爲的一種產物和表現,它對其它存在的自然展開不必有內在的衝突。如果它也能完全以自然的方式來存在,它就只會幫助自然真實的通行,而不會成爲真實自然的代替物"僞"。如名和文,本來是爲傳達和承載自然真實而存在的,如

① 王弼:《老子指略》。
② 嵇康:《太師箴》。
③ 嵇康:《五言詩三首》。

説:"夫名,實謂也。"①"名:物,達也;有實必待之名也。"②"名者生於真,非其真弗以爲名。……名物如其真。"③"文以載道","文生於質","質去而文不能獨存也。"④但是,由於名文作爲傳達和承載的形式,是中介性的,不直接就是"真實"之有本身,不是"名文"到那裏,"真實"之有就一定能到那裏,不是名文上手,真實之有就一呼而出,因而名文就有與真實之有分離開的可能。"名"之可盜,"文"之能叛道,就與真實之有不能同名文總是一起在場照面相關。當"真實"之有不能直接在場,名文仍要使用時,名文離開真實之有的危險——"投機"就出現了。不管是誰第一次利用了這種"投機"的機會,或是"説謊",或是"欺世盗名",因爲這有一時或長久的"好處",只要被開了頭,就會被一再使用。這樣,名文這種本來是傳達真實之有的形式,現在就與真實之有分裂了,遺忘了它的本來職責,開始傳達"非真實之有"。名文愈來愈盛,而自然真實卻越來越弱。社會活像一個大面具,在不斷發展着的技術中,被製作得更大更精緻,使人難以輕易識破。爲了抑制名文的異化,重現自然真實,最徹底的辦法,當然是去"名文",道家哲學早就提出了這種辦法。老子説:"絶聖棄智,民利百倍;絶仁棄義,民復孝慈;絶巧棄利,盗賊無有。此三者以爲文不足。"(《老子》十九章)萬物將自化。化而欲作,吾將鎮之以無名之樸。"(《老子》三十七章)"道常無名樸。"(《老子》二十二章)"行不言之教。"(《老子》二章)莊子認爲"機械"、"機事"與"機心"有必然的聯繫,"有機械者必有機事,有機事者必有機心。"(《莊子·天地》)因而,要去"機心",就必須去"機事"、"機械"。在道家的意識中,如果想繼續用"增加法"來對付名文的異化,其結果只能是如同滚雪球那樣,越滚越大,而離中心越來越遠,異化更甚。莊子指出:"爲之斗斛以量之,則并與斗斛而竊之;爲之權衡以稱之,則并與權衡

---

① 公孫龍:《名實論》。
② 墨子:《墨經·經説上》。
③ 董仲舒:《春秋繁露·深察名號》。
④ 章學誠:《文史通義·砭俗》、《文史通義·黠陋》。

而竊之;爲之符璽以信之,則并與符璽而竊之;爲之仁義以矯之,則并與仁義而竊之。何以知其然也? 彼竊鈎者誅,竊國者爲諸侯,諸侯之門而仁義存焉,則是非竊仁義聖智邪?"(《莊子·胠篋》)照王弼的説法:"夫純樸之德不著,而名行之美顯尚,則修其所尚而望其譽,修其所道而冀其利。望譽冀利而勤其行,名愈美而誠愈外,利愈重而心競。父子兄弟,懷情失真,孝不任誠,慈不任實,蓋顯名行之所招也。患俗薄而興名行、崇仁義,愈致斯僞。"(《老子指略》)因而只能使用"剥損法",把已出現的"名文"統統剥去,以現出自然真實之有,這也就是老子所説的"爲道日損"。但是,如果真的把已經出現的"名文"全部減損掉,那麽,同時人也就無法相互傳達自然真實之有而在心靈上成爲孤立的存在。這當然又違背了人從自然傾向中發展出來的互交特性。因此,不能通過完全取消名文的路子來重現自然真實,而應通過對名文異化的抑制來完成。抑制不能在名文自身中進行,要靠對自然真實的不斷"關注"或"凝視"來達到。這就是確立自然"真實"的本位,無真實不名文,先真實而後名文。始終把真實放在第一位,驅散以名文亂真實,以名文代真實的種種"投機"和"欺僞"的可能條件。

作者簡介 王中江,1957年生,河南汝州市人。北京大學哲學博士,現爲河南省社科院副研究員、哲學所副所長。著有《嚴復與福澤諭吉——中日啟蒙思想比較》、《理性與浪漫——金岳霖的生活及其哲學》。

先秦道家研究的新方向

——從馬王堆漢墓帛書《黄帝四經》説起

陳鼓應

内容提要　本文論述了帛書《黄帝四經》發現的意義。認爲帛書《黄帝四經》的出土，使我們對先秦道家發展的脈絡有了一個新的認識與評估，同時也對先秦學術流派提供了許多新的認識。

晚近，由於考古文獻的出土，豐富了古代思想史，也改寫了古代哲學史。

出土的衆多文獻之中當屬道家類古佚書最受矚目，其它大批的醫書、數術、方技、兵書也和道家思想有着不同程度的聯繫。僅就明確的道家出土文獻來説，如馬王堆帛書《老子》甲、乙本和老子乙本卷前古佚書《經法》等四篇（通稱《黄帝四經》）、老子甲本後古佚書《伊尹・九主》以及不久前剛公布的帛書《繫辭傳》。此外還有河北定縣出土的《文子》殘卷、湖北荆州出土的《莊子・盜跖》篇，再則1942年長沙子彈庫出土的楚帛書也和道家思想有所關連。總之，近一、二十年來，逐漸公布的珍貴文獻，給我們在道家的研究上提供了一個廣闊的新領域。從而使我們重新認識到黄老道家在戰國中後期之所以成爲百家争鳴中主要思潮的概況。

在衆多出土的文獻之中，道家黄老之學這一系的古佚書的確最爲豐盛。1973 年河北定縣出土的《文子》殘卷，原件雖然至今尚未公布，但這一實物證據最低限可以證實它並非僞書，並可證實它的成書在《淮南子》之前。文子是先秦道家的重要人物，《文子》一書是文子學派之作，以老子哲學爲主體而融合了莊子思想和黄老之學的一部道家典籍。《鶡冠子》是戰國後期楚國黄老道家的重要作品，此書長期受到冷落，近來由於馬王堆《黄帝四經》的發現，參加帛書整理的學者開始注意到它與《鶡冠子》的關係。英國著名學者葛瑞漢(A.C. Graham)發表了《一部被忽視的漢以前哲學著作〈鶡冠子〉》的論文，提出不少新穎的見解。在馬王堆漢墓帛書公佈之前，《鶡冠子》曾被視爲僞書，近來李學勤教授撰文《鶡冠子與兩種帛書》，推定鶡冠子活動年代在戰國晚期前半，並論證《鶡冠子》成書在秦焚書之前，並非僞書①。在各地出土的古文獻之中，以馬王堆帛書《老子》甲、乙本最受海內外的重視，至今已有多國的譯本，論文更是不計其數。不過個人以爲，從思想史的角度來看，最重要的出土文獻莫過於《黄帝四經》(即《經法》、《十六經》、《稱》、《道原》四篇)。然而這書迄未受到應有的重視，主要原因是大陸學者多推斷它是戰國末期的作品，爲此我曾作過詳細的考訂，論證它的成書可能早於《孟》、《莊》，當在戰國中期之初或戰國初期之晚(詳見《黄帝四經成書年代的問題研究》)，因此可以説它是現存最早的一部黄老之學著作。《黄帝四經》全文約 11000 多字，第一篇《經法》主要是講論自然和社會中所存在的恆定的法則。第二篇《十六經》主要講形名、刑德、陰陽、雌雄等對立統一及相互轉化的關係。第三篇《稱》主旨是通過對陰陽、雌雄、動静、取予、屈伸、隱顯、實華、強弱、卑高等矛盾對立轉化關係的論述，爲人們權衡選出最有效的治國修身的方案。第四篇是《道原》就是對“道”的本體和功用進行探源。由於這部《四經》的

① 李學勤：《鶡冠子與兩種帛書》，刊在陳鼓應主編、香港道教學院主辦《道家文化研究》第一輯，上海古籍出版社 1992 年。

出土,使我們對先秦道家發展的脈絡有了一個新的認識與評估,同時對於先秦學術流派也提供了許多新的認識。茲分別申述如下。

一、帛書《黃帝四經》和《老子》的關係

(一)首先引起我們注意的是:帛書《黃帝四經》的發現,給《老子》成書早期說提供了有力的新證。

《老子》的哲學思想散見於《四經》各篇。據我概略的估計,《黃經四經》一書引用《老子》的詞字、概念,多達一百七十餘見。成書於戰國早中期的《四經》以及成書於戰國中期前後的《管子》書中,處處流溢着《老子》思想觀念的影子,可證《老子》一書傳佈的久遠,而司馬遷《史記》所述老聃自著上、下篇當近於史實。

(二)由於帛書《老子》將"德經"置於"道經"之前,這使得學者們對於帛本與通行本順序的不同,引起了廣泛的争論。帛書《四經》的篇目排列,可以幫助我們解答這一疑案。

早先,高亨等學者便認爲"從先秦古籍的有關記載來看,《老子》傳本在戰國期間,可能就已有兩種:一種是《道經》在前,《德經》在後,這當是道家的傳本。……另一種是《德經》在前,《道經》在後,這當是法家的傳本",並認爲"《韓非子·解老》首先解《德經》第一章,解《道經》第一章的文字放在全篇的後部,便是明證"①。這種看法,在衆多的觀點中是較爲可取的。而在我們對於帛書《四經》進行深入研究後,可以得出了這樣的結論,即:"道經"在"德經"前的《老子》通行本維持了《老子》的原貌,是老子道家的傳本;而"德經"在"道經"前的帛書《老子》本,應該是黃老道家的傳本。"道"的向社會性傾斜,是黃老學派對老子思想的一種發展,也是黃老道家的一大特點。《黃帝四經》"德法"在前、"道

① 高亨、池曦朝《試談馬王堆漢墓中的帛書〈老子〉》,載《文物》1974年第11期。

原"在後,恰與帛書《老子》"德經"在前、"道經"在後相一致,這乃是黄老學派落向現實社會的表現。而以老子道家爲宗的《淮南子》,則將《原道訓》列於書首,這恰與《老子》通行本"道"在"德"前的次序相吻合,《淮南子》之重視"原道",似可作爲祖本《老子》順序的一個佐證。

(三) 在《老子》與《四經》之間,僅從"道論"角度,便可看出老學到黄老之學的差異發展。

帛書《四經》繼承了老子的道論,而向社會性傾斜。比如,無始、無名、無形、隱晦莫測等特徵,構成了老子的"道"的本體論。而《四經》則從相對立的角度,從既不可感知又可以感知的二律背反的角度來闡釋"道",認爲它既有原又無端、既隱微又顯明、既運動變化又静止恆定、既高深不可企及又淺近可以企及、既虚無又實有……。《四經》這種重新整合的"道"的本體論,就爲人們對"道"的"握"和"操"提供了可能性和必要的依據,也爲人們有效地掌握"道"的本體以最大限度地創造社會功用提供了前題。老子道家與黄老道家在"道"的本體論方面的差異,就構成了道家的兩個不同走向: 高深超詣與易簡世俗,正與禪宗之北宗與南宗之分化相似。

"道"的具現,也即社會性,黄老道家對老子道家在此點上有著更突出的發展,並且多所諟正。《四經》關於雌節的論述,對剛柔的論述,對争與不争的論述等等,都對老子道家有所諟正,這是衆所周知的。關於無爲與無不爲(有爲)的論述,黄老道家與老子道家有著明顯的分歧。老子的治國次序是"無爲而無不爲","無爲"是術、是手段,"無不爲"是目的。因此"道經"在前即"德經"在後。而《四經》的治國次序則是有爲——無爲。有爲,包括法、術、勢、形名等等。有爲是手段,無爲是目的。這種理國的次序,用《四經》的原話說便是"太上無刑,其次[正法],其下斗果訟果……太上争於[化],其次争於明,其下救患禍"。所以,《四經》是《經法》在前而《道原》在後。

二、帛書《黃帝四經》和范蠡的關係

帛書《黃帝四經》引用范蠡的言論達十七、八條之多,從其中思想線索來看,便可看范蠡可能是由老學發展到黃老之學的關鍵人物。

我們從《老子》、《國語·越語下》和帛書《黃帝四經》三書,可以看出老子、范蠡到黃老思想的發展脈絡。范蠡是春秋末期人物,比老子晚約三、四十年,從《國語·越語下》可以明顯地看到范蠡受到老子的直接影響,在"聖人因天"、"必順天道"、"知天地之恆制"的論點,以及"贏縮轉化"之道和推天道以明人事的思維方式等重要論題,都顯示出范蠡上承老子思想而下開黃老學之先河。范蠡身處國家存亡危續之際,他的時代特點及其所處地位,使他將老子思想靈活運用到軍事上,他認識到說:"兵者,凶器也;争者,事之末也。陰謀逆德,好用凶器,始於人者,人之所卒也。"這也是老子所說的:"兵者,不祥之器"、"不以兵強天下,其事好遂"。范蠡說:"天道盈而不溢,盛而不驕,勞而不矜其功"。老子嘗言:"大盈若沖"(四十五章),戒人"果而勿驕"(三十章),勸人"不自伐"、"不自矜"(二十二章),並謂"自伐者無功"(二十四章)。范蠡替越王勾踐滅吳國,"勾踐以霸,而范蠡稱上將軍",權傾一朝的范蠡則"以爲大名之下,難以久居",遂"浮海出齊"(《史記·越王勾踐世家》)。在中國歷史上,范蠡是第一位真正體現老子"功成身退"哲理的人。

范蠡是楚人,他的入齊,在楚越文化與齊文化的交流上起著重要的作用。這一點,由現存《管子》和帛書《黃帝四經》抄錄不少范蠡的言論可以爲證。此外,老子思想的入齊,范蠡有可能是第一個重要的老學的傳播者。並且,由于春秋末的范蠡之巧熟運用老子的哲理,這也給予《老子》成書早期說提供了另一個有力的新證。

三、《黄帝四經》和《管子》的關係

《管子》是一部"稷下叢書"[1]。這部書匯集了戰國中後期在齊國首都稷下學宮百家争鳴時各家各派的論文,但"中心是黄老之學的論文。這部書還是稷下學術中心的情況的反映。"[2]本世紀三十年代以來,《管子》四篇(《內業》、《白心》及《心術》上、下)被視爲稷下道家的代表作而受到學界的重視。其中的精氣説,爲稷下道家首次提出,爲《易傳》和後代哲學及醫學廣泛接受。

《黄帝四經》的問世,由於它和《管子》有太多的相似之處,這兩書的內在聯繫首先引起學者們的極大興趣,同時也使得《管子》書中保存的黄老學説的文獻,越發受到關注。

根據唐蘭先生所列的"《老子》乙本卷前古佚書引文對照表",可以看到《黄帝四經》和《管子》兩書相同或相近的段落文句有二十三處之多(舉例如:(1)《道法》:"道生法",《管子·心術》引作:"法出乎權,權出乎道。"(2)《道法》:"虛無形(刑)",《管子·心術》引作:"虛無刑謂之道。"(3)《道法》:"故同出冥冥,或以死,或以生;或以敗,或以成。"《管子·內業》引作:"道也者,……人之所失以死,所得以生也。事之所失以敗,所得以成也。"(4)《道法》:"使民之恆度,去私而立公。"《四度》:"去私而立公,人之稽也。"《管子·正》引作:"廢私立公能舉人乎。"(5)《觀》:"春夏爲德,秋冬爲刑。"《管子·四時》引作:"德始於春,長於夏;刑始於秋,流於冬。"等等)。經過我們仔細考查,認爲當是《管子》沿襲《黄帝四經》。《管》書襲取《四經》的,計有《內業》、《心術》、《白心》、《樞言》、《九守》、《四時》、《五行》、《勢》、《正》及《重令》、《幼官》等篇。除《重令》、《幼官》之外,其餘九篇都是屬於

---

① 顧頡剛:《周公制禮的傳説和〈周官〉一書的出現》,北京中華書局《元史》第六輯。

② 馮友蘭:《中國哲學史新編》。

稷下道家的作品。黄老思想之盛行於稷下道家,於此可見。

在帛書《四經》發表之前,雖然司馬遷曾一再提到稷下道家人物,如環淵、田駢、慎到、接子等"皆學黄老道德之術",還説"申子學本於黄老"。然而學界普遍以爲這説法可能是出於司馬談崇尚黄老而以己意立説,直至帛書《四經》公佈,才證實"黄老"並不只是個名詞,而是實際興盛於戰國中期的學説思潮。

"黄老"是黄帝、老子的合稱,它以老子哲學爲基礎,而寓托於黄帝以進行現實政治的改革。這股政治哲學的思潮興起於戰國中期,它之淵源於齊或楚越固有争議①,但它昌盛於齊,爲稷下道家所倡導並在稷下學宫百家争鳴中取得主導地位,當無疑義。黄老思想經稷下道家的發揚而流傳於全國各地,儒家的孟、荀和法家的申、韓,都受到黄老道家的重大影響。

黄老學説爲稷下道家所倡言,它的中心思想爲"道法"。帛書《四經》開首便標示:"道生法",《管子·心術》亦説:"法出乎權,權出乎道。"這派學説以老子道論爲其哲學理論而融入齊法家的形名法度思想。稷下道家流派繁多,可能有的講老學,有的講易學,不必全然都是主張黄老"道法"思想。而主張黄老之學的,也可能有不同的傾向,有的偏重於治身,有偏重於治國,前者如《内業》篇的作者,著意於修心静意、養精理氣,這一系可能直接繼承楊朱貴生思想(也發揮老子"專氣致柔"的攝生觀念),後者則致力於現實體制的改革,爲糾正傳統文化中人治之弊(儒家之推崇人治爲其代表),故而提出"道法"思想——這一系成爲整個戰國中後期的主流思潮。

稷下道家人物,除彭蒙之外多有著作傳至漢代,《史記》稱環淵著上、下篇,《漢書·藝文志》則載《蜎子》十三篇,今佚。田駢,《漢書·藝文志》道家類有《田子》二十五篇,已佚。慎到,《史記》稱他"著十二論",《漢書·藝文志》著録《慎子》四十二篇,明時僅

① 學者多主張黄老思想淵源於齊,晚近青年學者王博獨持異議,請參看王文《論〈黄帝四經〉產生的地域》,《道家文化研究》第三輯馬王堆帛書專號。

存五篇,現《愼子》七篇,爲錢熙祚校本。接子,《漢書·藝文志》道家類載《捷子》二篇,已亡佚。宋鈃,《漢書·藝文志》著録《宋子》十八篇,已佚。尹文,今傳《尹文子》一書,似是尹文的語録集,可視爲尹文學派的作品。這些齊道家都是戰國時代在稷下學宫講學著名的"稷下先生",環淵、田駢、接子、季真等人的思想或許較近於原始道家,宋鈃可能是道墨融合的人物,班固説:"孫卿道子,其言黄老意",依此可歸黄老道家。現存尹文學派的《尹文子》,則明顯是屬於黄老學派。愼到學派的歸屬問題,學界看法不一,一般認爲他是由道轉法的關鍵人物,有的學者認爲他是兼有道家、法家思想的早期道家①。自帛書《四經》見世後,晚近學者認爲他屬於黄老學派②。可惜這些稷下道家的著作多已佚失,幸賴《管子》一書保存較完整的稷下各派的言論。

《管子》一書,雖然雜纂各家各派的論文,但誠爲馮友蘭先生所説的,其"中心是黄老之學的論文"。統觀《管子》全書,雖編入法家、陰陽家、兵家、農家、儒家、墨家等文論,但以論"道"爲核心,現存 76 篇之中言道論道者有 65 篇,凡出現"道"字 486 見,而老子所提出的作爲萬物本原的"道",散見於《管子》重要篇章之中。明確屬於稷下道家作品的,除了通常所説的《管子》四篇之外,《水地》、《樞言》、《宙合》也被公認爲稷下黄老的作品。此外,《形勢》、《勢》、《正》、《九守》、《四時》、《五行》等篇,亦屬稷下道家之作,我們把這幾篇和《老子》及帛書《四經》對照,便可明白看出它們的學派性質。

四、《黄帝四經》與莊子學派的關係

帛書《黄帝四經》對於稷下道家的影響,如上所述,保存在《管子》書中的稷下道家作品(如《内業》、《心術》、《白心》、《樞言》、

① 見吳光著:《黄老之學通論》第 84 至 89 頁,浙江人民出版社 1985 年版。
② 參看江榮海:《愼到應是黄老思想家》,《北京大學學報》1989 年第一輯。

《九學》、《勢》、《正》及《四時》、《五行》等篇)都曾徵引《黄帝四經》中文字,可證《四經》與《管子》有着密切的內在聯繫。如果我們再考察《管子》與《莊子》兩書,就會發現它們之間也有不少相同或相近觀念與文句,這反映出稷下道家與莊子學派相互交流的跡象。這一點,學界鮮有人探討。由於《黄帝四經》的出土,它聯繫着《管子》及其他戰國黄老著作,這可看出黄老思想流傳之廣,而莊子後學之滲透着黄老思想,就有着較爲明確的線索可尋。

莊子本人是否到過齊都稷下,史無記述。但《莊子》書中文句曾稱稷下道家所引述,則由《管子》書中《樞言》、《白心》等篇可以爲證。王叔岷老師曾說:"五十年前,岷曾撰《管子襲用〈莊子〉舉正》一文,所舉《管子》與《莊子》相關之文約二十條(未發表)。"他在近作《先秦道法思想講稿》書中曾列舉主要的七條,以見在論道問題,修養、處世、乃至生死問題,《管子》所受莊子思想的影響①。《管》書引用《莊》之文,最明顯的有這幾條:(一)《管子·白心篇》("白心",蓋取《莊子·人間世篇》:"虛室生白"之義。"虛室",喻心):"爲善乎無提,爲不善乎將陷於形。"《莊子·養生主篇》:"爲善無近名,無惡無近刑。"即《管子·白心篇》二句所本。(二)《白心篇》:"故曰:功成者隳,名成者虧。就成去功與名,而還與衆人同。"《莊子·山本篇》:"功成者隳,名成者虧。孰能去功與名,而還與衆人。"《白心篇》既言"故曰",明是引自《莊子》。(三)《管子·樞言篇》:"故曰:有氣則生,無氣則死,生者以其氣。"《莊子·知北遊篇》:"人之生,氣之聚也。聚則爲生,散則爲死。"《管子》既言"故曰",亦明是引自《莊子》。凡此,可以見出莊子對稷下道家有所影響。此外,《管子·心術》:"能專乎?能一乎?能毋卜筮而知吉凶乎?能止乎?能毋問於人而自得之於己乎?"《管子·內業》:"能搏乎?能無卜筮而知之乎?能止乎?能一乎?能勿求諸人而得之己乎?"而《莊子·庚桑楚》亦

---

① 王叔岷先生:《先秦道法思想講稿》。

云："老子曰：衛生之經，能抱一乎？能勿失乎？能無卜筮而知吉凶乎？能止乎？能已乎？能舍諸人而求諸己乎？"《管》書與《莊》書互見重出，這裏又是一個顯例。於此可見莊子學派與稷下道家有所交流。而《黄帝四經》的出土，我們又在《十六經》的最後一段文字中看到這樣的語句："能一乎？能止乎？能毋有已，能自擇而尊理乎？"這些語句，在文義上與上下文之間是整體而完足的。而且，《十六經》的成書要早於《莊子・庚桑楚》和《管子・內業》與《心術》。還有一點值得我們留意的是：《庚桑楚》引述之文稱"老子曰"，而戰國中期的道家已將黄、老混同起來，例如《列子・天瑞篇》曾引《老子》之文而稱《黄帝書》，這個旁證，或可說明《莊子・庚桑楚》的引文是來自黄老之作。總之，莊子後學已有吸收黄老思想的痕跡，最明顯的莫過於《天道篇》第三節"夫帝王之德"至"非上之所以畜下也"一大段。此外，《在宥篇》的最後一段："賤而不可不任者，物也"至"主者，天道也；道者，人道也。天道之與人道也，相去遠矣，不可不察也"這一大段明顯是黄老思想。以前我寫《莊子今註今譯》時將他們删除，現在看來，莊子後學確曾受到黄老思想的影響，帛書《黄帝四經》的出土，更加修正我以前的看法。

《莊子》中書的形成年代約在百年之內，莊子本人在中青年時代就可能有作品問世(孟子要到晚年才退而與萬章之徒著書立說，這在《史記》有明文記載)。其後學之作較晚的《盜跖篇》，不晚於戰國後期(年前《文物》發表在荆州出土戰國竹簡《盜跖》可以推翻"古史辨"學者疑《盜跖篇》作於兩漢之說)。一般來說，《莊子》外雜篇成書晚於內篇，戰國中後期是道家黄老派成爲百家争鳴中的主潮，這一思潮對莊子後學有所衝擊，也是很自然的。

五、《黄帝四經》與《易傳》的關係

《易傳》的解《易》受到當時哲學思想的啟發，這在作品中有充分的反映。三十年代以來曾有極少數學者指出《易傳》在宇宙觀方面，來自於老莊哲學。晚近，我們才注意到在哲學思維方式上(如天道抵衍人事的思維方式及天地人一體觀)，《易傳》受到黃老道家的重大影響。而《繫辭傳》之抄録《黄帝四經》中的文句，尤足爲證。

《易傳》與道家的關係，最初引起我興趣的是《繫辭傳》裏出現如此之多的老子思想及其概念，甚而有的語句也模仿《老子》(如"其孰能……哉"，"古之……"，"是以……"乃《老子》書中慣用的語法)。以此，我在 1988 年寫了《〈易傳・繫辭〉所受老子思想的影響》。接着，我又發表《〈易傳・繫辭〉所受莊子思想之影響》和《〈彖傳〉與老莊》等文。其後，我由於對稷下道家和《黄帝四經》的研究，逐漸注意到黄老思想在《易傳》中的體現。

在《易傳》七種中，《彖傳》的寫作最早，它成書約在戰國中期孟、莊之後，《彖傳》的主體部分是自然觀、宇宙論。中國古代的宇宙論始建於老子，發揚莊子學派與稷下道家，爲《彖傳》所繼承發展，而戰國中期以前的孔孟儒學，則未涉及自然觀、宇宙論。孔孟大儒以禮學與仁學爲核心，遍查《彖傳》全書，卻没有出現過一個"仁"字，也没有出現過一個"禮"字。反之，《彖傳》中重要的哲學概念："天行"、"剛柔"、"陰陽"等範疇，均源於道家著作，尤其屢見於黄老道家作品中。如"天行"概念("天行"，指天體或自然的運行變化及其規律，這是道家自然哲學上的重要概念)，最早見於《黄帝四經》(《十六經・正亂》："夫天行正信，日月不處，啓然不怠。")此外，見於《莊》書的《天道》、《刻意》篇及《管子》的《白心》篇。有趣的是，這概念全出現在黄老思想色彩的作品中。"剛柔"是《彖傳》中的另一個重要概念，《黄帝四經》出現 11 次"陰陽"概念，《四經》出現 47 次之多，而孔孟著作則既不談"陰陽"，亦不見"剛柔"。再則，尚陽思想與待時而動的觀念，《彖傳》也完全繼承黄老道家，前者見於稷下黄老作品《管子・樞言篇》，後者屢見於《黄帝四經》(《四經》一書"時"的概念多達 65 見)，司馬談《六家要旨》稱讚道家的一大特長爲善於掌握時機("與時推移"),指的就是黄老道家。

饒有意趣的是,我們將《黄帝四經》與《繫辭傳》對照,發現不少互見重出之處,這反映了它們在思想觀念上的一些內在聯繫。成書於戰國後期的《繫辭傳》在許多重要的思想觀念上繼承着稷下道家、黄老思想而發展,如衆所週知的精氣說是取自稷下道家;"天尊地卑,貴賤位矣",這種天道推衍人事的思維模式本於道家——尤其是黄老道家①。而"貴賤位矣"的觀念屢見於《黄帝四經》(如《經法·道法》宣稱:"貴賤有恆位"、"貴賤之恆位",《君正》指稱:"貴賤等"、"貴賤有別",《十六經·果童》進一步強調:"貴賤必諶");《繫辭》的動静觀、陰陽觀、剛柔說、三極之道以及尚功思想,都受到黄老道家深刻的影響。我們再將《繫辭傳》與《黄帝四經》兩書原文仔細對比,就會發現《繫辭》裏有不少文句與《黄帝四經》相同或相近之處,兹舉數例爲證:(1)《經法·國次》:"天地位,聖人故載",《繫辭》引作:"天地設位,聖人成能。"(2)《經法·六分》:"物曲成焉",《繫辭》引作:"曲成萬物"。(3)《十六經·本伐》:"方行不留",《繫辭》引作:"旁行而不流"。(4)《稱》:"麋論天地之紀",《繫辭》引作:"彌論天地之道。"其他相近的句例也可發現,如:《經法·道法》:"明於天之反,……察於萬物之終始",《繫辭》則作:"明於天之道,察於民之故。"《經法·君正》:"地之本在宜",《繫辭》則作:"與地之宜。"凡此,可見

① 天道推衍人事的思維方式,遍見於《黄帝四經》,舉例如下:(1)《經法·道法》:"天地有恆常,萬民有恆事,貴賤有恆立(位)。"(2)《經法·國次》:"天地無私,四時不息。天地立(位),聖人故載。"(3)《經法·君正》:"因天之生也以養生,胃(謂)之文,因天之殺也以伐死,胃(謂)之武。"(4)《經法·四度》:"動静參於天地胃(謂)之文。""因天時,伐天毀,胃(謂)之武。""極而反,盛而衰,天地之道也,人之李(理)也。"(5)《十六經·兵容》:"兵不刑天,兵不可動。不法地,兵不可昔(措)。……天地刑(形)之,人因而成之。"(6)《十六經·三禁》:"天道壽壽,番(播)於下土,施於九州。是故王公慎令,民知所由。天有恆日,民自則之。"(7)《十六經·前道》:"聖人舉事也,闔(合)於天地,順於民。"(8)《十六經·順道》:"慎案其衆,以隋(隨)天地之從(蹤)。"(9)《稱》:"知天之所始,察地之理,聖人麋論天地之紀。"(10)《稱》:"凡論必以陰陽明大義。天陽地陰,……上陽下陰,男陽女陰,……諸陽者法天,天貴正,……諸陽者法也,地[之]德安徐正静,柔節先定,善予不争。"

《繫辭》作者熟讀《黄帝四經》。

六、從出土文獻重新評估黄老之學

戰國黄老學派的發展，向來爲學界所忽略，主要的一個原因是黄老派"稷下先生"的著作多已亡佚，而殘存的作品亦被誤判爲僞書。近十年來，由於馬王堆漢墓帛書的陸續公佈，使我們對先秦黄老學派有了新的認識。除了上述《黄帝四經》之外，尚有多種與黄老思想有關的帛書，兹分項介紹如下。

(一) 帛書《老子》甲本卷後古佚書《伊尹·九主》亦屬黄老學的佚文。

《伊尹·九主》是一篇政治性較強的論文，它和《管子·七臣七主》一文有直接的聯繫，余明光教授認爲《七臣七主》一文是藉鑒于《九主》寫成的。我們再把《黄帝四經》和《伊尹·九主》兩件帛書對比，仍可發現它們之間有不少相同或相似之處，如：(1)《九主》的"天企"和《四經》的"天開"觀念相同。《九主》云："天不失企(啓)，四綸[是]則"與《十六經·順道》云："大庭代之天天下也，不辨陰陽，不數日月，不志四時，而天開以時，地成以財。"可以看出兩者之間在思想上的聯繫。"天企"(啓)與"天開"同義，魏啓鵬教授認爲"天啓"是商周時期天命觀的重要內容之一①。(2)天、道"無朕"、"無端"説法一致。《九主》云："天無勝(朕)，……天不見端，故不可得原，是無勝(朕)。"《十六經·前道》云："道有原而無端。"用"無端"、"無朕"形容天與道，兩者近似。(3)兩書都強調"明分"。《九主》云："法則明分。"又説："法君明分，法臣分定。"《四經·道原》："分之以爲分，而萬民不争。"(4)兩書都強調"無爲"。《九主》云："以無職並聽有職"、"佐主無聲"。《十六經》云："形恆自定，是我愈静。事恆自施，是我無爲。"《九主》之

① 參看魏啓鵬：《前黄老形名之學的珍貴佚篇——讀馬王堆漢墓帛書〈伊尹·九主〉》，陳鼓應主編《道家文化研究》第三輯。

作,約在戰國中期或稍晚①,當在《黄帝四經》成書之後。

(二)《易》説古佚文《繆和》中的黄老思想。

馬王堆出土的漢墓帛書,至今已有二十年,部分説《易》的佚書尚未正式公佈,目前在我主編的《道家文化研究》第三輯"馬王堆帛書專號"中,首次公佈了帛書《二三子問》、《易之義》、《要》以及帛書《繫辭》的釋文。所剩帛書《繆和》、《昭力》兩篇,未及刊出。這兩篇古佚《易》説,雖未問世,我有幸閱讀到原件的釋文,寫了《帛書〈繆和〉、〈昭力〉中的老學與黄老思想之關係》一文,在《道家文化研究》第三輯刊出。這兩篇古佚《易》説,不僅吸收了許多《老子》的觀念,也表現出不少黄老的思想,現在只就《繆和》與《黄帝四經》兩者的聯繫加以對照。如(1)《繆和》云:"古之君子,……上順天道,下中地理,中[合]人心。"相同的説法亦見於《黄帝四經》,《十六經・前道》:"治國有前道,上知天時,下知地利,中知人事。"相類的語句亦見《經法・四變》和《十六經・果童》。(2)《繆和》:"凡天之道,一陰一陽,一短一長,一晦一明,夫人道則之。"這思想繼承《黄帝四經》。《十六經・果童》有言:"天有恆榦,地有恆常,合[此恆]常,是以有晦有明,有陰有陽。"《經法・論》云:"天明三以定二,則一晦一明。"而《繆和》的"長短",即《四經》的"贏絀"。(3)《繆和》云:"……動則有功,静則有名。""動""静"配合的觀點見於《黄帝四經》,《經法・亡論》云:"静極必動,動極必静"、《十六經・果童》云:"静作得時,天地與之。"(按"静作"即静動)功名相抱的觀念也見於《四經》。《經法・四度》云:"名功相抱,是故長久",《經法・論約》:"功合於天,名乃大成。"(4)《繆和》云:"諸侯無財而後有財,今吾君無身而有身。"而《經法・六分》有言:"賤財而貴有知,故功得而財生;賤身而貴有道,故身貴而令行。"此外,在守愚名實、趨時取福以及反對群臣比周、擅權外志方面,都可看出帛書《繆和》承襲《黄帝四經》的思想脈絡之發展。

① 見余明光《帛書〈伊尹・九主〉與黄老之學》,《道家文化研究》第三輯。

(三)《易》説古佚書《二三子問》、《易道》、《要》中的黄老思想。

以《黄帝四經》爲代表的黄老思想,不僅在同一流派中有著重大的發展,即使在儒家的作品中也產生廣泛的影響。如近日公佈的帛書《二三子問》、《易之義》、《要》等《易》説古佚書,在形式上是屬於儒學的作品,但在內容上則以黄老思想爲主導。兹舉原文爲證:

(1) 帛書《二三子問》全文約2600餘字,爲戰國末至秦漢間儒生依托"二三子"與孔子對話,主要討論乾坤與卦爻辭的意義。這篇文章形式上爲儒派之作,但對原始儒家的中心思想仁學與禮學卻無所闡釋,通觀全文其重要概念多出自黄老道家。例如,㈠文中反覆出現的"精白"這一概念,爲道家所喜用,道家常説"抱素守精","素",即"白",莊子説"虛室生白",亦即稷下道家所謂的"白心"(《管子・白心》)。"精"與"白"爲莊子學派與稷下道家所普遍推崇,但《二三子問》中所標舉的"精白"概念,可能直接取自於《黄帝四經》。《四經》的第一篇《經法・道法》謂:"至素至精,……然後可以爲天下正。"《經法・論》云:"寧則素,素則精,精則神。"《道原》云:"前知太古,後能精明。""能精明",或與"能精白"通。《二三子問》文末還説:"能精能白",而"能精"一詞已見於《道原》:"服此道者,是胃能精"。《黄帝四經》將守道稱爲"能精",從這裏可以瞭解《二三子問》所重視的這一概念乃源於黄老道家。㈡文中提到"黄帝四輔"以及"立三卿"之事,這一説法已見於較早的帛書《黄帝四經》。按《十六經・立命》講述黄帝"方四面"以及"立國道君、三卿"之事,此爲《二三子問》所襲取。廖名春《帛書〈二三子問〉簡説》文中也認爲"它寫成時,也受了戰國黄老思想的影響。……先秦儒家尊崇堯舜,《論語》、《孟子》、《荀子》諸書對堯舜的推崇盈篇累牘,但從不提及黄帝,更不會將黄帝置於堯前"。此説甚是。㈢文中強調務"時",謂:"時至而動。""動善時"的觀念源於老子(語見《老子》第八章)黄老之學的先驅者范蠡強調要善於掌握時機，他說："夫聖人隨時而行，是謂守時"，又說："聖人之功，時爲之庸（用）。"在《黄帝四經》中更加強調，"時"字出現多達 65 見，散見全書。《二三子問》中之務"時"（"時至而動"）乃繼承黄老思想而來。㈣ 文中將天地人與鬼神並提，謂："天亂驕（虧盈）而成嗛（謙），地驕而實嗛（謙），鬼神禍福嗛（謙），人亞（惡）驕而好[嗛（謙）]。"這是抄襲《彖傳》釋《謙》卦。而天、地、人與鬼神並舉之例，較早見於稷下黄老之作《管子・樞言》："天以時使，地以材使，人以德使，鬼神以祥使。"更早屢見於帛書《黄帝四經》（如《十六經》的《前道》與《行守》），這一黄老學派的說法，爲《二三子問》作者所接受。㈤《二三子問》文中，"廣德"一詞，源於老子（見《老子》四十一章）。慎戒驕、高的觀念謂："驕下而不殆者，未之有也。聖人之立正也，若遁（循）木，俞（愈）高俞（愈）畏下"），亦源於老學。"德與天道始，必順五行"，這是黄老思想的表述。

（2）帛書《易之義》全文約 3100 字，可能也是戰國末至秦漢間作品。句首"子曰：易之義"，全文均爲依托於經師之言而立說。《易之義》首先引起我們注意的是：帛書本《繫辭》比通行本少約近千字，而通行本增加的字數約計 546 字，竟出自《易主義》—— 其中如"三陳九德"以及"《易》之興，與文王之事"等重要段落，均見於《易之義》（疑通行本的形成可能在漢武帝置五經博士期間，其編纂或與經學博士的設置有關，爲編定本，乃自帛本的基礎上抽取《易之義》與《要》篇的若干段落補續而成）。再則，《易之義》文中亦散見黄老思想。如：㈠ 它通篇的重點在於以"陰陽"解易，這是出於道學的傳統。蓋儒家著作無論《論》、《孟》、《學》、《庸》，均無一字言及陰陽。朱伯崑教授在《易學哲學史》曾說："從《莊子・天下》……解易的傾向看，以陰陽變易說明《周易》原則，是可以肯定的。此種解《易》的傾向，不是出於孔子的傳統，而是來於春秋時期史官的陰陽說。此說後被道家和陰陽家所闡發，用來解釋《周易》的哲學。"此說甚確。㈡《易之義》將陰陽概念與剛柔、動静結合——陰陽相感、剛柔相濟、動静互涵，這是道家黄老派在論述自然法則與人事規準時反覆強調的。㈢《易之義》將剛柔與文武並舉，文中對"文、武"概念之闡釋，明顯是沿襲《黄帝四經》而發揮的。在先秦諸子典籍中，"文"、"武"並提始見於帛書《四經》，《經法·四度》有言："動静參於天地謂之文。誅禁時當謂之武。静則安，正則治，文則明，武則強。……文武並立，命之曰上同。"又説："二文一武者王。"《易之義》的"文、武"觀念明顯是繼承《黄帝四經》而發展的。㈣《易之義》使用"神明"概念，亦源於道家。"神明"一詞，爲莊子所喜用，且見於《黄帝四經》，如《經法·名理》篇首便説："道者，神明之原也。神明者，處於度之內而見於度之外者也。……神明者，見知之稽也。"可見黄老學之推崇"神明"。

(3) 帛書《要》全文約1600餘字，成書當在西漢前期。《要》文中有言："《尚書》多於(闕)矣，《周易》未失也。"這話反映了秦火之後的情況。因秦焚《詩》、《書》而不及《周易》，故而説《尚書》多缺失而《周易》無損。而且，《尚書》乃漢以後的名稱("尚"、即上，指上古之書)，戰國以前皆稱《書》，先秦典籍可以爲證。《要》篇中的黄老思想，如：㈠貴身益年之説("安得益吾年乎？……，□而貴之"，"君子安其身而後動，易其心而後評，定位而後求")，爲楊朱及黄老中的一派所重視(如稷下道家保存在《管》書的《內業》、《心術》等篇)。㈡剛柔相濟之説("易剛者使知瞿(懼)，柔者使知剛")，較早見於帛書《黄帝四經》。㈢天道、地道、人道三者並舉，並謂"天道"——"不可以日月生(星)辰盡稱也，故爲之以陰陽"。"地道"——"不可以水火金土木盡稱也，故律之以柔剛"。這種思想也見於黄老著作中。

七、從《黄帝四經》與傳世文獻看黄老思潮

道家黄老派與老莊一系的最大不同，在於它的援法入道。黄

老思想的起源或可能早於稷下道家,但它的盛行於全國各地而成爲戰國的顯學是因着稷下道家的倡導。倡導黄老學説的各家彼此間雖仍有歧異,但多推崇老子的道論或自然無爲説,同時強調形名法度的重要性。從這共同主張看來,現存《尹文子》、《鶡冠子》、《文子》,固然是典型的黄老著作,而現存《申子》、《慎子》的輯本,仍可視爲黄老學派之作。這些作品的學派性質和真僞問題,需要在這裏作一點説明。

《文子》等著作,曾被古史辨派學者誤判爲僞書,所幸河北定縣已有《文子》殘卷出土,則僞書之説得以澄清。《鶡冠子》、《尹文子》也有專家學者結合出土帛書(如《黄帝四經》等)論證其非僞書。[①]從《黄帝四經》的關係上來説,《文子》、《鶡冠子》與它的內在聯繫最爲密切,兩書與《四經》重出互見之處觸目皆是。依唐蘭先生列舉的引文對照表,高達 23 處,《鶡冠子》徵引《四經》多達 17 處(每處徵引二至十餘文句不等)。《尹文子》是尹文學派的作品,這書的黄老色彩比《慎子》較爲明顯。卷首云:“大道無形,稱器有名”,《繫辭傳》即謂:“形而上者謂之道,形而下者謂之器”或直接本於此。《尹文子》書中引《老子》六十二章文:“道者,萬物之奥,善人之寶,不善人之所寶。”認爲:“是道治者,謂之善人;藉名法儒墨者,謂之不善人”,這裏強調“道治”。並謂:“大道治者,則名法儒墨自廢;以名法儒墨者,則不得離道。”《尹文子》把“道治”凌駕於名法儒墨之上,它以“道治”爲主導,故而認爲:“人君之事,無爲而能容下。”(見《説苑・君道》)尹文一派反對人治,主張法治,書中記録彭蒙的一段談話説:“聖人者,自己出也;聖法者,自理出也。理出於己,己非理也;己能出理,理非己也。故聖人之治,獨治也;聖法之治,則無不治矣。”這是黄老學派的一段極爲精闢的言論。《尹文子》的最大特色,是從道家立足點出發,闡

① 有關《尹文子》的辨僞和論述的文章,請參看胡家聰:《〈伊文子〉與稷下黄老學派》(刊在《文史哲》1984 年第 2 期),《〈尹文子〉並非僞書》(刊在《道家文化研究》第二輯)。

發了"正名"的形名學説和名爲法用的政治思想。這種宣揚道法形名的學説,正是稷下道家黄老學派的共同處。

《愼子》的黄老色彩,不如《尹文子》明顯,但它的"因道全法"的思想,仍是屬於黄老學派的。司馬談《論六家要旨》,謂"其術以因循爲用。"《愼子》有《因循篇》,闡揚因循之義云:"天道因則大,化則細,因也者,因人之情也。""因人之情",正合道家之旨。而"因天道而順人情"—— 這種以天道爲準則而推及人事的思想,正是黄老之學的一大特點。愼子主張:"君臣之道,臣事事而君無事",這種"君道無爲""臣道有事"的思想,正是黄老派對老子思想的發展。愼子主張:"以道變法"(《藝文類聚》卷五四引)這與《黄帝四經》:"道生法"的觀點是一致的。而《愼子》徵引《四經》之文約5處(如《十六經・本伐》:"諸庫藏兵之國,皆有兵道。"《愼子》引作:"藏甲之國,必有兵道。"《稱》云:"不受禄者天子弗臣也。禄泊者弗與犯難。"《愼子・因勢》引作:"是故先王見不受禄者不臣,禄不厚者不與入難。"此外,《稱》中"故立天子[者不使]諸侯疑焉"、"天有明而不憂民之晦也"及"臣有兩位者其國必危"三段文字,亦俱見於《愼子》殘篇內)。凡此可見兩者的內在聯繫。

申不害是介於道、法之間的人物。《史記》稱:"申子之學,本於黄老"又説:"太史公曰:申子卑卑,施之於名實。""卑卑",正是老學的表述。申子是否依托於黄帝而立説,不得而知,但從殘存的《申子》輯文來看,它之推崇老學是無疑的[①]。其引形名法治入老學,大體上合於黄老派思想,但申子之學能否稱爲黄老之學,則有争議。

---

①《申子》中沿用《老子》思想觀念者頗多,舉數例爲證:(1)"故善爲主者,倚於愚,立於不盈,設於不敢,藏於無事,……示天下無爲"。《申》文此處所用"愚"、"不敢"、"無事"、"無爲",皆爲《老子》習用語詞。(2)"名自正也,事自定也,是以有道者自名而正之,隨事而定之也"。此處"有道者"、"自定",亦爲《老子》常用語詞。(3)"天道無私,是以恆正;天道常正,是以清明;地道不作,是以常静。……"此處所用"天道無私"、"正"、"明"、"静"見於《老》書中。(4)"治亂安存亡,其道固無二也。故至智棄智,至仁忘仁,至德不德,無言無思,静以待時,時至而應,心暇者勝,反應之理,清静公素而正始卒焉。……"

綜上所論,帛書《黄帝四經》與戰國中期以後的學術流派有不可分割的關係,它和《管子》、《愼子》、《文子》、《鶡冠子》有着更爲緊密的內在聯繫。而《黄帝四經》和《易傳》的某些思想脈絡的發展,是尤其值得深入研究的嶄新課題。

八、古代道家的現代化

黄老學説崛起於稷下而獨盛於戰國,稷下道家著述繁多,到漢代還流傳着,其後由於獨尊儒術,在攻乎異端的空氣下,黄老道家則首當其衝受到排斥,以致著作難以保存於後世。長期以來,由於稷下道家典籍的盡多亡佚,致使先秦黄老之學幾近淹没,所幸馬王堆大批漢墓帛書出土,而其中埋藏二千年之久的《黄帝四經》得以重見於世,從這部目前所能看到的最早黄老作品爲基準,可以窺見先秦黄老之學的發展概況。玆將戰國黄老學派著作列表於下:

此外,根據《漢書・藝文志》的記載,尚有:《太公》237 篇、《鬻子》22 篇、《黄帝君臣》10 篇、《雜黄帝》58 篇、《力牧》22 篇,這些較可能都是屬於黄老學派的作品。而 1973 年河北定縣已出土竹簡《太公》,惜迄今未公佈。從以上所舉黄老之學的著作篇目之多,也可見出黄老道家在戰國的盛況。

再則,從《管子》和《吕氏春秋》這兩部最具有時代總結性的巨著中,也可反映出道家(尤其是黄老學派)在戰國思想史上所佔的突出地位。《管子》是一部反映戰國百家争鳴的言論總匯,《吕氏春秋》則是作爲先秦各家融合趨向的思想總結。這兩部具有時代經驗與智慧特色的著作,都顯示出道家在哲學思想的領域裏佔據着主體的地位。

另方面,從先秦儒家集大成者的荀子著作中所受稷下道家的深刻影響,以及先秦法家集大成者的韓非所受黄老思想的巨大影響,也充分反映了道家黄老學派的熾盛景況。

此外，從道家文獻出土之豐富，也可證實老學及黃老之學的主導地位。馬王堆出土的這批珍貴帛書，確實是"道家學派的資

《黃帝四經》——

- 馬王堆帛書《伊尹·九主》
- 《管子》(《管》書中《心術》上、下、《內業》、《白心》、《水地》、《樞言》、《宙合》、《形勢》、《勢》、《正》、《九守》、《四時》、《五行》等篇皆屬稷下道家黃老之作)
- 《尹文子》
- 《慎子》
- 《莊子》(黃老思想曾滲入莊子後學見於《莊》書《天地》、《天道》、《天運》、《在宥》等篇若干段落)
- 環淵著《蜎子》十三篇、田駢著《田子》二十五篇、接子篇《捷子》二篇、宋鈃著《宋子》十八篇。(稷下道家衆多著作保存至漢代，今已佚失)
- 《文子》
- 《鶡冠子》

料匯編”[1]。《老子》甲、乙本及《黃帝四經》之震撼學壇固不用説，新近帛書《繫辭》之全文公佈，可以看出它是現存最早的道家抄本[2]，而其他《易》説類的佚書《二三子問》、《易之義》、《要》、及《繆和》、《昭力》等，則全都滲透着濃厚的黃老思想。

總之，由於馬王堆珍貴文獻的出土，給我們在道家研究上帶來了一個新的方向。

長久以來，人們一提起道家，就聯想到老莊，除此之外，戰國初期“天下之言不歸楊即歸墨”的楊朱學派固然被一筆帶過，而影響莊子頗深的列子，其學派之作《列子》，竟人云亦云地誤判爲魏晉之作。至於作爲百家争鳴中取得主導地位的黃老道家，更少人探究。由於馬王堆《黃帝四經》等珍貴帛書的出土，結合傳世典籍，給我們在老學、莊學重作評估的同時，也給我們在黃老之學的興盛與發展帶來了新的研究課題：老學在經歷百餘年之後，不僅在莊學中獲得了無限的發展，也在黃老之學中獲得了巨大的生命力。“黃老獨盛”的局面，在中國思想史上延續了三、四百年之久，它建構了一個具有強大活力的政治哲學——在這方面一直影響到漢代董仲舒[3]；它建構了一個相當完整的宇宙論，並發展了道家獨特的思維方式（天道推衍人事的思維方式與循環往復的思維方式）——在這方面對《易傳》有着難以估量的影響。對於先秦黃老道家的重新認識與評估，也爲先秦道家主幹説提供了更爲堅強的論據。

在中國哲學史上，儒家經歷過三次重大的質變，第一次重大的質變是先秦的荀子，第二次重大的質變是漢代的董仲舒，第三次重大的質變是宋明理學。前兩者是直接受到黃老道家的啓迪

① 見陳松長：《馬王堆漢墓帛書的道家傾向》，《道家文化研究》第三輯。

② 詳見陳鼓應《馬王堆出土帛書易繫辭爲現存最早的道家傳本》，刊在《哲學研究》1993年第2期。

③ 從帛書《黃帝四經》看董仲舒與黃老之學的關係，晚近爲中外學者所關注，請參看余明光：《董仲舒與黃老之學——〈黃帝四經〉對董仲舒的影響》（刊在《道家文化研究》第2輯）；薩拉・奎因（Sarah A. Queen）：《董仲舒和黃老思想》（刊在《道家文化研究》第3輯）。

與滲透,荀子的自然哲學與認識論,直接繼承稷下道家,董仲舒的天道觀亦沿襲黃老思想。從哲子思想方式與理論建構的角度來看,儒學的發展過程其深層結構實爲道學化的過程。而儒學的道學化是另一個有待發掘的新課題。

黄老獨盛於秦漢數百年之久,自有其時代的必然因素,值得我們深入探討。

諸子起於救世之弊,各家關切的一個重大的議題便是制度改革的問題。老子首先批評行之已久而弊端叢生的舊制度,孔子則慾圖在體制內作若干改良而多方維護不合時宜的禮制,墨子則針對孔儒對宗法"親親"之政的曲意堅持,猛烈抨擊"骨肉之親,無故而富貴"的血緣政治。對於制度改革以及施政方案的争論,諸子的見解雖各有所長,但儒家滯於拘泥守舊①,墨家流於自苦爲極,法家則過於嚴酷絶情,在這方面司馬談在《論六家要旨》中有過敏鋭的觀察,他指出:"儒者博而寡要,勞而少功,是以其事難從。……墨者儉而難遵,是以其事不可偏循。……法家嚴而少恩。"百家中,唯有道家能博採衆長而發揮自己的特點。司馬談説:"道家使人精神專一,動合無形,贍足萬物。其爲術也,因陰陽之大順,采儒、墨之善,撮名、法之要,與時遷移,應物變化。立俗施事、無所不宜。指約而易操,事少而功多。……其術以虚無爲本,以因循爲用。無成勢,無常形,故能究萬物之情,不爲物先,不爲物後,故能爲萬物主。"

司馬談所説的道家,主要是指黄老派道家。道家各派雖多分歧,但有容乃的精神,卻是共同特有的。黄老派正繼承老子"容乃公"的開放心態,一方面發揮本身的長處,另方面吸收各家的特點。所謂"因陰陽之大順,采儒墨之善,撮名法之要",正是融合他人之所長;而"精神專一"爲道家各派所專注持修的生命內在之凝聚力,"指約而易操,事少而功多",正是《黄帝四經》所説的:"夫

---

① 司馬遷《史記》批評孟子,則説他"遷遠而闊於情事"。

百言有本,千言有要,萬言有總。”(《十六經·成法》)把握事理的“總綱本要”,正是黄老道家的一大突出的優點。這一點班固在《漢書·藝文志》裏也再度加以肯定(“道家……知秉要執中”)。“與時遷移,應而變化,”則是黄老道家的另一個特出的優點。《黄帝四經》有言:“聖人不朽,時反是守”、“聖人之功,時爲之庸”,“因時秉宜,必有成功”,“静作得時,天地與之”,這些都是黄老派的名言。黄老道家的重“時”,在哲學上對《易傳》有深刻的影響,在政治上講時功、重時效及其善於掌握時機,這正是黄老派在現實上取得數百年主導地位的重要因素。

總之,以“道法”爲其中心思想的黄老派,一方面繼承老子的道論,同時又引進時代所急需的法治觀念,兩者結合,以推動先秦政治體制的改革。老子之“道”以“無爲”爲特點,所謂“無爲”,即是縮減領導意志,任各物自生、自化、自成、自長。老子的“道”,具有濃厚古代民主性、自由性的訊息,這爲黄老派所全面接受,並進而援法入道提出“道生法”的主張。“道法”結合,也正是古代民主性、自由性與法治的結合。這是古代道家現代化的重大課題。

作者簡介 陳鼓應,1935年生,福建長汀人。曾任臺灣大學哲學系副教授。現任北京大學哲學系教授。主要著作有《悲劇哲學家尼采》、《老子注譯及評價》、《莊子今注今譯》、《老莊新論》、《易傳與道家思想》等。

簡論“道法自然”在中國哲學史上的影響

王德有

内容提要　本文認爲,道家的主旨在“自然”,道家對中國哲學史的深刻影響在“道法自然”。“道法自然”包含着三層意義:其一是天地人物都有所法;其二是天地人物都無所爲;其三是天地人物同遵自然。“都有所法”是説法則是普遍的;“都無所爲”是説法則是不可違背的;“同遵自然”是説天地人物共同遵守一個總法則。將這三層意義融會在一起,便形成一條基本的哲學思路:探究事物的法則,探究萬物的總法則;用事物的法則解釋事物的一般屬性,用萬物的總法則解釋事物的根本屬性;自覺遵循事物的法則行事,以領悟萬物的總法則作爲人生的最高境界。道家是這樣,其他學派也趨向於這樣,連儒家後學也隨之如此。可以説,除了典型的心學之外,這種思路構成了中國哲學史的基本思路。這就是“道法自然”在中國哲學史上的影響。

我在《易道儒三家主旨辨》一文中認爲道家的主旨在“自然”,其理由如下:

老子開創了道家學説,第一次以“道”爲最高範疇,以之來概括天地萬物的宗祖、宇宙的總根源。在他看來,宇宙在原初的時期是一團混沌。之後由渾然一體的混沌分而爲二,又由二化而爲三,再由三產生出萬物來。天地萬物產生之後,宇宙混沌體並沒有消失,它在無形之中滋養着天地萬物,又回收着天地萬物,像是供天地萬物來來往往的一條大道，所以給它起了個名字，叫做“道”。學界將老子學説中的這部分內容稱爲宇宙演化論。

宇宙演化論是老子全部學説的基礎和前提，但卻不是其立論的主旨，它的主旨在於人、地、天、道皆法自然。

在老子看來，道是天地萬物的宗祖，天地萬物都是由道産生的，都從道那裏獲取自己的形體和性能，所以它們的本性與道是一致的，它們的行爲都以道的法則爲規範。道的法則是什麽？是自然，亦即自然而然。正因如此，所以老子特意在宇宙總根源“道”之上又提出了一個範疇，這就是“自然”。《老子》二十五章説：

> 域中有四大，而人居其一焉。人法地，地法天，天法道，道法自然。

老子的這句話具有雙重意義：其一在於突出“自然”；其二在於規範域內。

在老子學説中，“道”是最高範疇，按情理説，道的上面不應該再有什麽更高級更須服從的東西了。可實際卻不然，老子特意在道的上面又加了一個“自然”，要道服從自然，效法自然，所以説：“道法自然”。不過自然不是一個實體，而是一種法則；要道去效法自然，並不是在道之上又加上了一個實實在在的領導，而只是强調道在遵循自然而然的法則行事，突現道的自然無爲本性。這一强調和突現，展現出了老子學説的終極目的，這就是通過天地萬物的總根源展示天地萬物的總法則。總根源是道，總法則是自然。

既然如此，域內一切事物皆須遵循自然法則行事便成了無可異議的事情了，因爲道是宗祖，而天、地、人、物是子孫。宗祖效法自然，子孫亦須效法自然。域內有四大，一爲道，二爲天，三爲地，四爲人，於是就其大者而論，説“人法地，地法天，天法道，道法自然”。

有鑒於此，我們説“法自然”是老子學説的綱。老子的全部學説都是在這個綱的指導下展開的。老子學説的內容可以游走於宇宙、人生、治國、用兵、謀略、養身各個領域，但卻永遠擺脱不了自然無爲的靈魂。比如它可以言兵不言道，但卻不能言兵背自然；當它言兵不言道時，人們不會因爲它離開了宇宙演化論的內容而説它離開了老子學説，而假如它言兵背自然，人們則會認爲它有背老子大旨，懷疑它作爲老子學説的真實性。

有鑒於此，我們還説“法自然”是道家學説的綱。全部道家學説都是在這個綱的指導下展開的。道家學説的內容可以言及宇宙演化、宇宙狀態、宇宙本體、宇宙構成、人的認知、人生修養、人世治理、人倫綱常，不一而足，但有一個東西貫通其中，這就是自然無爲的法則。所言內容可以不同，而自然無爲的法則不能背離。比如老子在談及宇宙時主要是講宇宙的演化，王弼在談及宇宙時主要是講宇宙的本根，人們不會因爲王弼離開了老子談及的主要問題而將其學説從道家中剔除出去，而假如王弼背離自然無爲的法則去談宇宙，不管他談的是什麼內容，人們都不會承認它爲道家之言。事實上，中國古代的道家學説，不管發展到哪個時期，不管以什麼內容立説，没有一個背離自然無爲法則的。

遵循自然無爲的法則才可以稱爲道家學説，背離自然無爲的法則便背離了道家學説，主張自然無爲是歸屬於道家學説的先決條件。

由此我們説，道家主旨在自然。

道家的主旨在“自然”，道家對中國哲學史的深刻影響在“道法自然”。這是本文所要論説的主題。

由於“道”在宇宙中有特殊地位，既産生了天、地、人，又養育着天、地、人，所以“道法自然”包含着三層意義：

其一是天地人物都有所法；

其二是天地人物都無所爲；

其三是天地人物同遵自然。

“都有所法”是説法則是普遍的；“都無所爲”是説法則是不可

違背的;"同遵自然"是說天地人物共同遵守一個總法則。

將這三層意義融會在一起,便形成一條基本的哲學思路: 探究事物的法則,探究萬物的總法則;用事物的法則解釋事物的一般屬性,用萬物的總法則解釋事物的根本屬性;自覺遵循事物的法則行事,以領悟萬物的總法則作爲人生的最高境界。道家是這樣,其他學派也趨向於這樣,連儒家後學也隨之如此。可以說,這種思路構成了中國哲學史的基本思路。這就是"道法自然"在中國哲學史上的影響。

有人說,"道法自然"在道家學者那裏稱之爲"無爲",統治中國古代思想兩千年的儒道學說與之對立,何以談影響? 這話不對了。儒家學說在許多重大問題上與道家對峙,這是真實的,但並非在一切問題上都如此。且不說後來的儒道學說在許多方面互相融合,就儒家師祖孔子而言,對道家的無爲思想便相當贊賞。比如他說"天何言哉? 四時行焉,百物生焉,天何言哉"(《陽貨》),顯然是受了無爲思想的熏陶。又說"無爲而治者其舜也與? 夫何爲哉? 恭己正南面而已矣"(《衛靈公》),把無爲的品格賦與他心目中的聖人虞舜。耐人尋味的是,通常人們作爲道家政治原則的"無爲而治"居然是孔子概括出來的,可見他受無爲思想影響之深。

"無爲",在道家內部有種種理解,但最基本的核心內容是一致的,這就是不以主觀代客觀,不以人行背物則,一切都順隨着客觀事物的法則行事。從這個意義上講,它的影響是深遠的。

一、"道法自然"的影響之一在於"法"

"法"在這裏是遵循、仿效之意。

老子認爲,宇宙最原始、最廣大的東西是"道","道"產生天地,所以天地遵循、仿效道的變化而變化。不過"道"的變化也不是自由、隨意的,它也有所遵循,這就是自然,所以說"道法自然"。這樣一來,宇宙之中的一切事物便没有無法則的東西了。一切都有法則,一切都有序。而且它們的法則、它們的序都有一個共同的來源,都來自"道",都是"自然"。也就是説,一切事物的法則、一切事物的序都服從一個統一的法則、一個統一的序。這種觀點指導人們用有序的思維方式去觀察事物、認識事物,而且更進一步用萬物有總法則、總序的觀點去觀察事物和認識事物。中國古代把序稱爲"道"、"理",稱爲"常"。這裏所説的"道"與老子所説的"道"有聯繫,但卻不同,它是秩序和法則之意。

先秦時期這種思維方式的影響已見於典籍。

《繫辭》説:"一陰一陽之謂道,繼之者善也,成之者性也。"又説"形而上者謂之道,形而下者謂之器。"認爲世上有兩類東西,一類是有形可見的具體事物,另一類是無形不可見的事物運動變化的法則。它把有形可見的具體事物稱爲"器",把無形不可見的事物運動變化的法則稱爲"道"。在這裏,"道"含有萬物總法則的意義,具體事物都須遵循它。遵循它的就可以存在,所以説"繼之者善也";體現它是每個具體事物的本性,所以説"成之者性也"。

儒家師祖孔孟没有在事物總秩序、總法則的意義上使用"道",而荀子卻有很大變化,他雖然還没有把"道"提高到事物總秩序、總法則的高度來使用,但已將其廣泛用於諸多方面,比如説"君道"、"臣道"、"人道"、"天道"、"治國之道"、"勝人之道"等,甚至把標志某一方面的定詞去掉而直接以"道"言之,如説"道存則國存,道亡則國亡"(《君道》)。大有將"道"從具體事物之中抽象出來的傾向。

法家代表韓非是荀子的學生,他受到老子思想的熏陶,把荀子潛在的思維傾向顯現出來,形成了一種定式。他説:"道者,萬物之所然也,萬理之所稽也。理者,成物之文也;道者,萬物之所以成也。故曰:'道,理之者也。'物有理不可以相薄,故理之爲物之制。萬物各異理,萬物各異理而道盡。"(《解老》)把具體事物的法則稱爲"理",把萬物的總法則稱爲"道"。認爲理制約着萬物,萬物借助於理而相互區别;道總合萬物之理,是萬物之所以存在的總依據。

漢代之後,從萬物有序的觀點出發觀察事物、站在萬物有總法則的高度觀察事物的思維方式已被許多思想家所接受,且不説道家學派的思想家,儒家的許多著名學者亦如此。

如漢初陸賈説:"故事不生於法度,道不本於天地,可言而不可行也,可聽而不可傳也,可小玩而不可大用也。"(《懷慮》)認爲一切事物都有法度,萬物都有所循,而根本的法度和大道出於天地。在他看來,所謂"道",是指遵其而行則可達到目的的行徑,亦即物行之軌道、事行之法則。按他自己的話説,"道者,人之所行也。夫大道,履之而行則無所不能,故謂之道"。他從儒家探討人事的角度講法則,認爲人們行事要遵循法則,不過人事的法則不是孤立的,它是天地法則的具體體現,天地的法則是一切事物遵循的根本。

提倡獨尊儒術的董仲舒在思維方式上並不獨尊儒術,他也從事物有法則、萬物有總法則的視角看待人事。説:"君臣父子夫婦之義,皆取諸陰陽之道。"(《基義》)又説:"天有陰陽,人亦有陰陽,天地之陰氣起,而人之陰氣應之而起;人之陰氣起,而天之陰氣亦宜應之而起。其道一也。"(《同類相動》)將萬物運變的總法則歸之于陰陽,這是易家的思想,而以天地萬物具有一個統一法則的觀點看問題,則是道家的特色。這一點在他的《天道無二》中有更加明確的表述。他説:"天之常道,相反之物也,不得兩起,故謂之一。一而不二者,天之行也……法天之道,事無大小,物無難易。反天之道,無成者。"認爲,萬物統一的總法則是天道。天是由陰陽二氣構成的,陰陽二氣做同向交合運動,一時以陰爲主,一時以陽爲主,這就是天之法則、天之道。萬物各有自己的法則,然而又都遵循天道,董仲舒稱之爲"法天之道"。可見其基本思路源於老子的"人法地,地法天,天法道,道法自然",而且其表述形式亦脱胎於老子。

儒家學者揚雄則直率地承認在自然觀方面接受了老子的理論,他說:“老子之言道德,吾有取焉耳。及捶提仁義,絶滅禮學,吾無取焉耳。”(《法言·問道》)所謂“言道德”,是指老子講的自然觀方面的內容。自然觀是對自然界的基本看法,其中體現人的思維方式。揚雄接受了老子的自然觀,因此也就在一定程度上接受了老子的思維方式,其中包括因循物則。他說:“夫玄也者,天道也,地道也,人道也,兼三道而天名之,君臣父子夫婦之道。”(《太玄·玄圖》)又説:“道也者通也,無不通也。”(《法言·問道》)在這裏,揚雄將事物法則分作兩層:一層是諸類事物各自的法則;另一類是諸類事物的共同法則。他將各自的法則稱爲“道”,文中言“天道”、“地道”、“人道”;將共同的法則稱爲“玄”,認爲“玄”兼有三道。“道”是各類事物所要遵循的,“玄”則是所有事物都要遵循的,循之則通,無有不通。

魏晉時期裴頠追尋宗極之道,唐代柳宗元探究封建之勢,宋朱熹論説太極一理,清初王夫之辨證理氣道器,都是遵循着萬物有理、事事有則的思路觀察世界、看待事物。

人類要立足於世界,其基本的前提是適應世界。要適應世界最重要的途徑是認識世界。人類對世界的認識有一個由淺入深、由表及裏的過程。這個過程不僅存在於對事物的認識中,也存在於對認識方式的認識中。站在現代人的思維高度看問題,凡事則求其道、尋其理,凡行則順其道、順其理,這是很一般、很正常的思維方式。可在人類智慧的發展過程中,從沒有這樣的思維方式到形成這樣的思維方式,卻是一次大飛躍,它標志着人的認識從盲目的階段進入到了理性的階段,把握了認識世界的初步規律。相對於從事物外在形式、就事物個體去認識事物的方式而言,從事物的法則,特别是從萬物總法則的高度去把握事物,可謂是一舉萬得的巧術。這一巧術的揭示者、啟蒙者是道家的師祖老子。

老子生活的時代,人們已經開始從事物法則的視角看待事物了,比如子産論天道、人道,孫武言地道。不過他們還只停留在具體的類別和事物上，没有人提出過一切事物都有法則的見解，更没有人提出過天地萬物具有共同法則的見解。老子提出了這種見解，把人的思維一下子從具象提高到了抽象，在中國人的腦海中開闢出了哲學的領域、智慧的領域，爲國人思維的高度發展鋪設了一條道路。

二、"道法自然"的影響之二在於"法自然"

所謂"自然"，是指原本樣子、原本法則；所謂"法自然"，指遵循事物原本樣子、原本法則行事，不走樣，不歪曲，不脱離、不違背。

既然一切事物都有各自的法則，萬物具有一個共同的法則，那麼人們行事就必須遵循法則，不能脱離和違背。"法自然"的意義正在於此。

老子講"法自然"，雖然是叙述的語氣，但並没有商量的餘地，並不是説事物的法則可以遵循也可以不遵循。與此相反，在老子看來，道的法則是唯一的，必須遵守。《老子》二十一章説："孔德之容，唯道是從。"也就是説，事物最大的本性是以道爲唯一的楷模。道的法則是自然，所以事物唯一遵循的也就是自然，不以己意刻物性，不以己意背物則。

在道家學説的發展史上，自然無爲、遵循事物法則行事已經成爲思考問題的前提，在此不必細述，值得注意的是，這種思維方式在其他學派中也形成了定式。

儒家的荀子説："天行有常，不爲堯存，不爲桀亡。應之以治則吉，應之以亂則凶"，"循道而不貳，則天不能禍"，"倍道而妄行，則天不能使之吉"（《天論》）。認爲天的法則是客觀的，不以人的意志爲轉移，只有依照天的法則行事，才能免禍求福，違背天的法則行事，上天也無法保佑。

法家的韓非説："夫緣道理以從事者無不能成。無不能成者,大能成天子之勢尊,而小易得卿相將軍之賞祿。棄道理而妄舉動者,雖上有天子諸侯之勢尊,而下有猗頓、陶朱、卜祝之富,猶失其民人而亡其財資也。"(《解老》)又說:"衆人用神也躁,躁則多費,多費之謂侈。聖人之用神也静,静則少費,少費之謂嗇。嗇之術也生於道理。夫能嗇也,是從於道而服於理者也。衆人離於患,陷於禍,猶未知退,而不服從道理。聖人雖未見禍患之形,虛無服從於道理,以稱早服。"(同上)他認爲事物的法則是必須遵循的,這個法則就是所謂的道理。行之則無所不能,背之則無有能成。更耐人尋味的是,他作爲法家,居然把遵循事物的法則與虛静無爲聯繫了起來,説遵循事物道理就是要少費心思,"用神也静"。在他看來,虛静無爲與遵循道理是一種行爲的兩個方面。

董仲舒相信天神,認爲世間的人事是由天神主宰的。但他並不否認事物法則的必然性,並不忽視遵循事物法則的必要性和重要性。他將法天之道作爲舉事成功的前提,這在前舉的例子中已經提到。此下他接着説:"是以目不能二視,耳不能二聽。一手不能二事,一手畫方一手畫圓莫能成。人爲小易之物而終不能成,反天之不可行如是。"(《天道無二》)他認爲天的法則是陰陽對立而不二,一時以陰爲主,一時以陽爲主,不能陰陽並舉。由此,一切事物都在遵天而行,不能同時行二事。並以一目不能二視、一耳不能二聽、一手不能二事爲據,説明天的法則是不能違背的。

漢代之後,就表層而言,儒家學説佔了上風,仁義禮智成了人們遵循的規範,除了魏晉玄學將道家學説以一種特殊的形式烘托一時之外,儒家學説確實成了控制人們頭腦的無形力量。就深層而言,情況恰恰相反,不是道家向儒家靠攏,而是儒家向道家靠攏。儒家從原本主論人事轉向以萬物之總法則爲指導去論人事,論人先求道,以道解人事,其基本的思維方式是道決定人事、人事必遵道行。説得透徹一些,儒家正是遵循着道家的思維路線把自己的學説提高起來、引向深處,從而建立起一個完整的理論體系的。這既可以説是儒家學説的發展,也可以説是道家智慧的具體運用。這種情況並不奇怪,因爲道家學説原本是哲學,而儒家學説原本是人學;哲學是引導人們深入瞭解世界、瞭解社會及有效改造世界、妥善處理人事的智慧,而人學只有在哲學思維的指導下才能逐步進入佳境、形成完整的、深刻的理論體系。在人類發展的實踐中,二者逐步磨合而最終結合爲一體,這是一種必然的趨勢。正因爲如此,才出現了宋明時期的新儒學,即理學。

宋明理學特别強調恪守人倫道德規範,把禮作爲衡量人行的絶對標準。之所以能够完成這種理論建構,説到底在於它借助了道家的思路,在人行之後樹立了一個宇宙之禮、宇宙之理、宇宙之道,亦即宇宙的根本大法。程頤説:“視聽言動,非理不爲即是禮。禮即是理也。”(《遺書》)“人患事係纍思慮蔽固,只是不得其要,要在明善。明善在乎格物窮理。窮至於物理,則漸久後,天下之物皆能窮,只是一理。”(同上)將視聽言動及萬物遵行的法則都歸爲一理。在他看來,這一理即是天理,即是宇宙之理、宇宙之道。這種情況在朱熹那裏表現得更爲清楚。朱熹説:“宇宙之間一理而已。天得之而爲天,地得之而爲地,而凡生於天地之間者,又各得之以爲性。其張之爲三綱,其紀之爲五常,蓋皆此理之流行,無所適而不在。若其消息盈虚,循環不已,則自未有物之前,以至人消物盡之後,終則復始,始復有終,又未嘗有頃刻之或停也。儒者於此既有以得於心之本然矣,則其内外精粗自不容有纖毫造作輕重之私焉。是以因其自然之理而成自然之功,則有以參天地、贊化育,而幽明巨細無一物之遺也。”(《讀大紀》)他把天下一切事物都視爲宇宙之理的體現,天地如此,萬物如此,三綱五常如此,人心人行皆如此。朱熹很坦率,承認儒者是體會了這種關係之後,自覺地順其自然之理而成其自然之功的。也就是説,朱熹強調人們守禮,完全是因爲“禮”是“理”的體現。在他看來,守禮並不是一種人爲的強制行爲,而是順自然之理成自然之功的具體行動。其中道家的味道相當濃厚。再把他的這段論説與莊子在《大宗師》中的一段論説對比一下,更可窺見他的思維淵源。莊子説:"夫道,有情有信,無爲無形;可傳而不可受,可得而不可見;自本自根,未有天地,自古以固存;神鬼神帝,生天生地;在太極之先而不爲高,在六極之下而不爲深,先天地生而不爲久,長於上古而不爲老。狶韋氏得之,以挈天地;伏戲氏得之,以襲氣母;維斗得之,終古不忒;日月得之,終古不息……"莊子説道自古以固存,朱熹也説理自未有物之前以至人消物盡之後没有頃刻之或停;莊子説天地萬物得之而各成其性,朱熹也説天得之而爲天、地得之而爲地;道家樹立一個道是要説明天地萬物有一個共同的宗祖、共同遵循的大法,要人們明此道理、順道而行,朱熹也如此,要人們因其自然之理而成自然之功,認爲只有如此才能參天地、贊化育而無遺一物。道家思維對朱熹之影響可見一斑。宋代以下朱熹之學成爲官學,儒者大都遵奉之,道家思維也被廣泛接受。所以清代學者戴震以孔孟思想清理宋明理學時,將"宋儒出入於老釋,故雜乎老釋之言以爲言"(《孟子字義疏證》)作爲其罪狀之一。儘管戴震所説的老氏之言與我們所説的道家思維方式不完全吻合,但可以説明宋明儒家受道家之影響已爲古代儒家學者察覺。

《繫辭》説得好,"形而上者謂之道,形而下者謂之器"。道家學説主要談的是道,儒家學説主要談的是器。道是形而上者,看不見,摸不着;器是形而下者,可以眼見,可以體觸。看不見、摸不着者難爲人曉,難爲人知,所以人們常受其益而不知;可以眼見、可以體觸者易爲人曉,易爲人知,所以人們言行舉止皆不離。不知者人皆難言其影響,不離者人皆易感其影響。所以人們都説中國古代儒家的影響最大,認爲儒家學説是中國傳統文化的主流。而究其真,儒家影響大也正説明道家的影響大。因爲道家學説在儒家學説中占有特殊的地位。如果把漢代之後的儒家學説解剖開來,它分爲三個層次:最上層是思考問題的思維方式;第二層是學説内容的精神實質;第三層是具體陳述的學説内容。在這三個層次中,第一個層次實際上是從道家那裏移植來的,所以説道家所揭示的思維方式是漢後儒家學説之精靈。如果需要重複一下的話,那就是説,儒家學説是借助於事物各有自身法則、萬物具有共同法則、人物必須遵循法則動止的思維方式建立起自己的完整體系的,而這種思維方式恰是道家的專利。

作者簡介　王德有,1944年生,河北寧晉人,北京大學哲學系碩士,現任中國大百科全書出版社副總編輯。主要著作有:《道旨論》、《老子演義》、《智慧論》等。

老子的道論及其現代意義

牟鍾鑒

一

“道”字的本義是道路,如《説文》所云:“所行,道也”,从首从辵。辵,乍行乍止,即走路。首之所向,身之所行,即是道路。後來,“道”的內涵,由具體到一般,逐漸普遍化和抽象化,引伸出法則、規律、主義、導向、術數、方法等含義,但都與原始義“道路”相通。在老子前後,一般思想家尚未將“道”提升爲完全獨立的哲學概念,其所指還是有限事物,例如“天道”、“人道”、“神道”,這就是道的最大應用範圍了。子產説:“天道遠,人道邇,非所及也。”(《左傳》昭公十八年)《周易》觀卦彖辭云:“聖人以神道設教。”天道指天體及天象運行的規律,又泛指自然界的運動規律。人道指社會治亂興衰的規律和爲人處事的原則、標準。神道指鬼神祭祀之事,相當於今天“宗教”的概念。

老子寫《道德經》,尊道而貴德,第一次使“道”擺脱了一切形而下的感性色彩,成爲具有普遍性的最高哲學概念。從此中國哲學便以道論爲基石發展出各種形態的理論體系。可以説,自老子始,中國才有真正的哲學形上學,所以《道德經》具有劃時代的意義。自古及今,哲學無非要解決三個根本性的問題:一是宇宙和生命起源及演化問題,我們稱之爲哲學發生論;二是現實世界的本質與基礎問題，我們稱之爲哲學本體論；三是社會與人生的理想問題，我們稱之爲哲學價值論。老子的道論把這三個哲學問題合在一起加以解決了。他說："道生一，一生二，二生三，三生萬物"（四十二章），中國哲學的宇宙發生論基本模式由此而奠定。他說："道者萬物之奥"（六十二章），"萬物恃之以生而不辭，功成而不有，衣養萬物而不爲主"（三十四章），中國哲學的體用論由此而具雛形。他說："人法地，地法天，天法道，道法自然"（二十五章），中國哲學以道爲核心的價值論由此而建立。道不僅成爲道家和道教的最高信仰，而且成爲全體中國人心目中最高真理的代稱。一切不願意庸碌一生的人，都在爲求道、學道、聞道、得道、悟道、體道、行道的崇高目標而努力，爲的是使世界變得更美好，使人生變得有意義有價值。可以説，老子建立了一座道的豐碑，諸子百家環繞而敬仰之，得大道之滋潤，用大道而生輝。孔子說："志於道"（《論語·述而》），"吾道一以貫之"（《論語·里仁》，"魯一變而至於道"（《論語·雍也》），可見他的最高追求就是得道，他理想的社會就是有道的社會。韓愈提出道統説，開始把儒學道學化。宋明理學家更常以道學自居，故世人稱理學家爲道學家，由此可見老子的道論對儒學思想影響之巨。至於法家韓非論道，兵家《孫子》論道，人皆知之，勿庸贅述。總之，老子的道論是超乎學派，没有封界的，一切願意窮根究底和需要安身立命的人們，都最終要到大道裏面尋求答案。

中國人對道的理解是不一樣的，諸家各派見仁見智，千差萬别。這是因爲大道淵深，非常人所能透徹把握；大道富有，各家只能得其一隅。大道离我們似乎很遠，但我們時刻感到它就在我們身邊；大道离我們似乎很近，但我們總難窮其底蘊。老子已經告訴世人："道可道，非恆道"（一章），"道隱無名"（四十一章），道超言絶象，不可定義，語言無法加以正面表述。但老子畢竟寫了五千言，以寄言出意、隨説隨掃的方式，向人們描繪了大道的仿佛情形，表達了他體認大道的感受，使我們在放棄窮盡大道奢望的同時,懂得如何去接近大道,如何與大道息息相通。老子的後學及其餘諸子百家,也各從不同角度和側面探討了大道的豐富內涵,對我們走向大道也有幫助。言不能盡意,但非言無以表意,只要不以詞害意,不停留在語詞的表面意義上,語言還是可以成爲交流智慧的工具,也可以成爲啟人悟道的憑藉。老子之後的諸家學者對道的解說不下數十百種,其中較有哲學深度的,主要揭示了道的三大特徵。首先,從發生論的角度突出一個"生"字,指出道乃是萬物生命的總源泉,道具有能生而又不被生的不息動力。《莊子·大宗師》云,道"自本自根,未有天地,自古以固存;神鬼神帝,生天生地"。《淮南子·原道訓》云:"夫太上之道,生萬物而不有,成化象而弗宰。蚑行喙息,蠉飛蠕動,待而後生,莫之知德;待而後死,莫之能怨。"《管子·形勢解》云:"道者,扶持衆物,使得生育而各終其性命者也。"道自然生物,不具主宰性,這是道論與創世說不同的地方。第二,從本體論的角度突出一個"通"字,指出宇宙萬物相聯繫而存在,多元一體的基礎便是道,萬物統一於道,道是無形無象的,卻是萬物存在的普遍根據,因爲它無所不通。《莊子·漁父》云:"道者,萬物之所由也。"揚雄《法言·問道》云:"道也者通也,無不通也。"王弼《論語釋疑·述而》云:"道者,無之稱也。無不通也,無不由也,況之曰道,寂然無體,不可爲象。"一切物象皆有滯而成,道通而無滯,故可以爲物象之本,它不是"跡"而是"所以跡",故又稱爲"無"、"虛"。第三,從價值論的角度突出一個"德"字,指出道兼具真善美的品格,是社會人生的正路,得道則成則安則貴,失道則敗則危則賤。《大戴記·王言》云:"道者,所以明德也。"《莊子·庚桑楚》云:"道者,德之欽也"。《賈子·道德說》云:"道者,德之本也。",後世儒者遂以"道德"聯用,標示仁義之理。《莊子·繕性》云:"道,理也",《爾雅·釋詁》云:"順理而不失之謂道。"這些都是對道的正面價值判斷。道是指社會人生的直路、大路,是合乎人性的健康發展之路,故必須合於理,後世以"道理"聯用,表示正確的思想言論。王夫之云:"道,路也,大地不盡皆路,其可行者則是路"(《讀四書大全説·孟子·盡心上》)可行而行爲得道,不可行而行爲失道,既是如此,大道便應該是人生修養的準則,社會發展的方向。諸家論道,以生、通、德三性闡揚之,而其説皆本於老子。

二

道不是物質也不是精神,它是宇宙自身所固有的生命力和創造力,是物質和精神賴以運行的功能,所以它是超乎形象的,又是内在和實有的。道是一切生命的總源泉總生機,萬物來源於道,又内含着道而得其生命之常。我這裏所説的生命是廣義的生命,非專指生物。我不相信宇宙能由上帝或某神所造,我相信宇宙本身就具有無窮的活力,從來就生生不息,不斷地創生出無窮無盡的萬事萬物,以至於創生出人類,這種永不枯竭的能量就是道。世界上最偉大的力量莫過於道,它就是大自然的造化之力;一切事物只能依賴它,順從它,而不能抗拒它。人類有時十分得意於自身的創造發明,以爲能巧奪天工,豈不知人工也是天工。人類的智慧不過是宇宙創造力的一種高級體現,它離不開自然之母的懷抱。老子以最崇敬的心情謳歌大道,贊嘆"道者,萬物之奥"(六十二章),"淵兮,似萬物之宗"(四章)。但這種被崇敬的大道同基督教被膜拜的上帝不同。大道是自然之道,"道常無爲而無不爲"(三十七章),"萬物恃之以生而不辭,功成而不有,衣養萬物而不爲主"(三十四章);而上帝是有意志情感、全智全能的至上神,創造並主宰人間,統治萬有,能夠賞善罰惡,具有無上的權威性。顯然,大道是可愛的、實有的,上帝是可畏的、虚構的。大道是生命能量的總體,不能説它有,它是非物,無形無象;又不能説它無,它時刻催生着萬物,形成異彩紛呈的動態世界。所以道體是無,道用是有,道是無與有的統一,兩者同出而異名。德是什麽?德是萬物禀受於道而獲得的屬於自己的那一部分生命活力,即該物之性,故曰: 德者得也。個體保持活力則生,失去活力則死,而在一物失道而死的同時,又有另一物得道而生,而大道連續創生的活動是不會停止的。由此可知,道家哲學是一種生命哲學,尊道而貴德就是尊重生命,熱愛生命,促使天地萬物和人類社會蓬勃健康地發育,使宇宙間處處充滿着生機。道既然是生命之道,那麼就存在着有道與無道、得道與失道的問題。有道則生,無道則死;得道則成,失道則毀。故老子說:“天下有道,卻走馬以糞;天下無道,戎馬生於郊”(四十六章)。天下有道,人們和平幸福地生活着,故戰馬用於耕載;天下無道,戰亂不息,駒犢生於戰地。老子又說:“天得一以清,地得一以寧,神得一以靈,谷得一以盈,萬物得一以生,侯王得一以爲天下正。”(三十九章)天、地、神、谷、萬物、侯王如內含着生機,則能保持正常的生命形態,一旦失去生機,便都會瓦解毀壞,天將崩裂,地將震潰,神將止息,物將滅絕,侯王將傾危。可知得道與生命相連,失道與衰亡相連。道教重生,其精神與老子道論一脈相承。道教正是依據道的生命法則,推出“生道合一”的內丹修道方針,謂修道者如能煉養而與大道相合,則將獲得永恆的生命,長盛不衰,超脫了生死大限。從大道重生的內涵上可知,道在本性上是平等的,追求幸福的,熱愛和平的;它與人性的健康發育、社會的健全發展相一致。凡是熱愛自己的生命又關懷他人的生命,並進而泛愛萬物的生命的人,他便會與大道相通,“同於道者,道亦樂得之;同於德者,德亦樂得之”(二十三章),他便會“死而不亡”,使自己的生命超脫個體的局限,具有永恆的價值。

儒家也講生命哲學,但偏重於道德生命的樹立,而忽略生理生命的強化,故孔子有“朝聞道,夕死可矣”(《論語·里仁》)的說法。道家和道教既重視人的道德生命,亦重視人的生理生命,故全真派提出“性命雙修”的內丹功法。性功即煉神,命功即煉氣,形神相得而生命益固。這較儒家的生命哲學具有更強烈的世俗性。

三

道標志着宇宙運動變化的有序性和內在本質，宇宙總的運行規則是“反者道之動，弱者道之用”(四十章)。作爲宇宙有序性的道，並不直接呈顯在人們感官面前，使人一目瞭然。它隱藏在各種現象的內部，甚至看起來與事物的表象和人們的常識相反，也常常與人們的主觀願望相背，卻潛移默化地制約着事物的發展趨向。只有得道者才能夠洞察這種深刻的規律性，並只有自覺遵照正道做事，才會處處自由和成功；而那些不貴道不知道的人，不僅處處被動和碰壁，而且在事實上不能不成爲大道具有真理性的反面例證。這樣，老子就發現了兩個世界：一個是有形的現象世界，一般人囿於生活經驗和狹隘眼界，處處被限制在這個表層世界裏而不能超越；另一個是無形的本質世界，它深藏在現象世界的背後，比現象世界更根本更具有決定意義。求道者的任務是透過現象世界，揭示事物發展的深層規律，把握客觀真理。

道的發用流行有兩大特徵，一是“反者道之動”，二是“弱者道之用”。“反”的內涵有四：一曰相反相成，如“有無相生，難易相成，長短相形，高下相盈，音聲相和，前後相隨”(二章)；二曰正事若反，如“明道若昧，進道若退”(四十一章)；“大直若屈，大巧若拙，大辯若訥”(四十五章)；三曰物極必反，如“甚愛必大費，多藏必厚亡”(四十四章)，“兵強則滅，木強則折”(七十六章)；四曰返本歸初，事物的運動循環往復，向静態和本初復歸，故云“夫物芸芸，各復歸其根，歸根曰静，静曰復命”(十六章)。得道者懂得“反”的真理，故用逆向思維去把握道，用“正言若反”的語言去表述道，而這種大智若愚，一時不能爲常人所理解，出現曲高和寡、“下士聞道大笑之”(四十一章)的情況，這已在老子的意料之中。“弱者道之用”的意思是指事物在柔弱中最能顯示其強盛的生命功用。一般人認爲強大就是領先、争雄、佔有、剛猛、處高、施爲；

老子認爲這些不是生命力頑強的表現，恰是生命力行將瓦解的表現，真正的強者則是居後、不爭、謙讓、處下、柔順、無爲，因爲強者的生命力深厚，富有韌性，可以以內馭外，以静制動，以下樹上，以柔克剛，其結果雖不爭而天下莫能與之爭，無爲卻能夠無不爲，因此它永遠是強者。"柔弱勝剛強"是老子的重大發現，外強中乾不如外柔內實。在自然界中，動植物的生命軀體是柔弱的，死亡後變得乾枯，小草比高木更能抗擊風暴，"天下莫柔弱於水，而攻堅強者莫之能勝"（七十八章）。在社會中，有德者多助，強暴者寡助；深沉不躁、謙遜能容者，有韌性、適應能力強者，才能成就大事；兒童體柔骨弱，但未來是屬於他們的。一切新事物，開始時都很柔嫩，一切腐朽勢力，短期內都貌似強大；但事物的發展終將以新生事物成長壯大從而取代舊事物爲結局，這難道不是具有普遍性的規律嗎?

有趣的是，當前中國從計劃經濟向市場經濟過渡，在一定意義上就是從"有爲"經濟向"無爲"經濟過渡。計劃經濟想把社會經濟活動都管起來，結果由於背離自然之道而弊病叢生，表面的有序性掩蓋着實際上的混亂——經濟發展的失衡和停滯。市場經濟就是讓社會經濟按其自然本性動作，人們自爲而相因，政府只作宏觀調控，這就是老子說的"輔萬物之自然而不敢爲"（六十四章）的原則，這樣做才能形成經濟的動態協調，也就是真正的有序性。所以市場經濟可以說是社會發展的正道，與道家精神頗爲接近。廣而言之，我們大陸的社會管理長期以來是擴展行政系統的權力，政府幾乎要包辦一切，形成大政府小社會的格局，這是社會生機不旺、發展遲緩的重要原因。道家的精神是順乎自然，主清静無爲，以不管爲管，把政府不該管和不能管的事情交給社會，由大家共同承擔，調動所有人的積極性，而使領導機構的權限減小到最低限度，形成小政府大社會的格局，既有民主，又有秩序，我們應該朝着這個目標努力。社會發展的有序性，不是容易看得清楚的，需要從正面經驗和反面教訓中不斷調整主觀認識，才能準確把握。真正的社會有序性必然是順乎自然、合乎人心的,專制主義和極端民主化都會導致無序狀態,所以道家的軟調適要配合以法治的硬控制和禮治的軟控制,再吸收西方的管理科學之長,當能形成獨具特色的中國社會管理學。

四

體道是社會人生的最高境界。大道既是超越的永恆的,又內在於天地萬物而具有現實的品格,它引導人們通過修道的種種努力,改造失道的社會人生,使人類逐漸臻於大道的終極理想,這是道家遵道而貴德的真正目的所在。所以道家不是純粹消極避世的,它對現實生活有着強烈的人文關注,只是關切的宗旨和方式與儒家不同而已。老子所理想的有道之世,有這樣幾個特徵。第一沒有剥削和貧富懸殊,大家都能過上豐衣足食的富裕生活。老子指出:“天之道損有餘而補不足;人之道則不然,損不足以奉有餘。”(七十七章)人道悖於天道是不正常的,人道應效法天道,亦損有餘而補不足,如天降甘露民均受益,大家都能“甘其食,美其服,安其居,樂其俗”(八十章)。第二,没有壓迫和刑法,實行民主管理,領導人順民之性而爲之,不另有私爲,故云:“聖人恆無心,以百姓心爲心。”(五十四章)又云:“太上不知有之。”(十七章)最好的時代,人民感受不到政權的壓力,人民做他們想做的事情,成功了不認爲是領導者的恩典,人民自化自正。第三,没有戰爭和破壞,人民過着和平安寧的生活。老子強烈反對戰爭,譴責以殺人爲樂的好戰行爲,認爲“兵者;不祥之器,物或惡之,故有道者不處”(三十一章),向往“天下有道,卻走馬以糞”(四十六章)的安居樂業的社會。第四,人們天真質樸,社會風氣淳厚,没有欺詐和僞善,人們積極地工作,卻不互相争鬥,與人爲善,既無棄人,又無棄物。老子說:“我無欲而民自樸”(五十七章),“其政悶悶,其民淳淳”(五十八章),“聖人之道,爲而不争”(八十一章)。第五,人與天要保持和諧一致。老子認爲道、天、地、人乃域中之四大,其相互關係是:"人法地,地法天,天法道,道法自然"。(二十五章)人只能順天地萬物之自然而爲之,不能"不知常,妄作凶"(十六章)。

老子所理想的有道之士,其素養和氣象有以下特徵。第一,質樸無華,保持赤子之心。老子說:"含德之厚,比於赤子。"(五十五章)赤子初稟大道真樸之性而未虧未染,故純正篤實,稱爲"恆德"。有道之士,應"見素抱樸,少私寡欲"(十九章),去甚去泰,在品性的純真上復歸於嬰兒。第二,厚重內斂,謙虛沉靜。老子說:"致虛極,守靜篤"(十六章),"重爲輕根,靜爲躁君"(二十六章),"知其雄,守其雌"(二十八章),"治人事天莫若嗇"(五十九章),"大直若屈,大巧若拙,大辯若訥"(四十五章),"聖人被褐而懷玉"(七十一章),有道之士,生命力深厚而不外露,一般人則易於浮躁、顯揚、急切。第三,博大精思而不可測度。老子說:"古之善爲道者,微妙玄通,深不可識。"(十五章)有道者的心靈深處明徹如鏡,用冥心觀照的方法體察宇宙人生之奧秘,因而具有常人所不及的大智慧。俗人用"爲學日益"的方法,得到普通常識,自以爲了不起,處處炫耀。老子不屑於同他們計較,只是說:"俗人昭昭,我獨昏昏;俗人察察,我獨悶悶。"(二十章)讓別人去議論好了,我則我行我素。第四,慈愛利他,無私能容。老子心目的聖人,恆善救人,恆善救物,以有餘奉天下,"聖人不積,既以爲人己愈有,既以與人己愈多"(八十一章),個體生命由於利他而升華,成爲大我,便是"死而不亡者壽"了(三十三章)。

老子所理想的有道之世,對於今天物慾橫流、爭奪不休、犯罪日增、生態日劣的病態世界來說;老子所理想的有道之士,對於今天金錢崇拜、良知泯滅、隨波逐流、淺薄無聊的人生趨向來說,都不失爲醫病救弊的良方佳藥,頗值得世人借鑒、采納。人類當前正在迷路上徬徨,需要大道的指引,"道者導也,所以導萬物也"(《釋名·釋言語》),凡願意探索正路者,大道能夠告訴他光明的前途在哪裏。

道主義作爲一種理想是今天和未來社會可供人們選擇的最佳信仰之一，它兼具哲學與宗教的優點，而又無兩者的偏失，又最能與現代社會相適應。單純的宗教往往感情壓過理智，導致盲信和狂熱。單純的哲學往往理智淹没感情，缺乏投入和獻身的精神。老子的道學，充滿着理性的智慧和冷静的思考，同時又有着淑世的激情和玄妙的意境，可以慧解，更需要默應，亦能夠煉養操作；仰望高深莫測，近看就在眼前。大道具有博大的寬容精神，與諸説並行，而不相悖；同時又催生着中國的科學思想，在中國接納當代科學理論的過程仍發揮着積極作用。能融宗教、哲學與科學爲一體者，中華大道也。

五

《中庸》上有一句話："道也者，不可須臾離也，可離非道也。"它指出真正的大道必定是常道，在時間和空間上都具有普遍性，爲事物的正常發展所不可或缺，若有偏離，即生曲折和禍患，而不得其性命之正。我已經説過，老子所揭示的常道，已爲中國諸子百家所稱説，那麼大道的普遍性，能否爲西方學者所接受呢？我們只要稍微留心西方宗教與學術的最新發展，就會發現，他們的信仰和理論正在自覺或不自覺地向道家哲學靠攏，或者説，正在走近大道。我不敢説這已經成爲主要傾向，但可以肯定地説，這是一種值得注意的重要趨向。現以基督教和自然科學理論爲例加以説明。

基督教（包括天主教、新教、東正教）的核心信仰是它的上帝觀。在《聖經·創世紀》的宗教神話中，上帝是至善至美、全智全能的至上神形象，他創造並管理着人間世界的一切，監視着人類的行爲，他能使善人升入天堂，惡人墮入地獄，是位超越一切被造之物的最公正無私的大神。這種神學的上帝觀一直主導着基督教的信仰。可是二十世紀以來，基督教的理論開始發生諸多變化。自從尼采宣布"上帝死了"之後，把上帝非偶像化和內在化的思潮日趨流行，上帝的觀念越來越脱離傳統的軌道而接近於中國人尊崇的"道"，這種現象可稱之爲"道化現象"，頗值得注意。基督教文獻的中譯本早已引入"道"的術語，如"道成肉身"是中國人熟知的著名教理，道代表上帝，亦即基督精神，肉身基督是它的歷史見證。近代基督教哲學着力於闡發上帝的道性，而不是上帝的神性。美國新思想代表人物萊因説："宇宙的偉大核心事實，就是那無限的生命與力量之精神，它潛藏於一切之後，賦予一切以生命，在一切中並通過一切來表現自己；這個精神，就是我所稱的上帝。"[①]萊因所説的上帝，不在高高的天上，就在萬有之中，那不就是具有無限生機與力量並賦予一切以生命的大道嗎？存在主義先驅哲學家奧爾特認爲，上帝"象徵着那生命的洪流，宇宙通過它那無限的河網而逐步前行，從而連續不斷地沉浸在生命之中"[②]，這樣的上帝亦不是傳統的至上神，而是生生不息的大道了。"上帝之死"派激進神學認爲，以往的上帝是作爲文化上偶像的上帝，是"作爲父親形象"的上帝，是人們祈求保佑平安的上帝，這個上帝反映了人類的軟弱和依賴性，它是人創造的，它已經死掉或即將死去[③]。其實"上帝已死"只意味着基督教傳統的上帝觀念已經過時，科學和哲學的發展逼迫着基督教徒放棄《創世紀》中的神話，而接受一種較爲合乎情理的新觀念，就是把上帝看作是宇宙自我創生的偉大力量，看作是真善美的化身。基督教徒不論意識到與否，這實際上就是在向東方道的信仰趨同，道有可能成爲東西方溝通的渠道。

在當代科學技術理論危機中，一些著名的學者如湯川秀樹（日本）、卡普拉（美國）、李約瑟（英國）等人，發現現代科學的理論有向道家思想復歸的趨勢，或者説試圖借鑒道家的哲學概念，重

① 轉引自何光滬《多元化的上帝觀》35 頁，貴州人民出版社，1991 年。
② 同上書，40 頁。
③ 同上書，208 頁。

新建構科學理論模式,其中用"道"的理論與當代科學最新理論互相發明,成爲最引人注目的動向。日本物理學家湯川秀樹喜讀《老子》和《莊子》,他認爲物理學的發展不斷更新"道"的觀念,在探索最新概念的過程中,老子的話會獲得非凡的新意①。湯川又認爲目前所發現的基本粒子都不是基本的,"最基本的東西並沒有固定的形式","它可能是有着分化爲一切種類基本粒子的可能性,但事實上,還未分化的某種東西。用所習用的話來説,這種東西,也就是一種'渾沌'"。他於是想到了莊子"中央帝渾沌"的寓言,而"渾沌"也就是道②。英國宇宙學家霍金提出"宇宙自足"的理論,即宇宙的發生,不借助於外力,這一命題被表述爲"宇宙創生於無"。它與老子的"天下萬物生於有,有生於無"(四十章)的思想十分吻合③。美國物理學家卡普拉對《老子》有深刻的理解,他認爲中國哲學家把實在的終極元素稱之爲"道",看作是一個連續的有流動的變化過程,道的基本特徵是永不止息的運動的循環性,自然秩序是陰陽之間的動態平衡過程,這是很有道理的。他認爲"道"與現代物理學中的"場"的概念十分相似,這對於擺脱機械論的世界觀的危機是重要的,"道家提供了關於生態智慧的最深刻最完美的説明"④。當代德國哲學家赫伯特·曼紐什認爲,老子的《道德經》是一部涉及範圍更廣泛的哲學懷疑論著作,其要旨是闡述人類理性的局限性,以及人類中種種價值和道德的相對性。這就是老子要破除俗見和成見以期深化人類的智慧的精神⑤。英國科學史學者李約瑟反對西方流行的唯科學主義,認爲包括道家在內的中國哲學則體現了一種人文主義精神,"遠在我們這個時代以前,中國思想已經前進到科學人文主義的地位",其特點是"它從來不把人和自然分開"。⑥諾貝爾獎金獲得者李政道

---

①② 湯川秀樹《創造力和直覺》,復旦大學出版社,1987 年。

③ 見董光壁《道的幽靈與無的科學》,載《道家文化與現代文明》第十二章(葛榮晉主編),中國人民大學出版社,1991 年。

④ 卡普拉《非凡的智慧》,同上文引。

⑤⑥ 參看董光壁《老子與科學的未來》,見《道家文化與現代文明》一書。

博士説:“從哲學上講‘測不準定律’和中國老子所説的‘道可道非常道,名可名非常名’的意思,頗有符合之處。”①西方自然科學學家在解釋最新科學發現時,理論上遇到了困難,感到有必要向老子的書中尋找智慧,而老子的道論也確能爲他們提供一種比現有的科學理論更深刻更高級的思維模式,雖然在他們重新發現老子的過程中,不免用傳統的西方思想模式曲解老子,但老子的智慧確實開啟了西方科學家的頭腦,推動了科學理論的進步。

我們可以自豪地説,老子不僅屬於中國,也屬於全世界,“道”不僅是中國人的共同語言,也有可能成爲全人類的共同語言,道依憑其深刻性與包容性的優勢正在走向世界,爲越來越多的人所熱愛,由此人間可以避免許多災難與痛苦,這將是人類的福音。

作者簡介　牟鍾鑒,1939年生,山東煙臺人。現任中央民族學院教授。著有《吕氏春秋與淮南子研究》、《中國宗教與文化》、《道教通論》(主編)等。

① 轉引自莫善釗《台灣、港澳〈老子〉研究》,載《國內哲學動態》,1985年第8期。

申論《老子》的年代

李學勤

老子其人其書的時代，自司馬遷《史記》以來即有異說。清代學者崇尚考據，對此議論紛紜。如汪中作《老子考異》，力主老子爲戰國時人①，益啟爭端。二、三十年代疑古思潮中的學者，多從其說。這個問題對中國學術史研究關係甚大，錢穆先生說："余嘗謂老子之偽跡不彰，真相不白，則先秦諸子學術思想之系統條貫終不明，其源流派别終無可言。"②羅根澤先生說："老子的年代問題，究竟是要解決的，除非將先秦的學術束之高閣，否則這個問題如不解決，一切都發生障礙。"③大家都期待着這個問題能有新的解決線索。

過去對於古書真偽及年代的討論，衹能以紙上材料證紙上材料，没有其他的衡量標準，因而難於折衷。特別是用來印證《老子》的古書，大多受到辨偽家的懷疑，當時年代確不可移的，恐怕要數到《韓非子》、《呂氏春秋》和《淮南子》，而這些書成書年代太晚，在推定《老子》時代問題上没有多少作用。《老子》年代難以決定，這是一個很重要的原因。近年戰國秦漢時期簡帛佚籍大量出土，爲學術史研究提供了許多前所未見的地下材料。這使我們有可能運用王國維先生倡導的"二重證據法"，重新考慮《老子》的

---

① 錢穆:《先秦諸子繫年》卷二，第 202—204 頁，中華書局，1985 年。
② 同上，第 204 頁。
③《古史辨》第六册序，上海古籍出版社，1982 年。

時代問題。儘管目前戰國時的《老子》尚無報導，應該説已有若干間接證據，可供推求考訂。

一

1973年底長沙馬王堆三號漢墓出土的帛書，内有《老子》兩本，自公佈後已膾炙人口，海内外學者不僅有很多論作①，還有外文譯本②。《老子》甲本字體較早，不避漢高祖諱，應抄寫於高祖即帝位前；乙本避高祖諱，可能抄寫於文帝初③。這兩本《老子》，抄寫年代都晚，無益於《老子》著作年代的推定，但《老子》乙本前面有《黄帝書》四篇，係"黄老"合抄之本。《黄帝書》的發現，從根本上改變了學術界對早期道家的認識，也爲估計《老子》年代投射了新的光明。

《黄帝書》發現的第一個成果，是使人們看清先秦至漢初道家演進的主要脈絡。郭沫若先生曾指出，道家"都是以'發明黄老道德意'爲其指歸"，故也可稱之爲黄老學派④。《老子》和《黄帝書》(很可能就是《漢書·藝文志》之《黄帝四經》)是道家的經典，對其他學者的影響也很大。在漢初被抄在《老子》前面的《黄帝書》，顯然是在當時公衆心目中已據有崇高位置的，不會是剛剛撰就的作品。

我曾引述《史記》中的三處引文，證明西漢人公認《黄帝書》爲道家之言⑤。同時，根據唐蘭先生等位的工作⑥，指出《黄帝書》與《老子》、《文子》、《管子》、《鬼谷子》、《六韜》、《鶡冠子》、《淮南子》

---

① 參看李梅麗：《馬王堆漢墓研究論著簡目(1972年—1992年)》，《馬王堆漢墓研究文集》，湖南出版社，1994年。

② 韓禄伯：《老子德道經》(Robert G. Henricks, Lao-tzu, Te-tao Ching, Ballantine Books, N.Y., 1989.)。

③ 國家文物局古文獻研究室：《馬王堆漢墓帛書》(壹)，出版説明，文物出版社，1980年。

④ 《郭沫若全集》歷史編2，第158頁，人民出版社，1982年。

⑤ 李學勤：《馬王堆帛書與〈鶡冠子〉》，《江漢考古》1983年第2期。

⑥ 唐蘭：《馬王堆出土〈老子〉乙本卷前古佚書的研究》，《考古學報》1975年第1期。

等書有共通文句。這些書都屬道家或與道家有關。我還説明《黄帝書》和《申子》、《慎子》、《韓非子》也有共通文句，而三者《漢志》皆在法家，申不害、慎到、韓非三人，均曾學黄老之術[①]。

上述各書，除《老子》外，其與《黄帝書》文字共通之處，多可論證爲對《黄帝書》的引用闡發。按申不害的年代，前人推爲公元前400至公元前337年；慎到的年代，前人推爲公元前350至公元前275年[②]。他們是戰國中期的人，《黄帝書》不應較之更晚。

至於帛書《黄帝書》與《老子》共通之處，可舉出這樣幾個例子來考察：

帛書《黄帝書》的《經法》篇有《大分》章[③]，其後半云："王天下者有玄德，有□□獨知□□□□□王天下而天下莫知其所以。"什麽是"玄德"，文中未予明確解釋。查《老子》王弼注本五十一章："道之尊，德之貴，夫莫之命而常自然，故道生之，德畜之，長之育之，亭之毒之，養之覆之。生而不有，爲而不恃，長而不宰，是謂玄德。"又六十五章："古之善爲道者，非以明民，將以愚之。民之難治，以其智多，故以智治國，國之賊，不以智治國，國之福。知此兩者亦稽式，常知稽式，是謂玄德。"《大分》所講"玄德"，顯然是由此二章而來[④]。

帛書《經》篇有《正亂》章，中云："上人正一，下人静之，正以待天，静以須人。""正一"一語，頗爲費解。按《老子》三十九章："昔之得一者，天得一以清，地得一以寧，神得一以靈，谷得一以盈，萬物得一以生，侯王得一以爲天下貞。""貞"帛書《老子》乙本作"正"。"上人正一"，即由"侯王得一以爲天下正"隱括而成[⑤]。

《經》篇《本伐》章，開首云："儲庫藏兵之國，皆有兵道。"末

---

① 李學勤：《范蠡思想與帛書〈黄帝書〉》，《浙江學刊》1990年第1期。

② 錢穆：《先秦諸子繫年》通表，第617、618頁。

③ 參看李學勤：《馬王堆帛書〈經法·大分〉及其他》，《道家文化研究》第三輯，上海古籍出版社，1993年。

④ 《馬王堆漢墓帛書》，第50頁注[四八]，僅舉六十五章。

⑤ 同上，第68頁注[七一]。

云:“道之行也,繇不得已。繇不得已,則無窮。”《老子》三十一章:“夫佳兵者不祥之器[①],物或惡之,故有道者不處。……兵者不祥之器,非君子之器,不得已而用之。”《本伐》章即引申其意。按此章傳世本無舊注,引起辨偽家懷疑,梁啟超《中國近三百年學術史》竟認爲其偽“絶對決定”[②],現在看來並不正確。

我們又可以從思想方面證實《黄帝書》因襲《老子》。前些時候我有一篇小文[③],論及《黄帝書》的《道原》篇“所講的道,顯然與《老子》一脈相承,簡直可說是對《老子》道論的引申注釋。”《老子》二十五章:“有物混成,先天地生,寂兮寥兮,獨立不改,周行而不殆,可以爲天下母。吾不知其名,字之曰道,強爲之名曰大。”即《道原》開端“恆先之初,迵同太虚”一段的張本。從帛書《道原》這段話,又派生出《文子·道原》和《淮南子·原道》的大段文字。這樣,我們不難看到《老子》——帛書《黄帝書》——《文子》——《淮南子》之間沿襲遞嬗的順序。這恰與上文所説《黄帝書》的寫作年代不晚於戰國中期相一致。

唐蘭先生早已推定《黄帝書》“最早不能到公元前5世紀中期,最晚也不能到公元前4世紀中期。”[④]最近,陳鼓應先生經過深入研究,也認爲該“四篇至遲作成於戰國中期”[⑤]。綜合有關各方面來看,這應當是可信的判斷。那麼,爲《黄帝書》所稱引的《老子》,必須再早上一個時期,也就是説不會晚於戰國早期。

二

《老子》其書不晚於戰國早期這一推論,有益於澄清辨偽家提

① 帛書無“佳”字。
② 朱維錚校注:《梁啟超論清學史二種》,第393頁,復旦大學出版社,1985年。
③ 李學勤:《帛書〈道原〉研究》,《馬王堆漢墓研究文集》。
④ 唐蘭:《馬王堆出土〈老子〉乙本卷前古佚書的研究》,《考古學報》1975年第一期。
⑤ 陳鼓應:《關於〈黄老帛書〉四篇成書年代等問題的研究》,《馬王堆漢墓研究文集》。

出的種種問題，但對於學術史上一個很重要的疑難：老子與孔子的先後及其關係，卻没有什麽幫助。目前關於這個疑難，還衹能通過古書本身的分析來着手。

古書中有關老子和孔子關係的記述很多，互有矛盾，可疑之點也不少。研究這方面的論作，近來有陳鼓應先生《老莊新論》所收《老學先於孔學》一篇①。文内專門討論了《論語》受《老子》的影響，用以證成"《老子》成書早於《論語》"②，不過限於篇幅，雖列舉五條證據，没有展開論述。這裏我不揣愚陋，試作一些補充，希望能不違背陳鼓應先生的原意。

陳文首先舉出《論語·述而》開頭一章："子曰：述而不作，信而好古，竊比於我老彭。"指出："認爲老彭與老子有關者有兩種説法：一種認爲'老'指老子，'彭'指彭祖；另一種認爲'老彭'即老子。這兩種説法中後者較爲可能。"並説這"意指《述而篇》直接記載了孔子曾表明受到老子的影響"。

按《述而》此章，歷代學者有多種解釋。其主張"老彭"同老子無關者，如《論語集解》引包咸注："老彭，殷賢大夫，好述古事，我若老彭，祖述之耳。"把老彭説成商代賢臣，實本自《大戴禮記》的《虞戴德》。《虞戴德》載孔子答魯哀公問，云："昔商老彭及仲傀，政之教大夫，官之教士，技之教庶人，揚則抑，抑則揚，綴以德行，不任以言。"朱子作《四書集注》，於此云："老彭，商賢大夫，見《大戴禮》，蓋信古而傳述者也。"兼用《虞戴德》及包咸之説，因而這種解釋普遍流行。

《大戴禮記·虞戴德》原來是《漢書·藝文志》著録的《孔子三朝》中的一篇。劉向《别録》稱："孔子三見哀公，作《三朝記》七篇，今在《大戴禮》。"③《孔子三朝記》撰成較晚，而且有明顯套用《論語》的地方。就在講老彭的一段之後，有"公曰：先聖之道斯

① 陳鼓應：《老學先於孔學》，《老莊新論》，香港中華書局，1991年。

② 同上，第58—60頁。

③ 顧實：《漢書藝文志講疏》二，第72頁，上海古籍出版社，1987年。參看阮廷焯：《孔子三朝記考》，台灣《大陸雜誌》第27卷第6期。

爲美乎?”是套用《論語·學而》有子之語“先王之道斯爲美”,斧鑿之痕,十分清楚。所以《虞戴德》提到老彭,也可能取自《論語》,是對老彭的一種較早的解釋,卻不見得有特殊的價值。

王夫之著《四書稗疏》,批評了《集注》的意見。他説:“《集注》據《大戴禮》商彭祖、仲傀之教人,謂爲殷之賢者。考仲傀即仲虺、萊朱也,老彭在其前,皆成湯時人,而子曰‘我老彭’,親之之詞,必覿面相授受者矣。按老聃亦曰太史儋,‘聃’、‘儋’、‘彭’音蓋相近。古人質樸,命名或有音而無字,後人傳聞,隨以字加之,則老彭即問禮之老子矣。《禮記》稱‘吾聞諸老聃’,聃蓋多識前言往行以立教者。五千言中稱古不一,而曰‘執古之道,御今之有’,則其好古而善述可見矣。”王氏説“聃”、“儋”與“彭”音近,當然是錯誤的(“聃”古音透母談部,“儋”端母談部,“彭”則係並母陽部),其餘的話都有道理。程樹德講過:“古人不嫌重名,壽必稱彭,猶之射必稱羿、巫必稱咸也。”①老子之稱大約也是由於老壽,從而也可以稱爲老彭了。無論如何,“老彭”總是與老子有關的。

陳文其次引《論語·衛靈公》:“子曰:無爲而治者,其舜也與?夫何爲哉?恭己正南面而已矣。”説明“‘無爲而治’是老子的學説。《論語》這樣推崇無爲而治,可見在這個觀念上孔子所受老子的影響。”②

《大戴禮記·王言》記孔子對曾子説:“參!女(汝)以明主爲勞乎?昔者舜左禹而右皋陶,不下席而天下治。”文亦見《尚書大傳》,可與《衛靈公》此章參看③。

宋代邢昺《論語注疏》已説到此章與老子的關係。《老子》書反覆論及無爲,如二章:“……聖人處無爲之事,行不言之教,萬物作焉而不辭,生而不有,爲而不恃,功成而弗居。夫唯弗居,是以不去。”三章:“不尚賢,使民不爭;不貴難得之貨,使民不爲

① 程樹德:《論語集釋》卷十三,第378頁,華北編譯館,1943年。
② 陳鼓應:《老莊新論》第59頁,香港中華書局,1991年。
③ 楊樹達:《論語疏證》,第375頁,上海古籍出版社,1986年。

盜;不見可欲,使民心不亂。是以聖人之治,虛其心,實其腹,弱其志,強其骨,常使民無知無欲,使夫智者不敢爲也。爲無爲,則無不治。"細心吟味孔子的話,"無爲而治者,其舜也與?"是講惟有舜稱得起無爲而治,很像針對已有的學説而發。

《論語·泰伯》:"子曰:巍巍乎,舜禹之有天下而不與焉。""不與"即無爲之意,自孟子以至漢晉學者意見一致,毛奇齡《論語稽求篇》、黄式三《論語後案》等均有詳論。毛氏還引述王充《論衡》所云"舜承安繼治,任賢使能,恭己無爲而天下治,故孔子曰:'巍巍乎,舜禹之有天下也而不與焉。'"明將此章和上面提到的《衛靈公》一章聯繫在一起。不過,孔子雖也談無爲而治,其內涵卻與《老子》有根本的差别,不妨説是對老子學説的批駁。

類似的情況,陳文已引及《論語·憲問》:"或曰:以德報怨,何如?子曰:何以報德?以直報怨,以德報德。"《集注》已指出:"或人所稱今見《老子》書。"故陳鼓應先生説:"這一條是《論語》記載孔子曾引用《老子》話的鐵證。"

《老子》六十三章:"爲無爲,事無事,味無味。大小多少,報怨以德。"翟灝《四書考異》云:"《論語》二十篇,無及老聃一事,惟或人舉此語爲問,而夫子深不謂然。"也認爲這是駁《老子》的話。

子思所作《禮記·表記》云:"子曰:'以德報德,則民有所勸;以怨報怨,則民有所懲。'《詩》曰:'無言不讐,無德不報。'《太甲》曰:'民非后無能胥以寧,后非民無以辟四方。'子曰:'以德報怨,則寬身之仁也;以怨報德,則刑戮之民也。'"鄭玄注:"寬身以息怨,非禮之正也。"這也可視爲對《老子》所論的批評。

附帶説一下,《説苑·權謀》"齊桓公將伐山戎孤竹"章有"孔子曰:聖人轉禍爲福,報怨以德。"前人已説明"孔子蓋老子之誤"①,這裏没有必要再作討論。

從這些情形來看,古書所記老子長於孔子,《老子》之書先成

① 向宗魯:《説苑校證》卷第十三,第325頁,中華書局,1987年。

之事,可以認爲是確實可據的。或許將來我們有機會獲得地下的材料,來進一步證實這一點。

作者簡介 李學勤,1933年生於北京。現任中國社會科學院歷史研究所所長、研究員,清華大學國際漢學研究所所長,中國先秦史學會理事長等。主要著作有《殷代地理簡論》、《東周與秦代文明》、《新出青銅器研究》、《比較考古學隨筆》、《周易經傳溯源》等,又論文多篇。

從劉向的敘録看《列子》並非偽書

胡家聰

内容提要　本文是爲論證《列子》非僞書而作。作者認爲：一、辨别《列子》是否僞書的關鍵，在於鑒定劉向叙録是否後人僞造。二、劉向叙録開端所謂"《列子》新書"這一專用詞語，是叙録不僞的鐵證。三、對於《列子》叙録的重新鑒定，證明叙録是劉向親自撰寫，不會出於後人僞造。

我年輕時喜讀《列子》書，因而對《列子》真偽之辨饒感興味。近讀許抗生先生《〈列子〉考辨》（《道家文化研究》第一輯）。從宏觀和微觀兩方面對《列子》進行考察、分析，引出結語："《列子》基本上是一部先秦道家典籍，基本保存了列子及其後學的思想。它大約作于戰國中後期，并非一時一人所著，而是列子學派後學所爲，并夾雜有道家楊朱學派後學的著作（《楊朱篇》）。"我認爲，這樣的考察、分析是實事求是的。

我重讀楊伯峻先生《列子集釋》附録三"辨偽文字輯略"（中華書局1979年版），新讀嚴靈峰先生《列子辯誣及其中心思想》（臺灣時報文化出版公司版），引發我試圖從西漢劉向校讎《列子》這一角度，論證古《列子》書不偽，以就教於學術界諸同仁。

一、辨别《列子》真僞的關鍵何在?

細讀《列子集釋》附録三"辨僞文字輯略"(共二十四則),儘管諸位學者是一邊倒,即倒向《列子》爲僞書,但各位先生所舉的論據并不相同,論證方法也不一致;尤其是對劉向的《列子》敘録(在《列子集釋》中華書局版227頁),有人鮮明提出係後人僞造,但有人表示懷疑,而日本學者武内義雄獨有卓見,强調劉向《列子》敘録之非僞。

我精細考察楊著《列子集釋》所附"辨僞文字輯略"的諸家論證,大致發現這樣一種邏輯,即:首先論證《列子》各篇由魏晉人造作;然後否定或推翻劉向的敘録,謂爲後人僞造。這樣的邏輯思路,尤集中體現在馬敘倫氏的《列子僞書考》中。可以説,這是一種本末倒置的思路。但在没有指明這一點之前,它確乎是很迷惑人的,包括我個人在内。

應着重指出,在馬敘倫《列子僞書考》後附有日本學者武内義雄的《列子冤詞》,他説:"向序非僞,《列子》八篇非禦寇之筆,且多經後人删改,然大體上尚存向校定時面目,非王弼之徒所僞作。姚氏(指姚際恆)以鄭繆公之誤,斷爲序(敘録)非向作,因一字之誤,而疑序之全體,頗不合理。況由後人之僞寫,抑由向自誤,尚未可知。"尤其重要的是,武内義雄針對馬敘倫氏《列子僞書考》强調指出:"……要之,向序(敘録)言《列子》之傳來與性質甚明,若捨此而置疑,則不可不有確據。"這説出了辨别《列子》真僞的要害。

我重讀這位日本學者的《列子冤詞》(摘要),極欽佩武内先生堅持真理的治學精神。我認爲,劉向校讎《列子》,是傳承古本到今本定型的關鍵環節,因而辨明《列子》書是真是僞,不可不對劉向校書及其敘録作一番認真的探討和研究。

二、"《列子》新書"是劉向叙録不僞的鐵證

劉向所撰的《列子》叙録究竟是真是偽，不能不認真考證，而這恰恰是被姚際恆、梁啟超、馬叙倫等辨偽者嚴重忽略了的。

劉向等人校讎古籍的方法和程序，即是校讎一部古書完畢，便由劉向撰著此書的叙録上奏皇帝，《列子》叙録就是其中一篇（劉向所撰群書叙録之匯集，謂之《别録》）。

細讀《列子》叙録（中華書局版《列子集釋》277 頁），開頭惹人注目的是"劉向《列子》新書目録"，接着依次列出《天瑞》、《黄帝》、《周穆王》、《仲尼》、《湯問》、《力命》、《楊朱》、《説符》等八篇之名（均與今本相合）。而叙録正文寫道："右新書定著八章（章，可能係"篇"之誤）。護左都水使者光禄大夫臣向言：……"這裹，突出的是"《列子》新書"、"新書定著"之詞語。何謂"新書"？依劉向等人校書通例，校讎定著後再經繕寫謂之"新書"，相對"新書"而言，未經校讎定著的即是古本或舊書。

值得注意的是，不僅《列子》叙録有"新書"之詞，《荀子》、《管子》、《陸賈》、《晁錯》、《賈誼》等叙録均有"新書"之詞。今舉《荀子》叙録與《列子》叙録比較。按：《荀子》刘向叙録見於王先謙《荀子集解》末尾，開頭寫明"荀卿新書三十二篇"，其後依次列出三十二篇之篇名，正文亦是"護左都水使者光禄大夫臣向言：……"與《列子》叙録相比，兩者體例一致，即：開頭申明"新書"；跟着列出各篇篇名；正文首寫劉向官稱及"臣向言：……"其性質即上給皇帝的奏書。這是一。其二，唐人馬總《意林》卷二有：《陸賈新書》、《晁錯新書》、《賈誼新書》。這三種所謂"新書"，表明三書均經劉向等人校讎定著，儘管這三書的叙録散失了，但存留"新書"詞語，亦與"《列子》新書"一致。

清人孫詒讓在《札迻》中論"賈子新書"説："新書者，蓋劉向奏書時所題，凡未校者爲故書，已校定可繕寫者爲新書。楊倞注《荀子》末載舊本目録劉向敘録前題'荀卿新書十二卷三十二篇'，殷敬順《列子釋文》亦載舊題云'《列子》新書目録'，又引劉向上《管子》奏稱'《管子》新書目録'，是證諸子古本舊題大氏如是。"（孫氏《札迻》中華書局版 216 頁）孫詒讓對于劉向敘録中的所謂"新書"，考證是精確的。

劉向撰寫的《列子》敘録，難道會是後人僞造的嗎？僅僅從"《列子》新書"的詞語，便從根本上否定了姚際恆、梁啟超，馬叙倫等人的偽造説。換言之，"《列子》新書"是劉向敘録不僞的鐵證。劉向等人校讎古本《列子》，從此"新書"流傳，乃是今本《列子》之定型。其後，由竹簡書傳抄爲卷子本，又由卷子本傳抄爲木刻書，二千年來的傳抄，復經戰亂的殘損，難免有傳抄中的訛誤及後人的增竄。如今，我們鑒别《列子》各篇內容的真僞，只應在劉向敘録不僞這個大前提下去實事求是地探討，而再也不該像過去那樣一邊倒地錯認《列子》是僞書了。

三、《列子》敘録的重新鑒定

精讀劉向《列子》敘録原文是必要的，爲此從"臣向言"開始分前後兩段，抄録如次。

> 臣向言：所校中書（指宮廷藏書）《列子》五篇，臣向謹與長社尉臣參校讎太常書（指太常機構藏書）三篇，太史書（太史機構藏書）四篇，臣向書六篇，臣參書二篇，內、外書凡二十篇。以校，除複重十二篇，定著八篇。中書多，外書少，章亂布在諸篇中，或字誤，以"盡"爲"進"，以"賢"爲"形"，如此者衆。及在新書有棧（音剪，指剪除蟲魚蠹書）。校讎從中書已定，皆以殺青，書可繕寫。

這前段説的是劉向及其校書班子裏"長社尉臣參"（據《管子》敘録，臣參、姓富名參）等校勘古本《列子》書的實際情況，依劉向等人校書通例分述幾點[1]：(1)何謂"內、外書"？所謂"內書"指宮廷藏書、即"中書"，與官府藏書、即"太常書"、"太史書"；至于"外書"，指劉向及富參之私人藏書。兩者加起來，共二十篇。(2)以此二十篇校勘其中文字，有的"章亂"在諸篇之中，更多"字誤"，如以"盡"爲"進"之類。(3)經過校勘，除去了複重的十二篇，"定著"爲新書八篇，于是"皆以殺青，書可繕寫"。何謂"殺青"？東漢應劭《風俗通義》："劉向《別録》云：'殺青者，直治竹作簡書之耳。新竹有汁，善折蠹，凡作簡者皆于火上炙乾之。陳、楚之間謂之汗，汗者，去其汁也。吴、越曰殺，亦治也。'"(《太平御覽》卷六〇六引)這前段的叙説是紀實的，合于劉向校書通例，怎會是僞造的呢？

再説叙録的後段，原文是：

> 列子者，鄭人也，與鄭繆公(應係"繻公"之錯寫)同時，蓋有道者也。其書本於黄帝老子，號曰道家。道家者，秉本執要，清虚無爲，及其治身接物，務崇不競，合於六經。而《穆王》、《湯問》二篇，迂誕恢詭，非君子之言也。至於《力命篇》，一推分命；《楊子》之篇，唯貴放逸，二義乖背，不似一家之書。然各有所明，亦有可觀者。孝景皇帝時貴黄老術，此書頗行於世。及後遺落，散在民間，未有傳者。且多寓言，與莊周相類，故太史公司馬遷不爲列傳……

這叙録的後段，主要叙述列子其人其書的源流，茲略作解説：(1)列子其人其書"本於黄帝老子，號曰道家"。這是對《列子》傳承的學派著作之定性，性質屬於道家黄老學，這定性是準確的[2]。劉向通於《老子》學，據《漢書・藝文志》著録，有《劉向説老子》四篇，已佚。因此，他所寫"道家者……"一段，表述精確，其中的"清虚無

---

① 劉向等人校書通例，據趙仲邑《校勘史畧》論其方法、程序主要有六點，即"兼備衆本；比勘文字；審定篇第；確立書名；釐定部居；叙述源流。"岳麓書社 1983 年版第 14 頁。

② 筆者正撰寫《先秦道家黄老學的兩個源頭》，意謂一是《列子》的源頭，與法家不沾邊；二是《管子》的源頭，與法家相互影響。而帛書《黄帝四經》不從屬於前者，而從屬於後者。

爲"正合於"列子貴虛"(《呂氏春秋・不二》)的特點。至於他所說"治身接物,務崇不競,合於六經",這與當時崇儒風氣上揚有關,但此乃曲解。(2)劉向校勘《列子》亦對思想內涵有較深的領會,他對《穆王》、《湯問》的評語,并指出《力命》與《楊朱》的"二義乖背,不似一家之書",也是準確的。按:《楊朱篇》非屬列子學派,乃楊朱學派之遺文,由於二者均係道家言,古人未詳察,故混雜一起。劉向指明"不似一家之書",卓有見地。他又說:"然各有所明,亦有可觀者",這也是實事求是的。(3)劉向所說漢景帝貴黄老術,《列子》頗行於世,這合於歷史的實際。文帝、景帝時崇尚道家黄老學,而自漢武開始"罷黜百家,獨尊儒術",以致屬於黄老學的《列子》倒了運,"散在民間,未有傳者"了。(4)所謂"且多寓言,與莊周相類",這也合於實際。"列子先莊子,莊子稱之"(《漢書・藝文志》的《列子》注),《莊子》書爲大宗,故《史記・老子韓非列傳》只記莊子,不記列子,劉向所言"不爲列傳",也合於實際。

總起來說,劉向親自撰寫的這篇《列子》叙録,依據上述的論證絕非偽造。請學術界同仁深思:後代人能不能偽造出來呢?

至於梁啟超氏提出《列子》係作注的晉人张湛之偽造,嚴靈峯先生《列子辯誣及其中心思想》書中的"辯誣",正是針對張湛偽造說作了多方面細緻的考證,具有充分的說服力,這裏就不再多說了。

作者簡介　胡家聰,1921年生,北京人。現任中國社會科學院政治學所研究員。發表有管子研究論文三十餘篇。

范蠡及其天道觀

魏啟鵬

内容提要　楚人范蠡籌劃與越滅吳，是以自己的理論與實踐改變了歷史的卓越思想家。他的天道觀就日往月復，環周無端，刑德相錯，陰陽相成等天人之際的問題作了高度概括，强調盛極則衰，物極則反，贏縮轉化是天地的恒制、人們應遵循的規律，爲戰國社會變革、諸子爭鳴導夫先路。范蠡天道觀的北傳，在稷下得到保存和發展；被管仲學派在傳承中汲取；對《六韜》的定型亦有貢獻；慎到、田駢學派接受其因循論影響，如《心術》合因循、無爲而爲一説，對范蠡"因時之所宜"，"順天地之常"有更大的發展。范蠡學術已畧俱老學與黄學之長，北傳則成爲老子與稷下黄老學派的津樑。

范蠡是中國古代有深遠影響的思想家和軍事家，博學多識與傳奇般的實踐、卓然超脱的人格魅力，戰國以來諸子交相稱譽。《墨子・所染》云："越句踐染於范蠡、大夫種，……所染當，胡霸諸侯，功名傳於後世。"《韓非子・説疑》更將范蠡列入后稷、皐陶、伊尹、周公旦、太公望以來的十五位名臣中，"夙興夜寐，卑身賤體，竦心白意；明刑辟、治官職以事其君，進善言、通道法而不敢矜其善，有成功立事而不敢伐其勞"，"此謂霸王之佐也"。特别是輔佐勾踐滅吳，成爲春秋戰國之交重大的歷史事件，乃至一個半世紀後，北方的中山王還銘刻於鼎："昔者吳人并越，越人修教備信，五年覆吳，克并之。至於今，爾毋大而肆，毋富而驕，毋衆而囂。……嗚呼，念之哉！”引爲念念不忘的歷史鑑誡，其影響和啟迪後人之大若此。春秋時期越乃三等國家，“越國之俗，勤勞而不慍，好亂勝而無禮，谿徼而輕絶，俗好詛而倍盟”(《賈子・耳痹》載伍子胥語)，“好巫鬼，重淫祀”(《太平御覽》卷一百七十二引《始安記》)，勾踐也承認“越性脆而愚”(《越絶書・外傳記地傳第十》)，竟能發憤滅吳，一躍而爲戰國初期“四分天下而有之”的強者，“横行江淮東”，復北進琅琊，“號稱霸王”。其領導集團如果没有叡智而先進的思想指引，没有接受炎黄傳統文化的陶冶移易，要成就如此霸業是不可能的。在籌劃興越滅吳的過程中，范蠡以筆與劍投入時代的潮頭，是用自己的理論與實踐改變了歷史的思想家，他超越了或“群居終日，言不及義，好行小慧”，或“坐而論道”的某些同時代學者，屬於中國古代史上爲數不多的俊彥。馬王堆漢墓帛書《黄帝四經》出土後，唐蘭先生經釋讀發現，其中與《越語》所載范蠡言論吻合者近二十條之多。司馬遷《太史公素王妙論》記載范子通曉黄帝之學，是有根據的。從春秋到秦漢的學術史、思想史上，范蠡都是一位極有份量的巨子。儘管《范子》書已亡佚，可資考證的材料不多，全面研究有困難，但在力所能及的範圍裏，探討范蠡在學術思想史上的地位，探討范蠡與黄老之學的關係，或許是頗有意義的。

一

古代思想家的籍貫，爲了解其文化背景可以提供有價值的材料和綫索。范蠡籍貫主要有兩説，王博先生嘗辨析之：“范蠡，太史公《素王妙論》以爲南陽人，《列仙傳》説是徐人。徐人，有學者以爲即是夏禹族涂山氏的後裔，屬於夏文化的範圍之內。昭公三十年(前 512)吳滅徐，范蠡此後可能先赴南陽宛地，故有南陽人、宛人(《吳越春秋》)的説法。後又赴越，越乃夏後，與徐淵源頗深，故范蠡欲助越滅吳，以報滅國之仇。"[1]本文擬採籍貫南陽之説，據《呂氏春秋·當染》高誘註："范蠡，楚三户人也，字少伯。"張守節《史記正義·越王勾踐世家》引《會稽典録》云："范蠡字少伯，越之上將軍也。本是楚宛三户人，佯狂倜儻負俗。文種爲宛令，遣吏謁奉。"與《吳越春秋》記載同。戰國時三户屬南陽郡，郡治在宛，故以大地望言之，或云宛人、南陽人。《水經注》卷三十一載：

> 淯水之南，又有南就聚，《郡國志》所謂南陽宛縣，有南就聚也。郭仲産言宛城南三十里，有一城甚小，相承名三公城，……城側有范蠡祠。蠡，宛人，祠即故宅也。後漢末，有范曾字子閔，爲大將軍司馬，討黄巾賊至此祠，爲蠡立碑，文勒可尋。夏侯湛之爲南陽，又爲立廟焉。

案：即以"祠爲故宅"可信，故宅未必即籍貫所在地，范蠡籍貫以三户爲是。《左傳·哀公四年》載晉執蠻子赤與其五大夫，"以畀楚師於三户"。該城在今河南省淅川縣西南丹江之南，是楚國"乃謀北方"的戰略要地。《水經注》卷二十云："丹水又東南逕一故城南，名曰三户城，昔漢祖入關，王陵起兵丹水以歸漢祖，此城疑陵所築也。丹水又逕丹水縣故城西南，縣有密陽鄉，古商密之地，昔楚申息之師所戍也，春秋之三户矣。杜預曰：'縣北有三户亭。'《竹書紀年》曰：'壬寅，孫何侵楚，入三户郛'者是也。"可見，從春秋至秦末，楚、秦、三晉的勢力糾結、衝突於斯，他們的思想文化也交流、沉積於斯。宋翔鳳《過庭録》四《楚鬻熊居丹陽武王徙郢考》認爲，"商州之東，南陽之西，當丹水、析水入漢之處，故亦名丹析。鬻熊所封正在於此。"三户所在的丹水流域，是楚王先祖居處活動之所，也是楚汲收、融和諸夏文化的初始之地。由此上溯，"堯戰於丹水之浦，以服南蠻。"酈道元指出，《呂氏春秋·召類》所記堯戰丹水，即南合淅入漢之丹水。《山海經·西山經》載

[1] 王博：《論〈黄帝四經〉産生的地域》，《道家文化研究》第三輯。

密山條云:"丹水出焉,西流注於稷澤,其中多白玉,是有玉膏,其原沸沸湯湯,黄帝是食是饗。"古老的傳説表明,遠在上古時期,丹水流域就已是炎黄文化南傳的過渡地帶。上述材料,有助於我們考慮范蠡思想融會楚夏的深厚歷史文化背景。

《列仙傳》或云范蠡"事周師太公望",似荒誕不經之言。但范蠡故宅所在的宛縣有呂城,《史記・齊太公世家》載太公望呂尚,"其先祖嘗爲四嶽,佐禹平水土甚有功。虞夏之際封於呂"。徐廣《史記音義》曰:"呂在南陽宛縣西。"司馬遷指出,文王"與呂尚陰謀修德以傾商政,其事多兵權與奇計,故後世之言兵及周之陰權皆宗太公爲本謀。"《漢書・藝文志》兵權謀家有《范蠡》二篇。可見范蠡宗呂尚爲兵權謀,也不是不可能的,後文還將論及。

二

范蠡的天道論在中國古代思想的進程中,占有重要的地位。他對天道的運行和時序的變化作了深入的思辨,就日往月復,四時順替,刑德相錯,陰陽相成等天人之際的問題加以高層次的概括,強調盛極則衰,物極則反,贏縮爲常是天地的恆制,是人們必須遵循的客觀規律,從而將春秋以來的天道觀推進到一個新的高度,爲戰國時代的社會變革和諸子爭鳴作了輿輪準備和思想先導。

天文、曆算、物候、氣象等自然科學(古人稱爲數術之學、明堂羲和史卜之職)的發展,有關知識的積累,爲范蠡的天道觀形成提供了條件。范蠡師計然,"其先晉公子也","學陰陽見微而知著"[1],博學多才,精天文曆算,已臻妙化之境。英經濟學家傑文斯(W.S.Jevons)倡太陽黑點理論,以爲"太陽倘有黑點出現,即爲農業歉收之象徵,將由是而引起其他經濟事業之衰落。一循環

① 《意林》卷一。又,《文選》卷四十二《爲曹公作書與孫權》注引《范子計然》:"見微知著。"

之距離爲十年”。查普曼(C.J.Chapman)倡論謂:“經濟循環一來復,占時凡十二年。”《史記・貨殖列傳》載計然之言經濟循環云:“歲在金穰,水毁,木饑,火旱,六歲穰,六歲旱,十二歲一大饑。”蒙文通先生指出:中西諸儒先後研究之結果,於經濟循環所占之年數,意見頗能一致。計然所言當然不及近世經濟學說之詳密。然以二千年前之人,於經濟變化循環之至理,乃能洞若觀火,其識見之度越尋常,豈可思議。計然與傑文斯之能意見一致,蓋同據太陽中黑子之考驗[①]。可見,對自然之天和經濟生產規律性的卓越認識,奠定了范蠡天道觀堅實的學術基礎。

據《越語》、唐宋類書所引《范子》及清人輯佚書等材料,可以考見范蠡天道觀有以下基本思想[②]:

天道環周論。《玉海》卷一“天文圖”引《范子計然》:“日者寸也,月者尺也。尺者紀度而成數,寸者制萬物陰陽之短長。日行天,日一度,終而復始,如環無端。”《文選》卷十九張茂先詩《勵志》:“四氣鱗次,寒暑環周。”李善注引《范子》:“度如環,無有端,周迴如循環,未始有極。”

人事則應效法這困極必返,盈極則虧,周環不已的天道。“天道皇皇,日月以爲常,明者以爲法,微者則是行。陽至而陰,陰至而陽。日困而還,月盈而匡。古之善用兵者,因天地之常,與之俱行。”“蚤晏無失,必順天道,周旋無究。”(韋昭注:究,窮也;無窮,若日月然也。)范蠡認爲,天道本有穩定的度數可以推尋,有恆常的體制必須遵從。“天者,陽也,規也。地者,陰也,矩也。”[③]“必有以知天地之恆制,乃可以有天下之成利。”例如刑德,就如寒暑環周,定時而至,“德取象於春夏,刑取象於秋冬”(《太平御覽》卷二十二引《范子計然》)。“德虐之行,因以爲常,死生因天地之行。”(韋昭注:殺生必因天地四時之法,推亡固存亦是也。)

---

① 蒙文通:《古學甄微》,第52頁,巴蜀書社,1993年。
② 范蠡言論見於《越語》者不再註出。
③《文選・東京賦》:“規天矩地,授時順鄉。”李善注引《范子》。

遵循天道之恆制，在實踐中最要緊的是知時和守時。"蠡聞之，上帝不考，時反是守。彊索者不祥。得時不成，反受其殃。""臣聞從時者，猶救火、追亡人也，蹶而趨之，唯恐弗及。""聖人之功，時爲之庸。得時不成，天有還形(刑)。""得時無怠，時不再來，天予不取，反爲之災。"所謂"時反"，就是天道環周的每一過程中事物朝着自己所處的對立面交换位置的時候，是政治家、軍事家由弱轉強，由衰轉盛，反小爲大，反敗爲勝的機遇。如果怠慢而坐失時機，反而將遭到環周規律的無情懲罰。

范蠡深刻了解物極則反，福禍相因的環周規律，從哲學——倫理學的角度，闡釋了一個人格化的天道："天道盈而不溢，盛而不驕，勞而不矜其功。"他提出三條原則："持盈者與天，(韋昭注：持，守也。盈，滿也。與天，法天也。)定傾者與人，(韋昭注：定，安也。傾，危也。虞翻注：人道尚謙卑以自牧[1]。)節事者與地。(韋昭注：與地，法地也。時不至不可彊生，事不究不可彊成之屬。)"概括而言，"人事必將與天地相參，然後可以成功。"范蠡此語成爲戰國時道家、兵家的經典性論點。

法天地是黄帝之學的主要內容之一。繼范蠡之後傳黄學的吕不韋說："嘗得學黄帝之所以誨顓頊矣，'爰有大圜在上，大矩在下，汝能法之，爲民父母'[2]。蓋聞古之清世，是法天地。"(《吕氏春秋·序意》)《魯語上》："夏后氏禘黄帝而祖顓頊。"《史記·楚世家》："楚之先祖出自帝顓頊高陽。"而《楚語下》載楚大夫觀射夫對昭王問，謂少皞之衰，民神雜糅，不可方物。"顓頊受之，乃命南正重黎司天以屬神，命火正黎司地以屬民，使復舊常，無相侵瀆，是謂絶地天通。"而范子、不韋所傳黄帝之學，一改"絶地天通"爲法天地，以人與天地相參，不僅可以窺見春秋時夏楚學術之歧異，而且顯現出范蠡天道觀是社會巨大進步的反映。

---

① 虞注據《史記·越世家·集解》轉引。

② 俞樾指出，"大圜"四語，皆黄帝之言。案：圜、規互訓，此與范子"天者規也，地者矩也"義合。

贏縮轉化論。范蠡在強調"得時不成,天有還形(刑)"後,更深入地論述了進退、盈虧、大小、盛衰等對立面的反相殖生[①],存在固有的節度,是天道變化的規律性體現。"天予不取,反爲之災。贏縮轉化,後將悔之。天節固然,唯謀不遷。""臣聞古之善用兵者,贏縮以爲常,四時以爲紀,無過天極,究數而止。(韋昭注:無過天道之所至,窮其數而止也。)"

這樣反側相生的對立面轉化[②],可以用"天節"去把握。《鶡冠子·夜行》:"月,刑也。日,德也。四時,檢也。度數,節也。"天節猶言天度、天數,是黄帝刑德陰陽學説的一個概念。范蠡關於贏縮轉化的應用,在圍吴師三年而待其潰滅的戰略中有較完整的體現。"後則用陰,先則用陽;近則用柔,遠則用剛"。"盡其陽節,盈吾陰節而奪之。宜爲人客,剛彊而力疾;陽節不盡,輕而不可取。宜爲人主,安徐而重固;陰節不盡,柔而不可迫。"消耗敵方,壯大自己,吴之陽節盡時,越已穩操勝算。陰、陽節,柔、剛節,雌、雄節,都是天節運用中的不同表述。

贏縮,或作盈縮、贏絀,本爲天文學、星占學用語。《史記·天官書》:"察日月之行,以揆歲星順逆。……歲星贏縮,以其舍命國。所在國不可伐,可以罰人。其趨舍而前曰贏,退舍曰縮。贏,其國有兵不復;縮,其國有憂,將亡,國傾敗。"或占木、金、火、土、水五星,《漢書·天文志》云:"凡五星早出爲贏,贏爲客;晚出爲縮,縮爲主人。五星贏縮,必有天應見杓也。"約爲戰國中晚期的長沙子彈庫楚帛書,其首篇亦云:"惟□□四月,則贏絀不得其當,春夏秋冬,□有□常,日月星辰,亂逆其行。贏絀逆亂,卉木亡常,是[謂]妖。"李零先生認爲,其性質乃近曆忌之書[③]。而范蠡作爲一位高瞻遠矚的戰略家,早已擺脱星占時忌的束縛,其"贏縮

① 參看《鶡冠子·世兵》:"蚤晚絀贏,反相殖生,變化無窮,何可勝言。"帛書《稱》:"贏絀變化,後將反施。"

② 屈原《天問》:"天命反側,何罰何佑?"范子則認爲反側有常,對立面如循環相生,交換位置。順天道可以避天殃,受天予。

③ 李零:《長沙子彈庫戰國楚帛書研究》,第46頁,中華書局,1985年。

轉化"論立足於哲學的高度，去把握天地之恆制，探索變化之常道。

剛柔相守論。剛與柔是中國古代思想史議論已久的一對範疇。周宣王時，尹吉甫賦詩《烝民》，讚美大臣仲山甫云："人亦有言：'柔則茹之，剛則吐之。'維仲山甫，柔亦不茹，剛亦不吐；不侮矜寡，不畏強禦。"春秋時，晏嬰所列十對相反而相濟，有剛柔相濟。孔子主張寬猛相濟，政是以和，"《詩》曰'柔遠能邇，以定我王'，平之以和也。又曰'不競不絿，不剛不柔，布政優優，百祿是遒'，和之至也"①。老子則貴柔，認爲"柔弱勝剛強"，"剛強者死之徒，柔弱者生之徒"。

范蠡論剛柔，今存者僅十六字而已，但頗有深度。他在論"因陰陽之恆"時強調，"柔而不屈。彊而不剛"。韋昭注："外雖柔順，內不可屈；內雖彊盛，行不以剛。"他在戰略上提出"近則用柔，遠則用剛"。韋昭注："敵近則用柔順，示之以弱；遠則抗威厲，辭以亢禦。"後八個字與儒家"柔遠"的政治策略迥異其趣，前八個字則承仲山甫之風，借晏嬰之智，校正和發展了老子以柔克剛的理論。

從字面看，"柔而不屈"與叔向所言"柔者紐而不折，廉而不缺"相似②，但以整體論之，范蠡乃遠紹道家先驅鬻熊。《列子・黃帝》引粥子曰："欲剛，必以柔守之；欲強，必以弱保之。積於柔必剛，積於弱必強。觀其所積，以知禍福之鄉。強勝不若已，至於若已者剛；（張湛注：必有折也。）柔勝出於已者，其力不可量。"鬻熊所封在丹水之陽，范蠡生長於斯，他的剛柔相守論汲取了楚人的思想智慧，是可以理解的。

因循論。范蠡的天道觀認爲天道與人事相應是有規律的，因而他相當重視對規律的順應，強調"因陰陽之恆，順天地之常"，"因天地之常，與之俱行"。"順"字通"循"字，《儀禮・大射儀》："以袂順左右隈。"鄭注："今文順爲循。"《莊子・天下》："已之大

---

① 晏、孔之言，俱見《左傳・昭公二十年》。
② 叔向之言見《說苑・敬慎》。

順。"《釋文》:"順或作循。"可知范蠡所注重的"因"和"順",即道家的"因循"。司馬談《論六家要旨》稱道家"其爲術也,因陰陽之大順","以虛無爲本,以因循爲用",在范蠡天道觀中實已開其端。"因時之所宜而定之。""德虐之行,因以爲常。"與敵交戰,"必因天地之災,又觀其民之饑飽勞逸以參之"。總之,"天因人,聖人因天,人自生之,天地形之,聖人因而成之"。

唐人馬總輯《意林》,在《范子》十二卷下註云:"并是陰陽曆數也。"往往使讀者困惑。殊不知范子言陰陽曆數,是爲了順應天道,以因爲綱,如司馬談所說,"夫春生,夏長;秋收,冬藏;此天道之大經也。弗順,則無以爲天下綱紀。"《呂氏春秋·貴因》云:"夫審天者,察列星而知四時,因也。推曆者,視月行而知晦朔,因也。……故因則功,專則拙。因者無敵。國雖大,民雖衆,何益?"此語有助於人們理解范蠡對後世影響甚大的因循論。

三

我們曾指出,勾踐平吳後,北上爭霸,進而徙都琅琊,將越國的勢力擴展到了山東半島。另者,范蠡功成身退,"浮海出齊",後來"止於陶,以爲此天下之中,交易有無之通路,爲生可以致富矣"。伴隨這一系列歷史活動,黄帝之言學派由南而北地傳播[①]。換言之,亦即范蠡的天道觀北傳,特別是在稷下學宮得到保存和發展,連根基很深的管仲學派在傳承過程中,也明顯地吸取了范蠡的思想和觀點。

任繼愈先生主編的巨著《中國哲學發展史》先秦卷指出,管仲學派的哲學思想有兩個基本範疇,即天道與人情。該學派著名的"予之爲取"的辯證法思想來源於對天道人情的深刻研究:

管仲學派認爲,如果人不效法自然,違反自然的規律辦事,事

---

① 魏啟鵬:《黄帝四經思想探源》,《中國哲學》第四輯,1980年10月。

情便没有成功的可能。《勢》篇説:"逆節萌生,天地未形,先爲之政,其事乃不成,繆受其刑。"因此,"天時不作勿爲客,人事不起勿爲始",在没有客觀可能性的時候,不要勉強去做不可能辦到的事。……在出現了客觀可能性的時候,要加強努力,……《勢》篇説:"未得天極,則隱於德。已得天極,則致其力。既成其功,順守其從,人不能代。"

謹案:《勢》篇的基本思想皆本於范蠡,"逆節萌生"至"繆受其刑"、"天時不作勿爲(人)客"皆見於《越語下》。"天極"亦范蠡天道觀之用語,"無過天極,究數而止",乃范蠡名言。

管仲學派也十分注意研究處理矛盾的方法。……處理矛盾所依據的原則,《形勢》篇的兩句話作了概括的説明:"持滿者與天,安危者與人"。意思是:要保持盛滿的人,必須順從天道;要平定危難的人,必須順從人情。

謹案:《形勢》乃《管子》之名篇,據司馬遷所記一名《山高》。引語亦本范蠡的命題"持盈者與天,定傾者與人,節事者與地"。"持滿"義同"持盈","安危"義同"定傾"。

處理矛盾也就是順應自然,掌握時機是第一要緊的。《勢》篇説:"成功之道,嬴縮爲寶。毋亡天極,究數而止。事若未成。毋改其形。毋失其始,静民觀時,待令而起。"

謹案:"嬴縮爲寶"乃本范蠡的"嬴縮轉化"論。范蠡謂"時不至,不可彊生;事不究,不可彊成。自若以處,以度天下,待其來者而正之,因時之所宜而定之","則撫民保教以須之"。《勢》篇"静民觀時"即發揮上述論點。

管仲學派認爲,不論做什麽事情,只要採取順應自然的辦法,都可以取得成功。《勢》篇説:"天地之形,聖人成之。小取者小利,大取者大利,盡行之者有天下。"①

謹案:此亦發揮范蠡思想,"天地形之,聖人因而成之。是故

---

① 以上四段引文,見《中國哲學發展史》先秦卷,第374頁至377頁,人民出版社,1983年10月第1版。

戰勝而不報,取地而不反,兵勝於外,福生於內,用力甚少而名聲章明"。

管仲學派對范蠡的思想也有重要的發展,尤其是用自然無爲來闡釋天道。《形勢》云:"得天之道,其事若自然。……其道既得,莫知其爲之。其功既成,莫知其釋之。藏之無形,天之道也。"在"静"與"作"從時的問題上,《勢》篇認爲"知静之修,居而自利;知作之從,每動有功。故曰無爲者帝,其此之謂矣。"這都在相當程度上深化了范蠡的天道理論。

稷下黃老學派與范蠡的思想聯繫更爲密切。范蠡的因循論關於"天因人,聖人因天,人自生之,天地形之,聖人因而成之"的命題,成爲慎到的核心思想"天道因則大,化則細,因也者,因人之情也。……故用人之自爲,不用人之爲我,則莫不可得而用矣。此之謂因"①。《管子》書中《心術》、《白心》、《內業》等四篇,蒙文通、裘錫圭先生分别論證其爲慎到、田駢學派作品。從四篇裏我們還可發現該派吸取和發揮范蠡思想的不少例證:

子、《心術上》:"有道之君,其處也若無知,其應物也若偶之,静因之道也。""無爲之道,因也。因也者,無益無損也。以其形因爲之名,此因之術也。""因也者,舍己而以物爲法者也。感而後應,非所設也。緣理而動,非所取也。"

案:此以因循、無爲合而爲一説,對范蠡"因時之所宜","順天地之常"作了更高的哲學概括。

丑、《白心》:"以靖爲宗,以時爲寶。""人不倡不和,天不始不隨。""隨變斷事也,知時以爲度。""莫知其時,索之於天,與之爲期。不失其期,乃能得之。"《內業》:"聖人與時變而不化,從物而不移。能正能静,然後能定。"

案:此承襲范蠡"聖人隨時以行,是謂守時。天時不作,弗爲人客;人事不起,弗爲之始"。

---

① 參看蒙文通:《古學甄微》第254頁,巴蜀書社,1987年。

寅、《白心》:"日極則仄,月滿則虧。極之徒仄,滿之徒虧,巨之徒滅。孰能已無已乎? 效夫天地之紀。"

案: 此承范子"日困而還,月盈而匡","贏縮以爲常,四時以爲紀"之旨,發揮天道環周論。參看何如璋曰:"已無已"者,周而復始,往而復來,故可以法夫天地之紀也①。

大爲推崇范蠡的燕人蔡澤,其說應侯亦引范子語意,"語曰:'日中則移,月滿則虧。'物盛則衰,天之常數也;進退、盈縮、變化,聖人之常道也。"②日本學者瀧川資言曰:"《易·彖傳》:'日中則昃,月盈而食,天地盈虛,與時消息。'蔡澤或讀《易傳》乎?"瀧川先生蓋博學之士,然過於迷信《周易》,而忘卻范蠡道論,惜哉!

卯、《白心》:"持而滿之,乃其殆也。名滿於天下,不若其已也。名進而身退,天之道也。滿盛之國,不可以仕任。滿盛之家,不可以嫁子。驕倨傲暴之人,不可與交。"

案: 此用范蠡"持盈者與天"之義,"天道盈而不溢,盛而不驕,勞而不矜其功"。同書《形勢解》亦引范子斯言。參看《史記·田叔列傳》褚先生曰:"夫月滿則虧,物盛則衰,天地之常也。知進而不知退,久乘富貴,禍積爲祟。故范蠡之去越,辭不受官位,名傳後世,萬歲不忘,豈可及哉! 後進者愼戒之。"

辰、《白心》:"視則不見,聽則不聞。洒乎天下滿,不見其塞。集於顏色,知於肌膚。責其往來,莫知其時。薄乎其方也,韓乎其圜也,韓韓乎莫得其門。"

案: 范蠡以"天道周旋無究",運行無窮。此進而發揮,謂道無形無聲,大則充於天下,細則察於膚顏,末數句更以方圜爲說,論道體之渾噩無際,如天地之不可窺測。這裏可以看出范蠡"天規地矩",循天順地的環周論,被改造和演化爲"虛無無形謂之道"的痕迹。如果說范蠡的道論多少還餘留着由天文曆算取類引喻

① 何說據郭沫若《管子集校》轉引。
②《戰國策·秦策三》、《史記·蔡澤列傳》作"進退盈縮,與時變化,聖人之常道也。"

的胎記，那麼稷下道家玄妙的思辨能力已經成熟，更善於在形而上漫游和盤桓。

兵家在齊國學術史上占有重要地位，太公望到孫臏，人才輩出，傳統悠久。范蠡思想北傳，對齊國兵家有無影響？是一個耐人尋味的問題。舊題呂望所撰《六韜》中，有多處與范蠡思想言論可以互證：

天生四時，地生萬物，……故春道生，萬物榮；夏道長，萬物成；秋道斂，萬物盈；冬道藏，萬物尋。盈則藏，藏則復起，莫知所終，莫知所始（銀雀山漢簡本、燉煌寫本作"反其所終始"），聖人配之，以爲天地經紀。（《文韜·守國》）

利害相臻，猶循環之無端。（《文選》卷四十九，干寶《晉紀總論》李善注引《六韜》）

案：此同於范子天道環周論。

聖人徵於天地之動，孰知其紀。循陰陽之道，而從其候。當天地盈縮，因以爲常。物有死生，因天地之形。故曰未見形而戰，雖衆必敗。（《龍韜·軍勢》）

案：此同於范子贏縮轉化論。

天道無殃，不可先倡；人道無災，不可先謀。必見天殃，又見人災，乃可以謀。（《武韜·發啟》）

案：此用范子攻戰"必因天地之災"説。

天有常形，民有常生，與天下共其生而天下靜矣。太上因之，其次化之，夫民化而從政。是以天無爲而成事，民無與而自富，此聖人之德也。（《武韜·文啟》）

案：似發揮范子"人自生之，天地形之，聖人因而成之"的貴因循論。

安徐而靜，柔節先定。善與而不爭，虛心平志，待物以正。（《文韜·大禮》）

案：此句亦見於《管子·九守》，皆本於范子剛柔論、天節説。又范子謂"爭者事之末也"。

《漢書・藝文志》有《六韜》或作於周顯王時(公元前368年至前321年)之説,現代學者多認爲成書於戰國中晚期,則《六韜》採范蠡言論是完全有可能的[①]。但《六韜》又有超越范子之處,如提出"順天道不必有吉,違之不必有害","人事不和則不可以戰矣"[②],以人事更重於天道。應考慮到太公望的軍事、哲學思想經歷了若干世代的傳承和發展豐富的過程,范蠡接受過太公思想滋養,又以自己的政治、軍事實踐和天道觀爲《六韜》的定型而有所貢獻。此説或更接近歷史的真實。

四

范蠡思想北傳的最大收穫,是黄老之學在稷下學宫結出了不少碩果。這個流派的達人志士,聞道而起,論政談兵,從不同的角度爲社會大變革運籌思考,别開生面。西漢以來好以黄老并提,仔細分析,兩者同中有異,仍可以大致加以區分。范蠡思想中黄學的内涵,帛書《黄帝四經》提供了許多可資比較的資料,有待於我們進一步探討。范蠡與老學關係,亦須明辨。

《太史公素王妙論》云:"黄帝設五法,布之天下,用之無窮。蓋世有能知之者,莫不尊親。如范子可謂曉之矣。子貢、吕不韋之徒頗預焉。"隋末虞世南撰《北堂書鈔》引此文時,以"黄帝五法"與"漢祖三章"對舉,列爲卷四十五刑法部下律令類典故。虞氏殆以法家言"神農既没,以強勝弱,以衆暴寡。故黄帝作爲君臣上下之義,父子兄弟之禮,夫婦妃匹之合,内行刀鋸,外用甲兵"爲説(《商君書・畫策》),與道家義不符。疑"黄帝五法"内容如《文子・精誠》所述:"昔黄帝之治天下,調日月之行;治陰陽之氣;節四時之度;正律曆之數;别男女、明上下[③]。"此五者爲治理天下的

---

① 在《武韜》文伐十二節中,與越謀吳之策相同處甚多。
② 據《群書治要》卷三十一轉引。
③ 末一句《淮南子・覽冥訓》作"别男女,異雌雄,明上下,等貴賤"。

法式、綱紀。帛書《黄帝四經》大量論述，都圍繞着這個法式，如《立命》篇開宗明義，載黄帝云："唯余一人，□乃配天，乃立王、三公。立國，置君、三卿。數日、磿月、計歲，以當日月之行。允地廣裕，吾類天大明。"總之，五法就是立足於法天地，順陰陽四時天道之大經，爲治天下之綱紀，此乃司馬談強調的道家要指。前文所述范蠡的天道因循論，實與"黄帝五法"精義相合。

過去有學者提出，"把范蠡列入道家，説成是老子的一黨，這是不符合實際的"。似乎范蠡思想與老學了不相涉。細讀《越語下》，范蠡與老子的思想聯繫，其證有五：

"持盈者與天。"《老子》九章："持而盈之，不如其已；揣而梲之，不可長保。"怎樣對待滿盈與過度，怎樣避免盈則虧，滿招損？老子提出了"持盈"、"持滿"的問題，這是春秋後期發人深省的話題。孔子曰："苟不知持滿，則天下之善言不得入其耳矣。"又曰："持滿之道，挹而損之。""高而能下，滿而能虛，……是謂損而不極，能行此道，唯至德者及之。"(《荀子·宥坐》、《説苑·敬慎》)蓋以損益作答。范蠡則以"天道盈而不溢，盛而不驕"爲法，主張"勞而不矜其功"，與《老子》九章義吻合。

"夫勇者，逆德也。"勾踐即位三年欲伐吳，范蠡以此進諫。《老子》七三章："勇於敢則殺，勇於不敢則活。"范子用此義，告誡勾踐以人之患在"能勇於敢，而未能勇於不敢"。反者爲逆，"大勇反爲不勇"，此即逆德[①]。合於老學之逆向思維。

"兵者，凶器也。"此同《老子》三一章"兵者不祥之器，非君子之器，不得已而用之。"

"争者，事之末也。"《老子》屢言不争之德：八章"上善若水，水善利萬物而不争。""夫唯不争，故無尤。"七三章"天之道不争而善勝"。八一章"聖人之道爲而不争"。范蠡其言與謀，皆合於老子義。

"天道皇皇，日月以爲常，明者以爲法，微者則是行。"明者如

① 參看《淮南子·人間訓》、《道應訓》。

四時以次來臨，故德法春夏，刑象秋冬。《説文》："微，隱行也。"贏縮轉化，福禍相倚之事，往往不顯不彰，悄然而至。故曰微行。范蠡此論，義近《老子》三六章："將欲歙之，必固張之；將欲弱之，必固強之；將欲廢之，必固興之。將欲取之，必固與之。是謂微明。柔弱勝剛強。"范蠡以"明法"彊越，用"微行"謀吳[①]，乃深知"福禍盛衰倚伏之幾"[②]，天道贏縮轉化之運，如韓非云："起事於無形，而要大功於天下，是謂微明。"

至於滅吳後，范蠡"乘輕舟以浮於五湖"，躬行老子所説的"功成名遂身退，天之道"，更是戰國以來盛稱的佳話了。范染於老，復何疑也？

范蠡學術思想，已略具黄學與老學之長。老子是南方道家泰斗，而范蠡以其橫放傑出，成爲老子與稷下黄老學派的津樑。可媲美於他的政治和軍事業績，范蠡的天道觀也寫下了中國古代思想史上重要的一章。

作者簡介　魏啟鵬，1944年生，四川巴縣人。現任四川大學歷史系教授。主要著作有《太平經與東漢醫學》、《黄帝四經思想探原》、《帛書〈德行〉校釋》、《帛書〈伊尹·九主〉校箋》、《馬王堆漢墓醫書校釋》等。

---

① 參看《韓非子·喻老》第九段"越王入宦於吳"。

② 參看陳鼓應：《老子註譯及評介》第206、207頁，中華書局，1984年。

莊子的觀點主義

劉昌元

內容提要 觀點主義是尼采的主要思想之一。其大意爲强調人的所有的知識與價值判斷都不能不受制於一定的觀點。說一個人能由一無觀點的"純粹主體"或"絶對精神"來看事物就像說一個人可以沒有方向去看事物一樣,兩者顯然都是自相矛盾的。莊子也相當强調觀點的重要。在其思想中我們至少可以發現經驗的、思辨的與形上學的三種觀點主義。本文的目的在檢討此三種觀點主義的含義、論據以及它們與現代人的相干性。由於前兩種觀點主義與相對主義有關,所以本文也檢討了莊子思想中的相對主義。形上學的觀點主義實際上是種絶對主義。其中雖然亦有一些慧見,但其所含的神秘之義及虛無主義是較難令人接受的。此外它亦無法真的超越觀點的限制。

研究過莊子的學者都知道不論在知識論還是在價值論方面,莊子的思想都表現了濃厚的相對主義。但他們對此相對主義的確切含意及其困難卻未必有清楚的認識。我認爲莊子的相對主義的主要內容可以稱爲觀點主義(perspectivism)①。所以了解

---

① 在西方哲學中,觀點主義最出名的提倡者是尼采。尼采的觀點主義散見於其作品中,其中較重要的一段見 *The Genealogy of Morals*, trans. W. Kaufmann (New York), Pt.III, Sec. 12。對此問題的較新的討論見 M. Clark, *Nietzsche on Truth and Philosophy* (Cambridge, 1990), Ch.5、莊子的觀點主義有三個層面,其中只有兩個是相對主義。詳見下文之討論。

其相對主義可以由其觀點主義入手。爲了對莊子的觀點主義作一全面的反省或檢討,至少必須回答以下幾個問題。(1)究竟在哪些意義下,莊子提出了他的觀點主義?(2)他的觀點主義是否言之成理?(3)如果它是言之成理的話,那麼莊子自己在哲學上所提的主張是否也是受制於他自己的觀點?如果是的話,那麼他的主張豈不是也是相對的?如果不是的話,那麼何以他自己的主張可以不受觀點的限制?(4)他的觀點主義是否蘊含了徹底的主觀主義或虛無主義?如果是的話,它還值得接受嗎?如果不是的話,爲什麼不是?(5)作爲一個現代讀者,我們應如何評價或面對他的觀點主義?

我認爲莊子的觀點主義可以由經驗的、邏輯的(思辨的)及形而上學的三方面來解釋。上段所提的五個問題將由這三方面來解答。

一、經驗的觀點主義

簡單地講,經驗的觀點主義是在經驗中找出許多例證來顯示認知與價值判斷的有效性並不是絕對的、普遍的,而總是受制於一定的觀點。同一事物,由不同的觀點去看可以得出不同的判斷,而在經驗上講,我們根本不能擺脱所有的觀點去看一事物。因此,我們不應該把自己的觀點當作是唯一的觀點。我們不應該問:“甲是不是有用?”而應問:“甲由A的觀點來看是不是有用?”換言之,由此觀之觀點主義是種多元主義與脈絡主義。

莊子用了許多例子來解釋這種觀點主義。爲了簡省篇幅,我只舉幾個具有代表性的例子①。

在《逍遥游》中莊子強調由一種觀點來看没有用的東西,由另一種觀點來看卻是有用的。例如有一種大瓠(葫蘆),不能用作瓢,但可以做“大樽而浮於江湖”,用作渡水工具。長得臃腫彎曲

① 本文中有關莊子的引文一律引自陳鼓應注譯《莊子今注今譯》(香港,1994)。

的大樹,由木匠的觀點看毫無實用價值,但由旅客的觀點看,仍可提供樹蔭。由於對木匠無用,亦可使它不受砍伐,得以延長壽命。因此,由延長壽命的觀點看,臃腫彎曲是有用的。

在《齊物論》中莊子說:"天下莫大於秋毫之末,而大(泰)山爲小。"這句表面上看起來是自相矛盾的怪話,似也與經驗的觀點主義有關。雖然它的確切含意可有不同的解釋。但由現代科學的觀點講,萬物皆由不可見的分子所組成的。由普通肉眼看,秋毫之末雖已是至小,但與這些組成分子比,也可以說"天下莫大於秋毫之末"。站在不遠的平地上看,泰山當然很大;但由高空望下,泰山還是很小。由凡人的眼光看,傳說中的彭祖,能活到七、八百歲當然是長壽,但"上古有大椿者,以八千歲爲春",若以此樹觀點看,彭祖要算是夭折了。

由人的觀點看事物的價值,與由動物的觀點看也有很大的不同。例如:"毛嬙、西施,人之所美也",但"魚見之深入,鳥見之高飛。"可見由人的觀點看是美的,由魚或鳥的觀點看則不然。

在《外篇》中,經驗的相對主義由物性的不齊處獲得進一步的支持。"外篇"用了不少動物爲例來說明這點。爲了簡單起見,我只舉兩個。

(1) 鳧脛雖短,續之則憂;鶴脛雖長,斷之則悲。故性長非所斷,性短非所續,無所去憂也。意仁義其非人情乎!彼仁人何其多憂也。(《駢拇》)

(2) 魚處水而生,人處水而死,彼必相與異,其好惡故異也。(《至樂》)

第一段說鴨腿短,鶴腿長,這是他們的天性。把短的弄長,把長的弄短,都會帶來痛苦。此就像是一定要用儒家的仁義來拉齊人性一樣。第二段是說魚性與人性不同,魚在水中可以生活,人就不行。所以由魚的觀點看水與由人的觀點看水就會有好惡的不同。總之,這些話的意思是反對用一絶對的價值標準強加於不同的個體之上,因爲勉強把分歧的物性齊一會導致"殘生傷性"。

我們應該"以鳥養養鳥"而不應"以己養養鳥"。由這方面看經驗的觀點主義也可稱爲物性相對主義。

由以上所提的例証看,莊子的經驗觀點主義似乎是言之成理的,但值得追問的是它是否蘊含了徹底的主觀主義、懷疑主義或虛無主義。換言之,強調觀點的制約會否導致一切超乎個人之上的客觀知識與價值都不能講了? 我覺得要回答這個問題之前須先討論以下三個問題:(1)是否所有的觀點都有同等價值,應得到同等的尊重?(2)不同的觀點能否比較優劣?(3)同一類的生物有無不同的本性?

由莊子的本意來説,經驗的觀點主義並不是徹底的主觀主義,因爲它至少承認由一定的觀點去看,我們可以看到相同的東西。例如,如果我們由木匠的觀點去看都會同意臃腫彎曲的樹木是沒有實用價值的。這不只是因爲他主觀上覺得如此,而是因爲那種樹木的確難以拿來做家俱。同樣,由魚的觀點看,西施雖不能稱爲美,但由人的觀點看,西施仍是美的。當然,人的觀點本身可能仍有分歧。例如中國人與洋人,漢人與苗人,甚至你我之間可能都有分歧。但這種分歧的存在並不排斥有些美女的範例是有較大的普遍性[①]。儘管莊子自己也説"以物觀之,自貴而相賤"(《秋水》),但這並不妨害彼此可以説出自己的理由,也不妨害在比較之下,人們可以承認對方比自己"貴"。

在提出經驗的觀點主義時,莊子的主要目的不在否定一切知識與價值的客觀性,而是在強調它們總是受到一定觀點的限制,因此不是絶對的。不了解這點,把由自己觀點所見到的當作是絶對真理,而排斥其他觀點所能見到的,勢必造成一種盲目的獨斷主義。能知道自己的心靈總是受制於某觀點,而在該觀點之外總有其他觀點,就可達致心靈的開放、超越與自由。不明白這點的

---

① 像休謨這種在知識論上已有懷疑主義傾向的西方哲學家,在有關美的判斷方面雖然承認有分歧,但仍相信有某種客觀的標準。他的理由之一是人心的共同結構會使某些對象較易引起快感。參見 Hume,"*On the Standard of Taste*"一文。

人像是瞎子與聾子一樣。

> 聾者無以與乎文章之觀,聾者無以與乎鐘鼓之聲。豈唯形骸有聾盲哉? 夫知亦有之。(《逍遥遊》)

此段顯示並不是所有的觀點都有同等的價值,同樣值得我們尊重。瞎子對於文章、聾子對於音樂當然也可以有自己的"觀點",但由於他們根本看不見、聽不到,所以根本没有資格判斷。只有滿足了一定主體條件的人才能知道文章與音樂的好壞。

在《逍遥遊》中蜩(蟬)與學鳩(小鳥)笑大鵬何以要飛九萬里之遠,而不能滿足於在樹叢中飛來飛去。他們的嘲笑當然也有自己的觀點,但由於他們只知自己的世界不知大鵬的世界,所以他們的嘲笑只顯示自己的無知。同樣,在《秋水》中,河伯在一開始的時候囿於自己的視野,"以天下之至美爲盡在己"。但等到了北海,眼界大開,才知道自己之醜。這也分明顯示觀點在比較下可以有優劣。所以在《逍遥遊》中莊子説:"小知不及大知,小年不及大年。"

由不同的觀點看同一件事物可顯現不同的價值,這當然是事實。但此並不蘊含所有的觀點都一樣合理,我們永不能比較它們之間的優劣。《逍遥遊》中提到宋人本是防裂手之藥的發明者,但他們只知道在漂洗衣物時用此藥可防止手裂。所以當一個路客以百金買此藥方時他們便很高興地把藥方賣掉,因爲靠漂洗衣物能賺到的錢少得多。路客把藥方獻給吳王,使吳國的士兵在冬天水戰時不怕手裂,結果大敗越軍。路客因此得到割地封侯的獎賞。這個故事顯示路客的觀點比宋人的觀點優越,因爲雖然他們皆對藥方能帶來的利益有興趣,但路客能使它發揮大的效用。我們可以了解宋人的觀點,但也必須承認路客的觀點較優越。

在提出物性相對主義時,莊子是把不同類的動物作比較,但同類的動物是否也有不同的性呢? 如果我們把天生的當作性,那麼有些人天性就比另外的人有野心、攻擊性強或支配欲。那麼莊子是否願意讓他們去做罪惡之事而不加以干涉? 在德性與才情上,有些人可能較似學鳩,有些人較似大鵬。學鳩笑大鵬固顯示其無知,但大鵬也不能笑學鳩,因爲大鵬也不能體會在樹叢中飛來飛去的經驗。不只如此,對於一個性似學鳩一樣的人,莊子可以要求他學大鵬嗎?如果順性是莊子所標榜的,那麼在經驗上顯然有些人性情近儒家而遠道家,莊子是否願意聽其任性而不加批評[1]?

以上所提的問題顯示物性相對主義可能有一些困難。如果我們承認每個人都有自己的個性,而順性才是對的,那麼莊子就不能去批評那些由於順性而犯罪或順從儒家的人,更不能批評那因爲順性而滿足於在樹叢中飛來飛去的學鳩。但莊子常常抨擊儒家,而且推崇虛靜,反對野心、攻擊性及支配欲。這裏顯然有矛盾。爲了消解此矛盾,莊子有兩條路可走。其一是堅持分歧的個性與順性,因而放棄對儒家與不同個性之人的批評。這條路可以使莊子思想變成徹底的主觀主義與虛無主義,也會使《莊子》書中許多內容不可了解,所以不是一可接受的選擇。另一條路是強調虛靜是形而上的人性,順性只指順此形上人性。至於經驗上的人性,有些與虛靜相反的表現(如野心、攻擊性及支配欲)是後天人爲的扭曲,並非人性之本然。因此,順此種經驗之性不見得就對。對這種人性的改造是有必要的。這條路雖比較可取,但仍有它的困難。例如如何證明那些莊子所批評的人性表現都是出自後天環境的扭曲。如果道真的是無處不在,那麼那些不良的人性表現也是道的一表現,如何可能去加以批評?

總之,物性相對主義在莊子的思想中有較多的困難。除了上面所提到的那些之外,還有一點是混淆了實然與應然問題。人的

---

① 依郭象的註解,只要"物任其性,事稱其能,各當其分,逍遙一也。"依這種解釋,學鳩與大鵬只要任其性,安其分,都可以同樣地逍遙。但人的逍遙又如何呢?方東美指出莊子的意思是人必須做到無待的精神主宰,變做造物者的化身,把一切的限制點化掉才算是真的逍遙。見方東美《儒家道家哲學》(台北,1983),頁246—248。但方東美没有討論到的是:(1)這種無待的逍遙是否與如何可能?(2)人性本身是否有個別差異?由經驗上講顯然多數人都達不到絶對逍遥的境界。

天性是什麼是實然問題,但應該怎樣生活是應然問題、價值問題。即使我們知道人的天性是怎樣的並不蘊含我們應該順此天性。應該順性的根源是來自人的價值意識。此價值意識不論肯定的是養生還是仁義都没有辦法擺脱觀點的限制。

二、思辨的觀點主義

思辨的觀點主義是由抽象思維的立場所提出的一種相對主義,其內容主要有兩個。其一是任何辯論皆提不出絶對的標準來定勝負。另一是彼是相待與相生之説。這兩個都是《齊物論》中的著名論點。

思辨的觀點主義的第一個論証如下:

> 即使我與若(你)辯矣,若勝我,我不若勝,若果是也,我果非也邪? 我勝若,若不吾勝,我果是也,而果非也邪? 其或是也,其或非也邪? 其俱是也,其俱非也邪? 我與若不能相知也,則人固受黮闇(偏見),吾誰使正之? 使同乎若者正之? 既與若同矣,惡能正之! 使同乎我者正之? 既同乎我矣,惡能正之! 使異乎我與若者正之? 既異乎我與若矣,惡能正之! 使同乎我與若者正之? 既同乎我與若矣,惡能正之! 然則我與若與人俱不能相知也,而待彼也邪?

此段顯示莊子的觀點主義已有懷疑主義或不可知主義的成分。主要的理由不只是任何争論的雙方都擺脱不了觀點的限制,而且還因爲找不到一個可以接受以及不偏不倚的觀點來作評判。我們能找到的評判不外四種:(1)與你相同,(2)與我相同,(3)與你我皆相同,(4)與你我皆不同。與你或我已相同的人由於觀點與你或我一樣,當然不能作公正的評判。與你我觀點皆不同的人是一個有自己獨特觀點的人,這樣的人已受自己的觀點所限,也不能作你我之争的評判。至於一個與你及我的觀點皆有相同的人是一個既有你的觀點又有我的觀點的人,但這樣的人只能在不同的時間分別採取你或我的觀點,他仍不能算是一公正的評判。

但莊子的這個論証並不一定像他所想像的那麼周密,因爲他似乎已預先假定我們没有共同接受的準則可以去決定爭論的勝負。但事實未必如此。在一球賽中,球員儘管可以由不同觀點來打球,但由於雙方都願遵守相同的規則,所以評判可以定出輸赢。同理,在辯論時,大家所持的觀點雖然不同,但通常也都願意遵守一些基本原則,例如邏輯上必須前後一致,必須承認事實等。對於一心靈開放、願意在討論中學習或獲得新知識的人來説,即使在没有評判的情況下,他也隨時願意承認自己的錯誤。雖然這些規則不一定保証每一次的辯論都能定出勝負,但至少可以説它們使決定勝負成爲是可能的。這並非由於評判已同意你或我的觀點,而是大家都承認了共同的規則。這些共同原則已不受個人的觀點所限制。

思辨觀點主義的另一個論証是彼是相待或相生之説。莊子認爲任何事物都是有限的,所以,由自己這方面看是“此”、“是”的,由别人的觀點看就是“彼”。由彼的觀點看不清楚的,由此的觀點就可看清楚。但没有彼,也就没有此。所以彼此是在互相對立的狀態下產生的。

> 物無非彼,物無非是。自彼則不見,自是則知之。故曰彼出於是,是亦因彼。彼是方生之説也,雖然,方生方死,方死方生,方可方不可,方不可方可。因是因非,因非因是。

此段顯示不只是彼是,而且包括生死(可能指立論的出現與消逝),可接受與不可接受,是與非等都有相待而相生的狀況,而且有種無窮性。所謂“是亦一無窮,非亦一無窮。”

由於莊子認爲説出來的觀點都是有成的,而凡有成的表現都是有限的,有對立的。心靈一旦陷入其中,難免引生不停的爭論,真道就被隱蔽了。所以他説:“道隱於小成,言隱於榮華。”(《齊物論》)爲了掌握真道,他認爲一定要擺脱成心及超越所有的對立。在這裏我們已涉及了形而上的觀點主義。

在討論形而上的觀點主義之前,我們需先檢討一下此跳躍是否是必須的。思辨觀點主義的第二個內容即使爲真也並不蘊含所有關於彼此或是非的争論完全是徒勞的。就像柏拉圖的對話録所顯現的,有限觀點或立場的辯論或對話中,我們總可看清原初那個立場的缺點,而使心靈能提升到一較高與較周全的立場。儘管最終的結論不能代表絶對真理,但心靈已在追尋較合理之主張的過程中得到了教育。由於思辨觀點主義並不排斥此辯證過程,所以它並不蘊含徹底的主觀主義,或虚無主義。但莊子對有限觀點的争辯没有興趣,因此一下就由思辨觀點主義跳到形而上的觀點主義。

三、形上學的觀點主義

形上學的觀點主義就是要超越彼此、是非等對立而由無限的道的觀點來看事物。此亦即"莫若以明"、"照之於天"等説法的含意。莊子認爲超越了彼是的對立就是道的本然狀態("彼是莫得其偶,謂之道樞。")能以道觀物就像是掌握了樞紐,入到圓環的核心,可以順應無窮的流變("得其環中,以應無窮")。

以道觀物雖然超越了彼此與是非的對立,但也因此超越了所有人的價值判斷與争論,所以莊子説:"以道觀之,物無貴賤。"(《秋水》)"與其譽堯而非桀,不如兩化而忘其道。"(《大宗師》)當禮樂、仁義、形體、知識通通忘掉而與道同體就可使"舉莛(小草)與楹(大木),厲與西施,恢恑憰怪,道通爲一。"(《齊物論》)這樣的人不肯"弊弊焉以天下爲事","分分然以物爲事。"(《逍遥遊》)這裏莊子的思想已有虚無主義的傾向。

由於形上學的觀點主義取消了所有的對立,所以也可説是一種絶對主義。這在莊子對真宰、真君、真人、神人的標榜中已顯現出來。而在對真人與神人的描寫中,已透露了神秘主義的傾向。

在《逍遥遊》中接輿對得道之神人的描寫是這樣的：

> 不食五穀，吸風飲露，乘雲氣，御飛龍，而遊乎四海之外。其神凝使萬物不疵癘，而年穀熟。

絶大多數現代人都會像肩吾一樣無法相信這種神人是可能存在的，但連叔(他的立場代表莊子)卻認爲不信之人是像瞎子或聾子一樣心智受到成見限制。不但如此，他還用更多令人難信的話來形容神人："大浸稽天而不溺，大旱金石流、土山焦而不熱。"在《大宗師》中對真人也有類似的描寫。現代讀者都像肩吾一樣無法相信這種神人或真人是真的存在。無論一個人的精神修養多麼高，他也不可能真的成爲神。當然，我們不必因此完全否認精神修養較高的人可能有精神修養較低的人不能了解的體會。

爲了使莊子的思想不走入虛無主義中，有的學者可能會説莊子並不是真的想完全放棄價值區分或是非之辨。《大宗師》中對真人的描寫之一是"其一與天爲徒，其不一與人爲徒。天與人不相勝是之謂真人。"這句話似乎顯示莊子並不是想完全放棄人間之價值區分或是非之辨。他是想在人間的種種對立之外指出還有一"天"或"道"的領域。真人可以同時跨兩個領域。在《齊物論》中，莊子説："是以聖人和之以是非，而休乎天鈞，是之謂兩行。"此"兩行"之説似亦有同跨兩域而生活之意。

雖然莊子思想中有些地方的確可使這種解釋有某種説服力，但歸根結底，我認爲這種解釋仍有不可克服的困難。我們可以説莊子的思想有時候是要我們用出世的心態去做入世的事。例如在從事俗務時，我們若能保持《人間世》所提到的"心齋"，顯然對解決問題與養生都可能有好處。《養生主》中所提到的庖丁解牛的故事亦顯示一個悟道者可以在從事世俗的實用活動時表現出極有效的藝術境界。由這些例子看，莊子思想的確有結合天人之意。但問題是如果道真的是超越世俗的一切對立，是個没有成也没有虧可言的"一"，那麼它與人間世的多元對立的格局是正好相反的或相矛盾的。所以得道的神人不肯"弊弊焉與天下爲事",而莊子寧可"曳尾於塗中"也不願出來當官(《秋水》)。如果"以道觀之,物無貴賤",那麼我們在人間世生活時還能怎樣下價值判斷而不與道有矛盾?當莊子寫道"天之小人,人之君子;天之君子,人之小人"(《大宗師》)時,他似乎承認"兩行"是自相矛盾的。

在《人間世》中,當顏回想去救衛國的百姓時(衛國百姓正在受暴君之殘害),孔子(代表莊子的立場)的勸告是先充實自己才去救人,以免白白犧牲。但要怎樣充實自己呢?孔子的答覆是"心齋"。能做到心齋就可使"耳目內通,外於心知,鬼神將來舍,何況人乎!"此故事亦顯示莊子的興趣主要在天,不在人(所以荀子在《解蔽》篇評之爲"蔽於天而不知人"),因爲很難令人相信只要通過心齋就可知道救人之道。就世俗的經驗來說,要去暴君統治的地方救人民,比較重要的是實力與有關的知識、智慧,而不是形而上的修養工夫。

形上學的觀點主義的另一困難是它沒有辦法真正擺脱觀點的限制。就肯定真君、真宰、神人、真人來説莊子顯然肯定了一些絶對的價值。但此絶對價值本身將如何維護?不論莊子如何自信,他都不能令所有的人都接受他的想法。事實上,莊子的哲學像其他的哲學一樣都只能説服某些人,而不能説服另外的人。對於那些持不同哲學的人來説,莊子的形而上學仍只是一個"彼"。如果其他的哲學皆受制於一觀點,莊子對道的解釋也仍然受制於他的觀點。由此觀之,莊子的絶對主義仍然逃不出相對性。

人是生活在一定歷史與社會條件下的存在。他儘管可以通過反省與努力突破這些條件對他的限制,但要完全超越這些限制,以一個完全不帶成見的,鏡子一樣的心靈去觀照這個世界是不可能的。莊子追求個體的超脱與精神的解放雖有令人讚賞之處,但他對人類心靈那種擺脱不掉的有限性缺乏真正的體會。這使他的形上學的觀點主義很難贏得現代讀者的認同。

四、結 論

在莊子的三種觀點主義中比較有現代意義的是經驗的觀點主義。它不但合理性較高、容易明白，而且與現代人的處境也有相干性。在現代社會中有龐大的體制力量迫使人在思維及價值取向方面都傾向一元化。極權的國家固不用說，就是表面上有自由與民主的國家一元化的傾向仍然可見。例如在市場經濟及商業主義的支配下許多人只抱着一種狹隘的實用觀點，完全忽畧人文精神涵養方面的"用"。許多人認爲科學代表真理，在科技的支配下，把那種強調實証、量化、實效的觀點普遍應用到文科，甚至整個人生。結果造成對人文精神的破壞以及對人性的種種扭曲。人的物質生活雖然日益改善，但許多人都變得視野狹窄、缺乏想像力、對美善的事物沒有感受能力以及沒有遠見。如果我們知道擺脱商業與科技觀點的支配，知道在這些觀點之外還有藝術、哲學、宗教等觀點來看事物，那麽人類社會與文化可以有機會向一比較健康的方向發展。由此觀之，莊子強調觀點的多樣性顯然有現代意義。

一體化的社會傾向勢必導致人的痛苦與不幸。因此，我們更有必要注意莊子所強調的個性差異。爲了維持社會的存在，某些起碼的規範是每一個人都必須或應該遵守的。例如我們不能隨性之所好就去強姦、搶劫、殺人。但承認這點並不等於承認在其他方面我們也要把人齊一化。社會或政府對個性的壓抑不應超過維持其存在所必須。因此，如果一個人對讀書没興趣，那麽在受過基本教育之後就可以找一個他感到興趣的職業來做，並不一定每一個人都必須去擠大學的窄門，當我們知道自己的性情不適合經商謀利，我們應該勇於選擇一條甘於平淡的生活道路，並不是每一個人都必須在發財中才能找到其人生意義。儘管莊子在物性相對主義方面有一些理論上的困難，但這並不表示其中没有部分真理。

像莊子那樣知道我們對事物的了解總是受到觀點的限制可使我們警覺永遠不要把由一種觀點所見到的當成是唯一的真實並且用自己的權勢去排斥或否定其他的觀點。這麼做一定會陷入獨斷主義或霸權主義。爲我獨尊的人當然也有他的觀點，但由經驗的觀點主義看，仍然不能接受他壓制其他人的觀點。由於這種觀點主義蘊含着多元主義，所以它必須排斥"只有我才對"那種立場。

如果我們同意經驗的觀點主義，那麼我們就必須放棄爲知識或價值找單一的基礎①。我們也必須否定人可能通過自己的思辨或體驗而知道形而上的本體或真實是什麼，因爲這些論斷皆逃不開觀點的限制及解釋。由經驗上講，人們在這方面的意見從未統一過。雖然如此，我們也不必因此就在知識或價值上採取徹底的主觀主義或虛無主義。觀點的比較雖不是永遠可能的，但莊子已告訴我們在許多情況下都是可能的。即使承認多元主義的不可避免性，我們仍可通過對話、討論來減低歧見。只要能保持開放的心靈，在某範圍內，一致的意見仍是可能達成的。雖然這不是一勞永逸之事，但重要的是在對話或討論的過程中，我們的視野能因此開拓，精神生命能變得比較豐富。

總結全文所論，我們知道莊子提出了經驗的、思辨的及形上學的三種觀點主義。前兩種是相對主義，最後一種是絕對主義。前兩種觀點主義雖不完美，但皆有合理成分。如果由其合理成分看，觀點主義不但並不蘊含徹底的主觀主義與虛無主義，而且與現代人的處境有很高的相干性。形上學的觀點主義雖亦有一些值得注意的慧見(如心齋以及超主客對立之知)，但其神祕主義及虛無主義的含意實難令人接受。此外，以道觀物並不能真的超越所有的觀點，因爲它本身就受道家觀點的限制。

---

① 關於這點參考尼采的觀點主義與其反基礎主義的蘊含。Clark, *Nietzsche on Truth and Philosophy*, PP.130～131.

作者簡介　劉昌元，1947 年生，安徽桐城人。現任香港中文大學哲學系高級講師。著作包括《西方美學導論》、《盧卡奇及其文哲思想》、*The Idea of Freedom in Chuang Tzu* 等。

莊子的薪火之喻與"懸解"

李存山

一

中國有句俗語云:"人死如燈滅。"此語至少包含兩層意思:一是對"死"抱一種豁然達觀的態度,把"死"看得不那麼重要或可怕;二是謂人死後萬事皆休,形與神俱滅,再不必爲利害、悲喜、苦樂等等而煩擾。作爲此語之思想來源的,一般都要追溯到兩漢之際的哲學家桓譚對形神關係所作的"燭火之喻"。桓譚說:

> 精神居形體,猶火之然(燃)燭矣。如善扶持,隨火而側之,可毋滅而竟燭。燭無,火亦不能獨行於虛空,又不能復然(燃)其灺。灺猶人之耆老,齒墮髮白,肌肉枯臘,而精神弗爲之能潤澤,內外周遍,則氣索而死,如火燭之俱盡矣。(《新論·祛蔽》)

"灺"是燭火燃燒後剩下的燈燼。桓譚說,"精神居形體",這是沿用了由先秦至漢代的精神與形體有不同來源的思想;但他用"燭"比喻人之形體,用"火"比喻人之精神,這裏已有後來范縝所謂"形者神之質,神者形之用"(《神滅論》)的因素。他說,"燭無,火亦不能獨行於虛空",這與其後王充否認世間有"無體獨知之精"(《論衡·論死》)的思想相符。桓譚明確指出,人衰老至死,"如火燭之俱盡",也就是人死後精神與形體俱滅。

在《莊子・養生主》的最後,也有一段"燭火之喻",云:

指窮於爲薪,火傳也,不知其盡也。

按朱桂曜《莊子內篇證補》所釋(聞一多從之),"指"借爲"脂",是用於燃燒的膏脂,"薪"即燭。"指窮於爲薪",是説燭盡了;但後面説"火傳也,不知其盡也",這從字面上看顯然是與後代桓譚的"火燭之俱盡"唱了相反的調。

東晉時的佛教領袖慧遠在其《沙門不敬王者論》中專門論述了"形盡神不滅"的思想,他所用的"薪火之喻"顯然與莊子所云有相承的關係。他説:

火之傳於薪,猶神之傳於形;火之傳異薪,猶神之傳異形。前薪非後薪,則知指窮之術妙;前形非後形,則悟情數之感深。

他在《大智論鈔序》中也説:

常無非絶有,猶火傳而不息。

"火傳而不息",不就是莊子所謂"火傳也,不知其盡"嗎? 莊子沒有明説"火之傳異薪",但既謂"火傳"就當然包含着這層意思。把莊子的"薪火之喻"同桓譚、慧遠的比喻相比較,莊子顯然要被歸屬於慧遠一邊。於是,莊子便被捲進了"形盡神滅"和"形盡神不滅"的爭論,在一些解莊者的筆下,莊子就儼然成爲"形盡神不滅"論的前驅。然而,細讀莊子之書,他實難當此任;在形神關係的問題上,莊子絶非慧遠的同調,相反,他倒可以説是開了桓譚思想的先河。

二

在《莊子・齊物論》中,作者對人生有一段悲楚的描述,他説:

[人]一受其成形,不忘以待盡,與物相刃相靡,其行盡如馳,而莫之能止,不亦悲乎! 終身役役而不見其成功,薾然疲役而不知其所歸,可不哀邪! 人謂之不死,奚益! 其形化,其心與之然,可不謂

大哀乎!

這段話強調了人生的"悲""哀",而最後又説了"大哀"。何謂"大哀"?顯然,"大哀"就是"其形化,其心與之然"。成玄英《疏》對這句的解釋是:"……其化而爲老,心識隨而昏昧,形神俱變,故謂與之然。世之悲哀,莫此甚也。"我覺這話説得還不到家。難道莊子是以人老、心識昏昧爲"大哀"嗎?難道世上就没有比人老、心識昏昧更"甚"的"哀"嗎?我認爲,這句話應與前面的"一受其成形"、"人謂之不死,奚益"聯繫起來理解。"一受其成形"是説人的出生,"其形化"是説人的死亡。如果説"其形化"僅僅是指"化而爲老",那麼這就與"其行盡如馳,而莫之能止"重複了。只有把"其形化"理解爲人的死亡,"其心與之然"便不僅是"形神俱變",而乃"形神俱死",這才是"世上悲哀,莫此甚也"的"大哀"!

《莊子·田子方》云:"夫哀莫大於心死,而人死亦次之。""人死"可以説就是"其形化",而"心死"便是"其心與之然"。"哀莫大於心死",可見,"大哀"不是指别的,正是指"形神俱死";更明確地説,"其形化"("人死")還稱不上"大哀",只有"其心與之然"("心死")才能説是"大哀"。

《新約聖經·馬太福音》第十章有段話,可與莊子的"大哀"相比類:

> 那殺身體而不能殺靈魂的,不要怕他們;惟有能把身體和靈魂都滅在地獄裏的,正要怕他。

莊子的"大哀"當然説的不是"地獄"裏的事,但莊子的"大哀"卻正是指"身體和靈魂都滅"。倘若只是身體死了而靈魂還存在,耶穌説"不要怕",而莊子也是不至於稱此爲"大哀"的。

如果以上對莊子的"大哀"解釋無誤,那麼把《莊子·養生主》的薪火之喻解釋爲"形盡神不滅",就是與莊子的"大哀"相矛盾了。矛盾並非莊子思想的自相矛盾,而實乃解莊者與莊子本人的原意相矛盾。

三

在《養生主》中，薪火之喻是接着"老聃死，秦失吊之，三號而出……"一段說的。莊子說："始也吾以爲其人也，而今非也。"這是從秦失對老聃死的哀哭，得出了他"非老君弟子"（成玄英《疏》）的結論。然後，莊子對衆人之哭（"老者哭之，如哭其子；少者哭之，如哭其母"）都不以爲然，說："是遁天倍情，忘其所受，古者謂之遁天之刑。""倍"，成《疏》和《釋文》都解爲"加也"，成《疏》謂："加添流俗之情"；《釋文》又云："本又作背"。我覺"倍"作"背"更符莊子的原意，"情"即真（《墨子·非命中》"今天下之情僞，未可得而識也"，"情僞"即真僞；《大宗師》"夫道有情有信"，《徐無鬼》"君將盈嗜欲，長好惡，則性命之情病矣"，"情"並當解爲真），"背情"與"遁天"爲偕語，是說"逃遁天然之性"（成《疏》），違背自然之真。"遁天之刑"，郭象《注》和成《疏》都解爲因"遁天"而陷於哀樂之"刑"；我覺將"天之刑"連讀於意爲長，"刑"指人之死，這是自然（"天"）賦予人的不可逃脱的必然命運或歸宿（成《疏》在"縣解"之下有云："且老君大聖，冥一死生，豈復逃遁天刑，馳鶩憂樂"，是又將"天之刑"連讀；《莊子·德充符》中亦有"天刑之，安可解"句）。此"天之刑"不可逃遁，莊子之"大哀"即生於此。

然而，如果莊子的思想僅停留於"大哀"，那不就與衆人見老聃死而哭一樣了嗎？可是，莊子並没有停留於"大哀"。死——這一"天之刑"，雖不可逃遁，但對生死的哀樂，掛牽之情卻是莊子要解脱的。在"天之刑"的後面，莊子說：

> 適來，夫子時也；適去，夫子順也。安時而處順，哀樂不能入也，古者謂是帝之縣解。

"適"有偶然的意思，正因其偶然，人不可把握，它也就成爲必然（"命"，《大宗師》云："死生，命也；其有夜旦之常，天也"）。"來"指人之生，"去"指人之死。既然生死是不可逃遁的、必然的，那麼莊子就由對此必然的認識,上升到"安時而處順,哀樂不能入也"的自由境界,這也就是"帝之縣解"。"帝者,天也"(成《疏》);"縣",通"懸"。"爲生死所繫者爲縣(懸),則無死無生者縣(懸)解也";"帝之縣解"即"天然之解脱"(成《疏》)。"無死無生"當然不是指佛教那樣的逃脱生死輪回的"涅槃",而是指不把生死掛在心上,不"爲生死所繫"的一種精神境界。死是"天之刑",是人所不能逃遁的;因有此"天之刑",便樂生而哀死,對死戚戚然,悲恐不安,這就是"懸"了;一旦把生死看透,將生看作"時"(時機),將死看作"順"(必然的歸宿),對生死安然處之,不樂生也不哀死,這就把"懸"給"解"了。

莊子説"其形化,其心與之然,可不謂大哀乎",此"大哀"是從常人角度講的對事實的一種認識和情感。莊子並没有停留於此,他要從對此事實的認識所引起的"大哀"中解脱出來,使"哀樂不能入",這就是從"大哀"進至"懸解"了。

在"懸解"之後,莊子説:"指窮於爲薪,火傳也,不知其盡也。"要理解這一薪火之喻,需要弄清莊子所謂"適來"是指從何而來,"適去"是指往何而去。

四

在《莊子·至樂》篇中,有一段"莊子妻死,惠子吊之,莊子則方箕踞鼓盆而歌……"的記載。這段記載比《養生主》中"老聃死……"一段更明確地表達了莊子的生死觀。惠施問:"與人居,長子老身,死不哭亦足矣,又鼓盆而歌,不亦甚乎?"莊子答:

> 不然。是其始死也,我獨何能無概然!察其始而本無生,非徒無生也而本無形,非徒無形也而本無氣。雜乎芒芴之間變而有氣,氣變而有形,形變而有生,今又變而之死,是相與爲春秋冬夏四時行也。人且偃然寢於巨室,而我噭噭然隨而哭之,自以爲不通乎命,故止也。

“概”通“慨”“慨然”即對人之死的感嘆或哀嘆。據莊子說，他也曾像衆人那樣“哭”過，但後來“自以爲不通乎命，故止也”。“不通乎命”即《養生主》所云“遁天背情”，“止”是止於“哭”，而止於“哭”也就是從“大哀”進至了“懸解”。從“察其始而本無生”到“相與爲春秋冬夏四時行也”，這便是莊子所謂“適來”與“適去”的詳細內涵。“適來”經過了“無氣”、“有氣”、“有形”和“有生”幾個階段，“適去”則是向“無生”、“無形”的回歸。這裏需要講明的是，從“無氣”到“有氣”是指宇宙的演化，從“有氣”到“有形”、“有生”則是指個體生命（以及世界萬物）的產生。《齊物論》云“一受其成形”，便是個體生命一受“氣”而產生；《養生主》云“忘其所受”，便是忘記了人的生命是受於“氣”的，而其歸宿必然還要返於“氣”。

《大宗師》云：

> 彼以生爲附贅縣疣，以死爲決疣潰癰。夫若然者，又惡知死生先後之所在！

《知北遊》云：

> 生也死之徒，死也生之始，孰知其紀！人之生，氣之聚也；聚則爲生，散則爲死。若死生爲徒，吾又何患！故萬物一也……通天下一氣耳。

“氣”聚散不已，生生不已，某些個體生命死了，而另一些個體生命又產生了，這就是“死生爲徒”，就是“相與爲春秋冬夏四時行也”。“死生爲徒”和“四時行”是從整個宇宙、世界萬物講的，而某一個體生命或某一個體精神則不納入這一循環。在“無形”而“有氣”的狀態下，有個體精神的存在嗎？如果有，莊子就不至於有“其形化，其心與之然”的“大哀”；如果没有，這才可以說是“萬物一也……通天下一氣耳”。

我認爲，莊子的薪火之喻就是在以上的思想背景下講的。“指窮於爲薪”，這是指個體生命（包括個體精神）的結束；“火傳也，不知其盡也”，這是指宇宙大化的繼續，而非指個體精神的遺留和傳續。換言之，薪火之喻不是講形神關係，而是講個體生命與宇宙大化的關係。所謂"懸解",最終的意義是將個體生命(小我)融入整個宇宙的過程(大我),達到"天地與我並生,而萬物與我爲一"(《齊物論》)的思想境界,這樣才能"安時而處順,哀樂不能入","不爲生死所繫"。

五

在《大宗師》中,也有一段論及"懸解"。"子輿有病……鑒於井,曰:'嗟乎! 夫造物者又將以予爲此拘拘也!'"子祀問:"女惡之乎?"子輿答:

> 亡,予何惡! 浸假而化予之左臂以爲鷄,予因以求時夜;浸假而化予之右臂以爲彈,予因以求鴞炙;浸假而化予之尻以爲輪,以神爲馬,予因以乘之,豈更駕哉! 且夫得者,時也;失者,順也。安時而處順,哀樂不能入也。此古之所謂縣解也……

"得者,生也;失者,死也。"(成《疏》)這段話的後面幾句,重複了《養生主》所云;前面幾句需作新的分析。所謂"浸假而化予之左臂以爲鷄……化予之右臂以爲彈……化予之尻以爲輪",是説由"陰陽之氣"聚化成什麼樣的形體,這是"造物者"——"道"的事,人對此不能控制;而"予"只是隨其所變,乘變而爲。這裏的"予"不因形的變化而變化,"予"似乎是指個體生命的精神。當然,這裏説的形變是指個體生命之變,而非個體生命之死;所以,這裏不涉及個體生命死(形滅)以後,個體精神是否傳續的問題。"且夫得者"的"且"字以前,是講如何對待有生階段的各種境遇;"且"字之後,才是講關於生死的自然達觀。

在《至樂》篇中,有一段莊子夢見髑髏的對話。髑髏問:"子欲聞死之説乎?"莊子曰:"然。"髑髏曰:"死,無君於上,無臣於下,亦無四時之事,從然以天地爲春秋,雖南面王樂,不能過也。"莊子不信,欲使"司命"讓髑髏復生。髑髏皺着眉頭説:"吾安能棄南面王樂而復爲人間之勞乎!"這段話頗有厭生樂死的意味,而且似乎人死後剩下的髑髏也仍有其精神;但不要忘記,這是一段夢語,作者的真實意圖是要通過這段夢語打破人們對生死的牽掛。没有了對死亡的恐懼,人就得到了“懸解”;“懸解”不是指向一個虛幻的來世,而是要在今生達到的一種境界。

《大宗師》云:

> 古之真人,不知説(悦)生,不知惡死;其出不訢,其入不距;翛然而往,翛然而來而已矣。不忘其所始,不求其所終;受而喜之,忘而復之(按:當作“復而忘之”),是之謂不以心捐道,不以人助天。是之謂真人。

又云:

> 孰能以無爲首,以生爲脊,以死爲尻,孰知死生存亡之一體者,吾與之友矣。

莊子的薪火之喻和“懸解”,可以説就是這樣一種“真人”的境界。羅素在評論斯賓諾莎哲學時説:“讓死的恐怖纏住心,是一種奴役。”(《西方哲學史》下卷,商務印書館 1986 年版,第 103 頁)所謂“懸解”,就是從這種“奴役”下解放出來;莊子的解放途徑,不是否認“形神俱死”這一“大哀”,而是將個體生命融於宇宙之化的自然達觀。生死問題,屬於人類的終極關懷問題。莊子對這一終極關懷的解答,是與佛教的“輪回”之説和“涅槃”理想不同的。宋代理學家張載曾説:“存,吾順事;没,吾寧也。”(《正蒙·乾稱》)“聚亦吾體,散亦吾體,知死之不亡者,可與言性矣。”(《正蒙·太和》)這裏顯然是吸收了莊子的思想。對生死抱一種豁達的態度,不僅免除了生命過程中的一種精神困擾,而且它所內含的“視死如歸”精神也鼓舞了許多志士仁人不惜犧牲自己的生命,爲民族、爲社會、爲人類做出自己的貢獻。

作者簡介 李存山,1951 年生,中國社會科學院《中國社會科學》雜誌社副總編輯、編審。主要論著有《中國氣論探源與發微》等。

老子對孟子思想的影響

——本心本性及其喪失與復歸

郭　沂

内容提要　老子由天道推衍人性和人心，孟子由人心推論人性和天道，兩家哲學都有天道、人性、人心三個部分，都持心性合一論，都認爲本心、本性由天道賦予。老子人性論分心之性和天之心兩個層面，不講善惡，孟子僅繼承了其中心之性的一面，主張性善。老子、孟子都承認人們有喪失本性的可能，都有復歸本性的主張。而不論在"復性"還是在"順性"的問題上，老子和孟子都將"氣"看作關鍵的因素。

先秦諸子學派之分，由來已久，歷代學者亦多從各派內部之同和各派之間之異處立論。筆者以爲，自社會倫理政治等表層思想看，各派的區别固然是顯而易見的；但若從哲學的深層看，各派實相貫通，老子和孟子在整個哲學體系上具有驚人的相似之處便是明證。

孟子晚於老子一個多世紀，他直接讀過《老子》其書是理所當然的。稷下黄老學派是老子學説在戰國時期發展的新階段。孟子曾游於齊，爲稷下先生，與稷下黄老學者交往甚多，受其影響是難免的。儘管《管子》的成書未必在孟子去世之前，但它所記載的稷下黄老思想並非短期形成的，所以我們仍可從中找出一些稷下黄老對孟子影響的綫索。《管子》言“誠”,如《樞言》:“先王貴誠信。誠信者,天下之結也”,孟子亦言“誠”;《管子》(尤其“四篇”)多言“心”、“氣”等等,孟子亦多言之;而《心術下》的“無以物亂官,毋以官亂心”和《內業》的“我心治,官乃治;我心安,官乃安”,更與孟子的“大體”、“小體”之分極其相似。這可看作老子對孟子的間接影響。此外,如果能確認《中庸》爲子思所作的話,那麽《中庸》便是老子間接影響孟子的另一途徑(關於《中庸》所受老子之影響,筆者另有專文討論)。

一

今人多用“盡心”、“知性”、“知天”來概括孟子的哲學體系,其實,天道、人性、人心是先秦儒道各家哲學共有的組成部分,從天道而人性而人心,是以老莊爲代表的道家的思路;從人心而人性而天道,是以孔孟爲代表的儒家的思路。

從老子道論及其整個哲學體系的內在邏輯看,老子首先要確定的是道的本性。在他看來,道這種實在之物的本性至少包含如下幾個層次。首先,道的本性是自然的,此即所謂“道法自然”。“道法自然”包含兩方面的內容,一方面,道不受外物的支配,是獨立的,例如老子說:“道之尊,……夫莫之命而常自然”,“獨立而不改”。另一方面,老子又說:“道常無爲而無不爲”,“無爲”即因任自然,結果卻是“無不爲”。其次,老子說:“弱者道之用。”道有柔弱的功用,是因爲它有這種本性,本性是通過功用表現出來的。道是怎樣表現的呢?老子說:“(道)綿綿若存,用之不勤。”道是如此柔弱、如此細微,僅“若存”而已。雖僅“若存”,其柔弱功用卻從未竭盡。另外,道的本性是清静的,例如老子書中有“(道)寂兮寥兮”、“歸根曰静”的命題。

由道的本性下降到人性,謂之“散”,例如老子說:“樸散則爲器。”“樸”即“無名之樸”,即道,“器”即萬物。老子又說:“道之在天下，猶川谷之於江海。"此句涵義當如陳鼓應先生所説："'道'存在於天下，有如江海爲河川所流注一樣"①。萬物由道分有的，便是"德"，王弼以來的學者都説萬物由道而得德。既然道"散"在萬物，它便將自己的本性也賦予了萬物，爲萬物所得。因而，道的本性也就是萬物的本性。老子所謂"萬物之自然"，是就萬物由道而有自然本性而言的；所謂"萬物草木之生也柔脆，……柔弱者生之徒"，是就萬物由道而有柔弱本性而言的；所謂"清静爲天下正"，是就萬物由道而有清静本性而言的。

人既是萬物之靈，便也像萬物一樣，從道那裏禀得本性，以成己德，故人性與道的本性也是完全一致的。老子説：

> 知其雄，守其雌，爲天下谿。爲天下谿，常德不離，復歸於嬰兒。……知其榮，守其辱，爲天下谷。爲天下谷，常德乃足，復歸於樸。（二十八章）
>
> 含德之厚，比於赤子。（五十五章）

雖知雄强，但仍像溝溪一樣安於柔雌，就與從道那裏禀受的柔弱的性德不相違離了；雖知榮耀，但仍像川谷一樣安於卑辱，永恆之德乃可全足，從而回歸到"樸"。老子之所以反復將"德"與"嬰兒"、"赤子"聯在一起，是因爲"嬰兒"、"赤子"最能體現自然、柔弱、清静之本性。

老子的人性論含有兩個層面，第一個層面是從人心的角度來談的，可謂之"心之性"。二十章云：

> 衆人熙熙，如享太牢，如春登臺。我獨泊兮，其未兆，如嬰兒之未孩，儽儽兮，若無所歸！衆人皆有餘，而我獨若遺。我愚人之心也哉，沌沌兮！俗人昭昭，我獨昏昏。俗人察察，我獨悶悶。澹兮，其若海；飂兮，若無止。衆人皆有以，而我獨頑似鄙。我獨異於人，而貴食母。

本章的"我"自比於"嬰兒之未孩"，爲"含德之厚"、"常德不離"、

---

①《老子注譯及評介》第197頁。

"常德乃足"者,都是就人性而論。從這裏我們可以看到心之性至少具有以下特點:(1)心之性如同不知嘻笑的嬰兒一樣自然,"儽儽兮,若無所歸",無執着、無目的、一切順其自然。(2)心之本性是雖似乏智而實大智,即所謂"衆人皆有餘,而我獨若遺"。(3)心之性清静淡泊,即"泊兮"意義之所在。(4)心之性"澹兮,其若海;飂兮,若無止",虚而且遠。(5)心之性是混沌的,所謂"愚人之心"、"沌沌"、"昏昏"、"悶悶"、"頑似鄙"等皆喻心之性的混沌狀態。總之,心之本性一如道之本性,"我"之所以能體悟心之本性,關鍵在於"貴食母",即能守道。

老子人性論的第二個層面是人的生理本性,姑稱之爲"身之性"。五十五章云:

> 含德之厚,比於赤子。毒蟲不螫,猛獸不據,攫鳥不搏。骨弱筋柔而握固,未知牝牡之合而峻作,精之至也。終日號而不嗄,和之至也。

按照這些描述,身之性至少有以下特點:(1)身之性是自然的,猶如"赤子"。(2)身之性是没有欲望的,嬰兒雖不懂男女之事,但他的小生殖器卻常常勃起,絶非受欲望驅使,而是自然而然的。自此言之,無欲即自然。(3)身之性是柔弱的。"柔弱勝剛強",這種柔弱含有無形的力量,所以"骨弱筋柔而握固"。(4)身之性是精氣至爲充沛的,即所謂"精之至也"。(5)身之性是極爲和諧的,即所謂"和之至也"。總之,身之性也一如道之本性。

雖然在理論上可以把人性分爲心之性和身之性二層,但在現實中,人的身心是不可能分開的。老子説:"載營魄抱一,能無離乎?"意謂精神與身體合一,乃人性之全體。由於老子把"嬰兒之未孩"、"愚人之心"、"樸"、"自然"等等作爲人性,所以在老子那裏,人性無所謂善惡,也無所謂差異。心之性即心的本然狀態,從這個意義上看,老子的人性論與其人心論是合而爲一的。但從邏輯上看,總是先有人性,然後才可談得上人心和心之性。

孟子哲學的邏輯起點是人心的本然狀態。他認爲:"仁義禮智根於心"(《盡心上》),又指出惻隱之心、羞惡之心、辭讓之心、是非之心分别爲仁義禮智的端緒或根源,仁義禮智是人的優良品格,其根源或端緒當然是善的。人的善端是從哪裏來的呢?孟子認爲是人所固有的或先驗的:"人之有是四端也,猶其有四體也"(《公孫丑上》);"人之所不學而能者,其良能也;所不慮而知者,其良知也"(《盡心上》)。朱熹《孟子集注》云:"良者,本然之善也。"就是説,這些善端是人心的本然狀態,故孟子又稱之爲"本心"。

所謂"四端"説或"本心"説是孟子哲學的要害所在,在其整個哲學體系中起着至關重要的作用。而這一點,恰恰是在老子人心論的啟發下形成的。儘管老孟所説的心的本然狀態不同——老子認爲是自然、柔弱、虛静,孟子認爲是善端,但他們從人心本然狀態的角度來思攷問題的思路是一致的。

孟子主要是在同告子的論戰中闡發其人性論的,孟、告的觀點可謂水火難容。其實,孟子和告子的人性論都導源於老子,只不過他們各得老子之一體——孟子繼承和發展了老子關於"心之性"的看法,告子繼承和發展了老子關於"身之性"的看法。

和老子一樣,孟子也把心的本然狀態當作人性,主張心性合一論。當其弟子請求解釋"性善"時,孟子説:"乃若其情,則可以爲善矣,乃所謂善也。若夫爲不善,非才之罪也。惻隱之心人皆有之,羞惡之心人皆有之,恭敬之心人皆有之,是非之心人皆有之。惻隱之心,仁也;羞惡之心,義也;恭敬之心,禮也;是非之心,智也。仁義禮智非由外鑠我也,我固有之也,弗思耳矣。"(《告子上》)這裏的"情"字指人之實情,"才"字指人之質料;因而這兩個概念都是孟子從不同角度對人性的描述,可以把它們理解爲"性"。孟子對人性的理解可以分爲兩個層次。既然"惻隱之心"等本心是"人皆有之",所以這種本心便是人性。這是第一個層次。由於這種本心分别爲仁義禮智之端緒,那麼"仁義禮智非由外鑠我也,我固有之也",因而仁義禮智等品德也就是人性,這是第二個層次。

既然人性是善的,是人本來具有的,所以人人都有善性,並且沒有差別,甚至"聖人,與我同類者"(《告子上》)。在人性善這一點上,聖人與一般人是完全相同的。這種"性相同"説與老子一致,而與孔子的"性相近"説有異。

不過,孟子的人性論雖然源於老子,但仍同老子有根本區別。首先,老子認爲性無所謂善惡,而孟子則主張性善。其次,在老子的人性論中,有心之性和身之性兩層含義,而孟子只承認心之性爲人性,不承認生理本能爲人性。他説:"口之於味也,目之於色也,耳之於聲也,鼻之於臭也,四肢之於安佚也,性也,有命焉,君子不謂性也。仁之於父子也,義之於君臣也,禮之於賓主也,智之於賢者也,聖人之於天道也,命也,有性焉,君子不謂命也。"(《盡心下》)孟子顯然並非不知道人的生理慾望是生而即有的,卻以"求在外"爲由把它排除在人性之外了,其目的何在呢?《離婁下》的一章爲此提供了綫索:"人之所以異於禽獸者幾希,庶民去之,君子存之。舜明於庶物,察於人倫,由仁義行,非行仁義也。"從上下文看,人不同於禽獸的"幾希"是指仁義禮智之端緒,即"惻隱之心"等等,亦即人的本心或心之性。就是説,生理本能是人和動物共有的,而善性是只有人才具有的。由此,我們可以得出結論:孟子把生理慾望排除在人性之外的目的在於凸現人性更本質的一面——心之性,以便把人和動物作出根本的區分。

孟子的論敵告子強調身之性爲人性的一面,認爲"生之謂性","食色,性也",以性指生理本能。由於生理本能無善無惡,便使告子接受了老子性無所謂善惡的思想,指出"人性之無分於善不善也,猶水之無分於東西也。"孟、告爭論的根源在於對人性含義理解不同,孟子的人性爲心之性,告子的人性爲身之性。

孟子認爲最高形上實體是心性的最終根源,這同老子一致。與老子不同的是,孟子的最高形上實體是天而不是道。什麼是天的本性呢?孟子説:"誠者,天之道也。"(《離婁上》)朱熹注云:

"誠者,……天道之本然也。"意謂天的本性是"誠"。誠即所謂"不明乎善,不誠其身矣",就是天本來具有的善性。孟子把天所具有的善性稱爲"誠",是説天之善性是誠信無妄的、是實在的。我認爲,孟子的這種"誠者天之道"的思想與老子的"道之爲物……其中有信"是一脈相承的。何謂"信"?《説文》云:"信,誠也。"老子的道之信,也就是孟子的天之誠,只不過老子的道之實在爲自然,孟子的天之實在爲善。

按照老子的思路,道在創生萬物的過程中,也將其本性賦予了萬物。孟子基本上接受了這一思路。所不同的是,孟子不像老子那樣認爲所有事物都獲得了道的本性。在孟子看來,只有作爲萬物之靈的人才有資格從天那裏獲得善的本性,而其他事物是没有這份殊榮的。這就是老子宇宙形上學和孟子道德形上學的主要區别——道德是人所獨有的本質屬性,而動物是不可能有這種屬性的。

二

老子和孟子都認爲,心性並非一成不變的。在某些情況下人們會背離其本心本性,而在另外的情況下又可以返歸本心本性。

老子仍以道的運行規律來推論心性的變化。天地萬物都由道創生;天地萬物被創生出來以後,道便存在其中了。在《老子的宇宙論與規律論新説》[1]一文中,我曾將道分爲玄牝之道和散德之道兩個層面。前者指作爲天地之根、萬物之母、具有創生能力的道;後者指散在萬物,或者説爲萬物所得並轉化爲萬物本性——"德"的道。事實上,老子所提出的循環往復、物極必反的規律,是指散德之道的運行規律;而散德之道運行的出發點和歸宿點,便是玄牝之道。"大曰逝,逝曰遠,遠曰反"(二十五章),爲散德之道

① 載《哲學研究》1994年第6期。

從玄牝之道分離出來以後由“逝”而“遠”而“反”的過程。散德之道的一個循環,相當於一物的生命過程。散德之道背玄牝之道而去的過程,相當於一物之成長、發展的過程;散德之道回歸之際,亦即此物滅亡之時。這個過程中的散德之道有兩個特點。一是離玄牝之道越來越遠了:“大曰逝,逝曰遠。”二是散德之道本身的因素越來越喪失:“人之生也柔弱,其死也堅強;萬物草木之生也柔脆,其死也枯槁。”(七十六章)這裏的“柔弱”、“柔脆”爲萬物的本性,“堅強”、“枯槁”爲萬物本性的對立因素。

作爲萬物之一,人也會離道而去的。也就是說,人所禀受的散德之道也會由“逝”而“遠”的。人是怎樣背離道的呢?老子從“心”的角度解釋:“益生曰祥,心使氣曰強。”(五十五章)“強”即對道的背離,“心使氣”就是人對道或說人對本心本性的背離。“心使氣”之“氣”,即四十二章所謂的“冲氣”或虛氣,乃陰陽在萬物之中合和爲一體而構成的氣。老子所謂“冲氣以爲和”的“和”字非常重要,它表示陰陽合成的“冲氣”在萬物之中的和諧狀態,這種和諧狀態正體現了道之自然、柔弱、清靜等本性。“冲氣以爲和”者,“冲氣”使之“和”也。“冲氣”本身和諧,故可使萬物和諧。就是說,“冲氣以爲和”之“氣”是指由混沌之道分離出的陰陽二氣在萬物中形成的一種冲虛之氣,具有和諧萬物以使之保持本性的作用。

據此,我認爲“心使氣曰強”的“氣”與“冲氣以爲和”的“氣”是完全一致的。人爲萬物之一,當然陰陽二氣也會在人的身心中形成一種冲虛和諧之氣,這就是“心使氣曰強”的“氣”。因此,人之本心本性的維持是通過由陰陽二氣構成的冲虛之氣的和諧得以實現的。由於老子認爲有爲會破壞和諧以至喪失本性,因而所謂“心使氣曰強”即指心對氣有所作爲,從而破壞了氣的和諧,以至喪失了人的本性,這樣固然走向了人性的反面——“強”。老子所謂“知和曰常,知常曰明”,是從積極的一面強調氣之和諧的作用;所謂“益生曰祥,心使氣曰強”是從消極的一面強調“心使氣”以至破壞氣之和諧的後果。

具體言之,“心使氣”又可分爲兩個方面。一是“智”:“慧智出,有大僞”;“天下皆知美之爲美,斯惡矣;皆知善之爲善,斯不善矣”。這是對心之性的反動。二是“慾”:“禍莫大於不知足,咎莫大於慾得”,“五色令人目盲,五音令人耳聾,五味令人口爽,馳騁畋獵令人心發狂,難得之貨令人行妨”。這是對身之性的反動。

萬物在離道極遠之時便會返道,人在離道之後亦返道。不過,在這一點上萬物與人是有本質不同的。萬物是無意識的、是盲目的,所以一直到其生命的盡頭才可返道;而人是有意識的、是自覺的,因而可以在其生命過程中,運用其心的作用主動返道,以保持或恢復本心本性,與道合一。

如何返道以保持本心本性呢? 針對“心使氣”,老子提出了其返道總綱領:“專氣致柔,能嬰兒乎?”讓人心聽任氣之自然,不破壞氣之和諧,以達至“柔”,便可像嬰兒一樣本心本性全足,與道合一。爲了實施“專氣致柔”這個總綱領,老子從兩個方面作了論證。從消極方面看,既要否定“慾”,強調“少私寡慾”,又要否定“智”,強調“絶聖棄智”。從積極方面看,老子針對“慾”而提出了知足、不爭、守柔、處下等主張,針對“智”而提出了“明”的觀點。老子強調“知常曰明”,主張“復歸其明”,“明”是對恆常之道的體悟。由於這種“明”是能夠體察細微的,故老子指出“見小曰明”。“明”是道的體認者,“光”是“明”的能力。“明”是可以被掩蓋的。只有用“明”本來具有的“光”,才能重現“明”之本體,才能“無遺身殃”,與道合一。

人們怎樣運用“明”這種體道能力呢? 老子提出了“靜觀”、“玄覽”等概念。“靜觀”、“玄覽”都是把握道的方式,是一種超驗的心理直覺。這種認知方式有兩個鮮明的特點。首先是反對主觀性:“不自見,故明;不自是,故彰”。其次是取消事物的差別性:“唯之與阿,相去幾何? 善之與惡,相去若何”;這正是後來《莊子·齊物論》的先河。

至此，老子完成了其返歸本心本性的論證。

同老子一樣，孟子亦就人心言本心本性的喪失與復歸。他像老子一樣承認人心會背離其本然狀態，或稱其爲"喪心"："非獨賢者有是心也，人皆有之，賢者能勿喪耳"(《告子上》)；或稱其爲"失本心"："……此之謂失其本心"(同上)；或稱其爲"放心"："人有鷄犬放則知求之，有放心而不知求"(同上)；都指人背離心性的本然狀態。

人心爲什麼會背離其本然狀態呢？孟子用生理因素和精神因素的相互關係來解釋這一問題。他說："體有貴賤，有大小。無以小害大，無以賤害貴。養其小者爲小人，養其大者爲大人。"(同上)朱子注云："賤而小者，口腹也；貴而大者，心志也。"孟子把"體"一分爲二，一是生理慾望，二是精神因素，即心。一個"害"字點明，口腹之慾會損害人的精神修養，以致使人"失其本心"。看來，在生理慾望可以導致背離心性之本然狀態這一點上，孟子與老子是一致的。

由"大體"、"小體"之辨引發出孟子的義利觀。利以養"小體"，義以養"大體"。孟子對"大體"、"小體"的態度，就決定了他必然重義輕利。在孟所謂"養其小者爲小人，養其大者爲大人"與老子的"吾所以有大患者，爲吾有身；及吾無身，吾有何患"之間，在孟子所謂"王，何必曰利，亦有仁義而已矣"與老子的"以道佐人主者，不以兵強天下"之間，有異曲同工之處，反而與孔子不類。孔子說："富與貴，是人之所慾也，不以其道得之，不處也。"(《里仁》)"富而可求也，雖執鞭之士，吾亦爲之。"(《述而》)孟子和老子都徹底否定慾利，一味強調精神價值——老子強調道，孟子強調仁義；而孔子不然，他雖然重視仁義等精神價值，但並不否定生理慾望。

此外，孟子還注意到了環境對心的影響，說："富歲弟子多賴，凶歲弟子多暴，非天之降才爾殊也，其所以陷溺其心者然也。"(《告子上》)這裏的"陷溺其心"與上文的"喪心"、"放心"、"失其本心”等完全是一回事。至於利慾和環境如何導致人心背離其本然狀態,孟子曾經打過一個生動的比喻:“其所以放其良心者,亦猶斧斤之於木也,旦旦而伐之,可以爲美乎? ……故苟得其養,無物不長;苟失其養,無物不消。”(同上)

孟子完全繼承了老子關於返歸本心本性的思維方法,他稱之爲“求放心”:“仁,人心也;義,人路也。舍其路而弗由,放其心而不知求,哀哉! 人有鷄犬放則知求之,有放心而不知求。”(同上)如何“求放心”呢? 孟子首先提出了“學”的方法:“學問之道無他,求其放心而已矣。”(同上)其次提出了“思”的方法:“耳目之官不思,而蔽於物。物交物,則引之而已矣。心之官則思,思則得之,不思則不得也”(同上),“人人有貴於已者,弗思耳矣。”(同上)這裹的“思則得之”的“之”和“人人有貴於已者”指的是什麽呢? 是仁義禮智等本心或善端。於此可證:“仁義禮智,非由外鑠我也,我固有之也,弗思耳矣。”(同上)“思”的對象,正是本心或善端,也就是説仁義禮智及其善端是可以通過“思”來得到的。另外,孟子還提出了“自反”的方法:“有人於此,其待我以横逆,則君子必自反也,我必不仁也,必無禮也,此物奚宜至哉? 其自反而仁矣,自反而有禮矣,其横逆由是也,君子必自反也,我必不忠。自反而忠矣,其横逆由是也,君子曰:此亦妄人也已矣。如此,則與禽獸奚擇哉? 於禽獸何難焉?”(《離婁下》)這裹的“自反”,有“反省”本心之義,亦有“返歸”本心之義。這種思想是老子“反者道之動”、“歸根曰静”思想的繼續和發展。

“本心”既然已經通過“思”、“學”、“自反”等途徑被找回來了,那麽如何保存“本心”就成了當務之急:“存其心,……所以事天也。”(《盡心上》)何以“存其心”呢? 孟子説:“君子所以異於人者,以其存心也。君子以仁存心,以禮存心。”(《離婁下》)“惻隱之心”、“辭讓之心”等本心分别是“仁”、“禮”等等的端緒,一個人的品德能夠符合“仁”、“禮”了,他便自然能夠保存其“本心”。

孟子認爲,僅僅“存心”是不夠的,還應該滋養“本心”,這就是他的"養其大者"之說。何以"養心"? 孟子從積極的和消極的兩個方面作了論證。從積極方面看,必須注重"理"、"義"的培養:"理義之悅吾心,猶芻豢之悅我口。"(《告子上》)這和"以仁存心,以禮存心"的思路是一致的。從消極方面看,必須寡慾:"養心莫善於寡慾。其爲人也寡慾,雖有不存焉者,寡矣;其爲人也多慾,雖有存焉者,寡矣。"(《盡心下》)這裏的"存"即"存其心"之"存",是就能否保存"本心"而言的。

孟子也像老子那樣將氣與心聯繫在一起。在如何"存心"、"養心"問題上,孟子提出了著名的氣論。這實際上是對老子"專氣致柔"、"心使氣曰強"等學說的繼承和發展。其繼承主要表現在兩方面。孟子說:"雖存乎人者,豈無仁義之心哉?……夜氣不足以存,則其違禽獸不遠矣。"(《告子上》)這說明孟子繼承了老子關於氣是一種使心保持其本然狀態的東西、心的本然狀態通過氣得以實現的觀點。當然,孟子的本心是指善端或良心,"夜氣"所"存"的是"仁義之心"。這是第一。第二,孟子關於"不動心"(《公孫丑上》)的思想也是從老子那裏繼承來的。老子反對"心使氣",所謂"心使氣",便是動心。

孟子對老子氣說的發展(或者說二者相異處)是多方面的。第一,老子認爲氣來自陰陽,而孟子指出:"是集義所生者,非義襲而取之也。"(《公孫丑上》)第二,氣與心志的關係如何? 老子語焉不詳。孟子則認爲:"志壹則動氣,氣壹則動志。今夫蹶者趨者,是氣也,而反動其心。"(同上)動心和動氣相互影響,故應"持其志,無暴其氣。"(同上)第三,氣的性質如何,老子没有明確闡述,不過他說"專氣致柔",大概氣是柔性的罷。而孟子認爲,氣是"至大至剛"的,故他又稱之爲"浩然之氣"(同上)。第四,儘管老子以道論心,但他没有將宇宙之氣與心中之氣直接聯繫起來。孟子指出,他自己的"浩然之氣""至大至剛",以至"塞於天地之間"。這樣就將心中之氣和宇宙之氣融匯貫通了。第五,孟子首先提出了"養氣"說:"我善養吾浩然之氣"。不過,孟子關於"養氣"時要"必有事焉,而勿正,心勿忘,勿助長也"的主張倒很像老子"爲無爲"的態度。

老子主張順其自然,也就是説是順應人性。這一點頗爲孟子接受並發揮。他説:"天下之言性也,則故而已矣。故者以利爲本。所惡於智者,爲其鑿也。如智者若禹之行水也,則無惡於智矣。禹之行水也,行其所無事也。如智者亦行其所無事,則智亦大矣。"(《離婁下》)"利",朱子《集注》云:"猶順也。"就是説,討論人性,就是要探求人之爲人之理,而人之爲人之理(人性)便是以順其自然爲根本。這段文字,很有老子"棄智"(實大智)、"無爲"的意味。孟子所順應的,是他的"本心"。他説:"堯舜,性之也"(《盡心上》)、"堯舜,性者也。"(《盡心下》)什麼是堯舜的"性之也"或"性者也"呢?《離婁下》的一句可作爲其注腳:"舜明於庶物、察於人倫,由仁義行,非行仁義也。"看來,所謂"性之也"或"性者也"是指順應人的仁義本性,因其自然,而不是強迫自己有意地推行仁義。

值得強調的是,儘管孟子的整個哲學體系所受老子的影響如此深刻,但他最終要解決的是社會倫理道德問題,或者説是名教問題,與老子的自然論有本質區別。所以,孟子仍歸宗孔子,並成爲戰國時儒家的中堅人物。

作者簡介 郭沂,1962年生,山東臨沂人。1988年獲華中師範大學歷史學碩士學位,1993年獲復旦大學哲學博士學位。中國社會科學院哲學研究所助理研究員。發表論文二十餘篇。

《管子》心氣論對孟子思想的影響

白 奚

内容提要 本文試從心氣論的角度探討孟子同《管子》四篇的關係。①認爲齊人通過對行氣養生之術的長期探索提出了系統的心氣論。這種心氣論由於受孔子學説的影響而具有一定的儒家倫理色彩，它對孟子的思想産生了重大影響，啟發了孟子以氣言心性。孟子注重心之存養和擴充善性，《管子》注重心之修治和積聚精氣，兩家由於關注的問題存在着一致性而本有許多相通相似之處。孟子接觸齊學後，便很自然地將《管子》心氣論成果引入自己的心性學説中，從而建立了儒家的心氣論。孟子心氣論有三方面内容——"養浩然之氣"、"存夜氣"和"氣志之辨"，都明顯地滲透着《管子》四篇心氣論的影響。

一

《論語》中"心"、"氣"二字均衹出現了六次，都是在一般意義上使用的，尚未上升爲獨立的哲學範疇，更没有將二者聯繫起來的跡象。而在孔學的正宗傳人孟子的書中，"心"、"氣"二字均大

① 關於孟子與《管子》四篇的關係問題，學術界有兩種相反的意見。一種認爲是《管子》四篇影響了孟子（參見郭沫若《稷下黄老學派的批判》和《宋鈃尹文遺著考》），另一種認爲是孟子思想影響了《管子》四篇（參見李存山《〈内業〉等四篇的寫作時間和作者》，載《管子學刊》1987 年創刊號）。

量出現,成爲孟子學説中舉足輕重的範疇,並圍繞着心、氣、性及其相互關係構建了一個嚴密、完整而深邃的心性論體系。很顯然,孟子的心氣論不是上承孔子,而是受了同時代别家學説的影響。孟子久居齊國,受到齊地學術代表《管子》的影響是很自然的。在內容博大宏富的《管子》中,《內業》等四篇的心氣論較多地影響了孟子,啟發了孟子以氣言心、言性。

氣論萌發於春秋,在《左傳》、《國語》、《論語》等春秋時期的典籍中,都有關於"氣"的零星材料,如"血氣"、"勇氣"等,但尚未上升爲哲學範疇。到了戰國時期,氣論獲得了長足的發展。雖然在屬於楚文化系統的老、莊、屈原的著作中,有關氣的思想都有一定的表述,但真正把氣論系統化、使之獲得完整的理論形態的,乃是東方濱海的齊人,具體來説主要就是《管子》四篇。氣論爲什麽和齊人結下了不解之緣呢? 這顯然同齊人注重養生的文化傳統有關,而齊人之注重養生,又同他們相信神仙世界的存在,渴望長壽永生的文化背景有密切的關係。齊國濱臨大海,常有蜃景出現,因而盛行"東海仙境"和海中有"不死之藥"的傳説。這些傳説剌激了齊人求長生的強烈願望,據《史記·封禪書》記載,齊威王、宣王都曾派人入海尋求蓬萊、方丈、瀛洲三神山。與這種迷信思想相伴隨的是各種方術的盛行,其中也有一些科學的內容,如包含着吐納、導引等行氣之法的養生術就是如此。齊人很早就把氣和心聯繫起來考慮,把行氣、治氣視爲養心、養生的重要手段。在出土文物中有一個玉製的劍柲,是現存唯一的與先秦氣論思想有關的物證,據陳夢家考定,正是戰國初期的齊器。其銘文云:"行氖立則適。適則神,神則下,下則定。定則固,固則明,明則長。長則衺,衺則大。天其柱在上,地其柱在下,順則生,逆則死。"①這段銘文講的是"行氣"(陳夢家認爲"行氖"即"行氣")與生命、智慧、精神的關係,"有着人如果把大氣納入體中,治養、積聚這氣的話,就可以心神明,身定固,擴充自己這樣的內容。"②它代表着齊人傳

①② 轉引自小野澤精一等著《氣的思想》,上海人民出版社 1990 年版第 16 頁。

統的行氣養生思想,《管子》四篇循此路數,最終將這一思想發展成一個完備的心氣論體系。

《管子》的心氣論主要討論精氣同人的生命與精神現象的關係,探討如何才能獲得精氣而有智慧,特別是如何才能在保有精氣的基礎上使之不斷積聚而成爲聖人。《內業》所謂"浩然和平以爲氣淵"描述的正是精氣積聚到理想程度所表現出來的境界和狀態,因而顯然是《管子》心氣論中應有之義和不可缺少的重要內容。目前有的學者説它是受了孟子"浩然之氣"説的影響,筆者則認爲,孟子是受了《管子》四篇從氣論的角度談修心、治心的啟發和影響才提出養"浩然之氣"理論的。

《管子》四篇中有一定的儒家倫理色彩,可見《管子》曾受到儒家學説的影響。此種影響是否來自孟子呢? 這是本文難以迴避的問題。目前有的學者認爲《管子》受到了孟子性善論的影響,若果真如此,其受到孟子"浩然之氣"説的影響也就難以否認了。筆者認爲,《管子》並未受到孟子性善論的影響,其儒家倫理色彩來自以孔子爲代表的早期儒家,是齊魯文化長期交融的結果。

《管子》四篇以其比較集中地闡述了精氣論而受到世人關注,因而也就具有了相對獨立的意義。但作爲齊學結晶的《管子》一書並非是雜亂無章的拼湊,而是有其思想體系的,這一點學界早有共識。因而我們在研究《內業》等四篇時,既要看到其相對獨立的一面,又不應忘記其與全書思想體系的聯繫,而就《管子》全書來講,在人性問題上恰恰是主張性惡而不是性善的。四篇中確曾出現過"善氣"、"善言"、"善事"等提法,但均與人性問題無涉。《內業》提到"凡道無所、善心安處"(原作"安愛",王念孫曰"愛當爲處字之誤"),此"善心"乃是指經過修治,排除了私欲雜念後可以作爲精舍的心態或心境,也與人性問題無關。孟子從性善論出發,主張仁政,強調運用道德教化的手段使人們自覺遵守社會法規;而《管子》則基於對人皆好利惡害的本性的認識,並不着眼於人內心的道德自覺,而是強調運用法治這種外在的力量強制人們遵守社會法規。可見孟子學説的主要内容就其基本精神來説是同《管子》格格不入的,由此也可證明《管子》並未受到孟子學説的影響。

齊、魯自西周始就是東方兩大强國,在文化上既有明顯的差異又有廣泛的交流。魯文化最終孕育了儒家學説,齊文化則以《管子》一書爲集中代表。《管子》一書,目前學術界一致認爲非一人一時所作,其最終完成雖是在稷下時期,但其内容最早可上溯到管仲本人。我們有理由相信,自管仲身後,就不斷有推崇管仲的齊人在進行着收集管仲遺説、闡發管仲思想的工作。齊、魯兩國爲近鄰,齊文化又以開放性和多元性見長,我們很難想象儒家學説創立後在齊國會没有影響,很難想象以倫理道德修養爲重要内容的儒家學説能不爲不斷吸收外來文化而逐步擴充的《管子》一書所吸取,而這種影響和吸取完全可能是在孟子游齊之前就發生了的。

與孟子的情况不同,孔子的思想同《管子》相比則表現出較多的一致性。對於孔子提出的一系列倫理道德規範,如禮、義、廉、耻、仁、德、忠、恕、誠、信、恭、敬、孝、悌、慈、惠等,《管子》幾乎都接受了。《管子·立政九敗解》中羅列了九種不利於治國的學説,稱爲"九敗",其中涉及到墨家、道家等好幾個學派,卻没有儒家。這表明在主張禮法並舉的《管子》作者們心目中,早期儒家的主張同自己的主張並不矛盾,是可以吸收利用的。孔子的學説以維護禮爲宗旨,《管子》也把禮視爲國之四維之首,並更進一步爲禮找到了充分的根據,把禮的制定説成是則天之道、因人之情的必然結果。孔子的學説不僅從宏觀上看同《管子》可以相容,從微觀上看,也明顯地表現出向《管子》的滲透。如儒家主張愛有差等,由親親始,而親親之情莫過於父母兄弟,故孔子曰:"孝悌也者,其爲仁之本與!"(《論語·學而》)《管子·戒》亦曰:"孝弟者,仁之祖也",同孔子一樣把孝弟作爲仁的出發點。孔子特别重視君臣、父子之名分,視之爲最基本的等級秩序,因此他主張"君君,臣臣,父父,子子。"(《論語・顏淵》)《管子・形勢》也説:"君不君,則臣不臣;父不父,則子不子。上失其位,則下逾其節,上下不和,令乃不行。"進一步強調了君父在倫常關係中的主導地位。《論語・堯曰》講"興滅國,繼絶世,舉逸民",《管子・中匡》也講"存亡國,繼絶世,起諸孤。"孔子講"己所不欲,勿施與人。"(《論語・衛靈公》)《管子》也講"非其所欲,勿施於人。"(《小問》)這些材料表明,《管子》對於孔子的學説,不僅在思想上吸取,而且在文辭上襲用,其受孔子學説的影響是顯而易見的。由此本文認爲,與其説《管子》受到了孟子的影響,毋寧説是受到了孔子的影響,這樣更符合事實。

在中國古人眼中,個人、社會和整個宇宙是一個統一的有機整體,因而他們提出的每一種理論體系都被認爲是在這幾大領域中普遍適用的,氣論當然也是如此。當齊人用他們通過養生術發展起來的氣論來解釋世界的本質和萬物的生成時,便受到業已在齊國流行的老子道論的啟發和影響,推出了獨創的精氣學説。而當齊人試圖用氣論來説明人應當怎樣處理同他人乃至整個社會的關係時,由於受到了滲透於齊人思想文化中的早期儒家思想的影響,便使得這種氣論不可避免地具有了儒家的倫理色彩。在《管子》的氣論中時常閃爍着儒家學説的影響,這種儒家影響的閃爍是十分重要的,它是道家氣論同儒家學説相結合的初步嘗試,正是它給了孟子以啟示,於是才有了儒家心性學説對道家氣論的引進和利用,才有了儒家的心氣論。換個角度説,《管子》氣論的倫理色彩還僅僅是一種苗頭或傾向,表明作者在此問題上還没有達到一種自覺的程度,到了孟子手裏,這種苗頭或傾向從儒家的立場出發得到了擴展和強化,達到了一種高度自覺的程度。在孟子那裏,氣與道德修養的結合是相當明確而緊密的,《孟子》中關於氣的所有議論都是從道德修養的角度來談的,氣論已經成爲孟子心性學説的重要組成部分。孟子受《管子》心氣論的影響和啟發,以氣言心言性,無異於爲儒家的心性學説開闢了一片新天地,在一定程度上彌補了儒家學説在形而上方面的不足。

二

《管子》的心氣論對孟子思想的影響,突出地表現在孟子"養浩然之氣"理論的提出上。孟子曰:"我善養吾浩然之氣"(《公孫丑上》),《管子·內業》則云:"內藏以爲泉原,浩然和平,以爲氣淵。"筆者認爲,孟子是把《內業》"浩然和平,以爲氣淵"的提法引進了他的心性論中,從而提出了"浩然之氣"的概念的。讓我們從兩家立論的基礎——性善論和精氣論説起。

精氣論是《管子》四篇的獨創,作者的興趣主要在於討論人的生命與精神現象。孟子的性善論也是孟子的獨創,旨在闡發人心中固有的善性——也稱爲"本心"——及其社會實踐意義。兩者的內容雖然不同,但它們在闡發各自關心的問題時所表現出來的思路或套路卻極爲相似,所要達到的最終效果也頗爲一致。我們不妨一步一步地進行一番對照。

孟子認爲,人心中先天地具有各種善性,他説:"仁義禮智,非由外鑠我也,我固有之也。"(《告子上》)"君子所性,仁義禮智根於心。"(《盡心上》)他把這些人心中本有的善性稱之爲"良知"、"良能",把具有良知、良能的心稱之爲"良心"或"本心"。《管子》中也有類似的看法,如《內業》認爲,精氣(道)"淫淫乎與我俱生"、"卒乎乃在於心";《心術上》也説,精氣(道)"與人並處"、"虛之與人也無間";《內業》還説:"凡心之形,自充自盈,自生自成。"都是説的精氣(道)乃人心中所本有。

孟子認爲,善性雖爲人心所本有,但並不很牢固,在外來的不良影響作用下還會迷失,他稱之爲"陷溺其心"、"放失良心"或"失其本心",簡稱爲"放心"。《內業》也認爲,精氣(道)雖爲人心所本有,心雖"自充自盈",自我完滿,但由於"人不能固"而還會"失之"。並進一步指出:"其所以失之,必以憂樂喜怒欲利",是外界不良影響所引發的各種欲望和情緒使精氣得而復失。

孟子認爲,“放心”固然可悲,但更可悲的是“有放心而不知求”(《告子上》),因而要像把走失的鷄犬再尋回來一樣,把放失的良心再找回來,使人心恢復善性。這種功夫就是“求放心”,孟子說:“學問之道無他,求其放心而已矣。”(同上)無獨有偶,《管子》中也有相同的認識和方法。《內業》認爲,既然是外界環境所引發的各種欲望和情緒使得精氣走失,因此,“能去憂樂喜怒欲利,心乃反濟。”《心術下》亦云:“外敬而內静者,必反其性。”“外敬而內静”也就是去除憂樂喜怒欲利等欲望和情緒,這樣就能“反濟”、“反其性”,即恢復心的本來的充盈狀態,使精氣失而復得。

在孟子看來,“求放心”的方法實際上是對人在道德實踐中的失誤的一種補救措施,而要進行道德修養就不能聽任本心放失而再行補救。與其放而再求,不如採取更爲積極主動的方法來防止本心的放失,這種方法便是“存心”,即保持和把守心中原有的善性。孟子把能否“存心”看作是君子與常人的重要區別,他說:“君子所以異於人者,以其存心也。”(《離婁下》)“非獨賢者有是心也,人皆有之,賢者能勿喪耳。”(《告子上》)孟子這種“存心”的功夫,同《管子》所言“修心”、“治心”在方法論上是一致的。《管子》的“修心”、“治心”以積聚精氣爲目的,而要積聚精氣,第一步便是守住它不要讓它喪失。故而《內業》提出“敬守勿失”、“守善勿舍”、“得之而勿舍”,力圖以此來留住精氣,讓它“藏於胸中”,爲積聚成“浩然和平”的狀態打下基礎。

《管子》把心看作是精氣存留的館舍,並把“欲”看作是心中的不潔之物,認爲心中不潔,精氣就不肯入舍,必須把“欲”清除,將心舍打掃乾淨,精氣方能存留。“欲”在《內業》等篇中泛指私欲及其引起的各種情緒。《內業》云:“憂悲喜怒,道乃無處”,“敬除其舍,精將自來”。《心術上》亦云:“虛其欲,神將入舍,掃除不潔,神不留處”,“潔其宮,開其門,去私毋言,神明若存”,“館不辟除,則貴人不舍。”不過《內業》又云:“節其五欲,去其二凶,不喜不怒，平正擅匈。"《心術上》亦云："惡不失其理，欲不過其情，故曰君子。"可見《管子》並不是要將"欲"徹底否定，而是主張對其進行合理的節制，使之"不過其情"，這實際上是一種"寡欲"的主張。孟子也和《管子》一樣主張寡欲，並把寡欲看作是養心的最好方法。他説："養心莫善於寡欲。其爲人也寡欲，雖有不存焉者寡矣；其爲人也多欲，雖有存焉者寡矣。"(《盡心下》)所謂"存"即指存心，在孟子看來，欲之多寡與心之存亡是成反比的，運用理智的力量，克服外物的引誘，把"欲"節制在不能危害心中善性的程度，便能"存"住心中的善性，這是最有效的養心手段。

孟子主張在"存心"的基礎上，還要進一步使心中的善性盡量擴充。他説："凡有四端於我者，皆知擴而充之矣，若火之始然，泉之始達。苟能充之，足以保四海。"(《公孫丑上》)擴充的具體方法有"集義"、"直養"等，通過這些道德實踐的方法，積聚、培養心中的善性，把思想道德修養提升到最完美的境界。此一過程是孟子心性學説的第一要義，即"盡心"，"盡心"便可"知性"，知性便是"知天"。心中善性擴充至此，則"塞於天地之間"(同上)、"上下與天地同流"(《盡心上》)，達到"萬物皆備於我"(同上)，與天地萬物爲一的聖人境界。至此，"浩然之氣"便養成了。《管子》也很重視精氣的積聚和擴充。《內業》云："是故此氣也，不可止以力，而可安以德"，"德"者"得"也，指心中業已得到的精氣，不能用強力使精氣止於心中，卻可以用心中已有的精氣使它安頓下來。《白心》亦云："同則相從，反則相距"，原有的精氣越多，越有利於吸收外面的精氣。這樣便可以"日新其德"(《內業》)，使心中的精氣與日俱新，積少成多。《內業》又云："敬發其充，是謂內得"，《心術下》亦云："充不美則心不得"，要使精氣擴充發展到完美的程度，便可達到"內得"的聖人境界。《內業》描述達此境界的聖人"摶氣如神，萬物備存。"(尹注云："摶，謂結聚也。")"萬物畢得"，可以"遍知天下，窮於四極。"《內業》對此境界有一段完整的描述："內藏以爲泉原，浩然和平，以爲氣淵。淵之不涸，四體乃固；泉之不竭，九竅遂通。乃能窮天地,被四海。""內藏",《心術下》作"內聚",即指通過積聚、擴充的功夫,使精氣蔚爲"浩然"的"氣淵",達到與天地萬物爲一的聖人境界。通過對照我們看到,孟、管所要達到的最高境界是一致的,不過孟子是通過道德修養、擴充善性達到的,《管子》則是通過治氣養生、積聚精氣達到的,可謂同工而異曲,同歸而殊途。

通過以上對孟子存心養心、擴充善性的理論和《管子》四篇修心治心、積聚精氣的理論的層層對比,我們看到,兩者之間從思路、方法到目標是如此的相似,以至孟子可以毫不費力地把《管子》的"浩然和平以爲氣淵"引進自己的思想體系,毫不勉強地使之與自己的性善論結合,從容自如地使其"配義與道",從而水到渠成般地提出了"浩然之氣"的概念。"浩然之氣"由於"配義與道"而表現出來的特性是儒家的"剛"與"直",取代了《管子》"浩然和平以爲氣淵"的"和平"的道家特色,強烈地突顯了儒家的性格。"浩然之氣"所描述的是人的修養達到最高境界時所具有的精神狀態和內在的道德力量,它展現了孟子強烈的道德自信心和高度的道德自覺,把儒家的境界觀推到了最高點。"浩然之氣"概念的提出標志着孟子對稷下道家心氣理論的吸取和改鑄的最終完成,也標志着儒家心氣論的建立。從孟子"浩然之氣"概念的提出,我們可以看到道家思想對於別家學説具有一種極強的滲透力,由此也可洞見道家思想在中國傳統哲學中的突出地位。

三

《管子》的心氣論對孟子思想的影響,還表現在孟子"存夜氣"的理論和"志氣之辨"的提出上。

《內業》指出:"敬除其舍,精將自來。精想思之,寧念治之,嚴容畏敬,精將至定。"這裏,作者把精氣之"來"與"定"作了區分,意思很明白:吸引精氣是一種功夫,保住精氣又是一種功夫。把心中打掃乾淨，精氣便能入舍，但這並不意味着能把精氣留住，如果不能很好地修心治心，調整好心態、心境，仔細地保有這些精氣，精氣還會搬出這個館舍。必須使心保持正、静、平、寧、安、敬的狀態，即不受任何外界干擾的本然狀態，才能使精氣定於心中，不至得而復失。《內業》對心的這種本然狀態極爲重視，進行了大量的描述。如："能正能静，然後能定。定心在中，耳目聰明，四枝堅固，可以爲精舍。""彼道自來，可籍與謀，静則得之，躁則失之。""修心静意，道乃可得"，"內静外敬，能反其性，性將大定"，"彼心之情，利安與寧，勿煩勿亂，和乃自成"，"中守不忒，不以物亂官，不以官亂心，是謂中得。"要之，寧息心中各種雜念，使心不受外來的任何干擾，保持平正寧静、嚴謹敬慎的心態，這樣才能保定精氣而不至喪失，是之謂"中得"。

《內業》關於如何保持心的本然狀態以保守精氣的思想顯然影響了孟子。孟子將此思想作爲心氣論的一項重要內容引進了自己的心性學説中，提出了"於學者極有力，宜熟玩而深省之"（朱熹《孟子集注》卷十一）的存"夜氣"之説。"夜氣"又稱"平旦之氣"（《告子上》），指黎明前夕人的心境。日間的紛擾，經夜間的睡眠至此時業已消除，又"平旦未與物接"（朱熹語），故心境最爲平正寧静，最接近於心的本然狀態，最易於體認心中的良知。有見於此，孟子提出存"夜氣"之説，即是要使心經常保持在黎明前夕那樣的平正寧静的本然狀態，通過這種方法來存守心中的善性。孟子設喻説，人心中的善性日夜有所息長，無奈被其旦晝之所爲"梏亡"，好比牛山之木，雖有息長，怎堪日以斧斤伐之、牛羊牧之，豈能爲美乎？只有存"夜氣"，經常保持心的本然狀態，不使外物干擾紛亂其心，方能存守心中的善性而不至放失。在此基礎之上，再以日夜所息長之善性養之，"苟得其養，無物不長"，何愁不能擴而充之？通過以上比照分析，足見孟子的存"夜氣"之説是吸取了《管子》的有關理論成果，借用了氣論的形式，充之以道德修養的內容，將《管子》的有關理論在儒家思想體系之爐中進行了熔冶改鑄,使之儒學化。

《管子》四篇所言之"氣",大多是"精氣"、"道"的代名詞,但也有少數例外,如"意氣定然後反正,氣者身之充也"(《心術下》),"心静氣理,道乃可止"(《內業》),"四體既正,血氣既静"(同上)等。此處之"氣"、"意氣"、"血氣"乃是指與"心"相對的情緒或情感。在此種氣與心的關係上,《管子》主張氣服從於心,強調心對氣的控制作用。"心静氣理"是説,心静下來,氣才能理,心静在先,氣理隨後。"四體既正,血氣既静,一意摶("摶"之誤,專也)心,耳目不淫,雖遠若近",這裏實際上也有一個先後主次的問題,唯有一意專心,血氣才能静,四體才能正;發揮心的理性作用,才能使情緒平静下來。這些當是對實際生活中親身體驗的經驗性總結。《內業》主張"去其二凶,不喜不怒,平正擅匈","二凶"就是喜與怒,能夠去除二凶的主體當然只能是"心"。發揮心的理性作用,既不過於喜,也不過於怒,這體現了心對情緒(既"氣")的主導和支配作用。特別值得一提的是,《管子》還認識到心與氣的關係是雙向的、相互的,氣一方面受心支配,另一方面也能够反作用於心。四篇中不斷出現"反濟"、"反正"、"反中"、"反於道德"、"反其性"等提法,就表達了作者對心與氣的對立統一關係的認識。

《管子》對心氣關係的辯證認識顯然影響了孟子。孟子在引進《管子》的心氣論時也把這種認識納入了自己的心性學説中,提出了"持志"作爲心之存養的一種方法。《孟子·公孫丑上》曰:"夫志,氣之帥也;氣,體之充也。""志"即心志,此處之"氣"上承孟施舍之"養勇"、"守氣"和告子的"不得於心勿求於氣",指勇氣、意氣等情緒和情感。"志,氣之帥也"形象地表述了心志對氣的主導和控制作用,趙岐注曰:"志帥氣而行,度其可否也",準確地揭示了孟子此説的含義和用意。在孟子看來,告子主張"不得於言勿求於心",正是由於他"未嘗知義",主張"仁內義外",不知道判斷是非善惡的標準"義"乃是人心中所固有,因而他不知反省內求,不能於內心中求得是非可否的判斷來指導自己的行動,這正表明了他不懂得“持志”之道，不懂得“志至焉，氣次焉”，志主氣從，氣隨志行的道理。同時，孟子由於受《管子》的影響，又看到了志、氣關係還有另一個方面——“氣壹則動志”，氣也可“反動其心”，從而提出了“持其志，無暴其氣”的主張。“暴其氣”就是專逞意氣、濫用情感、妄爲喜怒，這樣將反過來動搖心志。“持其志，無暴其氣”就是發揮心志、理性對意氣、情感的主導和控制作用，防止意氣用事、喜怒失度，使自己的行爲永遠符合理性和道德的標準。由此可見，孟子的“志氣之辨”完全吸收了《管子》關於心氣辯證關係的認識成果，使之儒學化後納入了自己的心性學説體系之中。這是《管子》的心氣論對孟子思想的重大影響的又一內容。

綜上所論，《管子》的心氣論是齊人通過對行氣養生之術的長期探索而獨立發展出來的，它對孟子的思想產生了重大的影響，孟子的“心氣論”取自以《管子》四篇爲代表的稷下道家。孟子的“心氣論”包含三方面的內容：一是“養浩然之氣”；二是“存夜氣”；三是“志氣之辨”。這三方面中都明顯地滲透着《管子》的影響。可以説，如果没有孟子對《管子》心氣論的吸取和儒學化的改鑄，儒家的心性學説便不會如此豐滿而富有哲理性。通過詳細的對比，我們清楚地看到了孟、管兩家在闡述各自關心的問題時所表現出來的許多相通相似之處，特别是二者的思路更爲相似。正是由於這些相通相似之處的存在，才使得孟子對《管子》心氣論的吸取和儒學化改鑄得以順利進行，也正是由於人們對這些相通相似之處的不同理解，才有了目前學術界對此問題的不同意見。我們也由此聯想到另一個問題，孟、管兩家何以存在着如此之多的相通相似之處呢？筆者的初步看法是，我們既不能否認二者都是各自獨立提出的，也不能將此現象視爲偶合，它表明兩家關心的問題存在着某種一致性，遵循着相同的邏輯規律。孟、管兩家一個是探討道德修養，一個是探討身心修養，兩家在“心”這個交匯點取得了共識。在一定意義上來説，兩家探討的是同一運動過程,其相似或相通正表明了他們各自從自己的角度獨立地、如實地揭示了該運動過程的內在規律。這就使得此兩種分屬不同學派的理論具備了吸取結合的可能,而孟子的游齊並接觸齊學,便使得這種可能成爲了現實。

作者簡介　白奚,1953年生,山西太谷人。武漢大學哲學碩士,蘭州大學哲學系講師,現爲復旦大學哲學系博士研究生。著有《荀子對稷下學術的吸取和改造》、《論先秦貴齊思潮的始末流變》等論文。

稷下黄老之學對孟子思想的影響

孫開泰

内容提要　被稱爲亞聖的孟子，其思想與孔子有較大差别。原因何在？本文從經政、哲學和學風等方面論述了孟子思想有不少來源於稷下黄老之學。這是因爲孟子長期在齊國的稷下學宫，而深受黄老之學的影響。

在儒家中，孟子的地位僅次於孔子，然而他的思想與孔子相比，差别甚大；究其原因，則與孟子長期在齊國都城臨淄的稷下學宫①有密切的關係。我們知道，稷下學宫是田齊政權於齊威王初年爲鞏固其政權，進行改革而創建的②。它雖然對各家兼容并包，而其主導思想則是黄老之學③。孟子雖然堅持儒家本位，但是在稷下學宫中卻深受黄老之學的影響。關于這方面的研究，郭沫若曾有獨到的論述④。但是關于這方面的系統研究至今還是非常缺乏。爲此本文着重就此問題作一系統考察，以就教於學術界的專家學者。

---

① 參見拙文：《孟子生平事跡考辨》，載《中國哲學》第 15 輯，岳麓書社 1992 年 5 月出版。

② 參見拙文：《稷下學宫創建于齊威王初年考辨》，載《管子學刊》1994 年第 1 期。

③ 參見拙文：《稷下學宫的百家争鳴與相互影響》，載《管子學刊》1987 年創刊號。

④ 參見《郭沫若全集》歷史編第二卷《十批判書・稷下黄老學派的批判》，人民出版社 1982 年 9 月出版。

一、政治、經濟、軍事思想上孟子受黄老之學的影響

關于黄老之學，其主要特點是"因道全法"。這樣來理解，我們可以把《管子》中的許多思想資料都認爲是黄老之學的。如此説來，孟子的"恆産"説是受《管子》的《牧民》、《修權》的影響。《孟子・離婁上》："孟子曰：'……以善養人，然後能服天下。天下不心服，而王者，未之有也。"孟子以爲以善養人，才能使天下人心服。同時孟子還有明確的得民心之説。《孟子・離婁上》："孟子曰：'……得天下有道：得其民，斯得天下矣；得其民有道：得其心，斯得天下矣；得其心有道：所欲與之聚之，所惡勿施，爾矣。'"而這與《管子》的《牧民》、《修權》等篇的"順民心"之説是一致的。《牧民》説："政之所興，在順民心；政之所廢，在逆民心。民之惡憂勞，我佚樂之；民惡貧賤，我富貴之；民惡危墜，我存安之；民惡滅絶，我生育之。……故刑罰不足以畏其意，殺戮不足以服其心。……故從其四欲，則遠者自親；行其四惡，則近者叛之。"又説"令順民心，則威令行"。以上是《管子》的"四欲"、"四惡"説。這與孟子"得民心"之説，在論證方法，與引文上都是差不多的。孟子是在此基礎上提出他的"恆産"説的。而"恆産"説的思想又與《管子・牧民》相一致。《孟子・梁惠王上》"今也制民之產，仰不足以事父母，俯不足以畜妻子，樂歲終身苦，凶年不免於死亡，此惟救死而恐不贍，奚暇治禮義哉"。而《管子・牧民》説："倉廩實而知禮義節，衣食足而知榮辱。"其思想是何等一致！

還有關于孟子關税的主張，顯然也是受了《管子》思想的影響。

《孟子・公孫丑上》記載："孟子曰：'市，廛而不徵，法而不廛，則天下之商皆悦，而願藏於其市矣；關譏而不徵，則天下之旅皆悦而願出於其路矣。……廛，無夫里之布，則天下之民，皆悦而願爲之氓矣。……'"這是孟子論王天下的五條措施中的內容，其

中"關譏而不徵"、"市,廛而不徵,法而不廛","廛,無夫里之布"幾條,與《管子·五輔》:"關幾(譏)而不徵,市鄽而不税。"其行文都是大體相同的。由此可見孟子思想的來源是十分清楚的。而《孟子·梁惠王上》:"省刑罰、薄賦歛",與《盡心上》:"易其田疇,薄其賦歛,民可使富也。"和《管子·中匡》:"薄税歛,輕刑罰。"《小匡》:"省刑罰,薄賦歛,則民富矣。"相比較,也是行文都相同。因此毛奇齡《四書賸言·補》認爲是孟子抄《管子》[①]。這一論斷無疑是正確的。

關于《孟子》與《管子》的成書先後問題,我認爲至少《管子》中相當大部分篇章要早於《孟子》。因爲《孟子》的成書是在孟子老於故里鄒時與其弟子萬章、公孫丑等合著的。其時間大約在齊宣王10年(前311)至齊宣王16年(前305)[②]。

關于帛書《黄帝四經》與《孟子》成書的先後,我也認爲《黄帝四經》在前,而《孟子》在後。陳鼓應先生認爲:《黄帝四經》的成書當在戰國中期,要早於《孟子》、《莊子》[③]。李學勤先生説:"《稱》篇的年代很可能早於《慎子》。"又説:"《稱》篇的寫成年代當不遲于戰國中期。"[④]而《孟子》的成書或許略晚於《慎子》。《經法·君正》:"[省]苛事,節賦歛,毋奪民時。"這與上述《孟子,梁惠王上》、《盡心上》思想是一致的。

同樣,從親親、尊賢來看《孟子》與《經法》的關係:《孟子·公孫丑上》説:"尊賢使能,俊傑在位。"《盡心上》也説到"親親"、"尊尊"。這與《十大經·立命》説:"親親而興賢"《十大經·本伐》説:"起賢廢不肖。"也應當是《黄帝四經》影響了《孟子》。

① 據《四庫全書總目》卷36第305頁,《四書賸言》爲毛奇齡雜論《四書》之語,……補二卷爲其門人章大來所編。拙文此段論述參考了劉蔚華、苗潤田:《稷下學史》第326—327頁。中國廣播電視出版社1992年4月出版。王興業:《管仲對孟子經濟思想的影響》載《管子研究》第1輯第69—81頁。

② 參見拙文:《孟子生平事跡考辨》,《中國哲學》第15輯。

③ 陳鼓應:《關于帛書黄帝四經成書年代等問題的研究》,載湯一介編:《國故新知:中國傳統文化的再詮釋》,北京大學出版社1993年。

④ 李學勤:《〈稱〉篇與〈周祝〉》,載《道家文化研究》第3輯,上海古籍出版社1993年8月出版。

就孟子的政治思想來説，確實深受稷下黄老思想的影響。關于儒家修身、治國、平天下之説，有人曾主張《孟子・離婁上》："人恆有言：天下國家；天下之本在國；國之本在家；家之本在身。"是《大學》上述政治學説的來源。而事實上並非如此，臺灣莊萬壽先生認爲，這是"顯然忽略了'人恆有言'一語並不是孟子説的，……從當中看出先於孟子的人確有這樣的構思。"[1]而先於孟子的人又不是孔子，在《管子・修權》中明確的有這方面的記載："有身不治，奚待於人；有人不治，奚待於家；有家不治，奚待於鄉；有鄉不治，奚待於國；有國不治，奚待於天下……身者，治國之本也。"我們可以認爲《孟子・離婁上》這段話是受了《修權》的影響。而《修權》這段話又來源於《老子》第54章[2]。

孟子關於勞心與勞力的有名論斷，即《孟子・滕文公上》所説："或勞心，或勞力，勞心者治人，勞力者治於人；治於人者食人，治人者食於人，天下之通義也。"我曾認爲《左傳》早已有之，《襄公九年》引知武子語："君子勞心，小人勞力，先王之制也。"《國語・魯語下》記載公父文伯之母，也説過同樣的話。可見是古代的傳統思想。孟子是受《左傳》的影響。[3]當然我們不能排除孟子能讀到《左傳》或看到有關史料，直接受其影響。但是我們又看到，《慎子逸文》："小人食於力，君子食於道。"[4]又説："小人食於力，君子食於道。先王之訓也。故常欲耕而食天下之人矣，然一身之耕，分諸天下，不能人得一升粟，其不能飽可知也；欲織而衣天下之人矣，然一身之織，分諸天下，不能人得尺布，其不能煖可知也。故以爲不若誦先王之道而求其説，通聖人之言而求其旨，上説王公大人，次匹夫徒步之士。王公大人用吾言，國必治；匹夫

① 臺灣莊萬壽：《〈大學〉、〈中庸〉與黄老思想》載《道家文化》第1輯，上海古籍出版社1992年6月出版，第235頁引勞榦：《大學出於孟學説》，中央研究院史語所集刊。

② 同上莊文第234頁。

③ 見拙文《試論孟子的"仁政"學説》載《思想戰綫》1979年第4期第80～81頁。

④《太平御覽》卷八四九《飲食部七・食下》。

徒步之士用吾言,徒必修。雖不耕而食飢,不織而衣寒,功賢於耕而食之,織而衣之者也。”(按《墨子》有此文)

又《管子·法法》:“使君子食於道,小人食於力。君子食於道,則上尊而民順;小人食於力,則財厚而養足。上尊而民順,財厚而養足,四者備體,則胥[足上尊]時而王不難矣。”

又《管子·君臣》:“君子食於道,小人食於力,分也。威無勢也無立,事無爲也無所生。若此則國平而奸省矣。君子食於道,則義審而禮明。義審而禮明,則倫等不逾,雖有偏卒之大夫,不敢有幸心,則上無危矣。齊民食於力則作本,作本則衆,農以聽命。……君子行於禮,則上尊而民順,小民篤於農,則財厚而備足。上尊而民順,財厚而備足,四者備體,頃時而王不難矣。”以上《慎子》與《管子》的記載和《孟子》思想是一致的。當然孟子把“勞心”與“勞力”説,提到“天下之通義也”的高度,我們可以説孟子是受了稷下黄老思想的影響而發展了關於“勞心”與“勞力”説的。

在軍事思想上《孟子·公孫丑下》説:“天時不如地利,地利不如人和。三里之城,七里之郭,環而攻之而不勝。夫環而攻之,必有得天時者矣。然而不勝者,是天時不如地利也。城非不高也,池非不深也,兵革非不堅利也,米粟非不多也;委而去之,是地利不如人和也。……”而《管子·牧民》説:“城郭溝渠不足以固守,兵甲強力不足以應敵。博地多財不足以有衆,唯有道者能備患於未形也,故禍不萌。”其思想有共同之處,而孟子所論更爲詳細,其思想之所以如此,顯然也是受《管子》的影響而有所發揮。

二、哲學思想上孟子受稷下黄老之學的影響

關於“浩然之氣”與稷下黄老之學的“精氣”説的關係,《孟子·公孫丑上》有一段孟子與公孫丑論養“浩然之氣”的對話:

“敢問夫子惡乎長?”

曰:“我知言,我善養吾浩然之氣。”

"敢問何爲浩然之氣?"

曰:"難言也。其爲氣也,至大至剛,以直養而無害,則塞於天地之間。其爲氣也,配義與道;無是,餒也。是集義所生者,非襲義而取之也。行有不慊於心,則餒矣。……"

我曾認爲:"在孟子看來,這種'浩然之氣'是具有道義的純一之氣。這是人人都具有的。然而若不注意去養這種'氣',則會喪失。這就是要謹慎小心,使自己的思想行動都要符合封建制的禮義要求,如果有一件事不符合,所謂'浩然之氣'就没有了。"[①]孟子的"浩然之氣"與稷下黄老之學的"精氣"説是有淵源關係的。這一點郭沫若早就指出過,孟子襲取了稷下黄老之學的"精氣"説,即"浩然之氣"是將《管子·內業》:"浩然和平,以爲氣淵。"加以改造而成的。孟子在稷下學宮多年,定會參加許多學術活動,對黄老之學的言論與著作是要仔細研究推敲的。

關於人性論問題,學術界一般都以爲"性善論"是孟子所首創。胡家聰先生認爲"老子哲學即是'性善'論。《老子》八章:'上善若水,水善利萬物而不争……'這一大段即'崇善不争'之論。二七章'……聖人常善救人,故無棄人;常善救物,故無棄物'。……《老子》書中多次講'嬰兒'、'赤子',以此提倡人性的歸真返樸,這也是人性善的明證"。[②]我認爲胡先生所説有不夠明確之處,《老子》八章、二七章所説之"善人"、"聖人常善救人"、"常善救物",還不能釋爲性善的人,因而很難説這是性善論的來源。而《老子》説"上善若水,水善利萬物而不争。處衆人之所惡,故幾於道"。這與《孟子·告子上》和告子辯論時把"人性之善"比喻爲"水之就下",並説,"人無有不善,水無有不下"。是十分類似的。再有《老子》中講"嬰兒"、"赤子"似可釋爲《老子》"以此提倡人性的歸真返樸,這也是人性善的明證"。不管《老子》有没有"性善"論的明確言論,而説有"性善論"的思想傾向是比較合適的。既然

① 參見拙文《試評孟子的認識論》,載《管子學刊》1991年第1期。
② 胡家聰先生1994年6月4日給孫開泰的信。

《老子》中已有性善論的思想傾向,因而孟子的"性善"論很有可能受《老子》的影響。孟子關於"心"的理論受稷下黄老思想的影響:《孟子·告子上》説:"心之官則思,思則得之,不思則不得也。此天之所與我者也,先立乎其大者,則小者弗能奪也。"《管子·心術》上下、《白心》、《内業》等篇,也一再論述這一問題。如《心術上》説:"心之在體,君之位也;九竅之有職,官之分也。……"即是説,心在人體處於君主的地位,眼、耳、口、鼻等九種器官,好似其下屬的官吏,各施其職責。這與孟子"心之官則思"。即心是負責思維職能的。而心的地位是十分重要的,所以他要"先立乎其大者"。衹要先樹立起心這個器官,則耳、目、口、鼻這樣的器官("小體")就不能干擾心的作用了。在這裏兩者關於心與耳、目、口、鼻等器官的地位是一致的。郭校引葉適云:"《孟子》稱'耳目之官不思而蔽於物,心之官則思'余論之已詳。然則以心爲官而使耳目不得用,與以心爲官而使視聽盡其用,二義不同。(《習學記言》)"[①]然而我認爲《孟子》所説的"大體"、"小體"之説,是過分強調了"心之官"("大體")的重要作用,而否定了耳、目等器官(小體)的作用。從而使"小體"不干擾"大體"。這確實是孟子對稷下黄老之學關於心的學説有所改造。但就這方面的改造也是在稷下黄老之學影響下進行的。《管子·内業》也有"不以物亂官,不以官亂心"之説,衹不過孟子走得更遠而已。他是由此走向了極端,形成了唯心論的唯理論。

關於"專心致志"是孟子認識論中很有名的觀點,正是在這一重要觀點上孟子也是受了黄老之學的影響。《孟子·告子上》説:"今夫弈之爲數,小數也;不專心致志,則不得也。"他還講了有名的棋師弈秋教兩人下棋的故事,一人"專心致志",而一人則思想開了小差,其結果完全不同。其故事生動。"專心致志",後來成爲成語,流傳很廣。而它的思想來源,卻是從《管子·内業》:"四體既正,血氣既静,一意摶心,耳目不淫。"又説:"摶氣

① 《郭沫若全集》,人民出版社 1982 年 9 月出版,歷史編第 6 卷第 413 頁。

如神，萬物備存。能摶乎？能一乎？能無卜筮而知凶吉乎？……”據郭沫若《管子集校》引安井衡說：“‘摶’古‘專’字也。”這裏說的“一意摶心”即有“專心致志”之意。衹是因《孟子》爲歷代封建統治者提倡，有更多人去讀它，所以影響深入人心，這便是造成人們知道“專心致志”而不知道“一意摶心”的主要原因。

孟子思想中與“專心致志”有關的“養心”說，則明顯是受了老子的“寡欲”思想的影響。我們來看：《老子》十八章：“見素抱樸，少思寡欲。”又十六章：“致虛極，守静篤，……”胡家聰先生認爲，這是指“內心持守‘虛静’達到‘極’、‘篤’境界，是指滌除種種‘私欲’，意即十章所說的‘滌除玄鑒（背部黑色的鏡子），能無疵乎？’其後，莊學一再強調‘至人之用心若鏡……’稷下黄老學也強調：‘道貴因’，‘君子之處也若無知’，言至虛也，‘其應物也若偶之’，言時適也。”（《管子·心術上》）這裏的文意，亦謂作內心的自我修養，使心態如明鏡、止水，便能如實地反映事物（即應物）的本來面貌。這是一種直觀的反映論。

孟子所說“養心莫善於寡欲”其“養心”與“專心致志”有密切的關係的。“寡欲”謂種種欲念干擾思想的集中，使人不能“專心致志”，所以要“寡欲”才能排除這種干擾。但《老子》講“干擾”是指直觀的反映論，而《孟子》的“養心”說，則把它大大提高一步，納入於他的“存‘夜氣’”、“養‘浩然之氣’”、“不動心”、“求放心”從而達到“養心”的體系中去。《孟子·盡心下》說：“養心莫善於寡欲，其人也寡欲，雖有不存焉者，寡矣；其爲人也多欲，雖有存焉者，寡矣。”這是講如果人要是不“寡欲”，就會被物欲所牽引，那麼人的善良的心性也就會消失，即使保存也一定是很少的。因此，他認爲“養心”就應該要人放棄物欲的享受，若是不放棄而爲物欲所影響，不安分守己，就與禽獸相差無幾了。這些思想就遠遠超出《老子》“寡欲”的本意了。然而其“寡欲”思想確是從老子那裏接受過來的。

《孟子·盡心上》説:“夫君子所過者化,所存者神,上下與天地同流。豈曰小補之哉?”這裏的“化”、“神”與“與天地同流”,和《莊子·齊物論》:“天地與我並生,而萬物與我爲一。”《大宗師》:“以天地爲大爐,道化爲大冶。”《逍遥遊》:“乘天地之正,而御六氣之辯(度),以游無窮。……”“至人無己,神人無功,聖人無名”。其思想與語言都十分相似。兩者之間很像有些影響的痕跡,孟子與莊子是同時代人,但兩人的著作都没有提到對方的名字和著作,他們是否見過面,不可得知,而思想確有受影響的地方。我們推想,孟子曾看過莊子的著作。因爲《齊物論》是莊子的代表著,而“神”、“化”與天地爲一,等思想是莊子思想的主要特徵,而且闡述透徹,這方面孟子雖然也有“天人合一”的思想,但其論述的途徑不同。而兩人都是主觀唯心論者,其内在的思想也有相通之處。

關於孟子天命思想中的“定分”説,也和稷下黄老之學有關係。《孟子·盡心上》説:“廣土重民,君子欲之,所樂不存焉;中天下而立,定四海之民,君子樂之,所性不存焉。君子所性,雖大行不加焉,雖窮居不損焉,定分故也。”這是説孟子有天命論的思想,認爲命由天定,因爲人得於天的性分是有一定的。天使人與人之間的地位有差别,所以人祇能安分守己,聽天由命。而這種思想的形成,是受了稷下之學《慎子》“定分”説的影響而有所改造而形成的。《後漢書注》引《慎子》:“一兔走街,百人逐之;非一兔足爲百人分也,未定分也。分未定,堯且屈力而況衆人乎?積兔滿市,過者不顧,非不欲兔也,分已定矣。分帵帵已定,人雖鄙不争,故治天下及國,在乎定分而已矣。”[①]又據《意林》引《尹文子》:“彭蒙曰:‘雉兔在野,衆人逐之;分未定也。鷄豕滿市,莫有志者;分定故也。”慎子、彭蒙均爲稷下黄老學者,“定分”説可以説是他

① 據湯普森本《慎子逸文》,經查《後漢書》卷七四上《袁紹劉表傳》之《注》(此爲李賢注)引“《慎子》曰:‘兔走於街,百人追之;貪人具存。人莫之非者,以兔爲未定分也。積兔滿市,過者不顧,非不欲兔也,分定之後,雖鄙不争。’《子思子》、《商君書》所載,其詞略同。”與湯本異。

們的共識。孟子在稷下學宮可能讀過《慎子》,從其中吸取了“定分”説的思想,而把它納入了自己的思想體系。

還有一個問題,即孟子思想受稷下辯者好辯風氣的影響,過去没有引起學術界的注意。其實這方面的材料在《孟子》中是相當之明顯的。《孟子・滕文公下》記載他的學生公都子説:“外人皆稱夫子好辯。”可見孟子“好辯”頗爲有名。他雖然説是“不得已”而爲之,但並不否認這一點。平心而論,這話也不是没有道理。因爲稷下學宮是個學術辯論的場所,百家争鳴的學風盛行,久居於此,確實不辯論不行。要在辯論中取勝,就往往用無類比喻,在邏輯上不嚴謹。《孟子・離婁下》記載孟子説他自己是:“言不必行,行不必果,唯義所在。”即説了的不一定實行,行爲也不必完全果斷,而一切要看是否符合於“義”。雖然孟子有“唯義所在”來限制,但是他有某些詭辯的色彩,這也很可能是因爲要使辯論取勝而造成的。這一點與孔子相比,實在是大不相同。過去因爲孟子是亞聖,人們總是“爲尊者諱”,甚至不承認孟子是稷下先生,看來這樣是難以説得過去的。

作者簡介　孫開泰,1940 年生,四川納溪人。1963 年畢業於雲南大學歷史系,現爲中國社會科學院歷史所副研究員,著有《中國春秋戰國思想史》、《吴起傳》及論文多篇。

荀子思想與黃老之學

余明光

内容提要 荀子是戰國晚期最著名的儒學大師。可是他的儒學不同於孔、孟。儒學這種變異的原因何在? 從研究道家黃老思想中發現,荀子很大一部分思想淵源于黃老。本文從荀子崇尚黃老無爲之治、揚黃老法術之學、承黃老"定分"學説、取黃老天人相分思想四個方面對荀子的"道論"作了分析和探討。

荀況又名孫卿,趙國人。他的生卒年代無可確考,根據汪中《荀卿子年表》,他大致生於趙惠文王元年,卒于趙悼襄王七年,即公元前 298 年 — 前 238 年。先後游歷過齊、秦、趙、楚,並在齊國的稷下學宫講學,三爲"祭酒",以後又去楚國任蘭陵令,晚年因春申君死,遂廢居蘭陵,著書以歿。

現存的《荀子》一書,共三十二篇。對先秦諸子都作了批判,因而也都有吸收,可謂諸子之學,無所不包。學術界普遍認爲荀子是戰國末年最後的一位儒家大師。同時也普遍地承認荀子的儒學不同於孔、孟。儒學這種變異的情形原因何在? 現在從研究道家黃老之學中發現,荀子很大一部分學術思想淵源於黃老,也就是《黃帝四經》中的思想。這一發現,使儒學變異的脈絡找到了源頭。

在整個戰國時期,儒家的學説一直不爲時君世主所重視。孔、孟、荀三位大師都曾周游列國,宣傳儒學,游説諸侯。但他們的理論與時代需求相去甚遠,故其收效甚微,因而"仲尼干七十餘君無所遇"(《史記·儒林列傳》),就是因爲孔子思想守舊、陳腐迂潤(《論語·子路》)。孟子亦然,也是"守舊術,不知世務"。(《鹽鐵論·論儒》)所以也不爲當權者所重視。荀子雖力圖革新儒學,以干世主,但"孫卿迫於亂世,鰌於嚴刑,上無賢主,下遇暴秦,禮義不行,教化不成",故其"方術不用,爲人所疑。"(《荀子·堯問》)也是不爲世所用。荀子這種政治上不得志的心情,使他深刻地體認到儒學的衰落,所以他退而論著,振興儒學,決心掃除兩百年來儒學末流的腐朽和墮落,對儒學那些不切實際的理論和搖頭晃腦的迂腐作風深加批判,甚至加以痛罵,只要看他的《非十二子篇》我們就知道了。所以儒家從荀子開始,便痛下決心翻新儒學,使儒學能適應新時代的要求,爲新時代的政治服務。

荀子對孔、孟舊儒學的改造,是吸收道家思想,特別是以道家黃老之學爲其理論基礎的,在《荀子》書中,從他的宇宙觀、認識論一直到他的政治論,幾乎到處都可以看到道家思想影響的痕迹。不過由荀子開闢的這條儒學更新的道路,一直到漢代的董仲舒才完成這一歷史任務,建立起儒學的新體系(見拙作《董仲舒與黃老之學》,載《道家文化研究》第 2 輯),並取代黃老之學而定於一尊。

荀子吸收道家思想,近人多在荀子的自然觀和認識論上探究,而對其"道論"甚少研究。本文即從黃老之學的角度上,探究荀子帝王之學——"道論"中的黃老思想,以與荀學研究者切商。

通黃老無爲之治　君要而臣詳

《史記》稱李斯"從荀卿學帝王之術"。所謂帝王之學,即道德之論,也就是君人南面之術,這是道家學說的精要。即如《漢志》所言:"道家者流,蓋出於史官,歷記成敗存亡禍福古今之道,然後知秉要執本,清虛以自守,卑弱以自持,此君人南面之術也。"

荀子的"道論",重在"君道"。故其著作有《王制》、《王霸》、《君道》諸篇,講的都是帝王之術,無爲之道,帶有鮮明的黄老色彩。黄老講"無爲",主要是在法治條件下的臣下的各自有爲構成上層統治者的君上無爲。簡言之,即君無爲而臣有爲。[①]在統治方法上,強調循名責實,任人而不任智。即荀子所講的"君要而臣詳"。荀子的"無爲"思想,正是從黄老學中吸取過來的。下面是荀子關於無爲而治的論述:

《不苟》篇曰:"天不言而人推高焉,地不言而人推厚焉,四時不言而百姓期焉,夫此有常,以至其誠者也,君子至德,嘿然而喻,未施而親,不怒而威。"

這是講的天道自然無爲而萬事成的道理,和孔子一樣,淵源於老子的思想。因此人道必須效法天道,實行"無爲"——天子垂衣裳而治,共己正南面而已矣。故曰:

> 昔者舜之治天下也,不以事詔而萬事成。處一危之,其榮滿側;養一之微,榮矣而未知。故《道經》曰:"人心之危,道心之微。"危微之幾,惟明君子而後能知之。(《解蔽》)

《大略》篇亦曰:"主道知人,臣道知事。故舜之治天下,不以事詔而萬事成。"

以上兩則引文,荀子都贊揚了虞舜以無爲治天下所獲得的成效。但尤其值得注意的是,他在《解蔽》篇裏所說的話:"處一危之,其榮滿側;養一之微,榮矣而未知。"這裏的所謂"一",指的就是"君道",也就是"君人南面之術",亦即君主馭下臨民之道。但運用時,卻具有兩個方面:"危"與"微"。所謂"危",指的是君權至高無上、至尊無加,下不敢欺上,故君尊臣榮。所以説,"處一危之,其榮滿側"。所謂"微",指的是君主駕馭臣下的方法,至周至密,至深至細,至隱至蔽,使臣下守職盡智,不能有所欺詐,這樣君尊臣榮的效果,不求而自至,故曰"養一之微,榮矣而未知"。可

---

① 關于"黄學"與"老學"無爲的差異,參見拙作《黄帝四經與黄老思想》第38頁——41頁,黑龍江人民出版社,1989年版。

見,“君道”的這兩個方面,一方面叫作高不可攀,君尊而法顯,這是公開的,顯著的,是叫人要知曉的;另一方面叫做深不可測,君心細密伏隱是隱蔽的,不能叫人知曉的。荀子講的這一套統治術,其實就是黃老的統治術,所以《黃帝四經·經法》上說:“不知王術,不王天下。”有趣的是,荀子引《道經》上的“人心之危,道心之微”兩語作據,可惜《道經》失佚,無從窺閱,但顯然《道經》這部書屬於黃老著作是無疑的。後來竟被羼入到偽古文《尚書·大禹謨》篇中,被宋明理學家們視爲堯授舜、舜授禹的所謂“十六字心傳”,真可謂失之毫厘,謬之千里了。

荀子既認爲無爲之治是最好的政治,但君主要達到這個目的,最重要的是要做到“君要而臣詳”,任人而不任智,這樣自己才能“共己正南面”。

所謂“君要而臣詳”,講的是君主在治理國家的時候,要抓大事、抓要事、抓重點、抓關鍵。而其他一些具體而繁多的事務,則由臣下去辦。荀子說:

> 明主好要,而闇主好詳。主好要則百事詳,主好詳則百事荒。(《王霸》)

> 故治國有道,人主有職,若夫貫日而治詳,一日而曲列之,是所使夫百吏官人爲也,不足以是傷游玩安燕之樂。(同上)

> 人主者,守至約而詳,事至佚而功,垂衣裳不下簟席之上.……夫是之謂至約,樂莫大焉。(同上)

以上都是講的帝王應該抓大事、守至約,不要陷于具體事務的泥潭之中,這樣才能“事至佚而有功”,享受無爲而治的樂趣。這也就是《黃帝四經·十六經·成法》上所講的“夫百言有本,千言有要,萬言有總……夫非正人,孰能治此”的理論發揮。

“君要而臣詳”的另一方面的意義就是君主應該任人而不任智。選好人,用好人,發揮臣下衆人之智,群策群力去做好各自的工作。荀子深諳此理,故說:

> 人主者,以官人爲能者也;匹夫者,以自能爲能者也;人主得使

人爲之,匹夫則無所移之。百畝一守事業窮,無所移之也;今以一人兼聽天下,日有餘而治不足者,使人爲之也。大有天下,小有一國,必自爲之然後可,則勞苦耗頓莫甚焉。如是,則雖臧獲不肯與天子易埶業。以是縣天下,一四海,何故必自爲之?爲之者,役夫之道也,墨子之説也;論德使能而官施之者,聖王之道也,儒者之所謹守也。(《王霸》)

《君道》篇又曰:"故明主急得其人,而闇主急得其勢。急得其人,則身佚而國治,功大而名美,上可以爲王,下可以爲霸;不急得其人,而急得其勢,則身勞而國亂,功廢而名辱,社稷必危。""論德而定次,量能而授官,皆使人載其事而各得其所宜,上賢使之爲三公,次賢使之爲諸侯,下賢使之爲士大夫,是所以顯設之也"。"能論官此三材者(按:指官人使吏之材;士大夫官師之材;卿相輔佐之材),而無失其次,是謂人主之道也。若是,則身佚而國治,功大而名美,上可以王,下可以霸,是人主之要守也"。《大略》篇又謂:"主道知人,臣道知事。故舜之治天下,不以事詔而萬事成。"

以上講的都是君主不要包辦一切,要清虛自守、卑弱自持、深藏己智、發揮群智,廣泛地選擇人才,分工負責,去做好各自的本職工作,這樣就可像虞舜那樣達到無爲而治的目的。荀子的這一理論,完全來自黄老之學:《黄帝四經·經法·六分》曰:"王天下者,輕縣國而重士,故國重而身安;賤財而貴有智,故功得而財生;賤身而貴有道,故身貴而令行。"《經法·四度》又曰:"士不失其處,任能毋過其所長,去私而立公,人之稽也。"

後來慎到正是發揮這一理論而概括爲:"君臣之道,臣事事而君無事,君逸樂而臣任勞。臣盡智力以善其事,而君無與焉,仰成而已。故事無不治,治之正道然也。"(《民雜》)

荀子正是承這一思想而成其論説的,一反過去"儒者博而寡要,勞而少功"(《史記·太史公自序》)的理論思想,改而吸收道家的精要。不過荀子不願承認他繼承發揮了道家的學説,卻強辭奪理故意説這是"儒者之所謹守",豈不謬哉!

揚黄老法術之學 表儀使民知方

黄老講無爲,是在法治條件下的各自有爲,才能構成上層統治者的無爲。故黄老特別重視刑名法術之學①。荀子承黄老這一思想,一反過去儒家的傳統,特別強調法治。他認爲這是帝王之術不可少的。《不苟》篇説:"故操彌約而事彌大,五寸之矩,盡天下之方也,故君子不下室堂而海內之情舉積此者,則操術然也。"

這裏講的"術",即帝王之術。所謂"五寸之矩,盡天下之方",指的就是法令、法治。《榮辱》篇曰:"政令法,舉措時,聽斷公,上則能順天子之命,下則能保百姓,是諸侯之所以取國家也。"

這是説一個國家的政令必須符合法制,各種舉措必須適時,處理政事要依法大公無私,這樣就能維持國家的穩定,使老百姓上可順從天子帝王的命令,下也可依照法律來保護自己。這樣,一個國家就得到治理了。所以荀子強調國家的治亂的根本在法。《君道》篇説:"法者,治之端也,君主者,法之原也。"

講的就是法制與實行法治的君子都是國家的根本。爲了宣揚法治,荀子還運用古代民間通俗的文藝形式,來表達他"隆禮重法"的思想。在《成相》篇中,我們看到有幾章是專門寫法治的:"君法明,論有常,表儀既設民知方,進退有律,莫得貴賤孰私王?""君法儀,禁不爲,莫不説教名不移。修之者榮,離之者辱孰它師?""刑稱陳,守其銀(按,即垠),下不得用輕私門,罪禍有律,莫得輕重威不分","君教出,行有律,吏謹將之無鈹滑。下不私請,各以所宜舍巧拙","臣謹修,君制變,公察善思論不亂。以治天下,後世法之成律貫"。

現在我們分析一下荀子寫的這幾章思想的主旨。第一條講的是法要明,要顯。這樣"表儀既設民知方",每個老百姓就都懂

① 參見拙著《黄帝四經與黄老思想》32—38 頁,黑龍江人民出版社 1989 年版。

得區分是非黑白的標準,這樣自然也就曉得自己行動的方向。第二條講的是法禁的道理。令行禁止,使老百姓都知道要依法而行,以法爲師。第三條講的是嚴格的遵法守法和按法而治,以明賞罰的道理。所謂"刑稱陳、守其埌"指的就是要嚴格按照法律的規定辦事,臣下不得擅自用刑。"罪禍有律",就是犯罪的輕重,與量刑的標準,均以法律爲依據,不能以情代法,隨意減輕或加重。其實,這就是荀子在《王制》篇中所講的"刑罰不過",在《君子》篇中說的"古者刑不過罰,賞不逾德……刑罰綦省而威行如流,政令致明而化易如神"。第四條講的是各級官吏執法不得受私請、循私情,胡作非爲。只要謹按律令辦事就無所謂巧拙了。第五條講的是君制法,臣執法,大公無私以法治天下,這樣就能成爲以法治國的規範。

總括上述五條,荀子所宣揚的就是:君權要尊、國法要明,有禁必止、有令必行,刑罰不過罪,賞慶不逾功,臣民謹守法,執法要公平,進退皆有律,私請不得行。君臣謹修法,法治天下平。可見荀子所講的法治已經是爲適應戰國末年快要形成的封建集權的專制制度服務的。這種鮮明的法治思想,雖然已經離儒家很遠了,但卻和道家的黄老相一致。現將荀子所說的和《黄帝四經》所說的對照一下就清楚了。

荀子說"君法明,論有常,表儀既設民知方",又說"君法儀,禁不爲,莫不說教名不移",講的是法律是判斷是非的標準和一個人行爲的準則。這和《四經·經法》上講的"法者,引得失以繩,而明曲直者也","法度者、正之至也","刑名立,則黑白之分已"的意思完全是一樣的。

荀子說"刑稱陳,守其埌,下不得用輕私門,罪禍有律,莫得輕重威不分",又說,"君教出、行有律、吏謹將之無鈹滑",講的都是依法斷案,不循私情。這和《四經·經法》上講的"是非有分,以法斷之,虛静謹聽,以法爲符",《稱》篇上講的"案法而治則不亂",一切依法辦事的思想又完全是一致的。

荀子説:“臣謹修,君制變,公察善思論不亂。”講的是君臣毋論定法,執法都要大公無私,這様社會才會不亂。這和《四經·經法》上講的:“生法度者,不可亂也。”“精公無私而賞罰信,所以治也”的思想也完全相同。

從以上對比分析可以證明,荀子的法治思想正是淵源於道家黄老,從而顯示出新儒家的特色。

荀子除了重法以外,他也重“術”。前面已經講了,君主應該“操術而治”。在《非相》篇中説:“相形不如論心,論心不如擇術”。在《仲尼》篇中還兜售臣下“持寵,處位,終身不厭之術”,“求善處大重,理任大事,擅寵於萬乘之國必無後患之術”以及“天下之行術”等等,不過這種持寵保位的“術”,實在令人感到惡心。它不但與儒家思想格格不入,就是與黄老思想的“術”相較也相差甚遠。

黄老之學的“術”,是指帝王君主駕馭群臣的方法和手段。即如韓非所説的:“術者,因任而授官,循名而責實,操殺生之柄,課群臣之能也,此人主之所執也。”(《定法》)又説:“術者,藏之於心中,以偶衆端,而潛御群臣者也。故法莫如顯,而術不欲見。”(《難三》)像韓非講的這種“術”,在荀子書中也是有的:“其取人有道,其用人有法。……校之以禮,而觀其能安敬也,與之舉措遷移,而觀其能應變也,與之安燕,而觀其能無流淫也,接之以聲色權利忿怒患險,而觀其能無離守也。彼誠有之者與誠無之者,若黑白然……此明王之道也。”(《君道》)

以上講的是用人之法。不過這些方法,除了在日常生活和工作中觀察實踐外,還摻雜着使用聲色狗馬權利等故意去引誘考驗,這就包含有特殊的手段在內了。其它如:“天下之變,境內之事,有馳易齵差者也,而人主無由知之,則是拘脇蔽塞之端也。耳目之明,如是其狹也,人主之守司,如是其廣也,其中不可以不知也,如是其危也。然則人主將何以知之?曰:便嬖左右者,人主之所以窺遠牧衆之門户牖向也,不可不早具也。故人主必將有便嬖左右足信然後可;其知惠(智慧)足以規(窺)物,其端誠足使定

物然後可,夫是之謂國具。"(《君道》)

這是説君主帝王個人的耳目有限,天下之大,萬物之衆,情況之多,千變萬化。國中之事如要瞭如指掌,除借助一套官僚主義機構外,還必須建立以自己親信隊伍——"便嬖左右"——爲耳目的網絡。借以"窺遠牧衆之門户牖向"——監視官僚的活動,窺測隱蔽的情形,反映社會的動態,君主即可據之采取措施,以維持社會的穩定和專制政權的鞏固,這種親信耳目,荀子居然視爲"國具",認爲是不可少的,可見荀子對"術"的重視。

在《成相》篇中,荀子説:"聽之經,明其請(情),參伍明謹施賞刑";"言有節,稽其實,信誕以分賞罰必。"講的都是使用權術來考察臣下以行賞罰。在《王制》篇中荀子又強調:"王者之論,無德不貴,無能不官,無功不賞,無罪不罰,朝無幸位,民無幸生。"所謂"朝無幸位"就是認爲在朝廷裏是没有靠僥倖得到職位的,所有一切官吏,必須名實相符,各自負起自己的職責,根據政績的好壞實行賞罰,所以實現"朝無幸位",實際上是通過循名責實的手段來達到,這也就是所謂"用人有法"了。

關於"術"的思想,儒家從來是不談的,而且是反對的。荀子一反儒家過去的傳統,大談權術思想,其淵源就是來自黄老。《黄帝四經·經法》首次論述了這一思想,強調"不知王術,不王天下"。後來申不害繼承和發展了這一學説,謂"君設其本,臣操其末,君治其要,臣行其詳,君操其柄,臣事其常"。(《大體》)主張用循名責實的辦法來考核控制臣下。荀子所謂"主道知人,臣道知事"、"君要而臣詳"正是承藉這一思想的。不過荀子對"術"的論述,已大大超過申不害,有些話甚至他的弟子韓非、李斯也不敢奉教,這是我們要明白的。

承黄老"定分"學説 次定而序不亂

荀子關於"分"的學説,是納入他的"禮制"範圍内的,可是這一理論的淵源卻來自黄學的《黄帝四經》①。是黄老無爲而治理論的不可缺少的重要組成部分。

黄老關於"分"的內容,大致包括三個方面:一是指萬民的分等;二是指百官的分職;三是指社會的分工。這三個方面都關係到君主任人而不任智和循名責實以實現君上無爲而臣下有爲的"君道"問題。《黄帝四經·道原》篇上説:"分之以其分,而萬民不争。授之以其名,而萬物自定。"《伊尹·九主》曰:"法君明分,法臣分定。"《尹文子·大道上》曰:"全治而無闕者,大小多少,各當其分,農商工仕,不易其業,老農長商習工舊士,莫不存焉,則處上者何處哉。"講的都是這個道理。

荀子承黄老這一學説,並大加發揚,爲之具體化,雖然顯示出繼承儒家所固有的等級思想,但與道家的無爲政治聯繫起來,則表現出濃厚的黄老色彩。《王制》篇説:"故人生不能無群,群而無分則争,争則亂,亂則離,離則弱,弱則不能勝物。故宫室不可得而居也。不可少頃捨禮義之謂也。"《富國》篇亦説:"人之生不能無群,群而無分則争,争則亂,亂則窮矣。故無分者人之大害也,有分者天下之本(大)利也。""離居不相待則窮,群而無分則争。窮者患也,争者禍也。救患除禍,則莫若明分使群矣"。

我們看到荀子在這裏所説的"群而無分則争,争則亂"的論點,也就是《黄帝四經·道原》篇上所講的"分之以其分而萬民不争"的論點。可見荀子這一學説,確實源於黄老。

荀子和黄老一樣,都把重點放在治道上,即放在國家社會的治理上。《王制》篇説:"有天有地而上下有差,明王始立而處國有制。夫兩貴不能相事,兩賤不能相使,是天數也。勢位齊而欲惡同,物不能贍則必争,争則必亂,亂則窮矣。先王惡其亂也,故制禮義以分之,使有貧富貴賤之等足以相兼臨者,是養天下之本也。"

---

① 參見拙著《黄帝四經與黄老思想》第 45 頁,黑龍江人民出版社 1989 年版。

這裏把“分”是作爲“國制”來論述的，其落脚點則在“使有貧富貴賤之等足以相兼臨”。所以等級的存在是天經地義的，而貧富貴賤按等級實行逐級的統治則是“天下之本”。

而“分”更重要的內涵在於百官的“定分”，或曰“分職”，這是君主實行無爲而治的關鍵。荀子深諳此理，故在《君道》篇中説：“論德而定次，量能而授官，皆使其人載其事，而各得其宜。”又曰：“人之百事，如耳目鼻口之不可相借官也，故職分而民不慢，次定而序不亂。”

這裏講的論德定次、量能授官，也就是《伊尹・九主》所言“法君明分、法臣分定”的意思。所謂各載其事，各得其宜，與《尹文子・大道上》所言“大小多少，各當其分，農商工仕，不易其業”也相一致，都是講的“定分”。從這裏我們也可看到荀子的學説上承黄老的綫索。

荀子認爲這種定分而治之所以重要，就是因爲它是通向無爲而治的重要手段和方法。《王霸》篇曰：“治國者分已定，則主相臣下百吏各謹其所聞，不務聽其所不聞；各謹其所見，不務視其所不見。所聞所見，誠以齊矣，則雖幽閑隱辟，百姓莫敢不敬分安制以化其上，是治國之徵也。”

這是因爲“分已定”，百官都明確自己的職責，都按自己的職責把本職內的工作做好，這樣君主就可以垂拱而治。但如果不按分職辦事，或擅自妄爲，超越權限，先期而動，那就要嚴懲不貸了。這就是荀子説的“先時者殺無赦，不逮時者殺無赦”。不論早動、晚動，越權超位都不行。衹有這樣，才可達到“治之極”—— 也就是無爲而治的實現。所以説：“明分職，序事業，材技官能，莫不治理，則公道達而私門塞矣。故職分而民不慢，次定而序不亂，兼聽齊明而百事不留。如是，則臣下百吏至於庶人莫不修己而後敢安止，誠能而後敢受職；百姓易俗，小人變心，奸怪之屬莫不反愨，夫是之謂政教之極。故天子不視而見，不聽而聰，不慮而知，不動而功，塊然獨坐而天下從之如一體，如四胑之從心，夫是之謂

大形。”(《君道》)

以上這段話,荀子認爲祇要“定分”,百官分職,政治就可達到如下效果:

1. 可以塞私門,息私事,一切爲公,秉公辦事;

2. 分職治理,各行其職,老百姓就會聽從指揮,做事就不敢怠慢,社會秩序就會井然,一切事務都會得到及時的處理;

3. 分職而治,從官到民就知道自己所處的名分地位,因而時時約束自己的言行,做官的忠於自己的職守;爲民的搞好自己的生產,人人安分守己。這樣,社會就會移風易俗,壞人也會改過自新,一切奸詐怪僻之人都會變得誠實,這就是政治教化最好的境界。

4. 政治達到如此至善至美的境地。一切事情均由臣下做好,所以天子不看就清楚,不聽就明白,不考慮就瞭解,不做就成功。獨自一個人坐在那裏而天下聽從他的支配就像支配自己身體,就像四肢聽從心的支配一樣。這就是“道”的充分表現。這也就是“共己正南面”的無爲之治。

從以上可以看到,荀子把黄老關於“分”的學説,已發揮到淋漓盡致的地步,並且納入到“君道”之中,成爲帝王之學的重要組成部分,這也是荀子利用黄老之學改造儒學成功的地方。

取黄老天人相分思想　人力可以勝天

近世學者都高度評價和贊揚荀子唯物主義的自然天道觀,尤其高度評價他的天人相分的思想。當然也都承認荀子是受了道家文化的影響,特别是吸收了宋鈃、尹文道家學派的思想①。這些論述對於我們認識荀子的思想淵源大有幫助。

但我要指出的是荀子天人相分、人定勝天的思想,其思想淵

① 參見侯外廬等《中國思想通史》第一卷第十五章第二節(1957 年人民出版社出版)。郭沫若《十批判書・荀子的批判》(1954 年人民出版社出版)。

源來自道家黄老之學,具體的説,就是來自《黄帝四經》。

下面我們看這一思想脈絡是如何發展而被荀子所繼承並發揚光大的。

《黄帝四經·經法·國次》篇有這麽一段話:“人強勝天,慎辟(避)勿當,天反勝人,因與俱行。”《十六經·姓争》篇上説:“明明至微,時反以爲機,天道環周,於人反爲之客。”

上面的這兩段話是什麽意思呢?第一段話講的是人力勉強地勝過自然,千萬要避免那些不恰當的做法;相反,自然勝過了人力,那麽人就要順應自然。第二段話講的是,大家要知道由明(德賞)到微(隱刑)的道理,就要掌握好事物循環往返的運動規律,及時地抓住好的時機,處理好各種事務。天道(自然規律)是循環往返、周而復始的,它主宰萬物而爲萬物主,但是當人掌握了它以後,天道反過來就成了客。

以上所引,是我國古代文獻中最早關於天人相分和人力可以勝天思想的記載,也是黄老之學關於天人關係最有價值的論述。但《黄帝四經》中的這一思想,並没有被充分發揮出來,因而在理論上顯得不夠周密,論證不很有力。然而它卻改變了老子之學對自然單純依賴的因順的態度,開始肯定人的力量,肯定人類不但可以掌握、認識自然規律,運用它來改造自然,而且還可以戰勝自然。

黄老學中這一積極思想,後來爲這個學派的宋鈃、尹文所繼承,發展成爲著名的“君萬物”思想,我們且看宋、尹遺著《心術》、《内業》中的幾段話:“凡物載名而來,聖人因而財(裁)之而天下治,實不傷(爽),不亂於天下而天下治。”(《心術下》)“執一不失,能君萬物,君子使物,不爲物使”。(《内業》)“執一不失,能君萬物,日月之與同光,天地之與同理。聖人裁物,不爲物使”。(《心術下》)

宋尹學派認爲,人的力量是可以“君萬物”的,也就是説,人是自然界的主人,而自然界的萬物都可以爲我們所控制。所謂“君子使物,不爲物使",指的就是人是自然的主宰,人可以主宰萬物。——這也就是"裁物"。

宋尹學派這種"君萬物"和"裁物"的思想,直接影響了荀子,變成了荀子著名的"役物"思想和"天人相分"、"人定勝天"的學說:"志意修則驕富貴,道義重則輕王公;內省而外物輕矣。傳曰:'君子役物,小人役於物。'"(《修身》)

這裏所謂君子役物不役於物的思想,指的就是人可以控制萬物,荀子引傳曰:"君子役物、小人役於物"的話,與《心術下篇》上講的"聖人裁物,不爲物使"的話,完全是一個意思。所以在《勸學篇》中,荀子說:"吾嘗終日而思矣,不如須臾之所學也。……假輿馬者非利足也,而致千里;假舟檝者非能水也,而絶江河。君子生非異也,善假於物也。"

這裏講的"善假於物",也就是善於役物的意思。但這個思想,到了《天論》裏面,荀子便全面地加以總結,明確地提出"天人相分"和"物畜而用之"最後提升爲"制天命"的光輝學說:"天行有常,不爲堯存,不爲桀亡。應之以治則吉,應之以亂則凶。強本而節用,則天不能貧;養備而動時,則天不能病;循道而不貳,則天不能禍。……故明於天人之分,則可謂至人矣。""天有其時,地有其財,人有其治,夫是之謂能參。舍其所以參,而願其所參,則惑矣"。"如是,則知其所爲,知其所不爲矣,則天地官而萬物役矣"。"大天而思之,孰與物畜而用之!從天而頌之,孰與制天命而用之!望時而待之,孰與應時而使之!因物而多之,孰與騁能而化之!思物而物之,孰與理物而勿失之也!願於物之所以生,孰與有物之所以成!故錯人而思天,則失萬物之情"。

《天論》這篇文章,真是荀子學說中最精華的部分,它把黃老關於天人學說中的唯物主義因素發展成爲系統的唯物主義學說。在天人之間,它把"人爲"的力量,提到極高的地位,從騁能、理物、役物,最後到"制天命",使荀子的思想達到了光輝的頂點。

另外,我們還可看到,《黃帝四經》中的一些術語,如"天極"、

“天功”、“天當”、“天毁”、“天度”、“天誅”、“天行”、“天刑”、“天成”等,都被荀子所承繼,所以在《天論》裏面,我們也看到有所謂“天職”、“天功”、“天官”、“天君”、“天養”、“天政”等類的術語的使用。這就再一次證明荀子的學術很大一部份是來源於黄老之學的。

綜上所述,荀子雖爲戰國晚期的一位儒學大師,但他確實吸收了大量的道家文化精華。戰國晚期儒學的陳腐和衰落,使他奮起擔當改造振興儒學的歷史任務。所以從荀子開始,便廣泛的吸收道家文化,尤其是道家的黄老之學,取其精華,以成“道論”。爲儒學的更新,開闢了一條廣濶的道路,“儒表道裏”成了新儒學的特徵。而這條歷史路徑,後來經過漢代初年的陸賈、賈誼的努力,最後到漢武帝時期的董仲舒才最後完成。

作者簡介　余明光,1935年生,湖南長沙人,1960年中山大學歷史系畢業。現任湖南湘潭大學中國文化研究室主任、教授。著有《黄帝四經與黄老思想》、《黄帝四經今注今譯》、《秦漢文化與華夏傳統》等。

論儒家荀況思想與道家哲學的關係

胡家聰

内容提要　本文從具體分析“明于天人之分”、“制天命而用之”、“解蔽”和“虚一而静”等荀況的思想入手;揭示了荀況的自然觀和認識論皆與道家哲學有着密切的聯繫,是改造、吸收道家哲學所得出的思想結論。

在田齊稷下之學“百家争鳴”中的儒家大師荀況,學有獨立見解,富有批判精神,他繼承孔子、子弓,自認“大儒”,嚴肅批評子張氏、子夏氏、子游氏之儒,而又批判有影響的十二家派,撰成《非十二子》論文。荀學宏博精深,成長于稷下,在政治觀上吸收齊法家思想,強調“隆禮”、“重法”(《荀子·強國》);在哲學方面批判吸收老莊,黄老道家思想,把唯物主義自然觀鮮明地推向新的高度。儒家荀況積極接受道家各派哲學,這一點,前人似注意不多。爲此,索隱發微,撰成此文,以就教于廣大研究者。

一、“明于天人之分”的嶄新命題與道家自然主義的天道觀

荀子闡明其樸素唯物主義自然觀的《天論》,提出了“明于天人之分,則可謂至人”的新命題。原文説:

天行有常,不爲堯存,不爲桀亡。應之以治則吉,應之以亂則

> 凶。強本(指農業)而節用,則天不能貧;養備而動時,則天不能病;循道而不忒(原作"貳",形誤),則天不能禍。……本(農業)荒而用侈,則天不能使之富;養略而動罕,則天不能使之全;倍(背)道而妄行,則天不能使之吉。……故明于天人之分,則可謂至人矣。

這是承襲道家哲學思想,今略作解說: (1)所謂"天行有常","天行"指自然天體之運行,古人以爲天圓地方,天動地不動,天體不依人的意志總在自然轉動。如《老子》説: "有物混成,先天地生。寂兮寥兮,獨立而不改,周行而不殆。"(二十五章)這裏的"周行",指原始自然天體轉圈圈的運行。所謂"有常"之"常",指天體運行有其客觀的規律性。如老子所説: "知常曰明。不知常,妄作 —— 凶。"(第十六章)這裏的"知常"與"不知常"對言,"常"指自然規律,意即: 認知規律是明智的;相反,違反規律的妄作則會遭凶。承繼老子哲學的稷下黄老學派亦多此類表述,如《管子·形勢》説: "天不變其常,地不易其則……"所謂"天不變其常",意即"天行有常","常、則"均指規律性。《白心》説得更明白: "天行其所行,而萬物被其利;聖人亦行其所行,而百姓被其利。"這不也指的是自然天體運行有其客觀規律嗎? 這些道家哲理,均屬于"道法自然"的樸素唯物論。(2)文中"應之以治則吉,應之以亂則凶"。緊接着列舉"強本"、"養備"、"循道"的"應之以治",和"本荒"、"養略"、"背道"的應之以亂,兩者作"吉"、"凶"的強烈對比,以論證天道與人事兩者有清楚的界限,確實是"天"無意志,非主宰,"天行有常,不爲堯存,不爲桀亡"的。(3)"明於天人之分,可謂至人",應指出: "至人"一詞是儒家稀見語,都是道家常用語。如《莊子·逍遥遊》説: "至人無己,神人無功,聖人無名。"《齊物論》: "王倪曰: '至人神矣! 大澤焚而不能熱'……"《應帝王》又説: "至人之用心若鏡。"荀況博覽群書,批評莊周"蔽于天而不知人"(《解蔽》),顯然讀過莊周的論文,便把其中"至人"一語襲用過來。

荀況丢開了道家的自然之"道",而突出了道家的自然之

"天"。

那麼荀況批判吸收了道家唯物主義天道觀,又怎樣看待、處理道家的自然主義的"道、德"概念呢? 這裏試舉典型之例,《天論》說:

> 列星隨旋,日月遞炤,四時代御,陰陽大化,風雨博施,萬物各得其和以生,各得其養以成。不見其事而見其功,夫是之謂神。皆知其所以成,莫知其無形,夫是之謂天。

這裏,我們不能不追問: 荀況所說"萬物各得其和以生,各得其養以成,不見其事而見其功……"等語,這些道家觀點從何來的呢? 其依據應是老子所說:"萬物莫不尊'道'而貴'德'"的道德論。《老子》五十一章接着說:"'道'之尊,'德'之貴,夫莫之命而常自然。故'道'生之,'德'畜之;長之育之;亭之毒也(安定、成熟);養之覆之。"這裏"道"尊、"德"貴的"常自然",不正是說萬物之物類"各得其和以生,各得其養以成"嗎? 作爲世界本體的自然主義之"道",是天地萬物無限生命力的源泉,又通過"德"使"道"的功用體現出來。稷下道家曾說:"德者,道之舍。……無爲之謂'道',舍之之謂'德',故'道'之與'德'無間。"(《管子·心術上》)荀子在稷下游學,博覽群書,儒家哲學貧乏,道家哲學豐富,荀子研習老莊,熟知田駢、慎到、環淵、宋鈃、尹文等道家各派思想並無疑義。這裏僅指出重要的一點: 荀況持守禮治主義的儒家政治論,而在吸收道家自然主義的"道德"論時,有意只表述上列引文的自然主義觀點,拋棄了"尊道、貴德"的概念,卻突出了自然主義的"天",即"皆知其所以成,莫知其無形,是之謂'天'"。

本來,在老子道論中,"道法自然"的"道",有時也稱"天之道"。如"天之道,不爭而善勝,不言而善應……"(七十三章)"天之道,其猶張弓歟? ……"(七十七章)"天之道,利而不害……"(八十一章)等。稷下黃老學說中亦沿用"天之道"的詞語,如"得天之道,其事若自然;失天之道,雖立不安"。又說:"其功順天者,天助之;其功逆天者,天圍之(通'違之')。……順天者有其功,逆天者懷其凶。"(《管子·形勢》)這裏,從"天之道"又演變到"順天"、"逆天",從而爲荀子在《天論》中突出自然主義的"天"架起了橋梁。

荀況有意不提自然主義的"道"(包括"德")卻借助于稷下黄老學説的橋梁,從而突出了《天論》中一系列自然主義的"天"。諸如:

> 天職既立,天功既成,形具而神生(指人之形體具備,精神活動隨着産生)。好惡、喜怒、哀樂藏焉,夫是之謂天情;耳、目、鼻、口、形,能各有接而不相能也,夫是之謂天官;心居中虚,以治五官,夫是之謂天君;財非其類,以養其類,夫是之謂天養;順其類者謂之福,逆其類者謂之禍,夫是之謂天政。

> 暗其天君,亂其天官,棄其天養,背其天情,以喪天功,夫是之謂大凶。聖人清其天君,正其天官,備其天養,順其天政,養其天情,以全其天功。如是,則知其所爲,知其所不爲矣,則天地官而萬物役矣。

前一段,列舉了人體"形具而神生"的天情、天官、天君、天養、天政,是人生從思想到行爲的系統論説,突出了五個"天"字,其邏輯嚴密。後一段,性質是"君人南面術",以統治者"聖人清其天君,正其天官,備其天養……"與"暗其天君,亂其天官,棄其天養……"作對比,從而得出結論:"知其所爲,知其所不爲矣",其結果就能夠"天地官而萬物役",這是説天地爲人類所用,而萬物供人類役使,其作用大矣哉!

荀況強調"明于天人之分",申論大自然生養萬物的功能,還明確提出:

> 天有其時,地有其財,人有其治,夫是之謂能參(參與、配合)。

這裏指出:這即是道家黄老學派的"天、地、人"一體觀,指人類在宇宙間與天、地大自然的總體聯繫。黄老學常見此類提法,如"上度之天祥,下度之地宜,中度之人順"。(《管子·五輔》)"王天下之道,有天焉,有人焉,又(讀有)地焉,三者參用之"。(帛書《經法・六分》)這裏所謂"三者參用之",與荀況所說的"夫是之謂能參"相合,意即在大自然的天時、地利面前,人類不是無能爲力,而要發揮自覺的能動性,關鍵在于社會政治的"人有其治"。其實,黄老學派的"天、地、人"一體觀淵源于老子道論:"道大,天大,地大,人亦大。域(宇宙)中有四大,而人居其一焉。"(第二十五章)①

"天有其時,地有其財,人有其治"之所謂"能參",這在於人爲萬物之靈,發揮"人治"的自覺能動性。荀況在《天論》中的名言"從天而頌之,孰與制天命而用之",恰恰是如此。"從天而頌之"是些什麼人呢?即認爲"天"有意志、爲主宰,受唯心的"天命"論支配着的衆人們。荀子從對比而言,反對"從天而頌之",強調"制天命而用之"。請注意,這裏的"天命"二字是指唯物的"天命"論。黄老帛書《經法・論》指出:"必者,天之命也。"意即:客觀必然性,是自然主義的"天之命"。這同"天"爲主宰的"天命論"有根本的區別。從這裏也可以看到儒家荀況所受道家黄老學的影響。

二、從道家宋鈃的"别宥"論到荀況的"解蔽"説

"别宥"與"解蔽"的涵義相同,是從道家哲學生發出來的。"别宥"之"别",指辨别。如《莊子・逍遥游》所說"小大之辨",辨者,别也。"别宥",意即辨别思想上所受的"蔽宥","宥"通"囿",辨明"蔽囿"就要解除它,也即是"解蔽"。古人所說的"蔽囿",猶今言常說思想上的片面性。辯證法總要求觀察分析問題要全面,避免片面性。

"别宥"是道家宋鈃所提出的哲學命題,即《莊子・天下》記述的宋鈃"接萬物以别宥爲始"。宋鈃游學稷下,是荀子的老前輩。荀子常稱宋鈃爲"子宋子"以示尊敬(《正論》)。他承襲"别宥"之

① 關於"天、地、人"一體觀,筆者另有專文論述。

說進而展開論述,撰成《解蔽》長文,發展道家哲學認識論。

《解蔽》開頭提出:"凡人之患,蔽于一曲,而闇(暗)于大理。""一曲"指片面、局部,"大理"指全面、整體。由此展開一層又一層論說。

文中提出人們看問題常有之"蔽":

> 欲(愛好)爲蔽,惡(憎惡)爲蔽;始(開端)爲蔽,終(終結)爲蔽;遠爲蔽,近爲蔽;博爲蔽,淺爲蔽;古爲蔽,今爲蔽。凡萬物異,則莫不相爲蔽,此心術之公患也。

這段論述有普遍意義:(1)這是說,各種不同的事物都有矛盾着相反相成的兩方面,不應看到一方面而忽略另一方面。如只看到好的一面而看不到惡的方面,看到近的一面而看不到遠的一面,等等。這都是"蔽于一曲"的片面性、局限性。(2)總括説,是"萬物異,則莫不相爲蔽",意思是各種事物有差異或矛盾,容易使人受到片面性、局限性的種種"蔽囿",因此這就是"心術"即思想方法上常有的"公患"。荀況的哲學表述是對宋鈃"别宥"進一步的發展。

荀況又聯繫"百家争鳴"的實際,分别指出各家之"蔽":"墨子蔽于用而不知文;宋子蔽于欲而不知得;慎子蔽于法而不知賢;申子蔽于勢而不知知;惠子蔽于辭而不知實;莊子蔽于天而不知人。"荀況對于以上六家的學術評價是準確的,實事求是的,指出其長也指明其短。

當然,荀況持守儒家本位,是在吸收道家哲學而申論"解蔽"基礎上作出了這樣的評斷。

三、從黄老學的"虚静"説到荀況的"虚壹而静"思想

怎樣解決"心術之公患"種種的"蔽塞"呢?荀況認爲,就得"兼陳萬物而中懸衡",這個衡量之"衡"即是"道",因爲"道"能夠"體常而盡變"。内心怎樣"知道"呢?那就要"虚壹而静"。

很顯然,長期在稷下從事學術活動的荀況,不會不熟知道家黃老學《心術》、《內業》等推衍老子哲學的豐富學說;但他持守儒家本位,儘管積極地吸收,而又拉開一定距離,揚棄黃老學帶有神秘色彩的東西,從而納入自己的思想體系。比如說,荀況上述"知道"的"道",是道家自然主義的、還是儒家政治倫理的呢?荀況未作任何解釋,令人感到是個模糊的"道"概念。至于脱胎于道家黄老學的"虛壹而静"[①],便積極吸取而又加以改造。

荀況在《解蔽》中這樣解釋"虛壹而静":

> 心未嘗不藏也,然而有所謂虛;心未嘗不兩也,然而有所謂一;心未嘗不動也,然而有所謂静。
>
> 人生而有知,知而有志。志也者,藏也;然而有所虛,不以所已藏害所將受,謂之虛。
>
> 心生而有知,知而有異,異也者,同時兼知之。同時兼知之,兩也;然而有所謂一,不以夫一害此一,謂之壹。
>
> 心,卧則夢,偷(懶散)則自行,使之則謀。故心未嘗不動也,然而有所謂静;不以夢劇亂知,謂之静。

本來,《心術》、《內業》的黃老學是承繼老子學"致虛極,守静篤"(《老子》十六章)的闡發,其中論説內心的"持虛"、"守静"確有不夠平實或神秘之處。如"天之道虛,地之道静。虛則不曲,静則不變,不變則無過"。(《心術上》)又如強調精神專一,《內業》説:"執一不失,能君萬物。""搏(專)氣如神,萬物備存。"也有誇大和神秘色彩。儒家荀況無疑精研上述學説,而又依據經驗性的心理活動,對"虛一而静"作了平實的解釋。

他所説的"虛":人的心志本來就是有所藏。"不以所以藏"防害"所將受",這就叫作"虛"。

他所説的"壹":心所知的事物有相異的,同時"兼知之"就是"兩"。然而精神專一,卻不以那個一妨害這個一,這就叫作

---

① 見拙文《〈管子〉中道家黃老之作新探》,《中國哲學史研究》1987年第4期。此文解説道家黃老推衍老子哲學較爲詳細。

"壹"。

他所説的"静": 心,睡眠時作夢,懶散時胡思亂想,用心時才謀劃思考,所以未嘗不動。然而,不讓夢境的想象和種種胡思亂想干擾自己清醒的認識,這就叫作"静"。

這樣甚爲平實的解釋是對黄老學"持虚"、"守静"説的一種改造,汰去了原有不合情理及神秘的因素。

緊接着,荀況又强調: "虚壹而静,謂之大清明。"其實,這也脱胎于《内業》: "人能正静,皮膚裕寬,耳目聰明,筋信(伸)骨强。乃能戴大圜(指天),而履大方(指地),鑒于大清,視于大明,敬慎無忒,日新其德。"實質上,《内業》表述的是"君人南面術"。荀況又進一步誇張了所謂"大人"内心"虚壹而静,謂之大清明"的作用,他説: "坐于室而見四海,處于今而論久遠,疏觀萬物而知其情,參稽治亂而通其度,經緯天地而材官萬物,制割大理而宇宙理矣! ……明參日月,大滿八極,夫是之謂'大人',夫惡(烏)有蔽矣哉!"這裏的"大人"指統治者,荀況總希望他的政治哲學思想爲統治者所采用。

總起來説,儒家大師荀況在稷下"百家争鳴"中有獨到見解,學貫各家,其哲學思想批判吸收道家唯物主義自然觀是毫無疑義的。

作者簡介 胡家聰,1921年生,北京人。中國社會科學院政治學所研究員。著有有關《管子》研究的論文三十餘篇。

韓非與老子

陳奇猷

有人説，老子以無爲爲治，韓非以法治，兩家的學説是不相干的。然而《韓非子》書中有《解老》、《喻老》兩篇專釋《老子》之文。於是有些學者認爲《解老》、《喻老》不出於韓非之手。例如容肇祖以爲“黄老或道家言混入於《韓非子》書中者”（詳其所著《韓非子考證》）。但是，如果我們深入探索，不難發現韓非的思想實際上是從老子脱胎而來，其法治是爲了要造成“無爲之治”而采取的手段，《解老》、《喻老》是爲了發揮他的思想而作。

先從老子的理想社會説起。《老子》第八十章：

> 小國寡民。使有什伯之器而不用，使民重死而不遠徙，雖有舟輿無所乘之，雖有甲兵無所陳之；使人復結繩而用之；甘其食，美其服，安其居，樂其俗；鄰國相望，雞犬之聲相聞，民至老死不相往來。

這是老子的理想社會，可以説是一個“無爲”的社會。

至於韓非的理想社會，在《韓非子・大體》篇有比較詳細的描述。《大體》篇有言：

> 至安之世，車馬不疲弊於遠路，旌旗不亂於大澤；萬民不失命於寇戎，雄駿不創壽於旗幢；豪傑不著名於圖書，不録功於盤盂；記年之牒空虚。

這是説至安之世没有戰争，與《老子》“雖有甲兵無所陳之”同一旨趣。“旌旗不亂於大澤”，是指由君主指揮的大型狩獵。古代這種狩獵實際是閱兵。閱兵是戰爭的準備，所以"旌旗不亂於大澤"也是没有戰争之意。

《有度》篇説："民不越鄉而交，無百里之慼。"這與《老子》"鄰國相望，鷄犬之聲相聞，民至老死不相往來"相互隔絶的社會也很接近。既無戰争，民又不越鄉而交，那麽，也就不需要舟輿，也就是《老子》所説"雖有舟輿無所乘之"。

《解老》篇説："治民事務本則淫奢止。……民不以馬遠淫通物，所積力唯田疇。"既不通物，無物以供淫奢，淫奢自然停止。淫奢之物，也就是《老子》所説"什伯之器"。既無淫奢之物，也就無所謂"雖有什伯之器而不用"了。

再説，《老子》所説"使人復結繩而用之"。據《易・繫辭下》説："上古結繩而治"，《集解》引《九家易》説："古者無文字，其有約誓之事，事大大其繩，事小小其繩，結之多少，隨物衆寡，各執以相考"，可知結繩是用來記事的。韓非説"記年之牒空虚"，也就是説無事可記。既然無事可記，結繩也就不需要了。如此説來，韓非比老子更進一步——結繩也可不用。

《老子》所説"使人甘其食，美其服，安其居，樂其俗"。韓非也有類似的言論，詳後。

總上所作的比較，韓非的理想社會與老子差不多，也可以説韓非的理想社會是脱胎於老子的"無爲"社會的設想。

老子通過什麽途徑來達到他的理想社會呢？曰"無爲"。他的想法是，大家都無爲，欺詐没有了，搶劫没有了，戰争没有了，一切都平静了，他的理想社會也就出現了，所以《老子》説"無爲而無不爲"(第四十八章)。韓非也是如此。他鼓吹君臣上下無爲。君臣上下都無爲就可以達到他的理想社會了。《主道》篇説："明君無爲於上，群臣悚懼乎下。"《揚權》篇説："虚静無爲，道之情也。"又説："物者有所宜，材者有所施，各處其宜，故上下無爲。"《大體》篇説："上下交樸，以道爲舍，治之至也。"治之至，也就是他所冀求的理想社會,也就是一個“無爲”的社會。

然而,要人人都自覺地無爲是困難的,可以説做不到的。你“無爲”,而個别的人卻要“爲”,甚至若干人要“爲”。怎麼辦?雖然老子也説了些開導人而使人走向無爲的話,如:

> 五色令人目盲,五音令人耳聾,五味令人口爽,馳騁畋獵令人心發狂,難得之貨令人行妨。(第十二章)

然而,不少人是頂不住五色、五音、五味等的誘惑,想方設法去攫取它,於是就“爲”起來了。老子也叫統治者:

> 不貴難得之貨,使民不爲盜;常使民無知無欲。(第三章)

物以稀爲貴。難得之貨稀少,他的市場價值自然高貴,不由得統治者使人不貴。“欲”是人的天性,也不由得統治者使之無。所以老子這樣叫也無濟於事。

當然,我們不否認有部分覺悟高的人會自覺地無爲、自覺地節慾,可是有不少的人做不到。韓非有見於此,於是他提出以法爲治,用法治使人無爲。他在《有度》篇説:

> 以法治國,舉措而已矣。……矯上之失,詰下之邪,治亂決繆,絀羨齊非,一民之軌,莫如法。
>
> 明主使其群臣不游意於法之外,不爲惠於法之內,動無非法。

失、邪、亂、繆、羨、非,都是違法的。總的説來,凡是舉動在法之外或法之內都是違法,也就是“爲”。相對來説,一舉一動都依法而行(動無非法)就是“無爲”。法要峻,罰要重,以嚴刑重罰來迫使人“無爲”。《守道》篇説:

> 古之善守者,以其所重禁其所輕,以其所難止其所易,故君子與小人俱正,盜跖與曾、史俱廉。禁賁、育之所不能犯,守盜跖之所不能取,則暴者守願,邪者反正。大勇願,巨盜貞,則天下公平,而齊民之情正矣。

《六反》篇也説:

> 重一姦之罪而止境內之邪,此所以爲治也。重罰者,盜賊也;而悼懼者,良民也。欲治者奚疑於重刑?

韓非的這些言論都表明了他要用嚴刑重罰來迫使人不敢犯法,也就是使人不敢“爲”。這就做到了老子所冀求的“使夫智者不敢爲”(第三章)的願望。

從上所論,可以説,老子是“無爲爲治”的始倡者,而韓非則是推行“無爲爲治”的具體策劃者,從法治(包括輔助法治的“術”與“勢”)逐漸到達“無爲”的理想社會。司馬遷説:“韓非喜刑名法術之學,而其歸本於黄老。”(《史記·韓非傳》)這話十分中肯。

老子説:“使人甘其食,美其服,安其居,樂其俗。”(見上文)這樣説來,老子不是叫人絶對的無爲,而是相對的無爲,衣食居住等最低限度的生活資料還是要追求的——爲。韓非也説:“人無毛羽,不衣則不犯寒;上不屬天而下不著地,以腸胃爲根本,不食則不能活。是以不免於慾利之心。慾利之心不除,其身之憂也。故聖人衣足以犯寒,食足以充虚,則不憂矣。”(《解老》)韓非承認人有欲利之心,所以要“爲”,但是“爲”的限度是“衣足以犯寒,食足以充虚”。這點與老子是一致的。

然而,韓非注意到:衣食足仍不可以爲治。他説:“老聃有言曰:‘知足不辱,知止不殆。’夫以殆辱之故而不求於足之外者老聃也。今以爲足民而可以爲治,是以民爲皆如老聃也。”民不可能皆如老聃,所以“則雖足民,何可以爲治?”(《六反》篇)因此,韓非認爲除掉衣食足之外還要“因人情”。《八經》篇説:“凡治天下,必因人情。”又説:“人情者,有好惡。”《難二》篇説:“好利惡害,夫人之所有也。”《制分》篇説:“民者,好利禄而惡刑罰。”《解老》篇説:“人莫不欲富貴全壽。”人民怎樣來求得富貴呢?韓非説:“明主之治國也,……使民以力得富,以事致貴。”(《六反》)這就可知韓非把可“爲”的範圍擴大了,人民在追求衣食之外還可以追求富貴。但是,不管追求衣食也罷,追求富貴也罷,都要合於法,即“動無非法”。臣民都“動無非法”,在法之外、内都不爲。君主依法而行賞罰,無需動腦筋,“人主甘服於玉堂之中,而無瞋目切齒傾取之患;人臣垂拱於金城之內,而無扼捥聚脣嗟唶之禍"。(《守道》)這就是韓非用法治的力量造成無爲之治的理想社會。

韓非與老子的最終目的都是要造成一個"無爲"的社會,這一共通點把韓非拉到老子的陣營中去,所以老子的很多話可以與韓非的思想聯繫。因此,韓非作《解老》、《喻老》,用他的意向解說老子的話以爲他的法治張本。舉例來說:

(一)《老子》第一章"道可道,非常道"。對第一個"道"字,韓非認爲就是"術"。他著有《主道》、《守道》篇,都是説人主必須執守的用以治國的、駕御臣下之術。《主道》篇說:"道者,萬物之始,是非之紀也。是以明君守始以知萬物之源,治紀以知善敗之端。"這幾句話就明白提出了君主必須"守始"、"治紀",也就是要謹守"道",可知"道"就是君主的"術"。《主道》篇說:"道在不可見,用在不可知。"《難三》篇說:"人主之大物,非法則術也。法者,編著之圖籍,設之官府,而布之於百姓者也。術者,藏之於胸中,以偶衆端而潛御群臣者也。故法莫如顯,而術不欲見。""道在不可見"與"術不欲見"相對應,更顯示出韓非所謂"道"即是"術"。當然,這是韓非從法治的角度來解釋"道",老子是否有此意?很難說。

以"道"即"術"解《老子》"道可道,非常道",就是說"術可以說得出來,但是說得出來的術不是永恆的術"。《韓非子》中有《七術》篇(即《內儲說上》篇)說"主之所用也七術",全篇詳說此七種術的內涵。此七術就是可以說得出來的術。然而《解老》篇說:"萬物各異理,而道盡稽萬物之理,故不得不化。不得不化,故無常操。"又說:"凡道之情,不制不形,柔弱隨時,與理相應。"既然術之情要柔弱隨時,與理相應,當然不得不變化,所以說得出來的術不是永恆不變的術了。《解老》篇有一段話說得更明白:

> 凡理者,方圓、短長、粗靡、堅脆之分也。故理定而後可道也。故定理有存亡,有死生,有盛衰。夫物之一存一亡,乍死乍生,初盛

而後衰者不可謂常。唯夫與天地之剖判也具生,至天地之消散也不死不衰者謂常。而常者無攸易,無定理,無定理非在於常所,是以不可道也。聖人觀其玄虛,用其周行,強字之曰道,然而可論,故曰"道之可道,非常道也"。

但是,要注意,《韓非子》中不是所有的"道"字都是指"術",有些"道"字是要作别解的。如《大體》篇"以道爲舍"的"道"是指"法"而不是指"術"即其例。這就要讀者仔細辨明了。

(二)《老子》第三十八章"上仁爲之而無以爲"。《韓非子·解老》篇有解説:

仁者,謂其中心欣然愛人也。其喜人之有福,而惡人之有禍也,生心之所不能已也,非求其報也,故曰"上仁爲之而無以爲也"。

"以"字讀如《左傳·定十年》"封疆社稷是以"之"以",杜注:"以,猶爲(去聲,wèi)也。"這就是説:仁是愛人,但這種愛人是中心自然而然發出來的,不爲(去聲)任何報酬而爲之,這就是"上仁",所以説,上仁爲之,但是無所爲(去聲)而爲之。

《老子》之本義是否如此?不敢説。《老子》之本義是否也以"以"爲"爲(去聲)"?也難確定。

顯然,韓非是從法治的角度來説明此文的。他説,仁是愛人,愛人就是"喜人之有福,而惡人之有禍"。福是指立功受賞,禍是指犯法受罰。站在法治的立場上,當然是希望人都立功而不犯法,所以"喜人有福,惡人有禍"是"生心之所不能已也"。受賞、受罰都是由法來裁定,不是由君主來決定,《大體》篇説得很明白:"禍福生乎道法,而不出乎(君主的)愛惡",臣下所受的禍福與君主無關,所以"以罪受誅,人不怨上;以功受賞,臣不德君"(《外儲説左下》)。"不德君"就是不感激君主。不感激君主,當然談不上"報答"。所以"喜人有福,惡人有禍"不是冀求其對自己有所"報答",是爲之而無所爲(去聲)而爲之。韓非這樣來説明"上仁爲之而無以爲",老子是否同意?無法探明了。

“上仁”的下一句“上義爲之而有以爲”,《韓非子・解老》篇也有解說:

義者,君臣上下之事,父子貴賤之差也,知交朋友之接也,親疎內外之分也。臣事君宜,下懷上宜,子事父宜,賤敬貴宜,知交朋友之相助也宜,親者內而疎者外宜。義者,謂其宜也。宜而爲之,故曰“上義爲之而有以爲也”。

義是要“爲”。但所爲要宜於君、宜於父、宜於知交朋友之相助等等,皆是有所爲(去聲)而爲,故曰“爲之而有以爲”。這也是韓非站在法治的立場上所作的解說,爲的是用《老子》的這句話來闡明“正君臣上下之分”,“尊主卑臣,明分職,不得相踰越”(司馬談《論六家要旨》論法家之語),一切都要以“宜”爲宗旨。《老子》本義如何? 難以考定。

(三)《韓非子・喻老》篇說:

制在己曰重,不離位曰靜。重則能使輕,靜則能使躁。故曰:“重爲輕根,靜爲躁君。”故曰“君子終日行不離輜重”。邦者,人君之輜重也。主父生傳其邦,此離其輜重者也。故雖有代、雲中之樂,超然已無趙矣。主父,萬乘之主,而身輕於天下。無勢之謂輕,離位之謂躁,是以生幽而死。故曰“輕則失根,躁則失君”,主父之謂也。

這是韓非引史事來說明《老子》第二十六章“重爲輕根,靜爲躁君,是以聖人終日行不離輜重。雖有榮觀,燕處超然,奈何萬乘之主而以身輕天下? 輕則失根,躁則失君”之文。

據《史記・趙世家》: 趙武靈王二十七年傳國於王子何,是爲惠文王。惠文王四年,公子成等圍主父,主父餓死沙丘宮。輜重比喻勢位。主父失去勢位,生幽而死,所以君子要終日行不離輜重。

韓非是以法、術、勢三者並用爲治的,所以很重視勢位。《功名》篇說:

夫有材而無勢,雖賢不能制不肖。故立尺材於高山之上,則臨千仞之谿，材非加長也，位高也。桀爲天子，能制天下，非賢也，勢重也。堯爲匹夫，不能制三家，非不肖也，位卑也。千鈞得船則浮，錙銖失船則沈，非千鈞輕錙銖重也，有勢之與無勢也。故短之臨高也以位，不肖之制賢也以勢。人主者，天下一力以共載之，故安；衆同心以共立之，故尊。

此是韓非對勢位的重要性的説明。《喻老》此文既解説《老子》文義，又借《老子》之文來唤醒君主必須鞏固勢位。但是《老子》本義如何？輜重是否比喻勢位？都難於確定。

（四）不過，我們深入研究一下《解老》、《喻老》，其中有些解説顯然是穿鑿傅會，如《解老》篇説：

人希見生象也，而得死象之骨，案其圖以想其生也，故諸人之所以意想者皆謂之象也。今道雖不可得聞見，聖人執其見功以處見其形，故曰"無狀之狀，無物之象"。

"無狀之狀，無物之象"二語見《老子》第十四章。其意義很明顯，是説，道是没有形狀的形狀，没有實體的物象，不是什麽"意想者謂之象"。韓非所説，純屬傅會。韓非是利用《老子》此二語説明君道既没有形狀，也没有實體，要君主站在一定的基礎（死象之骨）上去意想，做到"柔弱隨時，與理相應"（見上文）。説明白點，要在"七術"的基礎上意想出適宜的措施。這與《老子》原文鑿枘鉏鋙，不相和調也。

今只舉此數例，其他各節，讀者可詳審之。

綜上所論，可知韓非與老子在思想上有相連之處，研究思想史者不可忽視。至於韓非解《老》，當然是站在法家的立場上、用法家的語言來解釋，這是無疑的。但是韓非距老子不遠，比我們要早二千多年，較瞭解《老子》本義，所以韓非的《解老》《喻老》是研究《老子》者十分重要的參考資料。有些字義的解説很值得注意。如《老子》第五十八章"方而不割，廉而不劌"的"方"字、"廉"字，《解老》篇説："所謂方者，內外相應也，言行相稱也"，"所謂廉者，必生死之命也，輕恬資財也”，這不是尋常的訓詁，可能是相傳下來的解說，即來自師承。

最後，我提出一個校勘的問題作爲本文的結束。上文所引《老子》第二十六章“雖有榮觀，燕處超然，奈何萬乘之主而以身輕天下”，韓非說“故雖有代、云中之樂，超然已無趙矣”。韓非把《老子》“超然”二字屬下讀，是不是韓非所見《老子》與今本不同？或者，是不是今本《韓非子》“超然”上下有脱文，當作“燕處超然，□□已無趙矣”？所脱又是什麼字？疑莫能明，敬請方家指教。

作者簡介　陳奇猷，1917 年生，廣東韶關人。上海古籍出版社特約編審。著有專著《韓非子集釋》、《吕氏春秋校釋》。

我對《淮南子》的一些看法

[加拿大] 白光華

内容提要 本文從分析道家所具有的獨特的哲學意味入手,詳細探討了《淮南子》的思想特征及其在中國道家思想史上的重要地位,提出了"感應"是《淮南子》的中心概念以及《淮南子》是先秦以來道家系統的集大成之作的觀點。

自從我第一次讀到《淮南子》,我便被中國古代的這部著名的道家思想典籍吸引住了。從那時到現在,已近三十年了。這三十年來,我一直未間斷過對於《淮南子》的研究,而且最近又在着力於法文版《世界名著譯叢》中的《淮南子》的法譯工作。但是,直到今天,我也不敢説我已經弄清楚了《淮南子》中的所有問題,甚至不敢説我已經真正全面而又深入地讀懂了《淮南子》,因爲《淮南子》實在是太博大、太精深了,它對我來説將永遠是一個值得深入研究的學術寶庫。因此,在這裏我不想對於《淮南子》這部書進行全面評析,我只想談一下自己多年來研究《淮南子》的一點心得和最近在翻譯《淮南子》的過程中形成的一些想法。如果有不當之處,請學者們批評指正。

一、在中國的諸子百家中,道家最具有哲學意味

作爲一個西方人,我最初並不是研究中國哲學的。我年輕時

的學術興趣主要集中在西方哲學上,尤其是對柏拉圖情有獨鍾;後來,又曾着手研究西方近現代的哲學家,例如康德。

但是,隨着研究工作的不斷深入,我越來越覺得西方哲學雖然自成系統並有着很高的理論水平,但並不完全,它只是代表了世界上一些國家(如希臘、羅馬、德國、法國等)的思想傳統,並不具有完全的、普遍的世界意義。因此,我認爲要達到了解與掌握比較完全的哲學的目標,只研究西方哲學是遠遠不夠的,還必須研究一下西洋之外的一些哲學傳統,必須學一些與西洋哲學最具差別的哲學。

印度也是一個有着豐富的哲學思想的古老國度,但在我看來,印度哲學與希臘哲學、西洋哲學的關係是非常密切的。因爲印度與歐洲同屬於 Zndo—European 文化系統。在這個龐大的文化系統中,其語言、神話、哲學甚至思維方法都是息息相通的。因此,印度哲學並不是與西洋哲學最具有差異的哲學系統。

基於以上的考慮,我開始把目光投向了有着燦爛的古老文明的中國。的確,世界上的各個國家都有其思想與文化,但各自的情況卻是大不相同的。中國作爲人類歷史上的四大文明古國之一,雖然歷經劫難,但其文化傳統卻數千年來綿延不斷,並始終保持了自己獨特的文化風貌,這不能不說是一個奇迹。因此,世界上也許只有中國才是具有最不同於西洋文化傳統的唯一的國度。而這個有着豐沃的哲學土壤的文明古國,就是我要尋覓的地方。

爲了使我研究中國哲學的工作更加富有成效,我首先着手研究的是道家。因爲,在我看來,在中國的諸子百家中,道家是最富有哲學意味的一家。道家作爲中國傳統文化的最重要的組成部分之一,它不像儒家、墨家、法家那樣側重於對形而下的政治、倫理、軍事、法制等具體問題的研究,而是強調超越具體的經驗而探求整個宇宙的普遍規律,強調對天地、宇宙、萬物、人生進行形而上的總體的把握。所以,我從第一次來中國始,就對於中國的道家有着極爲深刻的印象。

我們都知道,道家最重要的經典當首推《老子》和《莊子》。這兩部書玄奥高深、寓意深遠、充滿了對宇宙、社會、人生的獨特體驗,如果没有足夠智慧和深厚的中國文化素養,是不易讀懂的。所以,我首先選擇了《老》、《莊》之後的道家名著《淮南子》作爲自己研究的對象。《淮南子》一書,雖然也是道家的經典之作,但相對《老》、《莊》而言,其中的論述性、闡釋性語句較多,所以容易讀懂些。

除此之外,我對中國西漢社會與思想的濃厚興趣,也是我首先研讀《淮南子》的重要原因之一。在我看來,西漢是中國歷史上的一個具有特别重要地位的歷史時期,它不僅奠定了中國近二千年封建社會的政治、經濟基本格局,而且也奠定了中國封建社會文化的基礎。我認爲,研究西漢文化是打開神秘的中國傳統文化大門的一把鑰匙。《淮南子》作爲漢代思想發展史的一個環節,它實是漢代文化的一個極爲重要的方面。因此,《淮南子》值得我首先花大氣力進行深入研究。

二、我研究《淮南子》的主要方法

作爲一個西方學者,我在研究《淮南子》的過程中,曾經遇到過許多困難。這種困難不僅僅是指語言上的障礙,更重要的是指思想上的障礙。因爲要研究《淮南子》,首先就要認識《淮南子》中的每一個字,每一句話,這項工作相對而言並不是最難的;真正困難的是了解每個字、每句話背後的深刻的思想意義,以及這些思想與歷史上的各種學派的關係等。但是,通過多年的學術實踐,我已經基本上克服了這些困難,並且摸索出了一條行之有效的研究《淮南子》的方法。

在思想文獻方面,我們没有中國學者那樣熟,因此了解文獻本身所具有的思想内涵是我們首先應該要做的事情。對於《淮南子》我們也是這樣：一是要了解《淮南子》中的每一個漢字的意義、了解每個漢字中所蘊含着的深刻思想；二是研究每一個句子的構造和每個句子的思想內涵；三是劃分段落並研究每一個段落所表達的主要思想。根據"意群"而劃分段落並發現每一段落的思想，然後了解另一段的思想，這對於正確理解《淮南子》的思想本質是至爲重要的。四是注意分析各段之間的內在的、邏輯的聯繫，並在此基礎上完成對《淮南子》各篇思想的把握。

爲了讀懂《淮南子》，我們認爲來自中國的"文字學"的功夫是非常重要的。如果不繼承與利用許慎、王念孫等人的"文字學"成果並參考歷史上的各種《淮南子》注本，要讀懂《淮南子》是非常困難的。

除此之外，要研究《淮南子》，還必須深入研究歷史上的各種《淮南子》的版本並隸定出一個最好的本子來，只有這樣才可以放心使用。《淮南子》最早的版本是北宋的"小字本"，這個本子雖然最老，但我並不認爲它是最好的。其後還有《道藏》本和莊逵吉(1760－1813)的本子。另外，在《淮南子》的第一個版本出現之前，在《文選》、《藝文類聚》、《太平御覽》中便已有不少《淮南子》的材料。我們有必要將《文選》、《藝文類聚》、《太平御覽》中的引文與現行本進行比較研究，如果前三者的引文是一致的，而現行本卻與之不同，那麼現行本就是不準確的。這項工作耗費了我很多時間。

不僅如此，要明白無誤地理解《淮南子》各篇所蘊含着的深刻的思想意義，除了應用構造分析這一基本的方法研究《淮南子》各篇中的字、句、段外，我們認爲還有必要研究與《淮南子》的字、句、段有關的其他材料：一是《淮南子》內部的相關材料；二是《淮南子》周圍與《淮南子》同時代的材料；三是《淮南子》所引諸子的材料。尤其是對《淮南子》所引先秦諸子的材料進行考察，這不僅有助於理解《淮南子》的思想內涵，而且還對於搞清楚《淮南子》的學術淵源有着重大意義。

三、《淮南子》是先秦以來道家系統的集大成之作

中國的道家思想,以《淮南子》爲界,可以分爲前後兩個時期。在《淮南子》以及《淮南子》之前,道家主要是一個哲學派别,其學説具有強烈的理論色彩,並達到了很高的抽象思維的水平;在《淮南子》之後,隨着漢武帝對淮南王及其追隨者的武力鎮壓,雖然道家思想的影響遠遠没有消絶,但道家作爲一個獨立的學派已經不復存在了,它逐漸衍變成了道教。

我們都知道,道家思想的源泉是《老子》。在《老子》之後又有《莊子》和"黄老道家"。我認爲,《老子》、《莊子》和"黄老道家"的代表作《黄帝四經》(1973 年馬王堆漢墓出土)可看作是具有原創意義的道家經典。在它們之後,道家便根據歷史發展的實際需要而走向了綜合。這種綜合不僅僅局限於道家學派本身,更重要的是其他各家的一些合理的思想因素也被綜合了進來。《管子》可以看作是道家由原創走向綜合的第一部著作。此書以道家"黄老"爲核心,兼收並蓄,自成一派,蔚爲大觀。《管子》之後,又有《吕氏春秋》。《吕氏春秋》以繪圖式爲框架,廣泛吸收道家三派和其他各家的思想,爲秦提供了一個以道家治國的政治藍圖。到了漢代,便出現了《淮南子》。《淮南子》一方面可以看作是對漢初七十年以道家治國所作的理論總結,另一方面它也是先秦以來對於道家思想進行全面綜合的集大成之作。

在《淮南子》中,我們隨處可見其引用《老子》、《莊子》、《黄帝四經》和《吕氏春秋》的材料。在第十二篇《道應》中,《淮南子》就引用了《老子》五十六次,引用《吕氏春秋》三十二次。通過考察《淮南子》所引先秦道家的材料,我們還有一個有趣的發現,這就是《淮南子》在引用《老子》時,是不作任何改動的,而且還標明"《老子》曰:……";而引用《莊子》和《吕氏春秋》時,卻不僅不提書名,而且還經常進行改動,借題發揮。這就説明,在《淮南子》作

者的心目中，道家《老子》的地位是最高的，《淮南子》是以《老子》爲宗師的，至於《莊子》、《吕氏春秋》等作品，其地位則遠在《老子》之下。

從《淮南子》的思想傾向上來看，也有強烈的"綜合"的味道。首先，《莊子》對《淮南子》的思想影響最大，《淮南子》的宇宙觀、人生論、坐忘説皆源於《莊子》，但《莊子》哲學具有強烈的出世色彩，而《淮南子》在繼承《莊子》思想的同時，在社會歷史方面又接受了《黄帝四經》較爲積極的政治主張。像《黄帝四經》把"無爲"解釋爲以"有爲"("名刑已定"、"度量已具")爲前提的"無爲"一樣(《道法》)，《淮南子》也堅決反對一任自然、無所作爲的觀點。它説："或曰：無爲者，寂然無聲，漠然不動，引之不來，推之不往；如此者，乃得道之像。吾以爲不然。"並且進一步強調指出："吾所謂無爲者，私志不得入公道，嗜慾不得枉正術。"(《修務訓》)而這個説法又是與《黄帝四經》的"生法而弗敢犯也，法立而弗敢廢也"(《道法》)一脈相承的。因此，《淮南子》這裏，《莊子》的"出世"與"無爲"、《黄帝四經》的"入世"與"有爲"，都被綜合到了同一個思想體系中。

除了道家之外，《淮南子》對先秦諸子其他各家的材料也大加引用。但是，必須明確指出的是《淮南子》吸收與引用道家之外的諸子各家的思想資料是以道家思想爲標準的，是利用其他各家的長處以與道家相配合而豐富與充實道家的思想體系，至於其他各家中不能與道家相配合甚至與道家主旨相悖的材料，《淮南子》是不加吸取的。例如，《淮南子》吸收了法家"勢"的觀念以與道家的"自然"相結合，而對於法家的"嚴刑酷罰"則堅決地給予拋棄了；再如，對於儒家，《淮南子》認爲"仁"、"義"可取，但"仁"、"義"並不可用作最高標準，是"大道廢而仁義出"，因此"仁"、"義"必須在"道"之下，如果把"仁"、"義"進行絶對地理解，那將是非常錯誤的。

通過以上論述，我們可以看到，《淮南子》的確是一部對先秦以來的道家學派的思想資料以及其他各家的合理思想因素進行全面綜合的學術著作。但是,《淮南子》的這種綜合,並不是一種簡單的拼湊,而是一種在吸收、利用基礎上的一種高水平的再創造。《淮南子》所引用的所有材料,都是其博大精深思想體系的有機組成部分。這一點,每一個讀《淮南子》的人都是可以體會得到的。不僅如此,《淮南子》的二十一篇也是一種有意的安排,各篇之間有一種內在的邏輯次序,這也是《淮南子》在綜合的基礎上創造性地建構新的思想體系的一種表現。根據我的看法,《淮南子》的第一篇《原道訓》和第二篇《俶真訓》可看作是《淮南子》的總綱,表達了《淮南子》最重要、最普遍原則;接下來的三篇《天文訓》、《地形訓》和《時則訓》則表達了《淮南子》對天、地、四時以及整個宇宙的具體構造的看法;第六篇《覽冥訓》、第七篇《精神訓》和第八篇《本經訓》可劃爲一組,這三篇所講的主要是宇宙的一般原則是如何跟人的精神與本質相通起來的;第九篇《主術訓》、第十篇《繆稱訓》、第十一篇《齊俗訓》、第十二篇《道應訓》、第十三篇《泛論訓》、第十四篇《詮言訓》、第十五篇《兵略訓》亦可劃爲一組,這七篇所討論的都是社會與政治的具體問題;第十六篇《說山訓》、第十七篇《說林訓》和第十八篇《人間訓》没有明確的討論主題,可劃爲"清談"一類;第十九篇《修務訓》和第二十篇《泰族訓》是爲儒家的二篇,但這已不是純粹的儒家作品,而是道化的儒家,是用儒家的材料表達道家的看法;第二十一篇《要略訓》爲全書的總結。

四、"感應"是《淮南子》的中心概念

衆所周知,"感應"是西漢時期極爲盛行的一種概念,無論是賈誼的《新書》、董仲舒的《春秋繁露》、還是司馬遷的《史記》、司馬相如的"賦",都有豐富的"感應"學說。而《淮南子》作爲先秦以來道家系統的集大成之作,其最大的思想特色就在於吸收與利用了在西漢盛行一時的"感應"學說對於傳統的道家思想作了新的

發揮。

“感應”的觀念,不僅非常重要,而且其起源也是很早的,它原也不是道家的思想,而是陰陽五行家的觀點。大約在戰國時期,道家便已經受了陰陽家的影響,而《淮南子》則是更加集中地用“感應”來闡釋道家的學說。例如,《淮南子》認爲:“自然”就是“感應”,又認爲“無爲”就是“感應”。“自然”與“無爲”是道家最基本的哲學範疇,而在《淮南子》中卻都與“感應”結合在了一起。

在《淮南子》看來,整個宇宙就是一個“感應”的系統,宇宙中的每一個事物都與其他事物有着“感應”關係。這種關係有時候從表面上看不出來,好像是秘密的,但我們可以發現這樣的關係。《淮南子》説磁石與鐵有着“感應”的關係,人與人如果以“誠”爲基礎,也可以互相“感應”。

總之,“感應”在《淮南子》中是一種絶對的觀念,它是宇宙萬物間的一種客觀的、自然的聯繫。以“感應”來解釋與闡發道家思想是《淮南子》最大的思想特色。

作者簡介　白光華 (Charles Le Blanc) 哲學博士,加拿大蒙特利爾大學東亞研究所所長,早年曾隨臺灣方東美先生學習中國思想史,後在美國漢學家 Derk Bodde 指導下攻讀中國哲學博士學位,曾以英文、法文出版過研究《淮南子》的著作多部,最近主要從事法文版《世界名著譯叢》中的《淮南子》的法譯工作。

《淮南鴻烈》與《春秋繁露》

張國華

内容提要 本文從歷史與文獻兩個方面詳細探討了作爲“西漢道家之淵府”的《淮南鴻烈》對董仲舒《春秋繁露》一書的影響。本文認爲，漢武帝對《淮南鴻烈》的喜“愛”使董仲舒吸收與利用《淮南鴻烈》的思想成爲必要，而董仲舒在江、淮流域爲相期間對《淮南鴻烈》的了解與研究又使其大量吸收與運用《淮南鴻烈》的思想材料變爲可能。《淮南鴻烈》對《春秋繁露》的影響表現在三個方面：(1)天人感應；(2)陰陽五行；(3)無爲而治。

對於董仲舒的思想淵源，人們歷來多從先秦儒家與戰國稷下鄒衍那裏進行追踪，雖然近來已有學者注意到了漢初“黄老之學”對董仲舒的影響①，但成書於武帝即位之初並與董仲舒有着密切關係的《淮南鴻烈》卻被人們忽視了。本文試圖從歷史與文獻兩方面着手，詳細探討一下作爲“西漢道家之淵府”(梁啟超《中國近三百年學術史》)的《淮南鴻烈》對於董仲舒《春秋繁露》一書的影響。

一

《漢書・淮南王傳》曰：

---

① 參見《道家文化研究》第二輯與第三輯所發表的余明光先生和[美]薩拉・奎因先生的論文。

> 淮南王安爲人好書,鼓琴,不喜弋獵狗馬馳騁,亦欲以陰德拊循百姓,流名譽。招致賓客方術之士數千人,作爲《內書》二十一篇,《外書》甚衆……。時武帝方好藝文,以安屬爲諸父,辯博善爲文辭,甚尊重之。每爲報書及賜,常召司馬相如視草乃遣。初,安入朝,獻所作《內篇》,新出,上愛秘之。使爲《離騷傳》,旦受詔,日食時上。又獻《頌德》及《長安都國頌》。每晏見,談説得失及方技賦頌,昏莫然後罷。

在我們都非常熟悉的這一段文字中,有這樣兩個非常重要的歷史事實常被略:(1)漢武帝與淮南王劉安曾經在相當長的時期內關係是很融洽的。淮南王積極爲新當政的年輕皇帝出謀劃策,漢武帝對淮南王也"甚尊重之"。至於淮南王謀反那已是武帝當政近二十年後的事了。(2)淮南王劉安獻給武帝的《內書》二十一篇(即今之《淮南鴻烈》)曾使漢武帝十分喜愛。

又據《史記·淮南王傳》與《資治通鑑》的記載,安之入朝獻書,是在建元二年冬十月(前 139),也就是武帝即位的第二年。當時武帝剛即位不久,年方十七,他雖已想衝破文景無爲之治的束縛而開創一個新的政治局面,並已有了明顯的尊儒傾向,但他對漢初以來的儒家人物並不滿意,因爲他們並未爲武帝制定出一套切實可行的治國方略,尤其是當他聽到名震一時的經學大師——申公只會説"爲治者不在多言,顧力行何如耳"時,漢武帝對於儒家可謂失望至極。[①]除此之外,儒家没有建立起一套完備的理論體系,也是"方好藝文"的武帝對它不很關注的另一個原因。而這時,他看到了在總結、發揮漢初"黄老思想"基礎上寫成而具有着博大精深思想體系的《淮南鴻烈》,自幼受到道家"黄老"薰陶的他[②],又自然對《鴻烈》表現出濃厚興趣。《淮南鴻烈》"上考之天,下揆之地,中通諸理"(《要略訓》),不僅對宇宙之本體

① 見《史記·儒林列傳》

② 《史記·外戚世家》云:"竇太后好黄帝、老子言,帝及太子諸竇不得不讀《黄帝》、《老子》,尊其術。"此處之帝爲漢景帝,太子即爲後來成爲武帝的皇太子劉徹。

("道")進行探討,而且有對宇宙之結構(天地、陰陽、四時、五行)也有着系統性的論述;它不僅有周詳的"君人南面之術"(《主術訓》),而且有豐富而離奇的養生之方;它不僅有博大精深的思想體系,而且有美富繽紛的詞翰與色彩。這一切無不使漢武帝"愛羡不已。

這樣,漢武帝雖爲了其政治的需要而尊儒,但對儒家現有的理論並不滿意;漢武帝雖想擺脱漢初道家政治的束縛,但又覺得劉安在總結發揮漢初"黄老之學"基礎上撰成的《淮南鴻烈》有許多可取之處。因此,漢武帝在當時所迫切需要的是一種以儒家思想爲中心而又全面吸收以《淮南鴻烈》爲代表的道家"黄老之學"長處的全新的思想體系。

於是漢武帝在元光元年[①](前134)"詔賢良"進行對策。這時一代大儒董仲舒出場了。仔細分析《天人三策》的內容,我們便不難發現漢武帝對董仲舒的每一次"策問"都無不是啟發董仲舒援《淮南鴻烈》之思想以入儒思想體系。

首先讓我們看一下漢武帝的"策問"[②]:

策數	策　　語	備　　注
第一策	三代受命,其符安在?災異之變,何緣而起?性命之情,或夭或壽,或仁或鄙,習聞其號,未燭厥理。伊欲風流而令行,刑輕而奸改,百姓和樂,政事宣昭,何脩何飭而膏露降,百穀登,德潤四海,澤臻草木,三光全,寒暑平,受天之祐,享鬼神之靈,德澤洋溢,施乎方外,延及群生?	主要是問:災異福瑞何緣而生?天人之際如何感應?

① 此據《漢書·武帝紀》的記載。
② 見《漢書·董仲舒傳》

（續表）

策數	策　　　語	備　注
第二策	蓋聞虞舜之時，游於岩郎之上，垂拱無爲，而天下太平。周文王至於日昃不暇食，而宇宙亦治。夫帝王之道，豈不同條共貫歟？何逸勞之殊也？	主要是問：帝王之道應天爲還是有爲？
	蓋儉者不造玄黃旌旗之飾。及至周室，設兩觀，乘大路，朱干玉戚，人佾陈於庭，而颂声興。夫帝王之道岂異指哉？或曰良玉不瑑，又曰非文無以辅德，二端異焉。	主要是問：帝王之道應该恭儉還是應该文飾？
	殷人執五刑以督奸，伤肌肤以懲恶。成、康不式，四十餘年天下不犯，囹圄空虛。秦國用之，死者甚衆，刑者相望，秏矣哀哉！	治國是主以刑還是主以德？
第三策	盖闻"善言天者必有征於人，善言古者必有驗於今。"故朕垂問乎天人之應，上嘉唐虞，下悼桀纣，……。今子大夫明於陰陽所以造化，……其悉之究之，孰之复之。	垂問乎天人之應，陰陽之化。

由上表可見，漢武帝在對董仲舒進行策問時所關心的主要是這樣幾個問題：

(1)"天人感應"的問題：這個問題在先秦儒家孔、孟、荀那裏不曾談及；在漢初儒家陸賈、賈誼這裏也談得很少。因此，"天人感應"並非儒家已有的理論。那麼漢武帝又爲什麼再三向漢代名儒董仲舒"垂問乎天人之應"呢？這主要是因爲漢武帝受了《淮南鴻烈》的啟發所致。在《鴻烈》中有大量的關於同類相動、天人相類、天人相通、天人相應的論述。（詳後）漢武帝也希望董仲舒從天人相應的角度來闡述一下漢家政權如何才能"受天之祐、享鬼神之靈”而傳之久遠。

（2）“無爲與有爲”的問題：從思想的基本傾向上來看，道家是主張“無爲”的，而儒家則主張“有爲”。漢武帝在“文景之治”的基礎上已經傾向於儒家的“有爲”，但又覺得道家“垂拱無爲而天下太平”的“無爲之術”也有可取之處。

（3）“恭儉與文飾”的問題：在我國歷史上道家“黄老”是講“恭儉”的[①]，而儒家則是講“文飾”的。當時，漢武帝已經明顯地讚同儒家的鋪張揚厲，但又覺得道家“黄老”與《淮南鴻烈》的“恭儉”也有不可違背之處。

（4）“刑與德”的問題：自先秦以來，儒家主以德教治國，而法家則認爲非刑無以治天下，道家“黄老”卻以“剛柔陰陽、固不兩行”而主張“刑德皇皇，日月相望，……天德皇皇，非刑不行；穆穆天刑，非德必傾。刑德相養，逆順乃成。”[②]《淮南鴻烈》繼承道家“黄老”之説，也有不少關於陰陽刑德的論述。漢武帝雖然自即位以來便表現出了明顯的尊儒傾向，但他又似乎覺得單靠儒家的德教治國是不行的，以《鴻烈》爲代表的道家“黄老”的刑德並用、文武兼備更切合實際。事實上，也正如漢宣帝所説：“漢家自有制度，本以霸王道雜之，奈何純任儒教，用周政乎！”此處所言“霸王道雜之”實爲《鴻烈》等所説“刑德並用”。

綜上所述，漢武帝的“策問”實際上就是在啟發董仲舒不僅要從“天人感應”的角度重構儒家的理論體系，而且對以《鴻烈》爲代表的漢初“黄老之學”的“無爲而治”、“恭儉樸素”、“陰陽刑德”等思想也要加以吸取。

那麽，被稱爲漢代群儒之首的董仲舒又是怎樣應對的呢?

---

① 《老子》第六十七章曰：“我有三寶，持而保之，一曰慈，二曰儉，三曰不敢爲天下先。”《黄帝四經・雌雄節》曰：“憲傲驕倨，是爲雄節；□□恭儉，是爲雌節。”《順道》曰：“昴濕恭儉，卑約主柔，常後而不先。”《淮南鴻烈》繼承“黄老”之説，也竭力主張“君人之道，處静以修身，儉約以率下”（《主術訓》）。

② 《黄帝四經・姓爭》。本文所引《黄帝四經》的材料皆出自余明光、張純、馮禹、張國華等人合著《黄帝四經今注今譯》，岳麓書社，1993年。

我們也可以用圖表的形式將董氏的"對策"簡析如下:

策數	應對的問題	對策內容	簡要評析
第一策	天人相應	天人相與之際,甚可畏也。國家將有失道之敗,而天乃先出災害以譴告之,不知自省,又出怪異以警懼之,尚不知變,而傷敗乃至。 天之所大奉使之王者,必有非人力能所致而自至者,此受命之符也。天下之人同心歸之,若歸父母,故天瑞應誠而至。 上承天之所爲,而下以正其所爲……,然則王者欲有所爲,宜求其端於天。天道之大者在陰陽。陽爲德,陰爲刑。……王者承天意以從事,故任德教而不任刑。	董仲舒認爲君有失道之政,天將出災異譴告之。因此王者欲有所爲必上承於天:任德教而不任刑。
第二策	有爲與無爲	舜爲天下,以禹爲相,因堯之輔佐,繼其統業,是以垂拱無爲而天下治。當周文王之時,紂尚在上,尊卑昏亂,百姓散王,故日昃不暇食也。由此觀之,帝王之條同貫,然而勞逸異者,所遇之時異也。	董仲舒並未明確回答漢武帝應該有爲還是無爲。
	恭儉與文飾	制度文采玄黃之飾,所以明尊卑,異貴賤,而勸有德也。……然則宮室旌旗之制,有法而然者也。故孔子曰:"奢則不遜,儉則固。"儉非聖人之中制也。	強調儒家文飾之制,反對道家"恭儉。"

續表

策數	應對的問題	對　策　内　容	簡要評析
第二策	刑與德	聖王之治天下也，少則習之學，長則材諸位，爵禄以養其德，刑罰以威其惡，故民曉於禮誼而耻犯其上。……至於成康之隆，囹圄空虚四十餘年。此亦教化之漸而仁誼之流……。	强調治國應重德而輕刑。
第三策	天人之應	天者，群物之祖也。故遍覆包函而無所殊，……。故聖人法天而立道。……天人之征，古今之道也。……故《春秋》之所譏，災害之所加也;《春秋》之所惡，怪異之所施也。書邦家之過，兼災異之變，以此見人之所爲，其美惡之極，乃與天地流通而往來相應，此亦言天之一端也。	主要是結合《春秋》中有關災異的記載説明天人可以相應。

由上可以看出，董仲舒對於漢武帝的"策問"差不多是完全站在儒家的立場上進行回答的。不僅道家的"無爲"、"恭儉"等政治思想没有被董仲舒接受，就連其在第一、三策中所講的"天人相應"的理論也基本上與道家"黄老"和《淮南鴻烈》無關。因爲在《淮南鴻烈》那裏，"感應"是一種具有絶對意義的哲學範疇，不僅天與人可以感應，物與物也可以感應，人與物也可以感應，人與人以"誠"爲基礎也可以感應，而且這種感應是以"類"爲前提的。天人相應是因爲天人相類。(詳後)董仲舒在對策中所言天人之應，乃不過是附會《春秋》中對災異的記載而對歷史上的天神迷信觀念的重復罷了。但到了《春秋繁露》，情形卻大不相同了。董仲舒的天人感應也像《鴻烈》那樣是以"同類相動"、"人副天數"爲前提

了[1]。

董仲舒對完策之後,並未受到漢武帝重用。而是“對既畢,天子以仲舒爲江都相,事易王”,後來又被遷爲膠西相。(《漢書・董仲舒傳》)易王與膠西王皆爲武帝兄,驕横兇狠,實難相事,在時人看來,仲舒到江都、膠西爲相,兇多吉少。雖然人們一貫認爲董仲舒懷才不遇多與公孫弘嫉妒陷害有關,但事實上董仲舒在對策時未能很好地理解武帝的心意以援道入儒而只是一味地大談儒家的德教也是原因之一。董仲舒之所以没有以道家“黄老”的思想材料充實、重構儒家的思想體系,原因大概有二:一是出於政治上的顧忌。武帝詔賢良對策時,其尊儒的態度已非常明確,董仲舒擔心多言道家之言會有犯忌之嫌;二是董仲舒雖爲一代鴻儒,但在對策前他並未對道家思想進行深入研究,尤其是漢武帝所喜愛的《淮南鴻烈》新出,董仲舒根本就不曾有機會看到。但董仲舒被封爲江都相和膠西相則是對他深入研究《淮南鴻烈》與道家“黄老”大有裨益的。因爲江都所在的江、淮流域正是淮南王等人研究“黄老之學”並撰寫《淮南鴻烈》的地方,而膠西又是出了漢代著名的黄老思想家——蓋公之處[2]。我們不知道漢武帝封仲舒爲江都、膠西相是純屬巧合,抑或是有意的安排。但無可争辯的事實則是,仲舒在這兩個地方爲相結束、“病免”家中以“修學著書爲事”(《漢書・董仲舒傳》)時寫的《春秋繁露》卻與《淮南鴻烈》有衆多的相通之處。

二

《春秋繁露》對《淮南鴻烈》的吸收與襲用是非常明顯的,除了上文中提到的陰陽刑德[3]之外,還主要表現在這樣三個方面:

---

① “同類相動”、“人副天數”是《春秋繁露》的兩個篇名。後有詳述。

② 見《史記・曹相國世家》。曹參曾以膠西蓋公爲師,推行“黄老”之治。蕭何卒,曹參爲相,“黄老之學”遂推之全國。

③ 參見拙著《中國秦漢思想史》第三章《董仲舒與西漢中期的今文經學》中的論述。人民出版社,1994年1月版。玆不詳述。

(1)天人感應;(2)陰陽五行;(3)無爲而治。

（一）關於"天人感應":

"天人感應"是董仲舒《春秋繁露》的非常重要的思想內容,是董仲舒新儒學的基本理論構架。關於董氏的"天人感應",過去我們多認爲它來源於齊國稷下的鄒衍。但事實上,在我們今天所見到的有關鄒衍的比較可靠的材料——《史記·孟子荀卿列傳》所附有的關於鄒衍生平與學術的不足五百字的介紹中,雖有"因載其機祥度制"幾個字,但我們從中並没有看到任何有關鄒衍從宇宙觀的高度縱談天人感應的痕迹。董仲舒從同類相動、天人相副的角度所講的"天人相應"與鄒衍所謂"機祥度制"似乎並没有任何關係。但在《淮南鴻烈》中我們卻發現了與董氏"天人感應"完全相同的論述。"在《淮南子》看來,整個宇宙就是一個感應的系統,宇宙中的每一個事物都與其他事物有着感應的關係。""感應在《淮南子》中是一種絶對觀念,它是宇宙萬物間的一種客觀的必然的聯繫"。①物物感應的基礎是因爲它們是同類,天與人也相類,因此天人也可以相通、可以感應。董仲舒的同類相動、人副天數、天人相應的説法完全源於《淮南鴻烈》。

(1)同類相動:

《淮南鴻烈》講"天人感應"是首先從同類相動開始的。《鴻烈》説:

> 夫濕之至也,莫見其形而炭已重矣;風之至也,莫見其象而木已動矣。日之行也,不見其移;騏驥倍日而馳,草木爲之靡;懸熢未轉,而日在前。故天之且風,草木未動而鳥已翔矣;其且雨也,陰曀未集而魚已噞矣:以陰陽之氣相動也。故寒暑燥濕,同類相從;聲響疾徐,以音相應也。(《泰族訓》)

> 今夫調瑟者,叩宮宮應,彈角角動,此同聲相和者也。夫有改調一弦,其於五音無所比,鼓之而二十五弦皆應,此未始異於聲,而

① 見本輯《道家文化研究》中所發表的加拿大白光華先生的論文:《我對淮南子的一些看法》。

音之君已形也。(《覽冥訓》)

總之,“物類相動,本標相應”(《天文訓》),萬物“皆象其氣,皆應其類”(《地形訓》)。《鴻烈》的這種物以其類而動、而應的觀點被董仲舒全面吸收到了《春秋繁露》中,並單獨寫成了一篇,其名即曰《同類相動》。董氏説:

今平地注水,去燥就濕;均薪施火,去濕就燥。百物皆去其所與異,而從其所與同。故氣同則會,聲比則應,其驗皦然也。試調琴瑟而錯之,鼓其宮則他宮應之,鼓其商而他商應之,五音比而自鳴,非有神也,其數然也。美事召美類,惡事召惡類,類之相應而起也。(《春秋繁露·同類相動》)

比較《淮南鴻烈》所説的“物類相動”與《春秋繁露》的“同類相動”,兩者不僅在思想上完全一致,就連具體用語都無絲毫之差。

(2) 天人相類:

《淮南鴻烈》由物類相動,又進一步講到了天人相類;而由天人相類,則可以引發出天人相動、天人相應了。董仲舒全面繼承《淮南鴻烈》的“天人相類”的觀點,而在《春秋繁露》中專門寫了一篇名爲《人副天數》的文章。兩者所論,如出一轍。

《鴻烈》説:

天地以設,分而爲陰陽。陽生於陰,陰生於陽,陰陽相錯,四維乃通,或死或生,萬物乃成。蚑行喙息,莫貴於人,孔竅肢體,皆通於天。天有九重,人亦有九竅;天有四時以制十二月,人亦有四肢以使十二節;天有十二月以制三百六十日,人亦有十二肢以使三百六十節。故舉事而不順天者,逆其生者也。(《天文訓》)

故頭之圓也象天,足之方也象地。天有四時五行九解三百六十日,人亦有四支五脏九竅三百六十節。天有風雨寒暑,人亦有取與喜怒。(《精神訓》)

《春秋繁露·人副天數》也説:

天地之精所以生物者,莫貴於人。……唯人獨能偶天地。人有三百六十節,偶天之數也。形體骨肉,偶地之厚也。上有耳目聰明,日月之象也;體有空竅理脈,川谷之象也;心有哀樂喜怒,神氣之類也。

身猶天也,數與之相參,故命與之相連也。天以終歲之數成人之身,故小節三百六十六,副日數也;大節十二,分副月數也;內有五藏,副五行數也;外有四肢,副四時數也;乍視乍瞑,副晝夜也;乍剛乍柔,副冬夏也;乍哀乍樂,副陰陽也。

由上可見,《鴻烈》與《繁露》所論之同,實不待多言。

(3) 天人相應:

既然物類可以相動、相應,而天與人又同屬一類,那麽天人可以相應便是非常自然的了。所以《鴻烈》説:

人主之情上通於天,故誅暴則多飄風,枉法令則多蟲螟,殺不辜則國赤地,令不收則多淫雨。(《天文訓》)

故聖人者,懷天心,聲然能動化天下者也。故精誠感於內,形氣動於天,則景星見,黄龍下,祥鳳至,醴泉出,嘉穀生,河不滿溢,海不溶波。故《詩》云:"懷柔百神,及河嶠岳。"逆天暴物,則日月薄蝕,五星失行,四時干乖,晝冥宵光,山崩川涸,冬雷夏霜。《詩》曰:"正月繁霜,我心憂傷。"天之與人,有以相通也。故國危亡而天文變,世惑亂而虹蜺見,萬物有以相連,精祲有以相蕩也。(《泰族訓》)

與《淮南鴻烈》的"天人相通"、"天人相應"的説法相一致,董仲舒在"同類相動"、"人副天數"的基礎上也終於可以引發出他要着重闡明的"天人之際"相互感應的理論了。董仲舒説:

天人之際,合而爲一。同而通理,動而相益。(《春秋繁露·深察名號》)

帝王之將興也,其美祥亦先見;其將亡也,妖孽亦先見。物故以類相召也。……周將興之時,有大赤烏銜穀之種、而集王屋之上者。武王喜,諸大夫皆喜。周公曰:"茂哉!茂哉!天之見此以勸之也。"(《五行相生》)

天地之物有不常之變者,謂之異。小者謂之災,災常先至而異

乃隨之。災者,天之譴也;異者,天之威也。譴之而不知,乃威之以威。《詩》云:“畏天之威”,殆此謂也。(《身之養》)

王者,人之始也。王正則元氣和順,風雨時,景星見,黄龍下。王不正則上變天,賊氣竝見。(《王道》)

比較《淮南鴻烈》與《春秋繁露》所説,兩者之同,不言自明。

總之,《春秋繁露》中的“同類相動”、“天人相類”、“天人感應”的説法全部源於《淮南鴻烈》,證據鑿鑿,無可懷疑。

(二) 關於“陰陽五行”:

與以前的儒家人物罕言天道不同,董仲舒除了講“天人感應”外;還大談所謂“陰陽五行”。在《春秋繁露》中專言陰陽與五行的篇章就有十人篇之多,差不多占了《繁露》總篇數的四分之一。這樣,作爲漢代群儒之首的董仲舒便以“天人感應”爲外在的理論框架,以“陰陽五行”爲內在的基本材料而建構起了一個通過“陰陽五行”而貫通天人的龐大宇宙系統。

關於董仲舒的“陰陽五行”學説,學界也普遍認爲是源於戰國稷下的鄒衍。實際上這個説法是很成問題的。在上文中,我們曾經提到,目前所見關於鄒衍的學術思想的唯一可靠的材料是《史記·孟荀列傳》中不足五百字的記載。在這五百字中,提到鄒衍陰陽學説的只有一句話,即“深觀陰陽消息而作怪迂之變”;提到鄒衍五行學説的也只有一句話,即“稱引天地剖判以來,五德轉移,治各有宜,而符應若兹”。從這二句話中我們可以看到,戰國時的鄒衍不僅曾對陰陽的消息變化作過專門考察,而且還曾將五行運用於歷史領域以明王朝的興廢和帝運的更迭,但從中我們卻無論如何也看不到任何關於鄒衍曾將陰陽與五行結合起來從哲學的高度以論述宇宙的結構及其變化的迹象。事實上,在我國歷史上首先將陰陽與五行結合起來並從宇宙觀的角度進行論述的是《淮南鴻烈》。董仲舒《春秋繁露》中的陰陽五行學説是在繼承與發展《鴻烈》陰陽五行思想基礎上建立起來的。

《淮南鴻烈》説:“天地以設,分而爲陰陽。陽生於陰,陰生於陽,陰陽相錯,四維乃通,或死或生,萬物乃成。"(《天文訓》)又說:"天地之襲精爲陰陽,陰陽之專精爲四時,四時之散精爲萬物。"(《天文訓》)除了天地、陰陽、四時外,在《天文訓》中還有大量的關於五行的論述。這樣在天人之間,《淮南鴻烈》便有了一個由天地、陰陽、四時、五行組成的宇宙系統。與《淮南鴻烈》說法完全一樣,《春秋繁露》也說:"天地之氣,合而爲一,分爲陰陽,判爲四時,列爲五行。"(《五行相生》)又說:"天有十端,十端而止已:天爲一端,地爲一端,陰爲一端,陽爲一端,火爲一端,金爲一端,木爲一端,水爲一端,土爲一端,人爲一端。"①

不僅如此,《淮南鴻烈》還認爲,天人間的陰陽、四時、五行並非一個静態的宇宙框架,而是一個相互配合、相輔相成的動態的宇宙系統。《鴻烈·詮言訓》曰:"陽氣起於東北,盡於西南;陰氣起於西南,盡於東北。陰陽之始,皆調適相似,日長其類,以侵相遠,或熱焦沙,或寒凝水。"這種說法與五行相配便是,陽氣從東北興起向南運行,行到東方與木結合而成春天,行到南方與火結合而成夏天,行到西南陽氣的作用便盡了。陰氣接着從西南興起,向北運行,行到西方與金結合而成秋天,行到北方與水結合而成冬天。行到東北,陰氣的作用便盡了。接着陽氣又從東北向南運行。正是因爲陰陽二氣的反復交替運行,所以才有了一年中四季的變化。《淮南鴻烈》的這些說法也被董仲舒吸收到了《春秋繁露》中。《春秋繁露·天辨在人》有言曰:"如金木水火土,各奉其所主,以從陰陽,相與一力而並功。……故少陽因木而起助,春之生也;太陽因火而起助,夏之養也;少陰因金而起助,秋之成也;太陰因水而起助,冬之藏也。"但是,因爲董仲舒過分强調陽尊陰卑並以之與君臣父子之義相附會,所以他在講到陰陽二氣的運行時,認爲陰氣常居空位,一年四季的變化主要是由陽氣的盛衰所決定的。董仲舒的這些主張,不過是對《鴻烈》的陰陽五行學説所

① 見於《官制象天》與《陽尊陰卑》。

作的儒家式的改造。

除了把陰陽五行與四時相配外,《淮南鴻烈》還進一步把五行之事與國家之政結合了起來,並且認爲五行相干便會有災異産生。《淮南鴻烈》的這些説法被董仲舒全盤照搬到了《春秋繁露》之中。下面讓我們將兩者所言作一簡要的對比:

《淮南鴻烈》曰:	《春秋繁露》曰:
壬午冬至,甲子受制,木用事,火烟青。七十二日,丙子受制,火用事,火烟赤。七十二日,戊子受制,土用事,火烟黄。七十二日,庚子受制,金用事,火烟白。七十二日,壬子受制,水用事,火烟黑。七十二日而歲終,庚子受制。歲遷六日,以數推之,十歲而復至甲子。甲子受制,則行柔惠,挺群禁,開闔扇,通障塞,毋伐木。丙子受制,則舉賢良,賞有功,立封侯,出貨財。戊子受制,則養長老,存鰥寡,行粰鬻,施恩澤。庚子受制,則繕牆垣,修城郭,審群禁,飾兵甲,儆百官,誅不法。壬子受制,則閉門閭,大搜客,斷刑罰,殺當罪,息關梁,禁外徙。(《天文訓》)	日冬至,七十二日,木用事,其氣燥濁而青。七十二日,火用事,其氣慘陽而赤。七十二日,土用事,其氣濕濁而黄。七十二日,金用事,其氣慘淡而白。七十二日,水用事,其氣清寒而黑。七十二日,復得木。木用事,則行柔惠,挺群禁。至於立春,出輕系,去稽留,除桎梏,開門闔,通障塞,存幼孤,矜寡獨,勿伐木。火用事,則正封疆,循田疇。至於立夏,舉賢良,封有德,賞有功,出使四方,無縱火。土用事,則養長老,存幼孤,矜寡獨,賜孝弟,施恩澤,無興土功。金用事,則修城郭,繕牆垣,審群禁,飭甲兵,警百官,誅不法。……水用事,則閉門閭,大搜索,斷刑獄,執當罪,飭關梁,禁外徙。(《治亂五行》)

（續表）

《淮南鴻烈》曰:	《春秋繁露》曰:
丙子(火)干甲子(木),蟄蟲早出,故雷早行。戊子(土)干甲子(木),胎夭卵毈,鳥蟲多傷。庚子(金)干甲子(木),有兵。壬子(水)干甲子(木),春有霜。戊子(土)干丙子(火),霆。庚子(金)干丙子(火),夷。壬子(水)干丙子(火),雹。甲子(木)干丙子(火),地動。庚子(金)干戊子(土),五穀有殃。壬子(水)干戊子(土),夏寒雨霜。甲子(木)干戊子(土),介蟲不爲。丙子(火)干戊子(土),大旱,苽封熯。(《天文訓》)	火干木,蟄蟲早出,蚿雷早行。土干木,胎夭卵毈,鳥蟲多傷。金金干木,有兵。水干木,春下霜。土干火,則多雷。金干火,草木夷。水干火,夏雹。木干火,則地動。金干土,則五穀傷,有殃。水干土,夏寒雨霜。木干土,倮蟲不爲。火干土,則大旱。(《治亂五行》)

由上表可以看出,《淮南鴻烈》的陰陽五行學説已被董仲舒毫無保留地吸收到了《春秋繁露》中。

（三）關於"無爲而治":

"無爲"作爲一種基本的政治、人生主張,是首先由老子提出來的。但是,老子所謂的"無爲"是一種無條件的、絶對的"無爲",即無所作爲。到了《黄帝四經》,"無爲"的思想内涵開始有了較大的變化。"無爲"由老子的"無所作爲"變成了一種君主南面之術——"王術"。這種"無爲之術"主張君主是不需要處理具體政務的,一切政事應讓各大臣去做;但是君主還是必須藏神隱形、力保權位,並對各大臣循名責實以行賞罰生殺之權的。①《淮南鴻烈》繼承發揮道家"黄老"的"無爲"學説,在《主術訓》中專門就君主駕馭臣下的"無爲之術"作了詳盡的探討。《春秋繁露》以《主術訓》爲本,也在《離合根》、《立元神》、《保位權》中大談"無爲而治"的妙

① 參見拙著《中國秦漢思想史》第19－21頁,人民出版社,1994年1月。

處。比較兩者所論,竟無絲毫之差。

無爲之真義	《淮南鴻烈》曰:	《春秋繁露》曰:
君無爲而臣有爲	人主之術:處無爲之事,而行不言之教;清静而不動,一度而不搖;因循而任下,責成而不勞。是故心知規而師傅諭導,口能言而行人稱辭,足能行而相者先導,耳能聽而執正進諫。(《主術訓》)	故爲人主者,以無爲爲道,以不私爲寶。立無爲之位而乘備具之官。足不自動而相者導進,口不自言而擯者讚辭,心不自慮而群臣效當。故莫見其爲之而功成矣。此人主所以法天之行也。(《離合根》)
君主藏神隱情而讓百官各行其事	故有道之主,滅想去意,清虛以待;不代之言,不奪之事;循名責實,官使自司;任而弗詔,責而弗教;以不知爲道,以奈何爲寶。如此,則百官之事,各有所守矣。(《主術訓》)	君人者,國之元,發言動作,萬物之樞機;樞機之發,榮辱之端也。失之豪厘,駟不及追。故爲人君者,謹本詳始,敬小慎微,志如死灰,形如委衣,安精養神,寂莫無爲,休形無見影,掩聲無出響。(《立元神》)
循名責實,以行賞罰	上操其名,以責其實;臣守其業,以效其功。言不得過其實,行不得逾其法。群臣輻湊,莫敢專君。事不在法律中而可以便國佐治,必參五行之陰考以觀其歸,並用周聽,以察其化,不偏一曲,不黨一事,是以中立而徧,運照海內,群臣公正,莫敢爲邪,百官述職,務致其功也。主精明於上,官勸力於下,奸邪滅跡,庶功日進。(《主術訓》)	故爲君虛心静處,聰聽其響,明視其影,以行賞罰之象。其行賞罰也,響清則生清者榮,響濁則生濁者辱。影正則生正者進,影枉則生枉者絀。擥名考質,以參其實。實不空施,罰不虛出。是以群臣分職而治,各敬而事,爭進其功,顯廣其名,而人君得載其中。此自然致力之術也。聖人由之,故功出於臣,名歸於君也。(《保位權》)

（續表）

無爲之真義	《淮南鴻烈》曰:	《春秋繁露》曰:
保位權	權勢者,人主之車輿;爵禄者,人臣之轡銜也。是故人主處權勢之要,而持爵禄之柄;審緩急之度,而適取予之節;是以天下盡力而不倦。夫臣主之相與也,非有父子之厚,骨肉之親也,而竭力殊死,不辭其軀者何也?勢有使之然也。(《主術訓》)	民無所好,君無以權也。民無所惡,君無以畏也。無以權,無以畏,則君無以禁制也。無以禁制則比肩齊勢而無以爲貴矣。……故國之所以爲國者德也,君之所以爲君者威也。……德共則失恩,威分則失權。失權則君賤,失恩則民散。……是故爲人君者固守其德以附其民,固執其權以正其臣。(《保位權》)

由以上對比可以看出,《春秋繁露》中的“無爲之術”實源於《淮南鴻烈》。

綜上所述,董仲舒通過吸收與運用《淮南鴻烈》的思想材料,不僅建構起了一個以天人相感爲核心、以陰陽五行爲骨架的宇宙系統,而且還制定出了一套包括“無爲而治”在內的切實可行的政治方略。漢武帝在《天人三策》中提出問題,終於在《春秋繁露》中獲得了圓滿的解決。

作者簡介 張國華,1966年生,山東濰坊人。歷史學學士,中國思想文化史專業碩士,湖南大學岳麓書院中國文化研究所講師。著有《中國秦漢思想史》並發表有關秦漢時期儒、道關係方面論文多篇。現在中國社會科學院研究生院歷史系從李學勤先生攻讀歷史文獻學博士學位。

董仲舒的黃老思想

陳麗桂

一、前　言

根據司馬談《論六家要旨》裏對黃老道家思想理論的提挈，實際參證馬王堆黃老帛書的理論內容，可知：黃老思想是以道、法爲主，卻兼採各家思想的君術。它們重道術、主静因、任無爲、尚刑名、講時變、尊君也崇法，常藉天道以論治道，把天道、治道一體通貫。也用精氣去詮釋形、神，而大談修養問題。這一思想理論自黃老帛書而下，經《管子·內業》、《白心》乃至法家的申不害、慎到、韓非，雜家的《吕氏春秋》、《淮南子》，將理論發展到了鼎峰。與《淮南子》幾乎同時，在董仲舒的《天人三策》與《春秋繁露》中，部分理論也呈現出相同的思想與觀點，甚至明顯有相繼承的痕迹。董仲舒吸收了黃老帛書天道、治道相通、陽尊陰卑的基本觀點，與《管子、內業》乃至申不害、韓非静因無爲的刑名要論，充實了其天人合一論與陽尊陰卑“三綱説”的內容。

二、天道與治道

治道與天道的通貫是黃老思想的基本論題，黃老帛書就是透過天道治道相通之理去導出刑名法論。《經法·道法》説：

> 天地有恆常，萬民有恆事，貴賤有恆立(位)，畜臣有恆道，使民有恆度。

天道與人道、政道之間存在著類通的軌則與道理，《君正》說："天有死生之時，國有死生之正(政)"，人君蒞政因此應該"因天之生也以養生……因天之殺也以伐死"、"動靜參於天地"(《四度》)，讓治道完全配合天道，則天道恆常久大，政道也恆常久大。《經法·論約》更列舉了天地自然間可信可法的質性與恆度，所謂的"七法"、"八正"來做爲人君立政遵循的依據。簡言之，就是藉著大自然四時、日月、星辰、晝夜運行之更迭有序、各守其度，來要求人君在任人治官上做到"任能毋過其所長"，使能各居其位，各盡其職，而不相干越，則天道自然偉大，政道也天經地義、愜理厭心。

承繼著這類觀念，董仲舒也說："道之大，原出於天。"(《天人三策》)、"天地人主一也"(《王道通三》)、"聖人法天而立道"(《天人三策》)、"聖人副天之所爲以爲政"、"王者配天"(《四時之副》)、"與天同者大治，與天異者大亂"(《陰陽義》)。這些"道"，基本上都指政道。政道、天道是一理的。然後，他進一步談到王者如何配天，《春秋繁露》說：

> 天執其道爲萬物主，君執其常，爲一國主。天不可以不剛，主不可以不賢……故爲天者務剛其氣；爲君者務堅其政。(《天地之行》)

> 爲人主者予奪生殺各當其義若四時，列官置吏必以其能若五行，好仁惡吏、任德遠刑若陰陽，此之謂能配天。天者其道長萬物，而王者長人。人主之大，天地之參也；好惡之分，陰陽之理也；喜怒之發，寒暑之比也；官職之事，五行之義也……王者參天也。(《天地陰陽》)

此外，在《天地陰陽》、《四時之副》、《陰陽義》、《王道通三》等篇章裏，董仲舒都一再詮釋，所謂王者配天、參天的意涵是指：天有春夏秋冬四季，更迭著清煖寒暑不同的節候；人君也透過種種賞罰，來表達其好惡喜怒不同的情緒。"人主以好惡喜怒變習俗"和"天以煖清寒暑化草木”,道理相通。因此,人君應該“正喜以當春,正怒以當秋,正樂以當夏,正哀以當冬”。天道煖清寒暑“各當其時乃發”,治道也當喜怒哀樂“各當其義”、慶賞刑罰“各當其處”。整部《春秋繁露》時時可見這一觀點的反覆闡述。

不過,從天道、治道的一理通貫中,《經法》等篇的最大目的是提煉出因任授官,“各居其位”,不相干越的刑名理論。《春秋繁露》則不同,它雖然也說“人君列官置吏必以其能”(《天地陰陽》)、“挈名考質,以參其實,賞不空行,罰不虛出”(《保位權》)、“名責實,不得虛言,有功者賞,有罪者罰”(《考功名》)之類相關於刑名的理論;但,它更大的興趣卻是在天人之間類同點的比附與相配,它所著重的,是天人事物的相副與合類問題,透過類的歸納、轉換與互推,去架構它那人副天數、天人感通、災異譴告等等理論。《人副天數》說:

> ……天以終歲之數成人之身,故小節三百六十副日數也;大節十二分副月數也;內有五臟,副五行之數也;外有四肢,副四時數也;乍視乍瞑,副晝夜也;乍剛乍柔,副冬夏也;乍哀乍樂,副陰陽也;心有計慮,副度數也,行有倫理,副天地也……於其可數也副數;不可數者副類,皆當同而副天一也。

《同類相動》說:

> 天有陰陽,人亦有陰陽;天地之陰氣起,而人之陰氣應之而起;人之陰氣起,天地之陰氣亦宜應之而起,其道一也。

終而而推衍出:“王正則元氣和順,風雨時,景星見,黄龍下;王不正,則上變天,賊氣並見”(《王道》),乃甚至是“災異以見天意,天意有欲也,有不欲也。”“災者天之譴也,異者天之威也”(《必仁且智》)之類結論。“天”由是而從陰陽、四時、自然轉位爲職司賞罰,萬能的“神”了,這便與黄老帛書的觀點相去遠了。帛書《經法·國次》雖也說過“過極失(當),天將降災(殃)”之類的話,但那是站在“天地無私、四時不息”之類觀點上來講人事順逆天道規律的吉兇禍福問題。“天”在黄老帛書裏,始終不離其規律固定,質性永恆可期的自然面貌，與董仲舒人格神一義的"天"是不同的。

三、刑德相養、厚德簡刑

如前所述，天道既然煖寒疊生，治道因此也須刑德相養。帛書《十六經・姓争》説："刑德相養，逆順若(乃)成。"《經法・君正》也説："[文]武並行，則天下從矣。"《四度》説："文武並行……可以定天下，可以安一國。"

董仲舒在《天人三策》第一策裏，也説："聖王之治天下也，……爵禄以養其德，刑罰以威其惡。"第三策説：天道春生、夏長、霜(秋)殺，君道因此也應以"仁"愛，以"德"養，以"刑"罰。《春秋繁露・保位權》説：

> 德不可共，威不可分。德共則失恩，威分則失權；失權則君賤矣，失恩則民散矣……爲人君者固守其德，以附其民；固執其權，以正其君。

德以固著民心，刑以保住君威，二者宜並行而不可偏廢。

不過，不論黄老帛書，是如何強調刑名，當談到"刑"與"德"之間比重的調配時，仍然是主張"先德後刑"。《經法・論約》説要"始於文而卒於武"、"三時成功，一時刑殺"，才合乎"天地之道"。這樣的觀點，在一代儒宗董仲舒的理論中就更加明顯了。《賢良對策》論及後世災異之所以起時説：是因爲"廢德教而任刑罰"的緣故。在《春秋繁露・基義》中，董仲舒更明白討論"刑"、"德"二者之間的比重問題，他説：

> 天出陽爲煖以生之，地出陰爲清以成之，不煖不生，不清不成；然而計其多少之分，則煖暑居百而清寒居一，德教之與刑罰猶此也。故聖人多其愛而少其嚴，厚其德而簡其刑，以此配天。

這"刑、德"二者在更多的時候，董仲舒將它們歸屬陰陽，以"陰陽"來代稱，《陰陽義》説：天道之常一陰一陽，陽者天之德也，陰者天之刑也。董仲舒因此説："天之任陽不任陰，好德不好刑。"(《天

道無二》),又說:

> 天以陰爲權,以陽爲經……先經後權,貴陽而賤陰……天之近陽而遠陰,大德而小刑也……天數右陽而不右陰,務德而不務刑。

因此,這先德後刑、厚德簡刑之説,事實上是他推衍天人同道、陽尊陰卑思想的必然結果。而陽尊陰卑思想又是以天人同道爲理論依據的。

四、陽尊陰卑、君尊臣卑

董仲舒陽尊陰卑的理論,基本上是承自黄老一系的陰陽大義。黄老帛書在推闡天人相通之理時,曾把天地間一切對等的現象與事物都作了二分的歸納,而繫之以"陰"、"陽",舉凡一切高大的、温暖的、強壯的、喜樂的、光明的、突露的都屬陽;低小的、涼寒的、柔弱的、憂悲的、黑暗的、屈縮的都屬陰。依據這樣的歸類,天屬陽、地屬陰;一切屬陽的事物都該法天道,一切屬陰的事物都該法地道。《稱》說:

> 天陽地陰,春陽秋陰,夏陽冬陰,晝陽夜陰。大國陽,小國陰;重國陽,輕國陰;有事陽而無事陰;信(伸)者陽而屈者陰;主陽臣陰,上陽下陰,男陽[女陰];[父]陽子陰,兄陽弟陰;長陽少[陰];貴[陽]賤陰;達陽窮陰;取(娶)婦姓(生)子陽,有喪陰;制人者陽,制於人者陰;客陽主人陰;師陽役陰;言陽默陰;予陽受陰。諸陽者法天,……諸陰者法地。

這種説法,到了《春秋繁露》,有了更詳細而大規模的推衍。它説:天道是由兩股質性相反的東西,所謂的"陰"、"陽"之物,一煖一寒,一寬一急,一仁一戾,一予一奪"並行而不相亂,澆滑而各持分"地,左右相反,出入相逆,循行以成。就節候言:"春出陽而入陰,秋出陰而入陽;夏右陽而左陰,冬右陰而左陽。"就方位言,則"陽以南方爲位,以北方爲伏;陰以北方爲位,以南方爲伏"。陽一就位,天便大暑熱;陰一就位,天便大寒燥(詳《天道無二》、《陰陽出入上下》、《陰陽位》、《陽尊陰卑》）。他大抵先從自然節候的更疊變化中，歸納出兩股相反相成的力量，再分别爲它們配上位置，强調它們彼此之間的對立性，詮釋並界定它們雖對立，卻可以互轉的運行狀況與質性；然後把天地間一切質性對立的事物都納入這陰陽的歸屬中，並進一步爲它們釐定主從尊卑關係。《陽尊陰卑》説：

天以陰爲權，以陽爲經……先經而後權，貴陽而賤陰……先之近陽而遠陰……天數右陽而不右陰。

君臣父子之義皆取諸陰陽之道；君爲陽，臣爲陰；父爲陽，子爲陰；夫爲陽，妻爲陰。（《基義》）

不當陽者臣子也，當陽者君父是也。故人主南面，以陽爲佐，陽貴而陰賤，天之制也。（《天辨在人》）

一切的事物就在這樣的二分與歸屬中安了位，這基本上是黄老帛書《稱》一系的觀念。

但是，在這陰陽主從關係的推衍中，董仲舒的著重點卻是在家庭與政治倫理的尊卑配位，所謂的倫理綱常上。他舉天地爲喻，引《春秋》大一統之義，以强調君尊臣卑的觀念，要求臣子對君父絶對地忠心與服從；把一切的譽、功、善都歸屬君、父、夫，一切的惡、過、罪都諉諸臣、子、妻。《陽尊陰卑》説：

地出雲爲雨，起氣爲風，風雨者地之所爲，地不敢有其功名，必上之於天命……故曰天風、天雨也，莫曰地風、地雨也。勤勞在地，名一歸於天。……故下事上如地事天也，可謂大忠矣。

春秋君不名惡，臣不名善；善皆歸於君，惡皆歸於臣，臣之義比於地。故爲人臣者視地之事天也，爲人子者視土之事火也。是故，孝子之行、忠臣之義皆法於地也。

《基義》説："陰兼功於陽"、"地兼功於天"；因此，臣應該"兼功於君"，子應該"兼功於父"，妻應該"兼功於夫"。《順命》説得更坦白了，它説：

子受命於父，臣受命於君，妻妾受命於夫。諸受命者，其尊皆曰天,雖謂受命於天亦可。

這等於説臣、子、妻妾當奉君、父、夫爲天,視其命若天命,君、父、夫就是臣、子、妻妾的上帝。這就是有名的“三綱”説。

在這以陽尊陰卑爲基礎的“三綱”説裏,董仲舒雖然抬出《春秋》大一統之義,乃至依附於儒家的忠孝倫常,以示貼合儒者的身份;事實上,這其中早已超越了儒家的尺度,而強烈散發著法家的氣味。姑不論孟子出爾反爾、土芥寇讎的對等相報之説,就是孔子的“君君、臣臣、父父、子子”,“君使臣以禮,臣事君以忠”,也是要求各遵其義、各守其道,從没説過君臣上下關係可以單向要求的。到了《春秋繁露》卻説:

> 爲人臣者,其法取象於地。故朝夕進退、奉職應對,所以事貴也;供設飲食,候視疢疾,所以致養也;委身致命,事無專制,所以爲忠也;竭愚寫情,不飾其過,所以爲信也;伏節死難,不惜其命,所以救窮也;推進光榮,褒揚其善,所以助明也;受命宣恩,輔成君子,所以助化也;功成事就,歸德於上,所以致義也。(《天地之行》)

像這樣單向輸出式的臣操,我們似乎只有在法家商、韓一系的君臣關係中才能找到共鳴。《韓非子·有度》説:所謂“賢臣”,應該:一、“北面委質,無有二心,朝廷不敢辭賤,軍旅不敢辭難”。二、“順上之爲,從主之法,虚心以待令而無是非”。三、“有口不以私言,有目不以私視,而上盡制之”。又引先王之法説,爲臣的不能“作威”、“作利”,一切要“從王之指”、“從王之路”。《説疑》描述理想中的人臣,所謂的“霸王之佐”説:

> 夙興夜寐,卑身賤體,竦心白意,明刑闢,治官職,以事其君。進善言,通道法而不敢矜其善。有成功立事而不敢伐其勞,不難破家以便國,殺身以安主,以其主爲高天泰山之尊,而以其身爲壑谷鬴洧之卑,主有明名廣譽於國,而身不難受壑谷鬴洧之卑。

《天地之行》的説法雖不及《有度》、《説疑》嚴苛;但至少與《有度》、《説疑》一系臣當對君匍伏在地,奉之爲天;一切榮譽歸於君,一切卑辱交給臣的觀念是一致的。這和先秦儒家即使不和君主争是非,至少讓他明是非,最起碼不與苟同的觀點,是大有不同的。與這同時,董仲舒當然也假災異與天志來制約人君,並力倡道德仁義以勸導人君;但,只這三綱説的絶對化,便把仁義道德的價值功能側向了法家的法令政教了。

五、君心臣體、君暗臣明

董仲舒不但在君臣倫理關係上明顯傾向法家單向要求的觀點,作了君尊臣卑的確認;在實際政術的操作,與君臣之間政治行爲的互動上,也結合了《管子·內業》乃至申、韓一系深固的静因無爲術,從另一個方向推闡了君尊臣卑的道理。《離合根》説:

> 天高其位而下其施,藏其形而見其光……故位尊而施仁,藏神而見光者天之行也。爲人主者法天之行,是故內深藏……外博觀……任群賢……不自勞於事……以無爲爲道,以不私爲寶,立無爲之位,而乘備具之官,足不自動而相者導進,口不自言而擯者讚辭,心不自慮而群臣效當,故莫見其爲之而功成矣,此人主之所以法天之行也。爲人臣者法地之道,暴其形,出其情以示人,……比地貴信而悉見其情於主,主亦得而財之,故王道威而不失。爲人臣常竭情悉力而見其短長,使主上得而器使之,而猶地之竭竟其情也。

《天地之行》也説:

> 爲人臣者其法取象於地,……地明其理,爲萬物母,臣明其職,爲一國宰……爲地者務暴其形,爲臣者務著其情。

這可以説是《春秋繁露》君道臣操説的總綱。人主與人臣不但尊卑異位,而且動静異操,藏暴異形:君尊臣卑,君暗臣明,君静臣動,君逸臣勞。這不但是其天道、治道一體通貫的必然推衍,也是黄老學者很典型的因道全法、道法融合的形態。天道無形無爲,地道顯露暴情,一切的君道臣操就從這裏開出。道家的天道無爲論被借爲法家君静臣動、君逸臣勞說的基本理據。

其次，在政治功能的互動上，他又把君臣關係比做“心”與形體官能，說君使臣，如心支使形體官能。它說：

> 一國之君，其猶一體之心也，隱居深宮，若心之藏於胸，至貴無與敵，若心之神無與雙也。其官人，上士高清明而下重濁，若身之貴目而賤足也。任群臣無所親，若四肢之各有職也；內有四輔，若心之有肺肝脾腎也；外有百官，若心之有形體孔竅也；親聖近賢，若神明皆聚於心也；上下相順，若肢體相爲使也；布恩施惠，若元氣之流皮毛腠理也。百姓皆得其所，若血氣和平，形體無所苦也；致太平，若神氣自通於淵也。致黃龍鳳凰，若神明之致玉女芝英也。君明，臣蒙其功，若心之神體得以全；臣賢，君蒙其恩，若形體之静而心得以安，上亂，下被其患，若耳目不聰明而手足爲傷也。臣不忠而君滅亡，若形體妄動而心爲之喪。是故，君臣之禮，若心之與體。心不可以不堅，君不可以不賢，體不可以不順，臣不可以不忠。心之所以全者，體之力也，君之所以安者臣之動也。

整個政治事件，說穿了就是君臣之間的互動行爲，及其所產生的功能效果。這正好比一個人整體身心生命的運作事件。心不論居位或功能都是生理事件的主體與主導，君則是政治事件的主導，君如心，臣如五臟、形官，君內宰四輔，外禦百官，如心內宰五臟，外制形官。心的機能健全、堅強，則週身血脈通暢，四體安康；君堅強英明，則臣民有所承仰，政通而人和。反之，則健康敗壞，亂逆萌生。這是《天地之行》的看法。其中，除了“致黃龍鳳凰、玉女芝英”之類說法係漢代所盛行，董仲舒所擅以成名的瑞應說外，其餘大致承自《管子・心術》一系。《心術上》曾以心喻君，九竅喻百官，以生理機能喻政治運作，說(一)九竅各有其能，不相代用，若百官各有職司，不相兼越。(二)心總宰九竅，不代司任何官能，人君因此也應“毋代馬走，使盡其力；毋代鳥飛，使弊其羽翼；毋先物動，以觀其則”，不與臣下爭職，以免失去統禦優勢。《心術》因而提煉出督核的刑名術與静因的君術，要求人君“其處也若無知，其應物也若偶之。”“感而後動”、“緣理而動”、“不出於口，不見於色”，令人不知其則，目的是造成淵默沈静、莫測高深的統禦效果。《管子》以下，申子也要人君“倚於愚，立於不盈，設於不敢，藏於無爲，竄端匿跡”，令臣下“無從知之”，用無爲去保住聰明，才能成爲能“獨斷”的明主（詳《韓非子·外儲説右下》引申子之言）。下追韓非，便成了陰鷙異常，不可窺見的君術。《揚權》説：人君要“静退”而不自操作、不自計慮，掩智藏能，徹底禁絶一切喜怒好惡的流泄，使臣下莫測高深，以造成無限神秘的政治氣氛，來建立自己的尊威，防杜人臣的姦欺。（詳《主道》、《二柄》、《難三》）。

承繼這樣的觀點，《春秋繁露·立元神》説：

為人君者其要貴神，神者……視而不見其形，聽而不聞其聲。……所謂不見其形者，非不見其進止之形也，言其所以進止不可得而見也。所謂不聞其聲者，……言其所以號令不可得而聞也。……君貴居冥而明其位，處陰而向陽……執無源之慮，行無端之事，以不求奪，以不問問……則我利矣……彼費矣；……我神矣……彼情矣。……故人臣居陽而爲陰，人君居陰而爲陽，陰道尚形而露情，陽道無端而貴神。君人者……不可先倡，感而後應；故居倡之位而不得行倡之勢。

它以“神”來承繼《管子》的“静因”、申子的“獨斷”與韓非子“不欲見”的“術”，説君術要無聲、無響、無形、無影，知人而不爲人所知。並進一步説明：所謂無聲、無形並不是了無行動，只是動得令人不知不覺。黄老帛書《稱》説：“主陽臣陰，上陽下陰”，《管子·心術上》卻作了相反的配屬，説：“人主者立於陰，陰者静……陰則能制陽矣。”這表面上看似相反的配屬，《立元神》在這裏加以綜合和疏解，説：“君陽臣陰”是就處位尊卑而言；若就實際的政治行爲而言，則應該是“君陰臣陽”。人君是處陽位而行陰道，人臣是處陰位而行陽道。它又説：

爲人君者……志如死灰，形如委衣，安精養神，寂寞無爲，休形無見影，揜聲無出響，虚心下士，觀來察往，謀於衆賢，考求衆人，得其心,偏見其情,察其好惡,以參忠佞,考其德行,驗之於今……據位治人,用何爲名?

所謂隱形揜聲只是要人君放下不必要的操慮,把心神用在該用的地方,作必要而有效的投注,精準考核臣下的行爲,以便行正確的賞罰。

六、虛心處静,挈名考質

而不管是帛書還是《管》、《申》、《韓》,一旦將這套虛無静因、隱而獨祕的君術落實爲具體的執行或考核方案時,莫不歸結於分官分職,循名責實的刑名術。在黃老學家的無爲君術裏,静因和刑名往往是一體連用的。静因是精神原則的把握,刑名則是實際運作的依據。《春秋繁露》講君術因此也歸結於"挈名考質";《保位權》説:

爲人君者,居無爲之位,行不言之教。寂而無聲,静而無形,執一無端,爲國源泉。因國以爲身,因臣以爲心,以臣言爲聲,以臣事爲形。有聲必有響,有形必有影。聲出於內,響報於外。形立於上,影應於下。響有清濁,影有曲直。響所報非一聲也,影所應非一形也。故爲君虛心静處,聰聽其響,明視其影,以行賞罰之象。其行賞罰也,響清則生清者榮,響濁則生濁者辱,影正則生正者進,影枉則生枉者絀。挈名考質,以參其實,賞不空行,罰不虛出。是以群臣分職而治,各敬而事,争進其功廣顯其名,而人君得載其中,此自然致力之術也。聖人由之,故功出於臣,名歸於君也。

人君虛静之餘,終歸還是要透過刑名來執行考核與賞罰的。《考功名》説:

聖人致太平,非一善之功也,……量勢立權,因事制義。故聖人之爲天下興利也……各因其生小大而量其多少;其爲天下除害也,……各順其勢,傾側而制於南北,……名責實,不得虛言,有功者賞,有罪者罰,功盛者賞顯,罪多者罰重……賞罰用於實,不用於名;賢愚在於質,不在於文……則是百官勸職,争進其功。

政治是全面性的事業,不是局部事件,因此,如何裁勢量權,精確有效地推動是關鍵,這便有賴一套賞罰精準、名實相契的方案來執行考核。這不但是黄老帛書乃至《管》、《申》、《韓》一系無爲君術的具體内容,也是《春秋繁露》無爲君術的具體内容。

有趣的是:法家儘管一方面極力反對人君綻露好惡喜怒;然而,在另一方面,他們又極力痛惡臣民没有好惡,因爲,一切法令的訂定原本就是針對臣民的好惡心理而設計,臣民無好惡,法令賞罰便無所施用。《韓非子・八姦》説:

凡治天下必因人情,人情有好惡,故賞罰可用,賞罰可用,則禁令可立而治道具矣。

韓非討厭儒、俠,也不能忍受關龍逢、比干、伍子胥之類好死諫的臣子,主要因爲他們的是非好惡有自己的一套(參見《説疑》),與法家所設計和預期的不一樣,法家根據一般人性所設計的那套賞罰對他們未必起得了作用。

這種賞罰因民情而設計,君隱好惡,却務要臣民暴情的觀點,同樣出現在《春秋繁露》裏,而且説得更清楚,更坦白。《保位權》説:

民無所好,君無以權也;民無所惡,君無以畏也。無以權、無以畏,則君無以禁制也。無以禁制,則比肩齊勢而無以爲貴矣。故聖人之治國也,因天地之性情,孔竅之所利,以立尊卑之制,以等貴賤之差,設官府爵禄,利五味,盛五色,調五音以誘其耳目,自令清濁,昭然殊體,榮辱踔然相駁,以感動其心,務致民,令有所好,有所好,然後可得而勸也。故設賞以勸之。有所好必有所惡,有所惡,然後可得而畏也。故設法以畏之。既有所勸,又有所畏,然後可得而制;制之者制其所好。是以勸賞而不得多也;制其所惡,是以畏法而不得過也。所好多則作福,所惡多則作威,作威則君亡權,天下相怨,作福則君亡德,天下相賊。故聖人之制民,使之有欲,不得過節;使之敦樸,不得無欲,無欲有欲各得以足,而君道得矣。

人君的尊威是靠賞罰來建立的，人民無好惡，則賞罰無從著手，人君的尊威便無由建立。而在董仲舒看來，賞罰不但有投合，並且有誘導，乃至於管理人民好惡的責任。成功的君術，既要誘導人民的慾望，又必須有效地掌控人民的慾望。在誘導與掌控之際，分寸的調制與捏拿便成了最高的政治藝術。這樣的觀點，何嘗有半點儒家温厚的氣味？直是不折不扣的法家威勢和道家權謀的緊密結合。

七、名以真物、察名辨號

戰國的黄老學家在推衍刑名理論的同時，也都談到了名實、名分等問題，帛書《經法》等四篇就由推衍天道，去提煉出名、分、理、度的概念，作爲建立政治秩序和人事行爲的準據。《九主》全篇主要也在強調一個"明分"的概念，要求"法君明分，法臣分定"。《經法・道法》說：

> 凡事無大小，物自爲舍，逆順死生，物自爲名，名刑已定，物自爲正。

希望不論人事或政治事件都能做到"名功相報"、"聲不溢於實"。《管子・心術》在講静因君術的同時，也從認識論的角度討論名實問題，而歸結於"督言正名"的刑名術。《心術上》說："物固有形，形固有名"，因此必須使"言不得過實，實不得延名。姑形以形，以形務名，督言正名"才叫聖人。《白心》也說聖人治天下要以静待物，令"名自治之"，"名正法備，聖人無事。"《韓非子・揚權》說："名正物定，名倚物徙"，聖人治天下正是用"静"，來"使名自命，令事自定"的。基本上都主張透過"名"、"分"之類概念，來給一切人事事物定位，以維持一個方便統治的狀況，這是治術的第一步，然後歸結於依名核實。

《春秋繁露》也一樣，它尊君、主静因、無爲，也討論"名"的問題；《深察名號》說：

> 治天下之端在審辨大,辨大之端在深察名號。名者大理之首章也……是非之正,取之逆順,逆順之正,取之名號,名號之正,取之天地,天地爲名號之大義也。事各順於名,名各順於天,天人之際合而爲一,同而通理,動而相益,順而相受,謂之德道。

它指出:(一)施政首要辨察名號,名正與否是事物是非順逆的根源。這既合孔子"名不正則言不順"(《論語·衛靈公》)之觀點,又和帛書、《管》、《韓》一系觀點相承。(二)但,《繁露》又說,名之正否,是取則於天地的,這恐怕就是黄老帛書一系概念了。接著,它討論了"名"的功能、命"名"的基礎與原則,它說:

> 名者所以别物也,親者重,疏者輕,尊者文,卑者質,近者詳,遠者略,文辭不隱情,明情不遺文,人心從之而不逆,古今通貫而不亂,名之義也。

命名必須因所命對象尊卑、親疏、遠近等等因素,而作不同的考量。更重要的,"名"必須符實。《深察名號》説:

> 名生於真,非其真弗以爲名;名者聖人之所以真物也,名之爲言真也。……欲審曲直,莫如引繩;欲審是非,莫如引名,名之審於是非也,猶繩之審於曲直也,詰其名實,觀其離合,則是非之情不可以相讕已。

"名"是判别是非曲直的依據,必須合乎真實,其判斷纔有效,這是先秦以來各家論"名"的共識。不過,除了對"名"與"號"的區别作較爲確切的解説與區判外,對於名實與社會政治秩序的維繫,《春秋繁露》並没像黄老帛書,乃至《管》、《韓》一樣,有較進一步的推闡,只説:

> 古之聖人謞而效天地謂之號,鳴而命施謂之名,名之爲言鳴與命也,號之爲言謞而效也。謞而效天地者爲號,鳴而命者爲名,名號異聲而同本,皆鳴號而達天意者也。……名衆於號,號其大全……名其别離分散也。號凡而略,名詳而目,目者偏辨其事也;凡者獨舉其大也。……物莫不有凡號,號莫不有散名如是。

這裏從語源上推求"名"、"號"得稱之義,區别了"名"與"號"的不不同:“名”是總稱,“號”是分稱,這是它們之間最基本的歧異。

八、結　　論

一代儒宗董仲舒在推闡陽尊陰卑的“三綱説”與大一統思想時,吸收了相當份量的黃老帛書一系陰陽大義、《管子·心術》、《內業》乃至法家申韓一系静因無爲的刑名技巧與權謀獨斷之術,或以爲推論的理據,或加以詮釋與疏解,終於完成了他天道與治道通貫、厚德簡刑的思想綱領,與君尊臣卑、君暗臣明、君静臣動,挈名考質的君道思想,以爲其天人合一、災異感應説的基礎,並爲此後劉漢朝廷陽儒陰法、王霸雜治的統治方向與形態提供了重要的理論基礎。

作者簡介　陳麗桂,臺北市人,1949年生。國立臺灣師範大學文學博士。現任國立臺灣師範大學國文系教授。著有《王充自然思想研究》、《淮南鴻烈思想研究》、《中國歷代思想家王充、葉適》、《戰國時期的黃老思想》等書及《東漢王充對文學的看法》、《董仲舒的天論》、《淮南多楚語》、《吕氏春秋裏的黃老思想》、《中庸釋義》、《淮南子裏的黃老思想》、《黃老思想與黃老治術》等單篇論文。

魏晉玄學與儒道會通

余敦康

內容提要　自然與名教的關係問題，是魏晉玄學家們的熱門話題。魏晉玄學關於這個問題的討論，經歷了一個正、反、合的過程：正始年間，何晏、王弼根據名教本於自然的命題對儒道之所同作了肯定的論證，這是正題；魏晉禪代之際，嵇康、阮籍崇道而反儒，西晉初年，裴頠崇儒而反道，形成儒道對立，這是反題；到了元康年間，郭象論證了名教即自然，自然即名教，在更高的層次上回到玄學的起點，這是合題。魏晉玄學之所以經歷了這麼一個正、反、合的過程，與當時的社會現實有着極爲密切的聯繫，即是說，玄學家們是本着解決社會現實問題的願望而對名教與自然的關係展開討論的。但是，玄學家們雖然煞費苦心，社會現實卻並沒有按照他們的理想去發展。那麼，理想與現實的這種矛盾給我們帶來了什麼啟發呢？

玄學的主題是自然與名教的關係，道家明自然，儒家貴名教，因而如何處理儒道之間的矛盾使之達於會通也就成爲玄學清談的熱門話題。玄學家是帶着自己對歷史和現實的真切的感受全身心地投入這場討論的，他們圍繞着這個問題所發表的各種看法，與其說是對純粹思辨哲學的一種冷靜的思考，毋寧說是對合理的社會存在的一種熱情的追求。在那個悲苦的時代，玄學家站在由歷史積澱而成的文化價值理想的高度來審視現實，企圖克服自由與必然、應然與實然之間的背離,把時代所面臨的困境轉化爲一個自然與名教、儒與道能否結合的玄學問題,無論他們對這個問題的回答是肯定還是否定,都蘊含着極爲豐富的社會歷史內容,表現了那個特定時代的時代精神。

就理論的層次而言,玄學家關於這個問題的討論,經歷了一個正、反、合的過程。正始年間,何晏、王弼根據名教本於自然的命題對儒道之所同作了肯定的論證,這是正題。魏晉禪代之際,嵇康、阮籍提出了"越名教而任自然"的口號,崇道而反儒;西晉初年,裴頠爲了糾正虛無放誕之風以維護名教,崇儒而反道;於是儒道形成了對立,這是反題。到了元康年間,郭象論證了名教即自然,自然即名教,把儒道說成是一種圓融無滯、體用相即的關係,在更高的程度上回到玄學的起點,成爲合題。從思辨的角度來看,合題當然要高於反題,也高於正題,在郭象的玄學中,關於儒道會通的問題似乎已經得到真正的解決。但是,理有固然,勢無必至,理論的邏輯並不等於現實的邏輯。就在郭象剛剛建成了他的體系之時,緊接着的八王之亂、石勒之亂立刻把他的體系撕得粉碎,從而使名教與自然重新陷入對立。我們今天回顧玄學的這一段歷史,不能不帶着極大的疑慮和困惑,追問一下儒道究竟能否在現實生活的層次達於會通?如果事實上難以解決,那麼最大的阻力來自何方?既然困難重重,解決的可能性十分渺小,何以玄學家仍然苦心孤詣地在理論的層次長期堅持探索?他們的探索有沒有給後人留下值得借鑒的普遍性的哲學意義?

其實,如果僅僅停留於理論的層次,儒道會通也是一個不易解決的難題。在中國哲學史上,從先秦以迄於現代,沒有哪一個哲學家能夠對此作出邏輯上無矛盾的令人滿意的回答,每作出一個肯定必然會被否定,每作出一個否定也必然會被肯定。正始玄學爲竹林玄學所否定,竹林玄學又爲元康玄學所否定,就是這種尷尬局面的歷史證明。比較起來,還是那個無意於建立體系的三四流的玄學家的回答差強人意,是避免這種尷尬局面的最好的出路。《晉書·阮瞻傳》:"瞻見司徒王戎,戎問曰:'聖人貴名教,老莊明自然,其旨同異?'瞻曰:'將無同?'戎咨嗟良久,即命闢之。時人謂之三語掾。"將無者,然而未遽然之辭,理智上不敢遽然言其同,情感上不願遽然言其異,意思是莫非是相同吧,以一種反問的語氣與人商榷,把難題的解答推給對方,而自己則是模稜兩可,含糊其辭,依違於同異二者之間,不作獨斷論的判定,即使自己擺脱了邏輯困境的糾纏,也給人們進一步的探索留下了廣闊的回旋餘地。王戎對"將無同"這三個字表示極大的讚賞,説明他根據自己的探索經驗,深知此問題的難度,在開放複雜的心態上與阮瞻產生了共鳴。

儒道會通之所以成爲一個難題,是因爲這個問題所討論的自然與名教的關係,實質上就是中國哲學史上長期爭論不休而又永遠不能解決的天人關係問題。自然即天道,是外在於人的不依人的意志而轉移的必然之理,名教即人道,是內在於人的受人的意志所支配的應然之理。自其異者而觀之,天與人分而爲二,自然秩序與社會秩序屬於兩個不同的領域,"天地不仁",對人的價值漠不關心,始終是遵循着自己的必然之理獨立地運行,而人則是創造了一套價值觀念逆天而行,按照自然秩序所無的應然之理來謀劃自己的未來。但是,自其同者而觀之,天與人又合二而一,這是因爲,人作爲宇宙間之一物,首先是一個自然的存在,然後才是一個社會的存在,所以人既有自然本性,又有社會本性,既受必然之理的支配,又受應然之理的支配,這二者密不可分,結爲一體,內在地統一於人性的本質之中。由此看來,如何處理天人之間的同異分合的關係就成了一個無法找到確解的難題。因爲言其異者有同在,言其同者有異在,言其分者有合在,言其合者有分在,無論作出一種什麼回答,都有另一種相反的回答與之形成對立。人們固然可以像阮瞻那樣,爲了保持某種心靈的寧靜,不受難題的困擾,用"將無同"三個字作爲遁辭來回答,但是,機智的逃避產生不了高層次的哲學。哲學的本質在於面對無可確解的宇宙人生的難題進行窮根究底的追問而強爲之解,即令最終免不了陷入矛盾片面也在所不惜。一部中國哲學史就是圍繞着天人關係這個基本問題而展開,由各種各樣矛盾片面的看法及其相互之間的争論而構成的。

先秦時期,儒道兩家對此問題提出了自成體系的看法而各有所偏,道家偏於天道而明自然,儒家偏於人道而貴名教,從而形成了對立的兩極,並且由此對立而引起了相互之間的激烈的争論。儒家批評道家蔽於天而不知人,道家批評儒家蔽於人而不知天。事實上,道家言天未嘗不及於人,儒家言人往往上溯於天,他們的思想體系始終没有脱离天人關係這根主軸,從兩家運思的方向及其所欲達到的目標來看,都是着眼於天人之合的。但是,由於天人關係問題是一個善變的怪物,一當説它是合,立刻就分了,這就使得兩家都免不了陷入某種矛盾片面,或偏於天道,或偏於人道。道家企圖根據天道來規範人道,用無爲而自然的必然之理來取代由人的價值觀念所設定的應然之理,主張放棄人爲的禮法名教的製作而返樸歸真,恢復人的自然本性。照道家看來,人類文明的進程就是自然狀態愈演愈烈的破壞,人的價值觀念的豐富就是人的自然本性的喪失,社會的動亂,人際關係的衝突,都是由禮法名教之類的人爲的製作所引起的,爲了克服禮法名教的異化,消除動亂衝突的根源,只有把必然之理當作應然之理,按照人的自然本性來重新設計一個適合於人生存的社會環境。儒家與道家相反,把人的價值觀念置於首位,認爲人之所以區别於禽獸,不在於與禽獸相同的自然本性,而在於與禽獸相異的社會本性。如果不用禮法名教來制約自然本性而任其放縱無忌,恣意妄爲,就會道德淪喪,人欲横行,從而造成社會的動亂,人際關係的衝突。因此,爲了匡時救亂,儒家把應然之理當作必然之理,根據人道來塑造天道,主張則天而行,製禮作樂,確立一套文化理想和價值觀念來發展人的社會本性,加強禮法名教的建設。儒道兩家各執一端,自是而相非,究竟誰是誰非,是很難判定的。站在儒家的立場看道家，其缺點偏頗顯而易見，因爲道家過分地強調無爲而自然的天道，否定了人的社會存在和文化積纍。站在道家的立場看儒家，同樣帶有極大的片面性，因爲儒家過分地強調人爲的禮法名教，看不到禮法名教的異化會戕害人的自然本性，變成壓迫人的工具。由於兩家爭論不休，互不相讓，各自遵循自己獨特的思路來展開自己的體系，這就在中國哲學史上開創了兩個並行而對峙的思想傳統，一個是道家的明自然的思想傳統，一個是儒家的貴名教的思想傳統，前者可稱爲自然主義，後者可稱爲人文主義。但是，就天人關係問題本身的內在邏輯而言，一當說它是分，立刻又合了。道家言天未嘗不及於人，儒家言人往往上溯於天，都是受這種內在邏輯的支配，無法分割天人，而從事自然與名教的結合。道家所明之自然只有與儒家所貴之名教相結合，才能變成人化的自然，儒家所貴之名教只有與道家所明之自然相結合，才能克服異化現象，變成合乎自然的名教。這種情況迫使儒道必須各自向對方尋求互補，使之達於會通。一方面是並行對峙，另一方面又是互補會通，因而儒道兩家的關係，同中有異，異中有同，分中有合，合中有分，糾纏扭結，難以名狀。從總體上來看，中國的哲學思維正是由於儒道兩家的這種複雜關係而形成了一種穩固的張力結構，始終是在同異分合之間保持一種動態的平衡而蹣跚地前進。

西漢初年，黃老道家盛行，居於主流地位。黃老道家“因陰陽之大順，采儒墨之善，撮名法之要”，以道家的自然主義爲本，尋求各家主要是儒家與之互補，實際上是一個儒道會通、自然與名教相結合的體系。武帝以後，由於加強禮法名教建設的現實需要，“罷黜百家，獨尊儒術”，於是道家退居支流，儒家上升爲主流。董仲舒曾說：“王道之三綱，可求於天”。其所謂天，儘管經受了應然之理的主觀塑造，仍爲自然之天，即“陰陽之大順”，本於道家的自然。由此看來，漢代儒家所致力建設的名教乃是一種合乎自然的名教，他們的思想體系也是以儒道會通爲基本綫索的。雖然如此,由於道家的思想包含了絶禮棄學、否定名教的一面,不適合當時的現實需要,所以漢代儒家在理論的層次強調儒道之異,以便更好地維護現實生活中的名教。但是,到了東漢末年,現實生活發生了嚴重的分裂,名教被異化爲一種無理性的暴力,道家在理論的層次對儒家所作的種種批評都變成了活生生的現實。桓靈之世,一批昏君庸主、宦官外戚假名教之名行反名教之實。當時黨人領袖李膺,"高自標持,欲以天下名教是非爲己任"。一些具有正義感的知識分子聚集在李膺門下,"品覈公卿,裁量執政",企圖憑借自由的文化輿論,以清議來維護名教。但是,掌握權力的執政者卻以破壞名教爲罪名對這一批真誠地維護名教的黨人進行殘酷的鎮壓,使之屈死獄中,或免官禁錮。這個延續二十餘年震動面極大的黨錮之禍給人們提出了一個尖鋭的問題:究竟什麽是名教?是統治者用以鎮壓異己的一種殺人的工具還是規範調整社會人際關係的一種合理的秩序?如果是後者,那麽其合理性的根據何在?有没有一個判定其爲真名教抑爲被異化了的假名教的客觀標准?人們根據自己對現實困境的真切感受反覆思考這個問題,終於在曹魏正始年間,提煉昇華爲一個儒與道是同是異、自然與名教是分是合的玄學問題。

何晏首先從理論上論證了儒道是同而非異。《世説新語・文學》注引《文章叙録》曰:"自儒者論以老子非聖人,絶禮棄學。晏説與聖人同,著論行於世也。"漢代的正統儒家因老子否定名教而強調孔老之異,黨錮之禍以後,人們逐漸對老子産生了同情的瞭解,認識到老子所否定之名教乃是在現實生活中被異化了的名教而非真名教,其根本用意在於追求一種合理的社會秩序,與孔子是相同的。何晏在《無名論》中對人們的這種共識作了理論上的證明。何晏指出:"夏侯玄曰:'天地以自然運,聖人以自然用。'自然者,道也。道本無名,故老氏曰強爲之名,仲尼稱堯蕩蕩無能名焉。"這就是認爲,自然之道是孔老之所同的關鍵所在。王弼同意何晏的這個論斷,但卻進一步指出孔老的同中之異。王弼認爲,聖人體無,老子未免於有,孔子對自然之道的理解高於老子,在儒道會通中,應以儒爲主,以道爲輔。

正始玄學的這個看法與漢初的黄老道家不相同,因爲漢初的黄老道家處理儒道之間的關係是以道爲主,以儒爲輔。漢代中期以後的儒家雖然援引道家的天道自然之説來論證名教的合理性,實際上是按照以儒爲主、以道爲輔的思路會通儒道,但是他們出於狹隘的學派成見以及意識形態方面的考慮,故意隱瞞這種關係,不承認儒道之會通。玄學公開標榜,孔老同於自然之道,把道家所明之自然抬到本體論的高度極力推崇,從這一點來看,有似於黄老,有人據此立論,稱玄學爲新道家。但是另一方面,玄學又明確地把儒家所貴之名教作爲根本的價值取向,與漢儒同樣,強調孔老之異,有人據此立論,認爲玄學的屬性仍爲儒學,是儒學發展的一種新的形態。這兩種看法各有所見,皆能持之有故,言之成理,但卻難以判定其誰是誰非,只能抱着一種超越的態度,存而不論,付之兩行。因爲儒道兩家圍繞着天人關係問題所展開的體系,二者的界限始終是矛盾交叉,模糊不清,往往是你中有我,我中有你,根本無法作出涇渭分明的判定。儒家雖然偏於人道,但當其上溯於天道去尋求最高的理論依據時,不能不趨同於道家所明之自然。道家雖然偏於天道,但當其下涉於人道來討論社會生活的各種問題時,也不能不趨同於儒家所貴之名教。如果我們着眼於天人關係問題的普遍的哲學意義而以道觀之,可以説在儒家的體系中必然包含有道家的成分,在道家的體系中必然包含有儒家的成分,只是在處理二者的主輔關係時,有的偏於天道而以道爲主,有的偏於人道而以儒爲主。這種情形在孔老的體系中即已存在,往後的發展,糾纏扭結的程度愈來愈高,使得人們直至今日都不能對什麽是儒家、什麽是道家下一個清楚明確的定義,只能抓住一點,不及其餘,根據其或偏於天道之自然、或偏於人道之名教作出大致的判定。玄學的學派屬性之所以難以分辨,原因在於玄學企圖推出一種天人新義。在理論依據上是以自然爲本,名教爲末，偏於天道，抬高道家而貶低儒家。在價值取向上又以是否重視名教爲標準，認爲老子比不上孔子，偏於人道，抬高儒家而貶低道家。其實，玄學究竟是屬於道家還是儒家，這個學究性的問題並不重要，重要的是結合具體的時代背景弄清玄學何以如此處理儒道關係的歷史動因，其主旨何在，究竟發揚了一種什麼樣的文化價值理想。

正始年間，玄學致力於自然與名教的結合，其所謂的自然，乃是一種可以應用於名教的自然，其所謂的名教，乃是一種合乎自然的名教。因此，那種"天地不仁"、對人的價值漠不關心而脫离名教的自然，或者自漢末以來現實生活中的那種被嚴重異化而違反自然的名教，都不是玄學的理想，只有二者的有機的結合，才是理想。玄學的這個看法，一方面是站在儒家的立場來詮釋道家，把道家所強調的必然之理轉化成應然之理，另一方面是站在道家的立場來詮釋儒家，把儒家所強調的應然之理轉化成必然之理。經過這種雙向的詮釋和轉化，於是天人合一，儒道會通，人們可以根據對天道自然的認識和理解，來謀劃一種和諧的、自由的、舒暢的社會發展的前景，使得社會領域的君臣、父子、夫婦的人際關係能夠像天地萬物那樣調適暢達，各得其所。玄學所追求的這種文化價值理想具有極大的普適性，實際上就是中國傳統的天人之學的共同理想，儒道兩家雖然在運思方向和理論表述上各有所偏，也都無例外地是以這種天人和諧作爲自己追求的理想目標的。但是，理想是與現實相對而言的，理想的本質在於針對着由具體的歷史條件所造成的現實的困境來謀求解脫之方。因此，儘管天人和諧是中國哲學所追求的共同理想，在各個不同的時代却有着各個不同的表現形式，蘊含着不同的社會歷史內容。漢初黃老適應於當時休養生息的時代需要，表現爲以道爲主，以儒爲輔。漢代中期的儒家適應於當時建設名教的時代需要，表現爲以儒爲主，以道爲輔。正始玄學之所以如此處理儒道關係，采取雙向的詮釋和轉化的做法，主要目的在於克服名教在現實生活中的異化現象,爲人們樹立一個合乎自然的名教社會的理想。這種理想既是對當時的現實困境的一種超越,又是與儒道兩家共同的理想相通的。

王弼的代表作是《老子注》和《周易注》。《老子注》是以儒解道,《周易注》是以道解儒。王弼是本着儒道會通、易老互訓的哲學信念來進行詮釋的。他的這種雙向的詮釋取得了極大的成功,他的兩本詮釋性的著作也由此而被後人奉爲經典性的詮釋,成爲中國哲學史上的不朽之作。照王弼看來,自然爲本,名教爲末,這不僅是一個抽象的哲學理論問題,而且也是指導國家政治的唯一正確的決策思想。如果統治者在決策思想上能夠做到"崇本以舉其末",尊重社會本身的自組織功能,則可以自然生發出一套仁義禮敬的倫理規範,真正起到凝聚社會、自我調節的作用。反之,如果統治者"棄其本而適其末",從"殊其己而有其心"的私利出發,不顧社會整體的和諧,以人爲的行政命令強行提倡仁義禮敬,那麼仁義禮敬就會變質,轉化爲一種爭鬥的幌子。因此,王弼通過辛勤的探索,找到了名教異化的根源,也找到了克服異化的途徑,關鍵在於掌握政治權力的統治者如何處理本末關係,實行什麼樣的決策。就理論的層次而言,王弼的儒道會通的玄學體系並非完美無缺,其中確實存在着許多如後人所指責的破綻漏洞。雖然如此,王弼畢竟爲當時的人們指出了一條擺脱困境的出路,樹立了一個值得去追求的正面理想。如果歷史的偶然因素在當時真能推出某個聖君賢相,接受了王弼的思想,把"崇本以舉其末"用之於治國平天下,則理想就可以落實或者部分地落實於現實生活,玄學的走向也會呈現另外一種局面。但是,正始玄學的這種儒道會通的理想在現實中遇到了最大的阻力。因爲當時的歷史所推出的並不是玄學所希望的那種聖君賢相,而是陰險僞善的司馬氏集團。這個集團從"殊其己而有其心"的私利出發,於正始末年發動了高平陵政變,奪取了權力,反過來把儒學、名教用來"誅夷名族,寵樹同己",作爲鞏固權力的一種工具。於是儒學、名教在現實生活中異化得更加令人難以忍受,儒道會通的理想也完全落空。竹林玄學儒道的分裂、自然與名教的對立,就是由這種現實的歷史動因所促成的。

竹林玄學以阮籍、嵇康爲代表。嵇康"非湯武而薄周孔","越名教而任自然"。阮籍在《大人先生傳》中對名教進行猛烈的抨擊:"汝君子之禮法,誠天下殘賊亂危死亡之術耳。"從這些言論看來,儒道無法會通,自然與名教勢不兩立,正始玄學慘淡經營所建立起來的那個儒道會通的體系是被徹底否定了。但是,如果我們透過這些憤激之言來窺探他們內在的心態,可以看出,他們所抨擊的只是違反自然的現實中的名教,他們所堅持的正面理想仍然是一種合理的社會存在,即與自然相結合的名教,就其基本精神而言,並沒有否定正始玄學。反而是總結了魏晉禪代之際的時代經驗,加深了對現實阻力的認識,把玄學的精神發揚到一個更高的層次。王弼當年對理想落實於現實是抱有樂觀的信念的,認爲只要統治者改弦更張,實行正確的決策,就可以克服名教的異化,實現名教合乎自然的理想。現實無情地粉碎了這種盲目的樂觀,一些人清醒過來,在絕望中反思,對王弼的那種一廂情願的想法產生懷疑。阮籍、嵇康的玄學高於王弼之處,就在於認識到名教異化的根源不能簡單地歸結爲統治者的錯誤決策,而應該歸結爲君主制度本身,因而他們集中抨擊這種君主制度,從而把玄學的理想推進到了無君論的高度。嵇康在《太師箴》中,以遠古的"君道自然"作爲正面理想的依據,抨擊後世的君主,"憑尊恃勢,不友不師,宰割天下,以奉其私"。"昔爲天下,今爲一身。下疾其上,君猜其臣。喪亂弘多,國乃隕顛"。阮籍在《大人先生傳》中對君主制度的弊端作了深刻的剖析,他指出:"君立而虐興,臣設而賊生。坐制禮法,束縛下民。欺愚誑拙,藏智自神,強者睽睢而凌暴,弱者憔悴而事人。假廉以成貪,內險而外仁。"這就是認爲,名教異化是由君主制度所造成的,君主制度是一切社會禍亂的總根源。因此,爲了使社會變得合理,每個人都能生活得自由舒暢,各得其所，必須否定君主制度，建設一個無君的社會。阮籍對這個無君社會的理想激動不已，充滿了向往之情，用了詩人的想象來描繪："明者不以智勝，暗者不以愚敗；弱者不以迫畏，強者不以力盡。蓋無君而庶物定，無臣而萬事理。保身修性，不違其紀。惟兹若然，故能長久。"竹林玄學的這種無君論的思想在中國哲學史上閃耀着奪目的光輝。表面上看來，這種思想似乎是用道家的自然來與儒家的名教相對立，實際上卻是在那個苦難的時代堅持用文化價值理想來批判現實所結出的碩果。在中國的傳統的天人之學中，如果對天人合一、儒道會通、自然與社會整體和諧的理想目標進行不懈的追求，是完全有可能合乎邏輯地引申出這種帶有中國特色的無君論的思想來的。

但是，與正始玄學相比，竹林玄學的理想更加不切實際，因爲在當時的歷史條件下，這種無君社會固然令人神往，卻由於根本無法落實於現實生活，只能作爲一種空中樓閣，水月鏡花，暫時慰藉一下破碎的心靈。西晉統一，統治者提倡儒學，標榜名教，儘管這種儒學和名教受到嚴重的異化，人們也必須首先承認現實，然後才能去謀求超越的途徑。裴頠企圖就名教的本身來論證名教的合理性，崇儒而反道，雖然承認了現實，卻失落了超越的理想。裴頠維護名教，嵇康反對名教，二人皆不免於慘死，説明崇儒反道或崇道反儒的路子都走不通。於是玄學發展到了元康年間進入了合題，又回到儒道會通的老路上來。

郭象的代表作是《莊子注》和《論語體略》。《莊子注》是以儒解道，《論語體略》是以道解儒。這和王弼一樣，采取了雙向的詮釋和轉化的做法。但是，由於郭象汲取了阮籍、嵇康、裴頠等人的教訓，總結了從正始到元康以來半個世紀的時代經驗，與王弼的玄學相比，他的現實的操作性是更強了，由此而發揚的文化價值理想也帶有更多的苦澀意味。

郭象的玄學體系基本上是根據樂廣的一句名言而展開的。《世説新語・德行》注引王隱《晉書》曰："魏末阮籍，嗜酒荒放，露頭散發,裸袒箕踞。其後貴游子弟阮瞻、王澄、謝鯤、胡毋輔之之徒,皆祖述於籍,謂得大道之本。故去巾幘,脱衣服,露丑惡,同禽獸。甚者名之爲通,次者名之爲達也。”樂廣針對這種衝擊社會正常秩序的放誕之風指出:“名教中自有樂地,何爲乃爾也!”樂廣是當時清談的領袖人物,也是一個玄學大家,他所謂的名教決不是統治者所提倡的那種異化的名教,而是合乎自然的名教。但是,在現實生活中,這兩種性質截然不同的名教卻是糾纏扭結在一起,凝聚爲一種人們必須生活於其中的政治倫理實體和社會秩序。這也許是人類所面臨的一個永恆的矛盾。爲了規範人的社會存在,不得不制定出一套禮法名教來制約人的自然本性,這種制約同時必然産生異化,又反過來迫使人們不得不去反抗。阮籍等人反抗名教的異化,結果是否定了必要的社會制約,過分地發展了人的自然本性,把人等同於禽獸。裴頠反其道而行之,站在維護名教的立場,強調社會制約的必要性,結果是把異化的名教也當作既成的事實不分清紅皂白一並接受下來了。樂廣企圖擺脱兩難的困境,找出一條精神的出路,一方面承認現實的名教,同時又力求克服其中的異化現象,使之適合於人的自然本性,得到一種現實的逍遥。樂廣的這句名言表現了一種與現實相妥協的無可奈何的心理,實際上這也是當時的知識分子在時代苦難折磨下的共同心理,是一種時代的心理。但是,儘管如此,當時的知識分子仍然没有放棄對理想的追求,只是他們的追求不是從一廂情願的理想出發,而是立足於現實的土壤,在不可超越的名教中去尋找超越的樂地。因此,他們對現實的審視表現得更爲清醒,對理想的追求也表現得更爲執着。

莊子曾説:“禹之治天下,使民心變。”莊子站在道家的立場,要求用否定禮法名教的辦法來克服禮法名教異化的現象,使人類回到原始的自然狀態。事實上,如果否定了禮法名教,也就否定了人本身的存在。人是必須生活於社會之中的,無論社會多麽不合理,苦難多而幸福少,站在儒家的立場來看,決不能采取消極逃避的態度。孔子曾說:“鳥獸不可與同羣,吾非斯人之徒而誰歟!”這是一種濃郁的人文情懷。郭象本着儒家的這種入世精神對莊子的自然主義作了新的詮釋。他說:“承百代之流而會乎當今之變,其弊至於斯者,非禹也,故曰天下耳。言聖知之跡非亂天下,而天下必有斯亂。”(《天運》注)這是認爲,禹時“民心變”,是由於歷史積纍的原因和當時事變的影響所造成的,過錯不能推到禹的身上,也不能歸結爲“聖知之跡”和禮法名教。郭象的這種詮釋實際上是對莊子的一種批評,是在用儒家的人文主義來和莊子的自然主義進行辯論。面對着名教的弊端,社會的苦難,究竟應該采取一種什麼樣的生活態度?是憤世嫉俗,消極逃避,還是承認現實,積極參與,知其不可而爲之。照郭象看來,“承百代之流而會乎當今之變”,這是一種歷史的必然之理,“其理固當,不可逃也”,即令當今的社會禍亂頻仍,弊端叢生,也是時運所會,應該把它擔待起來。

郭象對君主制度的弊端和嵇、阮一樣,也是有着清醒的認識的。他曾說:“夫君人者,動必乘人,一怒則伏屍流血,一喜則軒冕塞路。”(《人間世》注)“言暴亂之君,亦得據君人之威以戮賢人而莫之敢亢者,皆聖法之由也。”(《胠篋》注)但是,郭象根據他對歷史和現實的深刻理解,並不否定君主制度,這就和嵇、阮有很大的不同。他說:“千人聚,不以一人爲主,不亂則散。故多賢不可以多君,無賢不可以無君。此天人之道,必至之宜。”(《人間世》注)郭象是從兩害相權取其輕的現實考慮提出這個看法的,因爲儘管君主制度存在着種種弊端,但是如果没有一個統一的君主,國家政治就將陷入更大的混亂而不可收拾。

既然如此,那麼究竟怎樣才能找到名教中的樂地,得到現實的逍遥呢?郭象把儒家所強調的社會本性和道家所強調的自然本性會通互補,提出了安分自得的思想,認爲物各有性,自爲而相因,只要每個人都安於自己的本分,而無待於外,這就可以克服異化,消除禍亂,使整個社會復歸於和諧。郭象反覆糾正人們對莊子的誤解。他説:“逍遥者,用其本步而游乎自得之場矣。此莊子之所以發德音也。若如惑者之説,轉以小大相傾,則相傾者無窮矣。若夫覩大而不安其小,視少而自以爲多,將奔馳於勝負之境,而助天民之矜誇,豈達乎莊生之旨哉?”(《秋水》注)這種思想肯定了現實名教中的身分等級地位,把人爲的强加也説成是自然之性,似乎是出於無可奈何的心理爲現實辯護,落入玄學的下乘。但是,包括人的社會本性和自然本性在內的所謂本分,也確實存在着不平等的差别。郭象帶着某種苦澀指出這個無可否認的事實,他説:“不能大齊萬物而人人自别,斯人自爲種也。”(《天運》注)這是認爲,萬物的性分不齊,人人都各自成爲一個種類,這是必然的。因此,在表面上看來似乎是無可奈何的安分自得的思想中,還藴含着“人人自别”、“人自爲種”的更爲深刻的思想。這種思想强調個體的尊嚴和權利。就個體自身而言,如果不安分守己,自己不尊重自己而向外追求,固然會引起社會的動蕩不安,但是,就國家政治的層面而言,統治者只有實行無爲之治,尊重人性的內在要求,少去干擾生事,才能使整個社會保持穩定和諧的局面。郭象爲這種思想作了哲學的論證,稱之爲“獨化”。獨化既是天道之必然,也是人道之應然。天地萬物皆爲一獨立的存在,有其自身的特殊的邏輯,不相統率,不可取代,若按此獨化的軌道運行,則入於玄冥之境,形成宇宙的和諧。人類社會的情况亦復如是,“人人自别”,“人自爲種”,每個獨立的個體都以自我的性分爲軸心而自爲,自足於己,無待於外,互不相與,互不相爲,但就在此卓爾獨化之中,自然而然地產生了一種“自爲而相因”的作用,把人類社會凝聚爲一個和諧的整體。如果統治者濫用權力,把自己的意志强加於此特殊的個體之上,必將破壞社會的和諧。

郭象的獨化思想源於莊學而非老學。就道家之共性而言,老莊皆强調天道之必然。但是老子所謂之必然(道)乃是先天地生的至高無上的絶對本體,這種絶對本體不是人人都能掌握的,只有“體無”的聖人才能掌握。莊子則用相對主義消解或者淡化了絶對本體的神聖性，認爲道無所不在，在螻蟻、在稊稗，在瓦甓，在屎溺，高貴者固然有道，卑賤者亦有其道，宇宙自然和人類社會的各種事物不管如何千差萬别，在道的面前卻是一律平等的。這個道即必然之理，也就是每個個體所稟賦的自然本性。就人類社會而言，“人人自别”，“人自爲種”，安分自得，無求於外，這是一種普遍的平等的人性，國家政治的運作，統治權力的使用，應該以尊重滿足這種人性爲前提，做到“神器獨化於玄冥之境”。這既是必然之理，同時也是符合於由歷史積澱而成的文化價值理想的應然之理。郭象針對當時現實的困境，按照這個新的思路，去消除或者淡化君主制度的那種專制獨裁的劣根性，使之轉化成獨化中之一物，變成尊重滿足人性要求的一種工具。

在《論語體略》中，郭象以道解儒，着眼於克服君主制度的弊端以及名教的異化，提出了一系列光輝的思想。他詮釋《憲問》“子路問君子章”説：

> 百姓百品，萬國殊風，以不治治之，乃得其極。若欲修己以治之，雖堯舜必病，況君子乎！今堯舜非修之也。萬物自無爲而治，若天之自高，地之自厚，日月之明，雲行雨施而已，故能夷暢條達，曲成不遺而無病也。

他詮釋《爲政》“爲政以德章”説：

> 萬物皆得性謂之德。夫爲政者奚事哉？得萬物之性，故云德而已也。得其性則歸之，失其性則違之。

郭象所謂之性既指自然本性，也指社會本性，因而名教即自然，自然即名教。他在詮釋《爲政》“導之以德章”説：

> 德者得其性者也，禮者體其情者也。情有可恥而性有所本，得其性則本至，體其情則知至。知恥則無刑而自齊，本至則無制而自正。是以導之以德，齊之以禮，有恥且格。

按照這種設想，權力實在是可有可無，名教無須去有意運作，君主雖然存在，也形同虛設。君主的作爲只有“無心”二字，如果君主不懂得這個道理，“有心而使天下從己”，違反人性的要求去搞專制獨裁，就會造成"主憂於上，民困於下"的惡果。他在詮釋《衛靈公》"吾之於人也誰毀誰譽章"說：

> 無心而付之天下者，直道也。有心而使天下從己者，曲法。故直道而行者，毀譽不出於區區之身，善與不善，信之百姓。故曰：吾之於人，誰毀誰譽，如有所譽，必試之斯民也。

我們可以把郭象的這個思想來與嵇、阮比較一下。嵇、阮陳義甚高，認爲只有否定君主制度才能剷除名教異化的根源，這種想法在當時缺乏現實的可能性，根本行不通。郭象則試圖用架空的辦法，逐漸削弱君主的權力，認爲君主應該"無心而付之天下"，"無事而不與百姓同"，"善與不善，信之百姓"，尊重個體的自爲，滿足人民的心願，並且試圖以"自爲而相因"的人性爲依據來限制"有心而使天下從己"的專制權力，使君主制度逐漸演變爲一種虛君共和制。應當承認，在當時以士族爲社會結構主體的歷史條件下，這種想法是比較切合實際的。王弼的玄學把希望寄托在統治者的決策上，這和郭象的想法有很大的相似。但是，郭象借助於莊子的思想，把個體的自爲置於首位，強調統治者的決策必須滿足每個特殊個體的人性要求，而王弼則從老子的思想出發，只着眼於整體的和諧而忽視個體的自爲。照郭象看來，人皆有性，人人都在追求適合於自己特殊本分的逍遥，這種逍遥並非只是一種心理滿足或精神境界，更重要的是物質生活的滿足。他指出："夫民之德，小異而大同。故性之不可去者，衣食也；事之不可廢者，耕織也；此天下之所同而爲本者也。守斯道者，無爲之至也。"(《馬蹄》注)這是一種本於儒家的濃郁的人文情懷和民本思想，因而判斷統治者的決策是否正確，應以人人是否得性以及人民的滿意程度爲標準。從這個角度來看，魏晉玄學關於儒道會通的討論發展到郭象的合題階段，是既高於嵇、阮、裴頠的反題，也高於王弼的正題的。

歷史的事實證明，郭象的想法也破産了。我們今天回顧這一段歷史，唯一感到欣慰的是，由儒道會通所融匯而成的中國文化的價值理想,始終是激勵我們這個民族開拓自由之路的強大的精神原動力,無論歷史的沉積多麼滯重,人們總是在不斷追求,這股精神原動力是永遠也不會衰竭的。

作者簡介 余敦康,1930年生,湖北漢陽人。現任中國社會科學院世界宗教研究所研究員,研究生院教授。著有《何晏、王弼玄學新探》等。

道 與 禪

——道家對禪宗思想的影響

方立天

内容提要 本文通過四個方面分析道家與禪宗心性論的思想關聯,認爲道家對禪宗的影響是全面的、深刻的,它爲禪宗的心性論、本體論、方法論和認識論提供了理論基礎。由此進而指出,道家對禪宗思想影響的廣度和深度,超過了禪宗對印度佛教的思想繼承,也超過了儒家對禪宗的思想影響。

佛教傳入中國以後,就不斷地與儒、道思想發生碰撞、衝突、融合、會通,並形成了中國化的佛教宗派。道家對中國佛教,尤其是禪宗的思想發生了什麽影響?這是中國文化思想史上的重大問題,本文擬就這個問題作一初步的探討。

一、道論與禪學

在道家哲學中,“道”是最高的範疇,其主要意義是萬有的本原、宇宙的實體或世界的本體。老子首先提出與闡發“道”的上述義藴,但是老子一方面説道爲“天地之始”,“萬物之母”,一方面又説道本無名,道本自然,表現出理論上的某些困惑和矛盾。莊子沿着老子的自然主義道路前進,打破本體(“道”)與現象的對立,認爲"道"既是自本自根,又是周遍含容的,並進一步提出"道無所不在"的論題,說道"在螻蟻。……在稊稗。……在瓦甓。……在屎溺。"(《莊子·知北遊》)強調作爲宇宙萬物的最後根源的"道"出於萬事萬物和日常生活,或者說,在萬事萬物和日常生活中就能開顯出"道"的意義和境界。莊子還突出了"道"作爲人的生命自覺和精神境界的意義,並認爲這是通過體悟而得到的。[①]魏晉玄學家王弼和郭象分别發展了老子和莊子的"道"思想。王弼說:"道者,無之稱也,無不通也,無不由也,況之曰道。"[②]認爲"無"是"道"的别名,並提出"以無爲本"和"聖人體無"[③]的重要命題。郭象標榜"獨化"論,反對以無或以有爲萬物之本,認爲萬物的自性是萬物存在的內在根據,萬物是自然自化,"率性而動,故謂之無爲也。"(《莊子·無道篇注》)任性而爲,就達到無爲境界。

中國佛教,尤其是禪宗吸取了道家"道"的觀念,把它作爲自家的本體範疇、內在佛性、絕對真理、最高境界,爲佛教心性論奠定了哲學基礎。

中國佛教學者是怎樣吸取道家"道"的範疇來爲心性論奠定哲學基礎的呢?我們按照歷史順序,選取幾個典型例子來加以說明。

東晉十六國時青年佛教哲學家僧肇這樣說:"不動真際,爲諸法立處。非离真而立處,立處即真也。然而道遠乎哉?觸事而真,聖遠乎哉?體之即神。"[④]"真際",實際,其具體含義是指法性空,即萬物原本爲空,是自虛。"道",佛道。"道"並不遠,是"觸事而真","道"與"真"相通,也就是"道"與"空"相通。這裏包含着以體悟空爲"道"的思想,是與印度佛教傳入後通常視"道"爲"菩提"(覺)和修煉道路、方法這兩層意義很不一致的。僧肇說:"聖人

---

① 《莊子·天運》云:"苟得於道,無自而不可。"

② 見《論語釋疑·述而》,見樓宇烈《王弼集校釋》下册第624頁,中華書局1980年8月版。

③ 見何劭《王弼傳》,《三國志》卷二十八《魏書·鍾會傳》注引。

④ 《肇論·不真空話》,《大正藏》第45卷第153頁上。

乘真心而理順,則無滯而不通。”[1]這裏講的聖人(佛)的“真心”,也是和“道”、“真”(空)相通的,由於“真心”合乎“道”,“觸事而真”,而理順無所不通,由此“真際”(真、空)、“道”和“真心”就是同一層次的相關範疇,是彼此相通的。就主體獲得解脱成就佛果來說,“真心”是合“道”,即“觸事而真”的主觀條件,而合“道”,“觸事而真”是成爲聖人(佛)的標志、境界。僧肇這種以真心體悟萬物本空是“道”的思想,實際上是吸取了道家最高哲學範疇“道”的思維成果,使“道”成爲具有最高真理、終極價值、圓滿境界等意義的中國佛教哲學範疇。僧肇的萬物本空,觸事而真的思想,也即有關“道”的思想,對後來中國佛教,尤其是禪宗影響非常巨大。

和僧肇同時代的竺道生也是一位注重於把道家與佛教相融合的佛教哲學家。他一反時人的觀點,獨立地根據莊子和陰陽家的氣的觀念,強調“禀氣二儀”的一切衆生都有佛性,肯定所謂不具信心,斷了善根的“一闡提”人也有佛性,鮮明地體現了中國佛教思想的特色。他還吸收道家和玄學家的“理”和“自然”的觀念,來闡述佛性的意義。關於“理”,竺道生是指佛理、真理,他講的“佛性即理”是吸取中國傳統的“理”的觀念來確定佛性具有內在的真理性。佛性即佛理,而“如來理圓無缺,道無不在。”[2]“理”或“道”是周遍圓滿,無所不在的。他還說:“夫稱頓者,明理不可分,悟語極照,以不二之悟,符不分之理,理智恚釋。”[3]“頓”,頓悟。這是在“理”不可分割的原則上建立的頓悟說,這一學說給禪宗的創立以重大的啟示與影響。竺道生的“理”爲佛性及頓悟的學說,與印度佛教的義理以及當時的佛教潮流並不一致,顯然是受道家一系思想影響的結果。《莊子・秋水》篇就講“萬物之理”,“知道者必達於理”。《莊子・刻意》篇也說聖人要“循天之理”。王弼更明確地把“理”規定爲“所以然”者,說:“夫識物之動,則其

---

① 《肇論・不真空話》,《大正藏》第 45 卷第 153 頁上。

② 《妙法蓮華經疏・序品》,見《續藏經》第一輯第二編乙第二十三套第四冊第 398 頁。

③ 慧達《肇論疏》引,見同上書第 425 頁。

所以然之理，皆可知也。"(《周易注·上經·乾》)又說："事有宗而物有主，途雖殊而其歸一也，慮雖百而其致一也。道有大常，理有大致。"(《老子》四十七章注)"道"和"理"是事物的"宗主"，是形而上者，是事物的"所以然者"。"所以然者"就是決定事物所以如此的一般原則、普遍規律。顯然，竺道生正是參照、融合莊子、王弼"理"和"道"的思想，進而溝通了"理"和佛性的相即關係，並奠定了心性思想的形而上的理論基石。這對後來禪宗的心性論思想也發生了巨大的影響。

如果說上述僧肇的《不真空論》已把"空"與"道"溝通起來，含有以"空"爲"道"的思想傾向的話，那末，與禪宗四祖道信同時的牛頭宗法融禪師則非常明確地提出了"空爲道本"的本體論命題，並與心性思想相結合，形成了極富中國思想特色的禪修理論。法融認爲"大道衝虛幽寂"、"虛空爲道本"，由此他反對道信的"安心"法門，強調"不須立心，亦不須強安"。法融講的"道"是道家的世界本體"道"，所謂"道本"即道本原、道本體。法融所講的"衝虛幽寂"、"虛空"，作爲"道本"，是說"虛空"爲萬有的本原，這和佛教般若空宗以宇宙萬物乃至如來法身畢竟寂滅虛空的思想雖有一定聯繫，但其立論的角度、論證的重心和闡明的觀點都是不同的。"空爲道本"的立論實也是直接吸取玄學家王弼"以無爲本"這一主要哲學命題的結果。法融吸取道家的"道"作爲佛法的基本觀念，修行悟證的內容、目標，又以虛空爲"道本"，把道家的"道"、魏晉玄學的"無"和佛學的"空"融爲一體，構成玄學化的佛教本體論。法融還在"空爲道本"的思想基礎上闡發"無心合道"的心性論思想，對於道信、弘忍的東山法門造成了巨大衝擊，並深刻地影響了慧能禪宗，尤其是青原石頭一系的思想軌跡。

道家的"道"觀念對慧能一系禪宗的影響是巨大而久遠的，"道"幾乎是和"佛"、"禪"在同一意義上使用的、出現頻率極高的詞。禪師們還稱"道"爲"真道"、"大道"，稱禪宗以外的流派爲"外道"，致力於禪修的人稱爲"道流"，佛性也稱爲"道性"[1],依禪修而得識見、眼光,稱爲"道眼",禪宗的古則也稱爲"道話",等等。道家"道"的觀念深刻地影響了禪宗的世界觀、人生觀、心性論和修持方式,這裏我們以慧能一系禪宗中勢力最大、流傳最久的洪州宗爲例,着重從哲學思想的角度作一簡要的論述。

洪州宗禪師對"道"的意義的重要論斷可以歸結爲:"道即法界。"馬祖道一説:"只如今行住坐卧,應機接物,乃至沙河妙用,不出法界。"[2]這裏的"法界"是指佛法的境界,包涵行住坐卧,應機接物,乃至無量妙用。就修行言,指衆生的一切日常行爲和禪修實踐;就世界言,指一切現象。"道即法界",也就是説"道"是囊括衆生一切行爲和世界一切現象的總稱。

"大道天真平等"。黄檗希運説:"此道天真,本無名字。……恐你諸人不了,權立道名。"[3]又説:"大道本來平等。"[4]"天真",天然,純真,自然如此。"平等",無差别。這裏的"道"指宇宙的真實、本質,希運強調包含宇宙萬物、世界一切的"道"是自然、真實、無差别的,真理是普遍存在的。

"道如虚空"。南泉普願説:"若是真達不疑之道,猶如太虚,廓然虚豁,豈可強是非邪?"[5]這裏是講悟道,也講到"道"的意義、内涵。是説"道"猶如浩大的空間,廣闊空寂,既不是非,也不是是,既不屬知,也不屬不知,是一種圓滿的絶對真理、最高的究極境界。

"平常心是道"。這是洪州宗人最重要的禪學命題,認爲平常的自然的心中就有真理在,真理離不開日常的心。這個命題鮮明地突出了超越的道的内在性,強調真理即在主體内在的心中,主體生命的内在自覺即體現真理。這樣又突出了主體意識及其

---

① 《景德傳燈録》卷五:"強立佛道二名,此是二乘人見解,偈曰:'見道方修道,不見復何修?道性如虚空,虚空何所修?'"(《大正藏》第51卷第243頁上)這裏"道性"即指佛性,偈的意思是,道是衆生本來具足的本性、主體性。

② 《景德傳燈録》卷二十八,《大正藏》第51卷第440頁上。

③ 《古尊宿語録》卷二,《續藏經》第一輯二編第二十三套第二册第91頁。

④ 《古尊宿語録》卷三,同上書第93頁。

⑤ 《景德傳燈録》卷一〇,《大正藏》第51卷第276頁下。

價值，實際上把平常心和佛心、佛性等同了起來，由此也可以説“佛性是道”。

“觸類是道”。“觸類”是指人們的一舉一動，一切的日常行爲，“道”，指佛道、佛性。意思是人們的一切行爲都是佛道、佛性的體現。這裏，洪州宗人非常明確地把人們的各種日常行爲，包括起心、動念、彈指、謦咳、揚眉、瞬目等等，都歸屬於“道”的範疇。

從洪州宗人對“道”的論述來看，他們是用“道”來統一説明佛道、佛境、佛理（真理）、佛性，也就是用“道”來統率禪學的基本理論，從一定意義上説，他們認爲道與禪是具有同樣意義、內涵的概念，可以互换應用，或重疊使用（“禪道”），可以説，洪州宗人是運用道家的哲學範疇“道”來構築其禪學思想體系的，也就是吸取道家“道”的內涵和思維方式來全面闡明其禪學解脱理論的。

“道”是道家的最高範疇，“道”所具有的萬物本體、終極存在的意義，和“道”的無限性、永恆性的特徵，被洪州宗禪師吸取、調整、改造成爲宇宙真實、佛教真理、最高境界和衆生佛性。道家講“法道”、“學道”、“體道”、“得道”，洪州宗講“會道”、“達道”、“修道”、“體道”、“悟道”，在追求人生最高境界方面，顯現出鮮明的類似性、一致性，表明道家“道”的觀念對洪州宗帶有主導性的深刻影響。洪州宗人的“會道”、“達道”，其實質是在主體心靈世界消除靈與肉、心與物、主體與客體、本性與行爲、現實與理想的差别、對立，以實現主體性的無限發揮，精神的絶對自由。可以説，這種思想主要是奠定在莊子的“萬物皆一”（《莊子・德充符》）、“道通爲一”（《莊子・齊物論》）的自然觀和本體論哲學理論基礎上的，也就是奠定在“天人合一”思想基礎上的。《莊子・天地》説：“夫道，覆載萬物者也。”“道”包羅萬物。萬物從現象看有彼此的不同，“以道觀之，物無貴賤”（《莊子・秋水》），從道的角度看，都是不分彼此，没有差别，是等同的，這稱爲“萬物皆一”，“道通爲一”。莊子還就人類與其他萬物的關係説：“天地與我並生，而萬物與我爲一。”（《莊子・齊物論》）天地萬物和我都同生於“無”，都同爲一體。莊子的“萬物皆一”、“道通爲一”的命題,是一種宇宙萬物的統一觀念、整體觀念,認爲從道上看,萬物是平等的、統一的、無界限差別的,或者說彼此一切界限差別都是虛偽不真實的。這也就是從本體論角度揭示了事物千差萬別的同一性。人與萬物也是一體的,沒有真正的差別對立,這種“物我一體”的境界,就是“道”的境界,就是禪師追求的境界,也就是道、佛(禪)、儒共同追求的“天人合一”境界。《莊子·人間世》說:“唯道集虛。虛者,心齋也。”意思是說只有“道”才能集結在虛空中,因爲“道”本身也是虛的。就主體來說,這個虛就是心齋(心中無欲念),虛才能容納萬物,才能得“道”。由此莊子強調一切任其自然,反對人爲。十分明顯,《莊子》的這些論述正是洪州宗“道即法界”、“大道天真平等”、“道如虛空”命題的思想來源,《莊子》“萬物皆一”、“道通爲一”、“物我一體”的“道”的遍在性、平等性觀念也可以邏輯地推導出“平常心是道”、“觸類是道”的命題。可以說,洪州宗這些禪學思想和莊子思想具有極爲密切的內在聯繫,而和印度佛教思想則是大相逕庭的。

二、自然與自性

與“道”概念緊密相聯,在說明什麼是“道”這一問題時,道家還創立了“自然”概念。老子的“道法自然”命題,是“道”本“自然”的意思;“自然”即本然、本然狀態,“道”是本然的,這是以“自然”來說明“道”的存在、狀態、性質和功能。道家的自然論是和儒家的目的論、墨家的意志論相對立的。

道家“自然”概念有二層基本含義:

一是內在本性。這是“自然”的最基本最重要的含義。《老子》第五十一章說:“萬物莫不尊道而貴德,道之尊,德之貴,夫莫之命而常自然。”認爲道、德之所以尊貴就在於萬物以自然之道爲常,即“常自然”。“常自然”就是萬物和人的“常性”。如前所述,莊子認爲萬物本性是得於本根"道"而生的"德"的顯現，是天生的本質。這性是天性，自然本性，莊子也稱爲"真性"、"常性"。道家把"自然"規定爲萬物的本質、本性，是説萬物的本性是不假人爲，自然而然，本來如此的。也就是説"自然"是萬物內在的真實的存在，是萬物和人的本體存在。魏晉玄學家認爲"自然"就是"道"①，"萬物以自然爲性"（王弼《老子·二十九章注》）。他們討論名教與自然的關係問題時，認爲"名教"是外在的，是人爲的教化，"自然"是內在的，是人的本性。在道家看來，"自然"作爲內在本性必須加以珍視、保護和發展。

二是精神境界。老子從自然之道開發出社會和個人的理想境界，他以自然無爲狀態爲理想狀態，説："天下多忌諱，而民彌貧；民多利器，國家滋昏；人多技巧，奇物滋起；法令滋章，盜賊多有。"（《老子》五十七章）又説："我無爲而民自化，我好静而民自正，我無事而民自富，我無欲而民自樸。"（《老子》五十七章）意思是智巧人爲是社會的危害，自然無爲是理想社會。他強調"自然"是人法天貴真的本然狀態，對人生原本意義作了充分肯定。莊子更以人處於自然狀態爲理想人格，把處於自然狀態的人稱爲"真人"、"至人"，高揚"自然"意識，強調"自然"意識是人們內在的真正精神。道家"自然"概念的提出，一方面反映了一種超越現實、超越凡俗的精神，體現着一種對崇高精神境界的追求；另一方面也反映了忽視文化、忽視人文，偏執於原始，偏執於"無"的傾向。

道家的"自然"概念對竺道生和慧能一系禪宗心性論的界定、性質和特點有着重大的影響，實際上成爲這一派系心性論的核心概念和基本觀念。

如前所述，竺道生是最早把道家"自然"概念融入"佛性"內涵的佛教學者。佛教《大般涅槃經》有一種觀點，就是從非因非果的恆常不變性來界定佛性，而道生卻運用道家"自然"觀念予以解

① 張湛《列子·仲尼注》引夏侯玄語云："天地以自然運，聖人以自然用。自然者，道也。"

釋,認爲不生不滅非因非果是萬物的本性如此,並進而説:"夫體法者,冥合自然,一切諸佛莫不皆然,所以法爲佛性也。"①"法"指佛法。這是説,體悟佛法就是冥合自然本性,"法"、"自然"和"佛性"三者是同等意義的概念。這裏,"自然"是佛性,而"冥合自然"是修行的方法和境界。

慧能《壇經》是禪宗奠基性的經典著作。《壇經》的核心理論是心性論,心性論的基本觀點是性淨自悟,文説:"三世諸佛,十二部經,亦在人性中,本自具有。……若識本心,即是解脱。"②由此提倡"令自本性頓悟"。③《壇經》講的"人性"、"本性"的含義,從根本上説是一致的,是指人自身本來具有的性質,也就是道家所講的"自然"。《壇經》的"本性"説既淵源於印度佛教的"如來藏自性清淨心"觀念,又淵源於中國道家的"自然本性"觀念,聯繫"本性頓悟"的説法,應當説,對慧能《壇經》的思想影響,中國的道家超過了印度佛教。這種看法也可以從慧能門人的有關言論中得到佐證。如慧能子弟神會就明確地用"自然"詮釋"本性"、"佛性"。他不僅説:"僧家自然者,衆生本性也。"④還説:"佛性與無明俱自然。何以故?一切萬法皆依佛性力故,所以一切法皆屬自然。"⑤神會認爲,"自然"就是衆生本性、就是佛性。神會還把"無明"乃至"一切法"都歸屬於"自然",即都是自然本有自然如此。應當説,神會的這些思想是繼承中國道家、竺道生和慧能的觀念的產物。雖然華嚴禪著名學者宗密批評了道家"人畜等類皆是虛無大道生成養育"⑥的説法,但是上述神會的説法卻得到了宗密的肯定⑦。

① 《大般涅槃經集解》卷五十四《師子吼品》,《大正藏》第 37 卷,第 549 頁上、中。
②③ 敦煌本《壇經》(三一),見《中國佛教思想資料選編》第二卷第四册第 16 頁。
④ 《荷澤神會禪師語録》,見《中國佛教思想資料選編》第二卷第四册第 93 頁。
⑤ 《荷澤神會禪師語録》補遺,同上書,第 106 頁。
⑥ 《原人論》,見《大正藏》第 45 卷第 708 頁上。
⑦ 參見《禪源諸詮集都序》卷上之二。

慧能一系用"自然"界定"本性",並且和道家、玄學家一樣也反對人爲造作。史載:

雪峰因入山采得一枝木、其形似蛇,於背上題曰:"本自天然,不假雕琢",寄與師(大安禪師)。師曰:"本色住山人,且無刀斧痕。"①

"自然",就是天然,就是不假雕琢的本然原生狀態。人的自然本性就是心性的本然狀態,是不受任何意念,欲望、情緒影響而保持本色的原始心境。王弼說:"自然之質,各定其分,短者不爲不足,長者不爲有餘,損益將何加焉?"(《周易注·下經·損》)禪宗的自然本性觀念和這種事物都自然具足自性,既非不足,亦非有餘,無須損益的思想是充分一致的。

竺道生和禪宗吸取道家的自然觀念而形成的自性說,啟動了佛教理論的深刻變化和思想的重大轉軌。第一、把"自然"歸結爲衆生的自性、本性,這就否定了人的外加性、外在性,肯定了人的內在性;而對人性的內在性的肯定,也就必然要突出人的主體性;對人的主體性的突出,也就會進而高揚人的個性,引發人的個性解放和對自由的追求。第二,老莊認爲,人的本性是無是非、無善惡的本然存在,道生和禪宗用"自然"來詮釋佛性,一方面是把佛性界定爲本來自足的心性本然狀態,一方面又賦予心性本然狀態以超越性,爲衆生成佛提供了根據。這就在心性理論上把人的個性與超越性,現實性與理想性結合起來,也在一定意義上調和了人的自然本性與社會屬性的基本矛盾,從而提供了在日常生活中實現超越的新歸宿。第三,對自然本性的肯定和頌揚,導致禪修即極富中國特色的宗教實踐的方式方法的形成。這就是以對人的自性即自然狀態的整體直觀、內在體驗、自我復歸爲禪修生活的內容和要求,由此也必然強調在自然生活即平常生活中發現自性的神聖意義,並產生頓悟自性的方便法門——形形色色、千姿

① 《五燈會元》卷四《百丈海禪師法嗣·長慶大安禪師》,中華書局 1984 年 10 月版上册第 192 頁。

百態、生動活潑的禪法。

三、無爲而無不爲與無修而修

與“道法自然”命題相應,老子還提出“無爲而無不爲”的重要命題。《老子·第三十七章》云:“道常無爲而無不爲”,認爲作爲宇宙的本體道是自然而然地生成天地萬物的,就道的自然言是“無爲”,就道的生成天地萬物言是“無不爲”。無爲和無不爲是道的一體兩面,也是包括人在內的萬物的自然與作爲的兩面。莊子發展了老子的思想,《莊子》書云:“萬物職職,皆從無爲殖。”(《莊子·至樂》)又云:“天地有大美而不言,四時有明法而不議,萬物有成理而不説。”(《莊子·知北遊》)“天地無爲也而無不爲也”。(《莊子·至樂》)這是把無爲而無不爲視爲天地萬物的生成方式、存在方式。《莊子》書又云:“聖人者,原天地之美而達萬物之理,是故至人無爲,大聖不作,觀於天地之謂也”。(《莊子·知北遊》)這是説,人的無爲是根據天地萬物的本性,即來自宇宙的自然根源。人作爲萬物之一,人的本性和天地萬物的本性是一樣的,據此,人的無爲也來自人的本性根源。莊子認爲,只有無爲才能符合天地萬物的本性,也才能保護人自身的本性。“性者,生之質也。性之動謂之爲;爲之僞謂之失。”(《莊子·庚桑楚》)人性是人的素質、本質,其本然狀態是静的。性的動謂之行爲,行爲是增加了人爲的作用,人爲作用與人的天性相違背,就是失,就是喪失天性。爲了保持人的本性,《莊子》提出“四六者不蕩胸中則正,正則静,静則明,明則虛,虛則無爲而無不爲也。”(《莊子·庚桑楚》)“四六者”指四個方面的六項,即貴富顯嚴(威嚴)名利、容動色理(情理)氣意,惡慾喜怒哀樂、去就(依次)取與知能。意思是知、情、意的任何一種心理活動和與其相應的行爲都是失性的,只有正静明虛,無心於功名得失,無有作爲才是無爲而無不爲,才能保持人的本性。魏晉玄學家推崇並發展了老莊的自然無爲思想,如郭象等人又竭力調和道家"自然"與儒家"名教"的矛盾,他說:"夫理有至極,外內相冥,未有極游外之致而不冥於內者也,未有能冥於內而不游於外者也。故聖人常游外以宏(疑爲冥字)內,無心以順有,故雖終日揮形而神氣無變,俯仰萬機,而淡然自若。"(《莊子·大宗師注》)郭象講的"至極之理",是包含一切,超越對立的,他用"理"把有無、內外統一起來,強調通過"無心以順有"的途徑,達到"游外冥內",即所謂"聖人雖在堂廟之上,然其心無異於山林之中"(《莊子·逍遥遊注》)的精神境界。老莊和郭象的這種思想對於慧能禪宗一系的禪修方式都產生了直接的影響。

據王維《六祖能禪師碑銘》載,慧能曾說:

> 七寶布施,等恆河沙;億刼修行,盡大地墨,不如無爲之運,無礙之慈,宏濟四生,大庇三有。①

"七寶",金、銀等七種珍寶。"四生",指有情衆生的四種類別,即卵生、胎生、濕生、化生。"三有",指衆生居住的欲界、色界、無色界三界。這是說,供養布施和持久修行,不如無爲無礙,濟度衆生。"無爲"是順其自然,無所用心,不作人爲的意志努力。"無礙"是無拘無束,自由自在,不作人爲的約束規範。劉禹錫在《曹溪六祖大鑒禪師第二碑》文中也是這樣評論慧能禪法的:

> 無修而修,無得而得。能使學者還其天識,如黑而迷,仰見斗極。得之自然,竟不可傳。②

"無修",是不作有意識的修行。"無修而修"是"無修"的修行。"無修而修"必然是"無得而得",不是爲了得而有所得。這種得是"得之自然",是順從衆生自然本性的結果。於此可見,慧能有異於其他佛教宗教修持的禪法,並不是印度佛教的傳統思想,而是淵源於道家自然主義的思想,是直接運用"無爲無不爲"的思維模式的鮮明表現。

宗密把禪分爲息妄修心宗、泯絕無寄宗、直顯心性宗三宗。

① 見《全唐文》卷三二七,中華書局 1983 年 11 月版第 4 册第 3313 頁。
② 見《全唐文》卷六一〇,中華書局 1983 年 11 月版,第 6 册第 6162 頁。

他還將直顯心性宗分爲兩派，一派是洪洲宗，主張"即今能語言動作，貪瞋慈忍，造善惡受苦樂等，即汝佛性；即此本來是佛，除此無别佛也。了此天真自然，故不可起心修道。……不斷不修，任運自在，方名解脱"。[1]二派是荷澤宗，主張"空寂之知是汝真性。任迷任悟，心本自知。……但得無念知見，則愛惡自然淡泊，悲智自然增明，罪業自然斷除，功行自然增進。即了諸相非相，自然無修之修，煩惱盡時，生死即絶"。[2]在宗密看來，這兩派對心性的界説有所不同，前者以衆生的一切言行爲佛性，後者以空寂之智爲佛性，但兩者都認爲"真性無相無爲，體非一切，謂非凡非聖，非因非果，非善非惡"，[3]都主張"即體之用"[4]，"會相歸性"[5]又同屬直顯心性宗。從宗密的分析可以看出，慧能以後的洪洲和荷澤兩宗與道家珍視、保護、發展自然本性的追求人生理想價值的理路是一致的。兩宗的運思結構和方式與道家的自然本性觀念有着直接的內在思想聯繫，這兩宗和道家一樣，都是直接顯示天真自然的本性爲基本要求，由此在禪修上或主張不斷不修，任運自在；或主張無念無修，應用無窮。這種"不斷不修"、"無修之修"是基於衆生的自然本性而確立的修行方式，是實現理想人格，成就佛果的基本途徑。洪洲宗和荷澤宗的禪修之路正是在道家的"無爲而無不爲"的人生行爲方式啟導下形成的。洪洲宗人宣揚"平常心是道"，強調一切日常行爲都是佛性的體現，這和玄學家郭象的"游外冥內"學説也是有思想上的深刻關聯的。

(四)静觀、得意忘言與禪悟

静觀是印度佛教修行解脱的方法，又是道家追求精神自由的方法，同時，儒家對宇宙人生的體驗方法也是"主静"。禪宗學人吸取佛道儒的思想，其參禪的一個重要方法也是静觀。從禪宗思想體系的整體來看，禪宗主流派更多的是按照道家的道 → 自然

① 《禪源諸詮集都序》卷上之二，《大正藏》第 48 卷，第 402 頁下。
② 同上書，第 402 頁下 —403 頁上。
③④ 同上書，第 402 頁下。
⑤ 同上書，第 403 頁上。

→無爲而無不爲的理路而采取的修行方法，也就是説，禪宗的静觀更多的是來自中國的文化背景，尤其是道家的思想影響。從禪宗的演變來看，相對而言，道家的静觀對慧能前的禪師影響較大，對慧能南宗一系則影響較小。静觀是老子首先提倡，也是他着力提倡的，由此又可以説，老子的思想對慧能前的禪師有着較大的影響。

老子説："致虚極，守静篤，萬物並作，吾以觀其復。夫物芸芸，各歸其根，歸根曰静，静曰復命，復命曰常。"（《老子》十六章）這是説，萬物紛紜複雜，變化莫測，但各有其根，歸根是"静"，這是"復命"；也是不可言説的"常道"。如何"觀"萬物的"復命"，也就是如何"觀"不可言説的"常道"呢？這要"致虚"，即心中虚而無物，排除一切私見；"守静"即心中静而無慮，泯除一切思念。也就是要做到心虚静如鏡。老子以静爲動的根，是"主静"説的主要開創者。老子的"静觀"方法，不是單純的直觀，而主要是內視反觀的直覺，是自我的內在體驗。這種静觀既是對個體內心的體驗，也是對本體"常道"的一種本體體驗。老子的静觀是自我個體與自然本體相統一的體驗。老子"静觀"思想對禪學的影響，正如梁慧皎《高僧傳・禪論》中説：

> 《老子》云："重爲輕根，静爲躁君"，故輕必以重爲本，躁必以静爲基。[①]

"躁"，動。老子這句話的意思是説，重是輕的根本，静是躁的基礎。這表明了中國佛教學者明確地肯定了老子的主静觀念爲中國禪學的重要理論基礎。後來，如道信的"看淨"，弘忍的"看心"，神秀的"觀心"，乃至正覺的"默照"都可以從老子的"静觀"説中尋到某些思想源頭。

佛教認爲真理是不可言説的，言教只是教化衆生的權宜方式。佛教主張"言語道斷"，認爲真正的悟境是"言亡慮絶"，無法

---

① 《高僧傳》卷第十一，《大正藏》第50卷第400頁中。

以言語和思慮加以分別的。道家主張"得意忘言",《莊子・外物篇》說:"筌者所以在魚,得魚而忘筌;蹄者所以在兔,得兔而忘蹄;言者所以在意,得意而忘言。""筌"和"蹄",分別爲捕魚和捕兔的工具。以此比喻說明言詞在於達意,既已得意就不再需要言詞。後來魏晉玄學家更有"言意之辯",形成"言盡意"、"言不盡意"和"得意忘言"三派,而以後一派最有代表性,影響也最大。"得意忘言"派王弼認爲"意"是"超言絶象"的,這個"意"具有本體論意義。所謂"得意"就是對本體的體悟。從竺道生和禪僧的言論和思想來看,莊子和王弼的"得意忘言"說實際上成了他們佛學方法論的基礎,其影響遠比印度佛教的相關學說更直接,也更深刻。

如上所述,竺道生是中國第一位吸取道家學說來闡發佛性論的佛學家,他在當時之所以力排衆議,發表新見,主張直指心性,正是吸取和運用莊子和王弼的"得意忘言"方法論學說所取得的理論成果。他說:"夫象以盡意,得意則象忘;言以詮理,入理則言息。……若忘筌取魚,始可與言道矣!"①認爲"得意忘言"方法是把握佛道的前提。莊子、王弼的"得意忘言"說也一直是中國禪師參禪的主導思想。如慧可說:"學人依文字語言爲道者,如風中燈,不能破暗,焰焰謝滅。"②僧璨也說:"聖道幽通,言詮之所不逮;……文字語言,徒勞施設也。"③他們都強調語言文字的局限,認爲不能執著。道信更明確地主張"亡言"以"得佛意",他說:"法海雖無量,行之在一言,得意即亡言,一言亦不用,如此了了知,是爲得佛意。"④只有一言也不用,徹底"了了知",才是真正得到佛意。《楞伽師資記》是這樣描寫弘忍禪師的:"其忍大師,蕭然淨坐,不出文記,口說玄理,默授與人。"⑤由此可知弘忍也是奉

① 《高僧傳》卷七《竺道生傳》,《大正藏》第50卷,第366頁中。
② 《楞伽師資記》,《大正藏》第85卷,第1285頁下。
③ 同上書,第1286頁中。
④ 同上書,第1288頁下。
⑤ 同上書,第1289頁中。

行"得意忘言"的方法論原則的。到了慧能,尤其是慧能後學更認爲佛陀所有的言教,佛教全部經典都只是教化衆生的方便設施,並非佛法本質所存,更非佛教真理本身。佛法的本質在於心靈的開發,在於自性的迷悟。而悟的內容也無法用語言文字傳述,只能以心傳心,由師心直接傳予弟子心。由此,他們提出了擺脱印度佛教教義、教規的獨特主張:"不立文字,教外别傳,直指人心,見性成佛。"[①]與此相應,也倡導頓悟説。後來進一步更有呵祖罵佛,説達摩是老臊胡,釋迦是乾屎橛,稱佛典是鬼神簿、拭瘡疣紙之説[②]。於此可見,道家的"得意忘言"思想實是禪學提出"明心見性"説的邏輯起點和方法論依據,是禪宗之所以是禪宗,是禪宗之異於中國佛教其他派别,以及區别於印度佛教的認識論基礎。由此又可見,"得意忘言"説在禪宗思想形成及發展史上具有何等重要的地位。

總之,道家對禪宗的影響是全面的、深刻的,它以對禪宗心性論影響爲重心,同時還爲禪宗提供了本體論、方法論和認識論的理論基礎。

作者簡介 方立天,浙江永康市人,北京大學哲學系畢業。現任中國人民大學哲學系教授、宗教研究所所長、中國哲學史學會副會長、《中國哲學史》雜志主編、斯里蘭卡凱拉尼亞大學兼任導師等。主要著作有《佛教哲學》、《中國佛教與傳統文化》和《中國古代哲學問題發展史》等。

---

① 參見《黄檗山斷際禪師語録》,《大正藏》第 48 卷第 384 頁上。

② 參見《五燈會元》卷七《德山宣鑒禪師》,中華書局 1984 年 10 月版中册,第 374 頁。

程朱理學與老學

馮達文

内容提要 孔孟儒學是《世俗日常心理情感引伸出自己的倫理—政治主張的。程朱理學貶落“情”而凸顯“理”,走出主觀而走向客觀,建構了知識論又超越了知識論,終於爲儒學營造了形上學,從而使儒家的倫理—政治主張獲得了一種客觀必然性意義。

然而,程、朱之所以有可能把儒學的發展推向一個新的階段,實得力於老學的基本思路與本體論的基本架構。理學把“理”置於氣物之外、之先,强調“理”不可分的整全性與無對待的具足性,主“静”,倡“滅欲”,在把握形而上的層面上排斥知性,這些,都十分明顯地表現了老學的基本特徵。

程朱理學的理論架構與本體追求帶有濃重的道家特别是老學色彩,這已爲明清之際許多思想家所確認。明王廷相《雅述》上篇即稱:

> 老莊謂“道生天地”,宋儒謂“天地之先只有此理”。此乃改易面目立論耳,與老莊之旨何殊?

明末清初潘平格説得更直截了當:

> 朱子道,陸子禪。①

---

① 李塨《恕谷後集》卷六《萬季野小傳》引潘平格語。

後戴震《孟子字義疏證》也謂:

> 朱子屢言"人欲所蔽",皆以爲無欲則無蔽,非中庸"雖愚必明"之道也。有生而愚者,雖無欲亦愚也;凡出於欲,無非以生以養之事。欲之生爲私不爲蔽。……因私而咎欲,因欲而咎血氣,因蔽而咎知,因知而咎心,老氏所以言"常使民無知無欲"。彼自外其形骸,貴其真宰;後之釋氏,其論説似異而實同。宋儒出入於老釋,故雜乎老釋之言以爲言。

戴震這裏對老釋的批評自是一家之言,但他認爲朱子與老釋都是共同地"外其形骸,貴其真宰",或於形骸之外另覓真宰,這無疑是確當的。

爲什麼明清學人會産生這種看法呢? 我們還需要從孔孟原儒學説起。

一

我們知道,孔孟原儒學其實並無哲學意義上的本源 —— 本體論,也無稍具系統的知識論。孔孟談論問題,完全依持於人們的日常世俗情感。

先以"孝"言。《論語・陽貨》記父母死,兒子守喪三年爲"孝"。這種"孝",在孔子那裏,就純然出自於非報父母養育之恩不可的真切之情(不安之心)。而"孝"即是"仁"。孟子《盡心》篇説:"親親,仁也";又説:"人皆有所不忍,達之於其所忍,仁也。""親親"爲親愛自己親人的一種內在情感,"人皆有所不忍"爲對同類的一種同情心,孟子以此爲"仁"。可見"仁"也以情感爲依持。又如孟子《告子》篇上所説的四端,在他所例舉的"四心"之中,"惻隱之心"、"羞惡之心"、"恭敬之心"等"三心"也都屬於情感範疇。仁、義、禮"三德"依此而立,則"三德"也都以"情"爲基礎。

"禮"本屬外在規範,涉及到人與人之間的外在利益關係(或爲平衡人與人之間特定利益關係而設定)。但孔孟這裏以"恭敬之心"引發,"禮"即被內在化爲一種情感需要。我們看《孟子·滕文公上》講葬禮,以父母死而委尸於壑,任由狐狸食之,蠅蟻嘬之,於心有愧。由此有愧之心而對親人改行葬禮。"掩之誠是也",據此,是非之判定,非據於"知"而據於"情";"則孝子仁人之掩其親,亦必有道矣",如此則所謂"道",也非外在之必然性而僅由內在之"情"引伸而出。

《禮記·三年問》對孟子的這一觀念作了進一步的申述:

> 三年之喪,何也?曰:稱情而立文。……凡生天地之間者,有血氣之屬,必有知,有知之屬,莫不知愛其類。……故有血氣之屬,莫知於人,故人於其親也,至死不窮,將由乎患邪淫之人與?則彼朝死而夕忘之,然而從之,則是曾鳥獸之不若也,夫焉能相與羣居而不亂乎?

《禮記》稱"三年之喪"爲"稱情而立文"。"文"即"禮"。這也是直接從人在羣居生活中自然培植起來的情感中引申出外在社會規範。

延及於"政"。孟子稱:

> 人皆有不忍人之心。先王有不忍人之心,斯有不忍人之政矣。以不忍人之心,行不忍人之政,治天下可運之掌上。(《孟子·公孫丑上》)

"以不忍人之心,行不忍人之政",即把"政"建基於同情心、憐憫心之上。

這都可見,孔孟原儒學實際上涉及的,主要是家族制社會體制下的世俗日常心理情感問題。這種日常心理情感是自然的,自發的,不必依賴於"知"。孟子所說的"良知"、"良能"實都指一種自然、自發的親親之情感與態度,顯然不屬於"知"。由把這種親親之情向社會推及,如孟子說的"老吾老,以及人之老;幼吾幼,以及人之幼",也只訴諸於一種同類同情心而無需用"知"。故孔孟儒學實未開出知識論。當然更不可能借助知識論或對知識論的破斥建構形上學。

這既是孔孟儒學的長處,也是它的弱點。

一方面,由於孔孟儒學是把自己的倫理——政治主張直接訴諸於人們的日常心理情感的,它必然"更平實地符合日常生活,具有更普遍的可接受性和付諸實踐的有效性。"①是爲長處;另一方面,孔孟儒學的這種可接受性既然是直接付諸於每個個人的心理情感的認同的,那麽它的普遍性便僅僅是依恃於以親族爲結構形式的社會體制的普遍性成立的,而不是借助知識論,從綜合概括中獲得的,因而,它本質上仍然是個别的、偶然的、不穩定與不可靠的。孟子曾舉及"乍見孺子將入於井"(《孟子・公孫丑上》)一個例證説明"人皆有不忍人之心",這一説法似乎可以爲人們所認同。但韓非卻另舉一例説明人皆以"計算之心"相待而無情:"且父母之於子也,産男則相賀,産女則殺之。此俱出父母之懷妊,然男子受賀,女子殺之者,慮其後便,計之長利也。"(《韓非子・六反》)韓非這一例證也不可以説不是事實。這正表明,直接訴諸於世俗日常生活情感的不確定性與不可靠性。

顯然,儒家只有借助知識論或對知識論的破斥並建構起自己的形上學,才有可能使自己的倫理——政治學説獲得真正的普遍有效性。

二

孔孟之後,開始爲儒家尋找知識論的,是《荀子》與《大學》;建構形上學的,是《中庸》和《易傳》②。

《荀子・解蔽》稱:

---

① 李澤厚《中國古代思想史論》第21頁,人民出版社1986年版。

② 馮友蘭、任繼愈先生均認爲《大學》、《中庸》爲秦漢時期作品,馮氏稱:"……《中庸》大部分爲孟學,而《大學》則大部分爲荀學。此二篇在後來中國哲學中,有甚大努力。而此二篇亦即分别代表戰國時期儒家之孟荀二大學派。"此説誠是。馮氏的析辯見《中國哲學史》上册,第一篇第十四章,中華書局1992年重印版;任氏的觀點見《中國哲學發展史・秦漢篇》第219—244頁,人民出版社,1985年出版。

凡以知,人之性也。可以知,物之理也。以可以知人之性,求可以知物之理,而無所疑止之,則没世窮年不能徧也。其所以貫理焉雖億萬,已不足以浹萬物之變,與愚者若一。

這裏,荀子已把"人之性"與"物之理"分立開來。正是有了這種分立,才容納了知識論。《大學》則稱:

致知在格物。格物而後知至,知至而後意誠,意誠而後心正,心正而後身修,身修而後家齊,家齊而後國治,國治而後天下平。

這也是把"知"與"物"對待化,而且把"格物致知"看作是搞好內在德性修養和支配外在世界的前提條件。知識論的重要性被更進一步突出起來。

知識論涉及的首先是人與物、主體與客體的二分性問題,進一步開顯便有一般與個別、共相與殊相、原因和結果、必然與偶然、絶對與相對、無限與有限等的區别與聯繫的問題。又由這種開顯才可以引發形上學或本體論。在被看作是儒家系列的作品中,《易傳》最先提出"形而上"與"形而下"的區分,這就是《繫辭》中經常爲後人所徵引的"形而上者謂之道,形而下者謂之器"那句名言。這裏,"形而上"之"道"已不再如孔孟所理解的,爲"情"之引伸,它已有共相、原因、必然、絶對與無限的意味。

《中庸》觸及形上學問題的,實際上主要是"天命之謂性,率性之謂道,修道之謂教"一語。依此一語,具絶對至上意味的,是"天"或"天命"而非"道","道"於當中僅具路徑或方法的意義。倒是《大戴禮記》中《本命篇》的一語說得更好:

分於道謂之命。形於一謂之性。化於陰陽,象形而發,謂之生。化窮數盡謂之死。

"命"指每個個人從"道"中當分得的。個人從"道"中當分得而後內具於每個個人者("形")是爲"性"(規定性)。這裏,"道"與"性"的關係才真正具有整體與個體、共性與個性的關係。"道"被置於"命"之上,體認爲本體。

可以說,程朱理學正是沿着《荀子》、《大學》、《易傳》、《中庸》

所開出的方向而發展孔孟儒學的。

二程與朱熹明確地貶落"情"。程頤《遺書》說:"心本善,發於思慮,則有善有不善。若既發則可謂之情,不可謂之心。"(卷十八)又說:"惻隱則屬愛,乃情也,非性也。"(卷十五)這都貶低"情"而另設"性"。朱熹亦稱:"性者,心之理;情者,心之動。才便是那情之會恁地者。情與才絶相近。"(《語類》卷五)在每個個人內在稟賦中,朱熹同樣貶落"情"而高揚"性"。於此,程、朱已明顯地與孔孟儒學拉開距離。

而"性"又是什麼,從何而來呢? 程、朱均以爲"性即理",性稟自於在每個個人之外的具有實體意義的天理。程頤《遺書》說:"在天爲命,在義爲理,在人爲性,主於身爲心,其實一也。"(卷十八)朱熹說:"性者,即天理也,萬物稟而受之,無一理之不具。"(《語類》卷五)程、朱在人——主體情性之外另立一客觀設準,則離開孔孟原儒學又更遠了。

承認主、客之二分則必然要引發與發展如何由主體通達客體的知識論問題。在這方面程頤、特別是朱熹比之於《荀子》與《大學》作出了更多的貢獻。朱熹在補《大學》"格物致知"章所缺部分時寫道:

> 所謂致知在格物者,言欲致吾之知,在即物而窮其理也。蓋人心之靈莫不有知,而天下之物莫不有理,惟于理有所未窮,故其知有不盡也。是以大學始教,必使學者即凡天下之物,莫不因其已知之理而益窮之,以求至乎其極。至于用力之久,而一旦豁然貫通焉,則衆物之表裏精粗無不到,而吾心之全體大用無不明矣。此謂格物,此謂知之至也。①

當中,"蓋人心之靈莫不有知"句,顯然地直接來源於荀子。"必使學者即凡天下之物……,以求至乎其極"句,表謂對外在客觀事物的認知,要走由個別到一般、殊相到共相的逐漸升進的道路。及

① 《四書章句集注》第6—7頁,中華書局1983年出版。

至“一旦豁然貫通焉,則衆物之表裏精粗無不到,而吾心之全體大用無不明矣”句,則認定“理”是遍在的,整全的。此“理”誠然已具本體意義。

可以看出,程、朱貶落“情”而凸現“理”,走出主觀而走向客觀,穿透個別、殊相而尋繹一般、共相,目的都在爲孔孟儒學的倫理——政治主張給出一種形上學的依據,並使之獲得普遍必然性意義。

三

但是,以上説的僅是儒學一派自身的演變,這與道家有什麽關係呢?

問題就在於:儒學這整個變化過程,恰恰是借取了道家的許多基本觀念而實現的。

早在先秦、秦漢之際,在儒學由主觀情結中走出而匯入宇宙大化的演變中起到關鍵作用的《荀子》、《易傳》兩種著作裏,即可明顯地看到道家的影響。荀子有“天行有常,不爲堯存,不爲舜亡,應之以治則吉,應之以亂則凶”的天之“自然”説,而這種“自然”説即與老、莊下述説法一脈相承:“天地不仁,以萬物爲芻狗”,“天其運乎?地其處乎?日月其爭於所乎?孰主張是?孰維綱是?孰居無事推而行是?意者其有機緘而不得已邪?!意者其運轉而不能自止邪?!……帝王順之則治,逆之則兇”(《莊子·天運》)。《易傳》之受道家影響,則已爲陳鼓應先生所反復辨證①。至於在儒家系統中較早涉及共相與殊相、一般與個別關係的《中庸》的“天命之謂性,率性之謂道,修道之謂教”句,又誠如馮友蘭先生所指出的,當中“儒家所説天與性之關係,與道家所説道與德的關係相同。蓋天爲含有道德之宇宙的原理,而性則無所‘命’於

---

① 參見陳鼓應《老莊新論·〈易傳〉與老、莊》,上海古籍出版社1992年出版。

人,人所'分'於天者也"[1]。我們知道,老子的提法是:"道生之,德畜之,物形之,勢成之,是以萬物莫不尊道而貴德。"老子的提法即以"道"爲宇宙本體,以"德"爲物從"道"中分得者。從以上材料均可見,儒家在戰國末葉、秦漢時期的發展,已深受道家影響。

被稱爲新儒家一派的程朱理學,從道家借助的東西實更遠遠超過以往各個時期的儒學。

我們知道,程朱理學是以爲儒學營造形上學或本體論爲己任的。在中國哲學史上,哲學家們在形上學或本體論的建構上所取的途徑大體有四種:一是從現實事物的現實關係中尋繹共相並以之爲本體;二是在現實事物及其關係之外、之先給出本體;三是即認每個個體事物及其任何存在形式與變化樣式的本體;四是否棄任何外在事物及其來源而直指每個個體之"心"爲本體。三、四兩途中,前一途爲莊(周)、郭(象)之學所取,後一途爲陸王心學所取,因都不涉及共相與殊相、一般與個別的關係,這裏略去不談。下面僅談第一、二兩途。

第一途多爲一批務實的思想家慣常所取,如先秦時期之韓非,宋、明、清時期之陳亮、葉適、王廷相、王夫之等均是。韓非主張"因可勢,求易道"(《觀行》),即把道寄寓於由事物特定關係所産生的必然性("勢")之中;王夫之認定"氣外更無虛托孤立之理"(《讀四書大全説》卷十),"氣之條緒節文,乃理之可見者也。……又只在勢之必然處見理"(同上書卷九),亦把道或理寄寓於由事物的特定性質與關係所産生的必然性("勢")之中。這也就是借助於知識論,在殊相中求共相,在個別中求一般,認事物的共相、一般爲道爲理。由此求得的道或理,對治國平天下的各種具體運作,無疑有直接的指導意義。但是,殊相、個别,事物的特定關係,是相對的,不確定而可變化的,由此抽取的共相、一般,必然要容納變化。韓非《解老》説:"(道)稽萬物之理,故不得不化;不

① 馮友蘭《中國哲學史》上册第451頁,中華書局1992年出版。

得不化,故無常操";王夫之《周易外傳》卷六說:"太虛者,本動者也";《讀四書大全說》卷十說:"動静皆動也,由動之静,亦動也";這都確認變化的普遍必然性。但既然道理是相對的、可變化的,則其實並無絶對之本體意義。

第二途可以説就是從不滿足於道或理的相對性、可變性而發展起來的。這一途爲道家中老子、王弼一系所取。爲簡便起見,我們姑且把這一系通稱老學。老學的基本特點是:

第一、強調道與物(形)反,道在物之外、之先。老子說:"有物混成,先天地生。寂兮寥兮,獨立不改,周行而不殆,可以爲天下母,吾不知其名,字之曰道,強爲之名曰大。"王弼說:"凡物之所以存,乃反其形。功之所以尅,乃反其名。夫存者不以存爲存,以其不忘亡也。安者不以安爲安,以其不忘危也。……此道之與形反也。"①這都確認道在物外、物先。在老學看來,任何有形質規定性之物都是有限物,它們"雖極其大,必有不周,雖盛其美,必有憂患"(王弼《老子·三十八章注》),故都無完全、絶對意義。完全、絶對的東西,只能是先於物而存在的,尚未分化、未墮落爲某物的東西。

第二、強調道內在的不可分性與外在的無對待性,是謂"一"。老子說:"道生一,一生二,二生三,三生萬物。"王弼注而釋之爲:"萬物萬形,其歸一也。何由致一,由於無也。由無乃一,一可謂無已。"王弼的解說是確當的。"一"爲不可分、無對待;不可分、無對待便無形質規定性;無形質規定性是爲"無",故可說"由無乃一,一可謂無已"。在老子、王弼看來,"道"只有不落入分立與對待狀態,保持在"一"的層面上,才具有絶對的整全性。

第三、不可分、無對待便不會產生矛盾與發生變化,是謂"静"。故老學又主"静"。老子說:"致虛極,守静篤。萬物並作,

① 《老子指略》,見樓宇烈《王弼集校釋》上,中華書局 1980 年出版。

吾以觀復。夫物芸芸,各復歸其根。歸根曰静,是謂復命。復命曰常,知常曰明。"王弼注"萬物並作,吾以觀復"句謂:"以虚静觀其反復。凡有起於虚,動起於静。故萬物雖並動作,率復歸於虚静,是物之極篤也。"注"復命曰常"句稱:"歸根則静,故曰静。静則復命,故曰復命也。復命則得性命之常,故曰常也。"老子、王弼於此都強調作爲萬物本根之"静"。在他們看來,道唯"静"而不變,才可以獲得恆在性。"守静"則是對人——主體爲得道而作的修養的基本要求。

第四、人——主體如何可以"守静"?必須"去欲"。故老子亦主"無欲",王弼則謂唯"無欲"才可"守其真"(《老子》三章注),是因:"五色令人目盲,五音令人耳聾,五味令人口爽,馳騁畋獵,令人心發狂,難得之貨,令人行妨。是以聖人爲腹不爲目,故去彼取此。"(《老子》十二章)在老子、王弼看來,心有欲則必爲外界種種聲色所牽引而不静,心不静則意味着要落入種種矛盾對待、得失變化之中,這當然不可能回歸於道。故"去欲"、"無欲"又是"守静"的前提條件。

第五、物因爲有分别、有對待、有形質規定性故可知可名,道無分别、無對待、無形質規定性便不可以"知"求,不可以"名"取。故老學又特強調道之"無名"。老子稱:"視之不見名曰夷,聽之不聞名曰希,搏之不得名曰微。此三者不可致詰,故混而爲一。其上不皦,其下不昧,繩繩不可名,復歸於無物。"王弼稱:"夫物之所以生,功之所以成,必生乎無形,由乎無名。無形無名者,萬物之宗也。"[①]這都否認以通常對物的認知方式去求道的可能性。老學對知識論的這種斥遂,並不是不要知識,而是因爲,在老子、王弼看來,人類知性只是對應於器物才有意義的;而在超越器物,在尚未分化與墮落的道的層面上,它是無能爲力的。

可以説,強調道本體在物之外和對於物的先在性,主"一",主

① 《老子指略》,見樓宇烈《王弼集校釋》上。

"静",倡"去欲",主"無名"而貶斥知性,構成老學的基本特點。

四

那麽,程朱理學在建構其本體論時是取何種途徑呢?誠如王廷相、潘平格所指出的,它實借取了老學一途。其表現在:

第一、程朱理學的思想家都極明確地把其具有形上本體意義之無極、太極、理,置於形氣或器物之外、之先。

周敦頤爲程朱理學的始創者。周敦頤直接引入道教的《先天圖》稍加改製爲《太極圖》而用以解説宇宙生化,這是盡人皆知的。周氏於《太極圖·易説》中稱:

> 自無極而爲太極。太極動而生陽,動極而静,静而生陰,静極復動。一動一静,互爲其根。分陰分陽,兩儀立焉。陽變陰合,而生水、火、木、金、土。五氣順布,四時行焉。五行,一陰陽也;陰陽,一太極也;太極,本無極也。

這裏,周氏不滿足於《易傳》之以"太極"爲宇宙萬物的本源而特地於老子中取來"無極"置之其上,就等於明確宣示在尋求形上學建構時他更傾向於道家。此後,二程有懼於其師的過分道家化而不提"無極",且自家體貼"天理"①,朱熹釋"太極"爲"理"而把"無極"作"太極"—"理"的一種無聲無臭、無形無狀之狀態言②,這似乎與道家拉開了距離,但實際上,二程特別是朱熹哲學的本體構架依然是老學的。朱熹説:

---

① 程頤曾稱:"吾學雖有所授受,'天理'二字卻是自家體貼出來。"見《程氏外書》卷十二。

② 朱熹曾稱:"總天地萬物之理,便是太極。"(《朱子語類》卷九十四)又稱:"上天之載,無聲無臭,而實造化之樞紐,品匯之根柢也。故曰'無極而太極'。非太極之外復有無極也。"(《太極圖説解》)但朱熹的這一辯解是拙劣的,當時即爲陸九淵所點破。陸氏謂:"朱子發謂濂溪得太極圖於穆伯長。伯長之傳,出於陳希夷,其必有考。希夷之學,老氏之學也。無極二字,出於老子知其雄章。吾聖人之書,所無有也。老子首章言,無名,天地之始,有名,萬物之母,而率同之。此老氏宗旨也。無極而太極,即是此旨。"(《象山先生全集》卷二,《與朱元晦書》)

未有天地之先,畢竟也只是理。有此種理便有此天地。若無此理,便亦無天地,無人無物,都無該載了。有理便有氣,流行發育萬物。(《語類》卷一)

有此理後,方有此氣。既有此氣,然後此理有安頓處。大而天地,細而螻蟻,其生皆是如此。……要之理之一字,不可以有無論,未有天地之時,便已如此了也。(《文集》卷五十人,《答楊志仁》)

我們實在看不出,朱熹的關於理與氣、物的關係的這些提法,與老子"有物混成,先天地生,……"、"道生一,一生二,二生三,三生萬物"等語所涉及的道與物的關係的提法,有什麼差别。要之,無論是老子或朱子都認定,只有把道或理安置於形氣或器物之外、之先,使之不在時空中存在與流轉,它才可以有絶對、無限的意義。

第二、程朱理學的思想家們同樣極其強調理的不可分的整全性與無對待的具足性。二程説:"天理云者,這一個道理,更有甚窮已。不爲堯存,不爲桀亡。人得之者,故大行不加,窮居不損。這上頭更怎生説得存亡加減。是它元無少欠,百理俱備。"(《程氏遺書》卷二上)朱熹説:"理只是一個理。理舉着,全無欠闕。"(《語類》卷六)又説:"周子所以謂之無極,正以其無方所,無形狀,以爲在無物之前,而未嘗不立於有物之後。以爲在陰陽之外,而未嘗不行乎陰陽之中。以爲通貫全體,無乎不載,則又初無聲臭影響之可言也。"①這裏,所謂"元無少欠,百理俱備","理舉着,全無欠闕",就是指的理之無待的具足性。其中,"無方所,無形狀,以爲在無物之前,而未嘗不立於有物之後。……"等提法,直情即脱胎於老子與莊子的以下提法:"是謂無狀之狀,無物之象,是謂惚恍。迎之不見其首,隨之不見其後。執古之道以御今之有。能知古始,是謂道紀"(《老子》十四章);"夫道,有情有信,無爲無形。可傳而不可受,可得而不可見。自本自根,未有天地,自古以固存。神鬼神帝,生天生地。在太極之先而不爲高,在六極

① 《文集》卷三十六,《答陸子静書》。

之下而不爲深,先天地生而不爲久,長於上古而不爲老……"(《莊子·大宗師》)。老子、莊子、朱熹的這些話語,實都在描述道或理的遍在性。又正是道或理的這種"通貫全體"、"通貫古今"的遍在性,體現着它不可分的整全性。

第三、程朱理學的思想家們又都強調要有一種"守静"與"去欲"的功夫,力圖藉這種功夫實現從與形下之物的對待關係中超出,而求得在形上境界上的自由與圓足。

在程朱理學一派中,周敦頤是最早也最直接從道家借助形上學的,故周氏也最早最明確地提倡"主静"。《太極圖説》稱:

> ……二氣交感,化生萬物。萬物生生,而變化無窮焉。惟人也,得其秀而最靈。形則生矣,神發知矣。五性感動,而善惡分,萬事出矣。聖人定之以中正仁義(自注:聖人之道,仁義中正而已矣)而主静(自注:無欲故静),立人極焉。

於此,周敦頤即以爲唯"主静",此心才不會墮入萬事紛擾的迷霧中而求得超越。周氏又把"無欲"與"主静"聯繫起來,以爲只有做到"無欲",方可"入静"。而這點正是道家的基本主張。

爾後,忌諱於周敦頤過分濃重的道家色彩,程、朱"主敬"。程頤説:"才説静,便入於釋氏之説也。不用静字,只用敬字。"(《程氏遺書》卷十八)話雖如此説,但程、朱還是不時講"静"。如朱熹曾説:"持敬是窮理之本;窮得理明,又是養心之助。"(《語類》卷九)但是他隨即又稱:"持敬以静爲主。"(同上)"止於仁敬者,静也。"(《語類》卷十二)這就把"持敬"悉爲入"静"的一種功夫或一種狀態。依然離不開"静"。

程、朱更提倡"静坐"。《程氏外書》卷十二記稱:

> 暇日静坐,和靖、孟敦夫、張思叔侍。伊川指面前水盆語曰:"清静中一物不可著,才著物便搖動。"
>
> 謝顯道習舉業,已知名,往扶溝見明道先生受學,志甚篤。明道一日謂之曰:"爾輩在此相從,只是學某言語,故其學心口不相應。盍若行之?"請問焉。曰:"且静坐。"伊川每見人静坐,便嘆其

善學。

《朱子語類》卷十二記朱熹語：

> “明道教人静坐，李先生亦教人静坐。蓋精神不定，則道理無凑泊處。”又云：“須是静坐，方能收斂。”

顯然，程、朱都以爲“静坐”具有收斂散落於物的知識心與利欲心的功能。

要言之，程、朱不可能以“敬”取代“静”，是由他們所取的老學式的本體論形態所決定了的：他們認定理本體是超越時空的絶對不變者，由理本體規定了的每個個人的本性也是湛然不動的，爲外物吸引而有所動的只是“情”和“欲”，有“情”和“欲”即已墮落於形而下。故“不動心”、“守静”原是保持形上境界的基本要求。而所謂“敬”，慣常是指的個體對外在天理賦予自己的東西所持的一種慎守勿失的態度，即朱熹説的“敬者，守於此而不易之謂”者（《語類》卷十二）。在“敬”中，個體與天理是處於一種對待關係中的。“敬”要求個體約束自己，向上體認天理，個體與此實際上是被動的，受限定而不自由的。“静”卻是與本體同一的。“清静中一物不可著”，不與任何東西構成對待關係；“静後，見萬物自然皆有春意”（《程氏遺書》卷六），人静後，心境才最活潑，最有自由。故程、朱絶不能僅止於“敬”而迴避“静”。

況且，在對個體於天理中所得的東西慎守勿失的意義上的“敬”與“去欲”並無邏輯上的必然聯繫，“静”卻非“無欲”不能成。而周、程、朱等理學家之主“去欲”、“無欲”、“滅欲”，實有過於老子、王弼。周敦頤曾公開批評孟子“養心莫善於寡欲”一説之不是，稱：

> 余謂養心不止於寡欲而存耳，蓋寡焉以至於無。無則誠立明通。誠立，賢也；明通，聖也。（《周敦頤集》卷三）

周氏又稱：

> 聖可學乎？曰：可。有要乎？曰：有。請問焉。曰：一爲要。一則無欲。無欲則静虚動直。静虚則明，明則通。動直則公，

> 公則溥。明、通、公、溥，庶矣乎。(《周敦頤集》卷二,《通書·聖學》)

這即明確主"無欲"並認爲唯"無欲"方可入"静"。至如程頤所說:"人心私欲故危殆,道心天理故精微,滅私欲,則天理明矣。"(《遺書》卷二十四)則人心與道心、私欲和天理的分立與背離,實體現了個別與一般、殊相與共相的分立與背離和於個別、殊相之外求一般、共相的程朱理學建構本體論的基本路向。唯舍棄個別、殊相才可升進於一般、共相,故亦須"革盡人欲",才可"復盡天理"(《語類》卷十三)。

第四、程朱理學的思想家們還都確認,在涉及形而上的層面上,必須排斥知性,而僅可訴諸於直覺與體認。二程稱:

> 學者須學文,知道者進德而已。……學文之功,學得一事是一事,二事是二事,觸類至於百千,至於窮盡,亦只是學,不是德。有德者不如是。(《遺書》卷二上)

> 聞見之知,非德性之知。物交物則知之,非內也,今之所謂博物多能者是也。德性之知,不假見聞。(同上書卷二十五)

這裏之所謂"德性",也即"天命之謂性"。天"命"於每個個人之"性"即"理","當然之理,無有不善者"(《語類》卷四),故可以稱"德性"。"德性之知"與"見聞之知"的分立與背離表現了理與氣、本體與物象的分立與背離。理、本體在氣、物象之外,故"德性之知,不假見聞"。然而這一點,其實老子早已揭明:"爲學曰益,爲道曰損。損之又損,以至於無爲。"不難看出,二程對"德性之知"與"見聞之知"、"進德"與"學文"關係的判語,與老子上述提法實是一脈相承的。

朱熹没有明確把知性心與德性心分爲兩截。但朱熹有如下說法:

> 心包萬理,萬理具於一心。不能存得心,不能窮得理;不能窮得理,不能盡得心。

> 窮理以虛心静慮爲本。

虚心觀理。

理不是在前面別爲一物,即在吾心。人須是體察得此物誠實在我,方可。譬如修養家所謂鉛、汞、龍虎,皆是我身內之物,非在外也。(《語類》卷九)

依朱熹的這些説法,理作爲宇宙本體,本外在、先在於每一事物、每個個人,但每一事物、每個個人在受氣成形之當下也禀得此理而爲性。理由此已內在於每一事物、每個個人,此即"心包萬物,萬理具於一心"。既然理並不在外面別爲一物,"即在吾心",則求理其實也無需向外一物一物地格知,無需取任何綜合、分析等知性的途徑,只需向內在本心本性體察便可。依此,則在建構和把握形上學的層面上,朱熹其實也是排斥知識論的,這與老學並無本質區别。

五

那麼,程朱理學承接《荀子》、《易傳》、《大學》、《中庸》開出的方向,借助道家的基本概念與本體論架構,貶落孔孟所偏重的"情"而凸出"理",走出主觀而走向客觀,建構了知識論又超出了知識論,爾後終於爲儒家營造了形上學或"理本論",這在儒學的發展史上有什麽意義呢?

我認爲,最重要的一點,就是使儒學的倫理——政治主張獲得了某種客觀普遍必然性的意義。其中,對孔孟的基本概念"仁"的重新解釋就最明顯不過地體現了這一點。如前所説,孔孟多於親親,孝悌、惻隱之心、不忍之心等處見仁,也即把仁、仁道、仁政訴諸於每個個人的主觀情感,這當然不可能有客觀普遍必然性作爲支撑點。程、朱立足於"理本論"卻得以從宇宙生化處見仁。程氏説:

萬物之生意最可觀,此元者善之長也,斯所謂仁也。(《遺書》卷十一)

> “生生之謂易”，是天之所以爲道也。天只是以生爲道，繼此生理者，即是善也。善便有一箇元底意思。“元者善之長”，萬物皆有春意，便是“繼之者善也”。（同上書卷二上）

朱氏說：

> “天地之大德曰生”，人受天地之氣而生，故此心必仁，仁則生矣。（《語類》卷五）

> 要識仁之意思，是一個渾然温和之氣，其氣則天地陽春之氣，其理則天地生物之心。（《語類》卷六）

這都於天地生生不已處看仁看善。天地生生不已爲客觀普遍法則，故繼之而爲仁爲善亦便有客觀必然性的意義。

其次一點是，程、朱“理本論”的確立，又使儒學得以從原先所主張的親疏有別、貴賤有等的偏狹觀念中脱出並升進，成就了“萬物一體”的思想①。二程說：

> 所以謂萬物一體者，皆有此理，只爲從那裏來。“生生之謂易”，生則一時生，皆完此理。（《遺書》卷二上）

這即使立足於宇宙生化的高處，從人生來在本性上相同而平等處講“萬物一體”。程氏又說：“仁者，以天地萬物爲一體，莫非己也。”（《程氏遺書》卷二上）把天地萬物體認爲“莫非己也”，這更表達了一種“博愛”觀，可惜程、朱受原儒學的局限，對此點均未作展開。唯張載《西銘》有淋灕盡致的發揮：

> 乾稱父，坤稱母；子兹藐焉，乃渾然中處。故天地之塞，吾其體；天地之帥，吾其性。民吾同胞，物吾與也。大居者，吾父母宗子；其大臣，宗子之家相也。尊年高所以長其長，慈孤弱所以幼其幼。聖其合德，賢其秀也。凡天下疲癃殘疾，惸獨鰥寡，皆吾兄弟之顛連而無告者也。於時保之，子之翼也，樂且不憂，純乎孝者也。（《正蒙・乾稱》）

張載這種“民胞物與”的思想，顯然顯示有一種博愛的宏大胸襟。

---

① 其實這一思想也與道家直接相關。惠施曾有“泛愛萬物，天地一體也”（《莊子・天下》）的說法，而惠施的這一論題即從《莊子・齊物論》中轉出。

程、朱懼其流於墨之"兼愛"而以"理一分殊"説辯析之，胸襟反而小了。

程朱理學在本體論營造上借取道家，固使儒學的發展進入了新的階段，以至被稱爲"新儒學"。但不免也爲儒學帶來新的困迫。

首先是，就儒家與道家的關係而言。道家中老子、王弼一系建構本體論的宗旨，原是爲幫助人們擺脱現存現實社會的苦難而在心靈境界上獲得自由，而程、朱參照道家建構本體論的目的，卻在確認現存現實社會的合理性並力圖有所承擔，這就使他們的具有道家色彩的本體論與具有儒學特色的倫理 —— 政治思想處於一種緊張的關係中。譬如，在邏輯上，要使本體獲得絶對不變性，本體就必然不可以包含任何具體、可變的東西，老、王以"道"爲"無"當是；可是程、朱卻把仁、義、禮、智、信等有具體規定的、可變化的東西硬塞進本體中，甚至以爲一物有一物之理，在這種意義上的理，如何還能夠確保超越性與恆在性呢？又如，在邏輯上，要使本體具有絶對整全性，就必須完全排拒知性，如老、王主"無名"説當是；可是，程、朱在把有具體規定的、相對而可變的東西塞進本體並確認一物有一物之理後，便不能不容納知性，以知性去求物理，由之求得的理不可能不是支離的，又如何還能夠保持它的整全性呢？

其次是，就儒學內在的發展言。程、朱爲儒學建立"理本論"，雖使儒學的倫理 —— 政治主張獲得了一種客觀必然性意義，但一旦把人們內心的情感信念訴諸於人心之外的某種客觀必然性，人本身即會被冷落；每個個人均必須接受一種刻板劃一的普遍法則的支配，人的心理與情感的主動性與活潑性也會被摧殘。由此，儒學必然要走向心學。在"心本論"中，陸九淵特别是王陽明高揚人一主體之"意"（意向、意志），陳白沙親近每個個人之"情"，都有回到孔、孟原儒學的傾向。但實際上，"心本論"的建構，卻又是借助了道家的另一派系 —— 莊子與郭象的哲學所取的途徑，才得以完成的。不過這已超出本文的範圍,在此不能詳述。

作者簡介 馮達文,1941年生,廣東羅定人。1965年畢業於中山大學哲學系。現爲中山大學哲學系教授,博士生導師。著有《中國哲學的探索與困惑·殷商——魏晉》、《回歸自然——道家的主調與演奏》等。

論王陽明與道家的思想聯繫

吴　光

内容提要　王陽明思想之與道家思想的聯繫,歷來很少有文涉及。本文從王陽明的生平經歷、思維歷程及思想實質等方面論述了王陽明思想與道家思想之聯繫。文中着重分析了王陽明的"静坐"修養論和致"良知"之教,認爲"静坐"説證明了王陽明在修養方法論上攝道歸儒,而"良知"説則無疑是王陽明融化了道家"有無"論而建立的。

王陽明是一代大儒,其思想體系當然屬於儒家。然而,王陽明的生平和思想又與佛、老有着千絲萬縷的聯繫,這也是不可否認的事實。正如黄宗羲著《明儒學案·姚江學案》之王陽明傳所説,在陽明爲學至道進程中,曾經"出入於佛老者久之"①。但以往的研究對於王陽明與佛學的關係論述較多,而對他與道家、道教的思想聯繫則論述甚少,故本文試作申述。

一、龍泉山、陽明洞、青龍舖

實際上,王陽明從出生到逝世,他的名號、經歷及精神境界,幾乎都與道家或道教的思想或信仰有着一定的聯繫。

---

①《黄宗羲全集》第七册,第201頁,浙江古籍出版社1992年8月版。

王陽明出生地在餘姚縣城龍山（又名龍泉山）之麓。據《王陽明年譜》記載，在他出生那夜，"祖母岑夢神人衣緋玉雲中鼓吹，送兒授岑。岑警寤，已聞啼聲。祖竹軒公異之，即以雲名。鄉人傳其夢，指所生樓曰瑞雲樓"①。這是典型的道教神仙夢幻之說。這個神秘的出生之謎，甚至給陽明一生打上了道家烙印。例如，在他十一歲剛學會賦詩時，便吟出了"醉倚妙高臺上月，玉簫吹徹洞龍眠"的道家詩句。十七歲時，他千里迢迢到洪都（南昌）迎娶新娘，卻在新婚之日"閑行入鐵柱宮（道觀），遇道士趺坐一榻，即而叩之，因聞養生之說，遂相與對坐忘歸。諸公遣人追之，次早始還"，可見他沉醉道家學說之深。到他二十七歲寄寓京師時，仍然於儒學無所得而愛道家養生之說，"偶聞道士談養生，遂有遺世入山之意"。三十一歲告病歸鄉時，又在越城（今紹興）附近，"築室陽明洞中，行導引術。久之，遂先知"②。此時，他自號"陽明山人"，稱所居室爲"陽明洞天"。以後，雖然他"漸悟仙、釋二家之非"而歸本於儒，卻仍不忘青少年時代向道學道情景，而常以"陽明子"、"陽明山人"之號吟詩題辭，稱所居（如貴州龍場東洞）、所遊（如江西龍南玉石巖）之地爲"陽明小洞天"、"陽明別洞"。所寫詩句也多有隱藏道家自然虛静、恬淡無欲之思想境界者。如他的《居夷詩・始得東洞遂改爲陽明小洞天》有"居夷信何陋，恬淡意方在"之句，其《贛州詩・再至陽明別洞和邢太守韻》有"春山隨處款歸程，古洞幽虛道意生……習静未緣成久坐，卻慚塵土逐虛名"之句，其晚年所寫的《雨廣詩・題甘泉居》有"徘徊欲移家，山南尚堪屋……行看羅浮雲，此心聊復足"之句，諸如此類，都表達了王陽明思想深處的道家意趣。最後，他死於南安青龍舖（今屬江西大餘），臨終前夜，特地問明所泊地名爲"青龍舖"後，乃召弟子入侍，説了句"吾去矣！此心光明，亦復何言"之後，才瞑目而逝。這

① 《王陽明全集》下册卷三三，《年譜一》，第1220頁，上海古籍出版社1992年12月版。

② 以上引文，分見上引《年譜一》第1221、1222、1224、1225頁。

似乎既隱含着兒時“洞龍眠”詩句的道家意境，又與因爲家鄉有“龍山”、“陽明洞”地名而得瞑目安息有關。看來，一代大儒王陽明，自始至終，都與道家、道教思想文化有着某種內在的聯繫，這是值得我們加以研究探討的。

二、攝道入儒的“静坐”説

然而，分析王陽明思想中是否有道家的影響或烙印，主要還不能依據上述生平、經歷的表象列舉，而應該進一步對其思想觀點和學術宗旨作深層的探討分析。

陽明門人錢德洪在評論其師從進學立説到學説風行所經歷的曲折變化時説：

> 先生之學凡三變，其爲教也亦三變：少之時，馳騁於辭章；已而出入二氏；繼乃居夷處困，豁然有得於聖賢之旨：是三變而至道也。居貴陽時，首於學者爲“知行合一”之説；自滁陽後，多教學者静坐；江右以來，始單提“致良知”三字，直指本體，令學者言下有悟：是教亦三變也。①

黄宗羲則評論説：

> 先生之學，始泛濫於詞章；繼而徧讀考亭之書，循序格物，顧物理吾心終判爲二，無所得入，於是出入於佛老者久之；及至居夷處困，動心忍性，因念聖人處此更有何道，忽悟格物致知之旨，聖人之道，吾性自足，不假外求。其學凡三變而始得其門。自此以後，盡去枝葉，一意本原，以默坐澄心爲學的。……江右以後專提“致良知”三字，默不假坐，心不待澄，不習不慮，出之自有天則。……居越以後，所操益熟，所得益化，時時知是知非，時時無是無非，開口即得本心，更無假借湊泊……。是學成之後又有此三變也。②

錢、黄二人説法雖異，但大體一致。後人大都沿襲此説，認爲

---

①《王陽明全集》下册卷四一，《刻文録叙説》，第1574頁。
②《黄宗羲全集》第七册，第201頁。

王陽明自"三變而至道"以後,便盡去佛老枝葉而歸本於儒學了。但在我看來,這些説法還有不盡然處。準確一點説,王陽明的進學至道過程,是在經歷了泛濫於詞章、循序格物無所得、出入於佛老的困惑之後,在政治與道德實踐中再三反思,進而援佛攝道而歸本於儒的。歸本儒學之後,所謂佛老之"枝葉"並未盡去,其思想的烙印猶存。這裏,我們且不談陽明中後期思想的佛學烙印問題,而僅就他"三變而至道"以後所主張的"静坐"説和"致良知"説與道家的思想聯繫作些分析。

錢德洪所謂"自滁陽後,多教學者静坐"與黄宗羲所説陽明在"龍場悟道"以後一度"以默坐澄心爲學的",都是指王陽明中期思想的一個重要主張。其實,陽明在督理滁州(即滁陽)馬政(在正德八年陽明四十二歲時)以前,已教學生"静坐"之法了。他在正德三年貶謫龍場時,"日夜端居澄默,以求静一。久之,胸中灑灑……忽中夜大悟格物致知之旨"①。這正與陳白沙的"静中養出端倪"如出一轍了。正德五年,陽明復出赴任廬陵知縣途中,即與學生静坐僧寺,其後又致書云:"前在寺中所云静坐事,非欲坐禪入定。蓋因吾輩平日爲事物紛拏,未知爲己,欲以此補小學收放心一段工夫耳。"②而在滁州所謂"多教學者静坐",是要求人們不必勉強通過静坐去禁絶"紛雜思慮",而"只就思慮萌動處省察克治,到天理精明後,有個物各付物的意思,自然精專無紛雜之念,《大學》所謂'知止而後有定'也"③。這與程明道答張横渠定性書中以"物來順應"爲定性標準的思想一脈相承。而王陽明"教學者静坐"的根本目的,不是要人們像佛家那樣追求空寂,或像道家那樣求個自然無爲,而是要人們克治那一己之私而體認天理,最後達到"無私可克,天理純全"的"超凡入聖"境界,如同他在《傳習録》中論爲學工夫時所説的:"初學時心猿意馬,拴縛不定,其所

① 《王陽明全集》下册卷三三,《年譜一》,第 1228 頁。
② 《王陽明全集》上册卷四,《與辰中諸生》,第 144 頁。
③ 同①,第 1236 頁。

思慮多是人欲一邊，故且教之静坐息思慮。久之，俟其心意稍定，只懸空静守如槁木死灰亦無用，須教他省察克治。省察克治之功，則無時而可間……到得無私可克，自有端拱時在……到得天理純全，便是何思何慮矣！"①這就是"静坐"法在儒家道德修養活動中的地位、作用和目的。

那麽，王陽明的"静坐"説與道家、道教的修養論有無聯繫呢？我認爲是有的。它表現在：第一，它是在"出入於佛老者久之"而歸本於儒的悟道過程中獲得的經驗。對此，《年譜一》有一段詳細生動的記載：弘治十五年陽明三十一歲時，"是年，先生始悟仙、釋二氏之非。先是五月復命，京中舊遊俱以才名相馳騁，學古詩文。先生嘆曰：'吾焉能以有限精神爲無用之虚文也！'遂告病歸越，築室陽明洞中，行導引術。久之，遂先知。一日坐洞中，友人王思輿等四人來訪，方出五雲門，先生即命僕迎之，且歷語其來跡。僕遇諸途，與語良合。衆驚異，以爲得道。久之悟曰：'此簸弄精神，非道也。'又屏去。已而静久，思離世遠去，惟祖母岑與龍山公在念，因循未决。久之，又忽悟曰：'此念生於孩提。此念可去，是斷滅種姓矣。'明年，遂移疾錢塘西湖，復思用世。"②這段話，記述了王陽明的心路歷程：先悟詞章虚文之無用，乃學道家導引術，似有先知得道之感，繼悟此術無非是簸弄精神，乃屏棄之而務静坐，静坐既久，遂有離世遠去之意，但又不能抛棄親情觀念，最終覺悟到親情與生俱來，决不可去，於是又回到儒家用世立場。可見，王陽明是在實踐道家修養方法中漸悟其非而回到儒家立場上來的。他抛棄了導引術，但保留了静坐法，但這種静坐，其旨不在離世，而是保留孩提親情（實即儒家所謂"天理"、"良知"）的入世修養方法了。這正是王陽明攝道歸儒的具體表現，因爲他通過這種神秘的體道經驗將道家的導引養生術改造成爲儒家的静坐養心法了。

① 《王陽明全集》上册卷一，《語録一》，第 16 頁。
② 《王陽明全集》下册卷三三，《年譜一》，第 1225—1226 頁。

第二,他在建立儒家修養論的過程中攝取了道家的重道不重知的修養理論。老子修養論中有所謂"爲學日益,爲道日損,損之又損,以至於無爲,無爲而無不爲"(見《老子》王弼註本)的修道方法,莊子也有"去知與故,乃合天德"(見《莊子・刻意》)的理論,並具體指出:"貴富顯嚴名利六者,勃志也;容動色理氣意六者,謬心也;惡欲喜怒哀樂六者,纍德也;去就取予知能六者,塞道也。此四六者不蕩胸中則正,正則靜,靜則明,明則虛,虛則無爲而無不爲也。"(見《莊子・庚桑楚》)以上四類各六種欲望,在道家看來是塞道纍德、謬勃心志的東西,必須通過"徹志之勃,解心之謬,去德之纍,達道之塞"的修道方法加以排除,才能最終達到最高的"無爲無不爲"境界。王陽明的修養理論是:"後世不知作聖之本是純乎天理,卻專去知識才能上求聖人……故不務去天理上着工夫,徒弊精竭力,從册子上鑽研、名物上考索、形跡上比擬,知識愈廣而人欲愈滋,才力愈多而天理愈蔽";又曰:"吾輩用功只求日減,不求日增。減得一分人欲,便是復得一分天理。"[①]如果用道家無爲之"道"置換陽明的"天理",用老莊之"知故"、"四六"代替陽明的"知識"、"人欲",那麼兩者的界限幾乎就没有了。顯然,王陽明至少在修養方法論上,是攝道歸儒的。

三、融化道家"有無"論的"良知"説

"静坐"之説,是王陽明中期思想(龍場悟道至居滁前後)的重要主張,但他也敏鋭地感到,如過分强調静坐,也會産生喜静厭動、流入空虚之弊,所以又反復講明"静亦定,動亦定"的辯證道理,要求人們認真去做"去人欲,存天理"的工夫。他在正德九年離滁州出任南京鴻臚寺卿時曾對弟子檢討説:"吾年來欲懲末俗之卑污,引接學者多就高明一路(指提倡静坐),以救時弊。今見

① 《王陽明全集》上册卷一,《語録一》,第28頁。

學者漸有流入空虚，爲脱落新奇之論，吾已悔之矣。故南畿論學，只教學者存天理，去人欲，爲省察克治實功。"又説："吾幼時求聖學不得，亦嘗篤志二氏。其後居夷三載，始見聖人端緒，悔錯用功二十年。二氏之學，其妙與聖人只有毫釐之間，故不易辨，惟篤志聖學者始能究析其隱微，非臆測所及也。"①可見陽明對於佛老的思想影響是能自覺警惕的。到他五十歲時(正德十六年)正式提出"致良知"説以後，他就基本不談"静坐"説，而是建立了屬於儒學的"良知"學説體系。這個以"良知"爲本體、以"致良知"爲終極關懷的心學體系與道家乃至佛老的思想聯繫，已經從其中期思想的援佛入儒或攝道入儒升華爲完全融化佛老之見而成儒家新説了。對此，我們從王陽明多次論及儒釋道關係、異同以及"良知"説之真諦的言論中可以得到印證。

據《年譜》記載，陽明在正德十六年五十歲時，"始揭致良知之教"，他在南昌致書門人鄒守益説："近來思得致良知三字，真聖門正法眼藏。往年尚疑未盡，今自多事以來，只此良知無不具足。"又答陳九川問曰："我此良知二字，實千古聖賢相傳一點滴骨血也。"這"一點滴骨血"的"良知"，在陽明看來，就是"心之本體"，就是"天理"，就是"天理之昭明靈覺處"；它在人心是人人固有的(所謂"個個人心有仲尼")，但往往被私欲障蔽，需要作省察克治的格物工夫才能致得；它作爲心體是無善無惡的，但作爲良知又是知善知惡的，其作用之妙，"真是周流六虚，變動不居"，而"致良知"的工夫，"只是簡易真切，愈真切，愈簡易；愈簡易，愈真切"；它似無而有，即體即用，"良知本體原來無有，本體只是太虚，太虚之中，日月星辰，風雨露雷，陰霾殪氣，何物不有？而又何一物得爲太虚之障？人心本體亦復如是。太虚無形，一過而化，亦何費纖毫氣力?""一悟本體，即見工夫，物我內外，一齊俱透"……如此等等，佛老語言似乎比比皆是，但卻並非佛老思想，而是將佛

① 《王陽明全集》下册卷三三，〈年譜一〉，第 1237 頁。

老的有無、虛空、明覺之类範疇概念都融化到儒家的“致良知”學說中去了。特别是陽明晚年視爲立教宗旨的“四句教”(即“無善無惡是心之體,有善有惡是意之動,知善知惡是良知,爲善去惡是格物。”),很明顯是將道家“有生於無”的思想融化到儒家“格物致知”論中的證明①。

王陽明在回答門人張元冲提出的儒學是否“兼取”佛老的問題時曾説:

> 説兼取,便不是。聖人盡性至命,何物不具,何待兼取?二氏之用,皆我之用:即我盡性至命中完養此身謂之仙;即我盡性至命中不染世纍謂之佛。但後世儒者不見聖學之全,故與二氏成二見耳。譬之廳堂三間共爲一廳,儒者不知皆吾所用,見佛氏則割左邊一間與之,見老氏則割右邊一間與之,而己則自處中間,皆舉一而廢百也。聖人與天地民物同體,儒、佛、老、莊皆吾之用,是之謂大道。二氏自私其身,是之謂小道。②

可見在王陽明的主觀意識中,佛老之“小道”雖没有資格與儒家之“大道”分庭抗禮,但儒家之“聖學”與二氏之學也不是水火不容“成二見”的;儒學並非是“兼取”了佛老,而是融化了佛老,從而使佛老之“小道”能爲儒家所用。

陽明晚年又有《長生》詩曰:

> 長生徒有慕,苦乏大藥資。名山遍深歷,悠悠鬢生絲。微軀一繫念,去道日遠而。中歲忽有覺,九還乃在兹。非爐亦非鼎,何坎復何離;本無終始究,寧有死生期?彼哉遊方士,詭辭反增疑;紛然諸老翁,自傳困多岐。乾坤由我在,安用他求爲?千聖皆過影,良知乃我師。③

這是陽明出征思田途中的一首言志詩,自述如何從仰慕道家長生之説的迷途中覺悟其非而最終篤信儒家良知之説的思想轉變過

① 本段引文散見於《王陽明全集》上册卷三《語録三》、下册卷三五《年譜三》。
② 同上《年譜三》,第 1289 頁。
③ 同上書上册卷二十《外集二・兩廣詩》,第 796 頁。

程。在這個轉變中，他本人九死一生的坎坷人生實踐起了關鍵性的作用。

綜觀王陽明一生，從"出入於佛老者久之"到"漸悟仙釋二家之非"，最終融攝二氏之學而建立"圓融無礙"的儒家"良知"說，其思想經歷了複雜變化過程。而從陽明與道家的思想聯繫而言，他是從早年信奉仙家養生、長生之說，到中年歷盡患難乃悟其非、但卻攝取道家静坐思想而歸儒，到晚年則融化了道家"有無"論而建立儒家"良知"之教，其思想經歷了一個創造性轉化的過程。由此可見，即便是偉大的哲學家，其思想也不是一開始便自成體系的，而是從不成熟到逐漸成熟、並且是從諸子百家中汲取思想養料而形成一家之言的。我們由此可以得出的一點教訓是，在一個多元思想共存競爭的社會裏，一個思想家的思想，不可能也不必要是純而又純的，他可能而且必然汲取各種思想資料以架構自己的思想體系，因此，思想史研究者在面對古今中外各種思想家思想體系內部的種種"外來"成分或看似"矛盾"的現象時，正可不必大驚小怪或茫然無措，而應該站在歷史主義的立場上，客觀地分析諸家思想互動關係對於當時思想家的思想影響，從而正確地理解歷史而非歪曲歷史。而那些肩負時代重任的新哲學創立者們，就更應該以寬容多元的胸懷去汲取古今中外一切有益的思想資料爲我所用，以建構適應時代要求的理論體系，千萬不可充當那種排斥百家之言的自我封閉式的新教教主。這也許就是我們今天分析討論王陽明思想與道家或佛家思想聯繫的一種方法論意義吧！

作者簡介　吳光，1944年生，浙江淳安人。現任浙江省社會科學院哲學所研究員。著有《黄老之學通論》、《儒家哲學片論》等專著和《古書考辨集》、《儒道論述》等論文集。

帛書《繫辭》駢枝

魏啟鵬

内容提要　本文嘗試對帛書《繫辭》的十餘條異文進行了考釋，認爲該篇是漢初南方道家的傳本。道家源出於史官，而史官與《周易》的歷史淵源很深，早於傳承司徒之官六藝的儒家，因此，探索《易傳》中的道家思想，非無根之談。不再把《周易》視爲單純的儒家經典，將使易學的研究領域拓展和深入。

1992 年冬，陳松長兄惠寄帛書《繫辭》釋文手稿復印本，得以初讀。及後陳鼓應先生索稿，亦囑余研治帛書《周易》經傳。《易》乃群經之首，仰之彌高，鑽之彌深，余素畏其玄奥，然帛書《易》乃晉以後古人未見之珍本，我輩有幸獲觀，不讀則於心抱愧。今得札記十餘條，録備瀏覽，兼以求正於通人方家。

聖人設卦觀馬(象)(三行上)

案：《繫辭》中的易象之"象"字，帛書此篇皆書作"馬"字，如"天垂象"、"易有四象"、"聖人立象以盡意"，皆以"馬"代"象"，約三十五見，唯"備牛乘馬，[引]重行遠"(第三十五行下)一句乃"馬"之本義。秦漢簡帛文字中的"象"字，阜陽漢簡作[illegible]，(其後魏碑"象"字別體作"[illegible]"、作"[illegible]"實本於此)，與"馬"字字形有少許相近，除此以外，兩字形體區別甚爲明顯，故以字形相近而訛解釋，恐難以令人信服，況且出現頻率很高，不像是偶然誤書。有的學者估計當與某種避諱有關，頗有見地。荆楚民族曾有象崇拜的習俗以及象牙厭勝術。江玉祥先生在《廣漢三星堆遺址出土的象牙》一文中予以論述,指出"大溪文化遺址墓葬中發現了使用象牙厭勝巫術的遺迹,三星堆兩個祭祀坑內又重復發現了使用象牙厭勝術的遺迹,説明這種習俗由東而西傳自長江中游的荆楚地區。"[①]而象崇拜一直延續到西漢猶餘霞斑爛,見《楚辭·九懷》:"乘虬兮登陽,載象兮上行。"王逸注:"遂騎神獸,用登天也。神象白身赤頭,有翼,能飛也。"同書《惜誓》:"攀北極而一息兮,吸沆瀣以充虛。飛朱鳥使先驅兮,駕太一之象輿。"王逸注:"言已吸天元氣,得其道真,即朱雀神鳥爲我先導,遂乘太一神象而遊戲也。"太一爲楚人最尊之神,又曰"上皇",亦天帝。道家之言,謂"守而勿失,上通太一。太一之精,通於天道。"(《淮南子·主術訓》)而象和南方神鳥朱雀並稱,是南方神獸,可以載得道真者登高飛升,"乘彼白雲,至於帝鄉"(《莊子·天地》),成爲南方道家中神仙一派尊崇的神物。王逸指出《惜誓》作者"或曰賈誼,而疑不能明",而洪興祖《楚辭補注》認爲無疑是賈誼之作,後世學者多贊同洪説,可見道家的神象崇拜亦當流傳在賈誼謫居的長沙國一帶,帛書《繫辭》以"馬"代"象",應爲避神象諱。倘若此説不謬,可作道家傳本的一個旁證。

《易》與天地順,故能彌論天下之道(六行上)

案:今本"順"作"準",兩字同爲文部疊韻、章船旁紐,例可通假,但此句無須破讀易字。《國語·周語中》載周襄王論周制云:"使各有寧宇,以順及天地,無逢其災害。"韋注:"順,順天地尊卑之義也,若相侵犯,則有災害也。"周人天命觀尤重等級制,"順"的核心是順天,見《左傳·文公十五年》:"禮以順天,天之道也。"即是其證,地爲卑下[②],故尊者無順地、法地之論。道家天道觀則天地並列,同爲二儀,故老子以道、天、地、人爲四大,"人法地,地法

① 《三星堆與巴蜀文化》,第203頁,巴蜀書社,1993年。

② 《繫辭》首句"天尊地卑",帛書本作"天奠地庳",張政烺先生説"解爲天定地輔,義亦可通。"(《道家文化研究》第三輯,第29頁)則帛書本的等級制色彩不甚濃。

天，天法道，道法自然”。范蠡則強調“因陰陽之恆，順天地之常，柔而不屈，彊而不剛，德虐之行，因以爲常。”(《國語·越語下》)帛書本“與天地順”，乃承道家之旨。今本“天地之道”，帛書與唐人所傳古本作“天下之道”，於義爲長，“天下之道”即人世之道、人之道，正與道家“人事必將與天地相參”、“動靜參於天地”的思維方式吻合。參看《莊子·説劍》：“上法圓天，以順三光；下法方地，以順四時；中和民意，以安四鄉。”《文子·上義》：“當於世事，得於人理，順於天地，詳於鬼神，即可正治矣。”

聖者仁，壯者勇，鼓萬物而不與衆人同憂(八行下)

案：此句當從張政烺先生釋文。今本作“顯諸仁，藏諸用”，“衆人”作“聖人”，迥異於帛書，當爲漢易數家，“源同流別，歧之中又有歧”的正常現象①。帛書此段文意，朱伯崑教授認爲“頗受老子無爲説的影響”，樓宇烈教授指出“《繫辭》中受到某種程度道家思想的影響，那末，其中插上這樣一段以‘聖者’喻易道的話也並非没有道理”。試以道家言(包括儒家吸收的道家觀念)説解此文：“聖者仁”，據帛書《老子》甲本後古佚書，“知天道曰聖”，聖者是“聞而知之”，聰明上達具有“天知”的人，“不仁，思不能精；不聖，思不能輕；不仁不聖。”②聖者首先是一個仁者。“壯者勇”，壯借爲臧，《繫辭上》鄭玄注：“臧，善也。”勇借爲容，二字同爲喻母東部字，故得通借，《史記·淮南衡山列傳》：“日夜從容王密謀反事。”《正義》：“容讀曰勇。”以“善者容”解讀，與老子思想十分合拍，第七章言“居善地，心善淵，與善仁，言善信，正善治，事善能，動善時。夫唯不争，故無尤”，即上善之所處世。第二十七章言“聖人常善救人，故無棄人；常善救物，故無棄物。是謂襲明。故善人者不善人之師，不善人者善人之資”，乃善者的襟懷和叡智。聖者乃是善者，故有容，正如第十六章説，“知常曰明”，“知常容，

① 唐晏：《兩漢三國學案》卷一。

② 參看魏啟鵬：《馬王堆漢墓帛書〈德行〉校釋》第8頁，巴蜀書社，1991年8月。

容乃公，公乃王，王乃天，天乃道，道乃久，没身不殆。"聖者"鼓萬物"[1]，《風俗通義》佚文可以發明斯義："聖者，聲也，通也。言其聞聲知情，通於天地，條暢萬物，故曰聖。"[2]此文以"聖者"與"衆人"對舉，"不與衆人同憂"亦本《老子》第二十章之義："衆人皆有餘，而我獨若遺"，"衆人皆有以，而我獨頑以鄙。我獨異於人，而貴食母。"嚴遵《老子指歸》卷七《天之道篇》對"衆人之道"專有論列，可以參看。

生之胃(謂)馬(象)，成馬(象)之胃(謂)鍵(乾)，教(爻)法之胃(謂)川(坤)(九行上)

案：今本作"生生之謂易"。或疑帛書"生"字下脱重文符號"="。依儒家解易，此句難通；以道家言析之，此句或可涣然冰釋，顯現其爲異文的學術義藴。"生之謂象"，"象"即是"道"，《老子》第三十五章"執大象，天下往。"河上公章句："象，道也。"大象即"無象之象"，即是大道。[3](河上公章句爲西漢初作品[4]，與帛書年代相當，非後人僞作。河上公以《易傳》解老者有之，例如第四章謂"道常謙虚不盈滿"，乃發揮《彖傳》"天道虧盈而益謙，地道變盈而流謙"。胡樸安指出，第五十二章"塞其兑，閉其門"，河上公説"兑，目也，"亦非無故，與《説卦》"兑爲口"之釋相關，"蓋兑爲口，而口作洞形，故凡孔洞皆可謂之兑"。以河上公章句説《繫辭》，未必概屬郢書燕説。)"生"言大道無形，而化生萬物，即"道生之德育之"、"道生一，一生二，二生三，三生萬物"之義。嚴遵《老子指歸》卷三辨之甚詳："生之爲物，不陰不陽；不可揆度，不可測量；深微不足以爲稱，玄妙不足以爲名；光耀恍惚，無有形聲；

① 鼓，震動而發聲。《白虎通·禮樂》引《樂記》："鼓，震音也。"《禮樂》又云："鼓，震音煩氣也。萬物憤懣，震動而出。"

② 據《太平御覽》卷四百一、《廣韻·勁韻》轉引。參看帛書《老子》甲本後古佚書454行"聖者聲也"。

③ 參看林希逸《老子口義》。

④ 説詳金春峰：《漢代思想史》第381頁、第660頁，中國社會科學出版社，1987年。

無狀無象，動靜無方。"①"生"一旦賦有具體的形狀聲象，就有了乾坤陰陽之别，故曰"成馬(象)謂之乾"，據《九家易》説，乾者純陽，是統繼天道，與天合化的"天之象"。

陰陽之謂神(九行上)

案：今本作"陰陽不測之謂神"。帛書異文亦通，且與其上"通變之謂事"爲對文，句式整飭。先秦至西漢，"神"一詞本身即有不可知、不可測度之義，如《孟子・盡心下》："聖而不可知之之謂神。"《管子・內業》："有神自在②，一往一來，莫之能思。"《註》："神，不測者也。"《春秋繁露・天地陰陽》："物之難知者若神。""神"又言其變化，《內業》："一物能化謂之神。"故帛書本與今本比較，文略而意同，言陰陽變化難知若神。

夫《易》，古物定命，樂天下之道(二十一行上)

案：今本作"開物成務"，"樂"作"冒"。帛書"古"之詞義稀見，《逸周書・常訓》："民乃有古。"《註》："皆有經遠之規謂之有古。"是"古"有"經遠之規"的意義，即長遠的謀慮和籌劃。"古物"，對世間衆物進行深遠的思量、謀慮、籌算，以推測其未來命運。"定命"一語，參看班固《幽通賦》："道混成而自然兮，術同源而分流。神先心以定命兮，命隨行以消息。"曹大家註："至於術學，論其成敗，考其貧賤，觀其富貴，各取一概。故或聽聲音，或見骨體，……或考卜筮，或本先祖，如水同源而分流。""言人之行，各隨其命。命者，神先定之，故爲徵兆於前也。"《易》則以占卜考其徵兆，推知其命，即下文所云："其受命也如錯(案："錯"通"措"，安置、制訂)，無又(有)遠近幽險。述知來勿(物)，非天之至精，其熟能[與於此]。"(十八行下十九行上)乃"古物定命"本義。"樂天下之道"的"樂"，殆與"所樂而玩者，爻之辭也"的"樂"同義，陸德明《釋文》："音岳，適會也。"謂研習推敲其爻辭中蘊藏的意義，無不合

① 《指歸》卷一讚《大易》，引《彖傳》，卷七引《繫辭》，其門生揚雄仿《易》作《太玄》，可見嚴遵乃精通《易》的道家。

② 原書"在"下有"身"字，郭沫若校乃衍文，據删。

於天下之要言妙道。

聖人以此佚心，内藏於閉(二十二行上)

案：今本作"洗心"，《釋文》説"京、荀、虞、董、張、蜀才作'先'，石經同"，帛書爲又一種異文。"佚"通"逸"，謂使心逸然。《尚書·周官》："作德，心逸日休。"《孔傳》："爲德直道而行，於心逸豫而名且美。"孔穎達《疏》："爲德者自得於己，直道而行，無所經營，於心逸豫，功成則譽顯而名益美也。"逸豫，謂安樂、舒緩。帛書"佚(逸)心"亦就"作德"而言，緊承上文所述"蓍之德"、"卦之德"而論聖人之德。聖人無私、無所營營，故能具"蓍"、"卦"、"六爻之義"三者之德，使内心安樂①。"内藏於閉"比今本"退藏於密"於義較勝，《吕氏春秋·君守》發揮《老子》"知清静可以爲天下正"，强調"故曰中欲不出謂之扃，外欲不入謂之閉。既扃而又閉：天之用密，有準不以平，有繩不以正；天之大静，既静而又寧，可以爲天下正。"正與帛書文意相發明。聖人心無私欲，故能如下文所云"吉兇與民同願。"

是故闔户謂之川(坤)，辟門謂之鍵(乾)(二十三行)

案：今本作"闔門"。帛書以"户"、"門"對文，變换字面，修辭更爲活脱。陸德明所見《繫辭》古本，在"剛柔斷矣"句前，有"其易之門"一句，《釋文》説别本亦作"其易之門户"，帛書之"闔户"、"辟門"有可能是上承此句而言。

是故易有大恒，是生兩檥(儀)(二十三行下二十四行上)

案："大恒"與今本作"太極"者迥異，饒宗頤、陳鼓應先生指出，"恒"原文如此，非鈔寫時因形近而訛誤。《説文》："恒，常也。"《易·象下傳》："未變常也。"虞《注》："常，恒也。"恒、常二字互以見義，今本《老子》諸如"常道"、"常名"、"常德"，帛書均作"恒道"、"恒名"、"恒德"，惟句末協韻多作"常"，諸如"復命曰常"、"是謂襲常"、"知和曰常"，皆協陽部韻。《莊子·天下》載關尹、老

① 參看帛書《老子》甲本前古佚書174行"無中心之説(悦)則不安，不安則不樂，不樂則無德。"《荀子·解蔽》："聖人之思也樂，此治心之道也。"

聃一派道家，“建之以常、無、有，主之以太一”，是知“恆(常)”爲老學的重要範疇。就宇宙本體而言，有“恆道”，即“有物混成，先天地生，寂兮寥兮，獨立而不改，周行而不殆[1]，可以爲天下母”。就宇宙萬物的終始過程而言，有“恆德”，《老子》二十八章“恆德不忒，復歸於無極”，“恆德乃足，復歸於樸，樸散則爲器”，第十六章“歸根曰静，是謂復命，復命曰常”。《莊子》亦講“恆”，《天地》篇“方且與物化，而未始有恆”，《天道》篇“以無爲爲常”，是知莊子乃以虛無無爲言“恆”。《天地》篇云：“泰初有無，無有無名。一之所起，有一而未形。物得以生謂之德；(案：此即老子所論之恆德。)……物成生理謂之形；形體保神，各有儀則謂之性；性修反德，德至同於初。(案：此即老子所說的恆德復歸於無極，歸根復命，是謂‘常(恆)’。)同乃虛，虛乃大。”帛書所稱“大恆”，是其宇宙生成論的一個重要概念，從宇宙的本原求之，它就是“爲天下母”的恆道，如《大宗師》所説的“自本自根”，“神鬼神帝，生天生地”；自宇宙泰初的原始狀態觀之，它就是恆德往其復歸的“無極”，或曰“樸”，無爲無形，混同爲一，“同乃虛，虛乃大”[2]。在早期道家宇宙論中，“大桓”含有數層意蘊，借用《大宗師》云：“在太極之先而不爲高，在六極之下而不爲深，先天地生而不爲久，長於上古而不爲老”，已具“形而上”的特點。

帛書有“大恆”而無今本之“太極”，同時無今本第八章“大衍之數五十，其用四十有九，分而爲二以象兩……”一段，殆非偶然。蓋儒家所傳《易傳》，將“大衍之數五十”中不用的“一”釋爲“太極”，見《周易子夏傳》：“一不用者，太極也。”[3]帛書本乃道家傳《易》，既稱“大恆”，則“大衍之數”云云宜略而不論，免生牴牾，亦在情理之中。

---

① “恆”有遍及、周遍之義。《詩・大雅・生民》毛傳：“恆，徧也。”《字彙・心部》：“恆，徧也。”《集韻》居鄧切。

② 參看《莊子・在宥》：“入無窮之門，以游無極之野。”《列子・湯問》：“物之終始，初無極矣。”“無極之外復無無極。”“含萬物也故不窮，含天地也故無極。”

③ 見馬國翰：《玉函山房輯佚書》卷一，第五十五頁。

深備錯根，栀險至遠（二十四行下）

案：今本作"探頤索隱，鉤深致遠"。帛書"深"借爲探，《史記·信陵君列傳》："臣之客有能深得趙王陰事者。"《索隱》："譙周作探得趙王陰事。"《正義》："探一作深。""備"借爲伏。伏，覆、藏也。"探伏"與"探頤"義近。"錯根"讀爲"索隱"，錯、索同隸鐸部，清、心旁紐，故得通借，根、隱同隸文部，見、影鄰紐，亦可通借。"栀"通"鉤"，二字乃見母雙聲，侯部疊韻。"險"借爲沈（沉），《易·坎·九二》："坎有險。"帛書《易經》險作訦，談侵二部旁轉相通；"訦"的同音字"忱"，《類篇》又音火禁切，是知從冘得聲之字亦有讀爲曉母者，與"險"聲母同，故可通借。"鉤沉"與"鉤深"義相似。帛書"至"亦借爲"致"。

鍵（乾）川（坤），其[《易》]之經與（二十七行上二十七行下）

案："經"今本作"緼"，韓康伯注："緼，淵奥也。"虞翻曰："緼，藏也。易麗乾藏坤，故爲易之緼也。"帛書"易之經"，疑"經"訓爲常法、典常，《漢書·五行志中之上》："禮，王之大經也。"《注》："經謂常法也。"《左傳·昭公二十五年》："天之經也。"《注》："經者道之常。"乾、坤在《易》卦中具有最重要地位，荀爽曰："六十四卦，萬一千五百二十策，皆受始於乾也。册取始於乾，猶萬物之生稟於天。""萬一千五百二十策，皆受始於乾，由坤而生也。策生於坤，猶萬物成形，出乎地也。"乾坤"廣大配天地，變通配四時，陰陽之合配日月"，天圓地方、天動地静、天尊地卑之常道，悉見於乾坤列位之中，"《易》與天地順"，故以乾坤爲常法。

吉凶者，上朕者也。天地之道，上觀者。日月之行，上明者（三十行上）

案：此句三個"上"字，今本皆作"貞"。疑"上"，皆謂天也。"上朕"從張政烺先生釋文，"朕"是徵兆、迹象，此即"天垂象見吉凶"之意。陳松長同志釋爲"上勝"，鄙見疑"勝"借爲"稱"。《繫辭下》："貞勝。"《釋文》："姚本作稱。"勝、稱皆爲章組字，同隸蒸部，故得通借。《説文》："稱，銓也。""上稱"言天稱量以銓定吉凶。"上觀",謂天垂示大道。《爾雅·釋言》:"觀,示也。""上明",天之光明。皆天之"垂象著明"也。

天下之動,上觀天者也(三十一行上)

案:今本"上"亦作"貞"。此句"上"乃狀語,謂向上、朝上。天下人群之動,當仰觀天意而行,"是以天祐之,無不利也"。乃承前三句而言。

蓋取諸《大有》也(三十七行下)

案:帛書大異於今本,較爲費解。今本作"蓋取諸《夬》。"《九家易》曰:"夬本坤世,下有伏坤,書之象也。上又見乾,契之象也。以乾照坤,察之象也。夬者,決也,取百官以書治職萬民,以契明其事。"虞翻曰:"夬反剥,以乾照坤。故'百官以治,萬民以察',故取諸夬。"至於《大有》,漢易亦有説。《易·象上傳》:"火在天上,大有。君子以遏惡揚善,順天休命。"虞翻曰:"乾爲揚善,坤爲遏惡,爲順。以乾滅坤,體夬,揚於王庭,故遏惡揚善。乾爲天,爲休,二變時巽爲命,故順天休命。"惠棟《疏》:"此虞義也。二失位,變之正。陰得位,爲君子,故君子謂二。初至五體夬,夬本坤世。乾爲善,坤爲惡,揚於王庭,以乾滅坤,故遏惡揚善。"帛書本"取諸《大有》"與通行本最大的區别,就在於強調了"以乾滅坤",而不是"以乾照坤"。這當與漢初惠帝至高后年間吕雉專擅的"坤世"有關,其時天災、地異、人禍並見。"孝惠二年,天開東北,廣十餘丈,長二十餘丈。地動,陰有餘;天裂,陽不足:皆下盛彊將害上之變也。其後有吕氏之亂。"(《漢書·天文志》)惠帝七年,正月辛丑朔,日蝕。五月丁卯,先晦一日,日全蝕。"至其八月,宫車晏駕,有吕氏詐置嗣君之害。"此次日全蝕,即"劉向以爲五月微陰初起而犯至陽,其占重",京房《易傳》所謂"凡日食不以晦朔者,名曰薄。……陰氣盛,薄日光也。"(《漢書·五行志下之下》)高后三年,"星晝見"(《漢書·高后紀》),"漢中、南郡大水,水出流四千餘家。四年秋,河南大水,伊、雒流千六百餘家,汝水流八百餘家。八年夏,漢中、南郡水復出,流六千餘家。南陽沔水流萬餘家。是時女主獨治,諸呂相王。”(《漢書·五行志上》)凡此種種,以西漢士之觀之,皆爲陰盛虧陽之徵。水災頻仍,尤爲水失其性而不潤下之患,亦悖老子“上善若水”玄旨。帛書本“取諸《大有》”,意在滅坤倒呂,反映了漢廷將相公卿強烈的不滿情緒。情緒醞釀行動,有如潛行着而終將噴上天的地火。其謀主是“少習黄帝、老子之術”的丞相陳平,參謀有通儒道、明《易經》,游説公卿將相,曾交使南粵的陸賈。帛書的這一異文,折射出那一段“誅諸呂,存劉氏,全社稷”史影的前兆。帛書異文還表明,漢初治《易》諸家中有人或“持論巧慧”,或“改師法”,並不是個别的孤立的現象①。

帛書《繫辭》的道家思想烙印,固然可以聯繫漢初盛行的黄老之學加以闡釋,但不妨補充指出: 道家與《周易》有深厚的歷史淵源,而非唱和孔門,步其後塵治《易》。道家源出於史官,除了《周禮》所載的大卜、筮人九巫,史官亦掌《周易》書,以《易》占,傳統悠久。《左傳·莊公二十二年》(公元前672年)已記載此之前“周史有以《周易》見陳侯者”。昭公二年(前540年)韓宣子出使魯國,“觀書於太史氏,見《易象》與《魯春秋》”,諸侯的《易》書亦掌於史官。《左傳》從閔公二年(前660年)到哀公九年(前486年)載以《周易》占約十一次,其中三次爲卜人,六次爲史(事占的史官約八人次)。著名的有史蘇、史朝、史墨等。昭公二十九、三十二年,史墨兩次引《周易》爲説,留下了“社稷無常奉,君臣無常位,自古以然。在《易》卦,雷乘《乾》曰《大壯》☳,天之道也”這一名言,其時孔子方過四十歲,尚未治《易》。帛書《要》記載孔子“老而好易”,亦言“史巫之筮”,又聲明自己“與史巫同塗而殊歸”。換言之,史與孔門治《易》分合有故。到漢代,史官治《易》已與習道家言結合在一起,最明顯的是司馬談,“司馬氏世典周史”,司馬談亦爲太史公,他“學《天官》於唐都,受《易》於楊何,習道論於黄子”,“論大

① 《漢書·儒林傳》。參看劉大鈞:《周易概論》第150頁,齊魯書社,1986年。

道則先黃老而後六經"(《漢書・司馬遷傳》),信爲道家者流矣。道家易學是史官易學的直接繼承和發展,在古代學術史上有其不可磨滅的深遠影響。因此,探索《易傳》中的道家思想,絶非無根之談。如果不再將《周易》視爲純粹的單一的儒家經典,嘗試研究陰陽、儒、道、墨等各家思想的哪些觀點和主張,在易學發展上怎樣異中求同,殊途同歸,對於深刻理解中國古代學術的多樣化與一致性是很有意義的,也將使易學研究領域得以拓展和深入。

《莊子》云:"駢拇枝指,出乎性哉,而侈於德;附贅縣疣,出乎形哉,而侈於性。"拙文識小闇大,恐妨於明道,因以題篇。

一九九四年立春,於成都。

帛書《繫辭》校勘札記

陳松長

帛書《繫辭》的圖版和釋文在《馬王堆漢墓文物》(1992 年 5 月湖南出版社出版)一書中首次披露後,學術界,特別是哲學界一時反響強烈,許多知名學者紛紛撰稿,對帛書《繫辭》展開了多角度的研究,其研究成果,大多集中刊載在《道家文化研究》第三輯的馬王堆帛書研究專號上。筆者因工作之便,曾對帛書《繫辭》作了初步的整理和釋文,當時因時間匆促,又加之本人學識淺陋,故所作釋文謬誤很多。後來《道家文化研究》主編慨允,同意筆者對《繫辭》釋文進行修訂後重新刊出,與此同時刊出的,還有張政烺先生的《馬王堆帛書・周易・繫辭校讀》和台灣大學中文系黃沛榮先生的《帛書〈繫辭傳〉》校證等,這些先生的研究和校定,無疑是對帛書《繫辭》整理和釋文的極大促進,筆者不敏,但經反复校勘,又偶有所得,現僅以札記的形式略記一二,以就正於方家。

1、"易則傷知,閒(簡)則易從,傷知則有親,傷從則有功。"

這一段見於帛書《繫辭》第二行,對其中的三個"傷"字,我在兩次釋文中,都曾參照通行本,寫出其通假字"易",以爲"傷"、"易"本就相通,似乎無需深究。黃沛榮先生注意到了這兩個字的不同,但他卻說:

"此句'易'、'傷'雜用,故知'傷'即'易'字,唯是作'傷'者皆爲'容易'之義,作'簡易'解者不用'傷'字。"

細校張政烺先生的釋文則不然，對這段文字，張先生從本字釋文，僅在“易從”下面作了個注解曰：

“‘易從’，依本句文例，當作‘傷從’。”

由此可以判斷，張先生是不贊成“易、傷”雜用，或“易”、“傷”相通説的。按其釋文，易、傷顯然是有區别的兩個字，這兩個字在後來的文字發展演變中，雖然是“易”存“傷”廢了，但在漢初的帛書中，應是有明確區分的，其區别何在呢？

《説文・人部》：“傷，輕也。”

《蒼頡篇》：“傷，慢也。”

《廣韵》：“傷，相輕慢也。”

可見，“傷”並不單是“容易”的意思，而是輕慢之意，用現代漢語來説就是“瞧不起”的意思。用在這裏，正是道家輕知無爲思想的反映。由是而啟示我們深刻反省的是，歷史文獻中儘管通假現象極其普通，但我們在審形定義時，最好不要輕易地去求其通假，而應細細斟酌其本意。

2、“廣大肥天地，變迵(通)肥四[時]，陰(陽)之合肥日月，易閒(簡)之善肥至德。”

這一段見於帛書《繫辭》第十行，其中反復出現的“肥”字，一般都把它隸定爲“肥”，通“配”，以爲這兩字音近相借，而且帛書《老子》乙本、《伊尹・九主》、《養生方》等釋文中都將此字隸定爲“肥”，因此，筆者亦曾照釋之。今細審原物，其實並非如此，該字右邊從己不從巴，只是“己”字的那一折豎寫得較粗而已。對此，中國人民大學的張立文教授倒是獨具慧眼，他指出：

“帛書《繫辭》此四字均清晰可辨，且寫法相同，均作‘肥’，……《類篇》：肥，薄也。《説文》：‘配，酒色也，從酉已聲。’‘肥’字從肉己聲，同聲系相借。肥疑借爲‘妃’。《周易・豐・初九爻辭》‘遇其配主’，《經典釋文》：‘配，鄭作妃’。《詩經・匏有苦葉》，鄭箋：‘爲之求妃偶’，《經典釋文》妃本作配，《左傳》文公十四年,‘子叔姬妃齊昭公’。《經典釋文》‘妃本作配’。是爲‘配、妃’互通之證。……”

張先生的考證不僅字形吻合,而且稽考文獻,信而有徵,完全可以成定論。由是可見,詳審字形,實乃釋文之關鍵,儘管我們的釋文於形於義相差均不太遠,但終有差異,實當訂正之。

3、“重門擊枳(柝),以挨(俟)捄(旅)客”

此句見於帛書《繫辭》第三十五行。其中的“挨”字,我兩次釋文中都誤釋爲“疾”,之所以誤釋,是因爲該字形體因帛書浸潤的痕跡,與帛書中的疾字形體非常接近。張政烺先生訂正爲“挨”,並在帛書十一行的“挨禮”下作注曰:

“挨假爲等。帛書《老子》甲本,《春秋事語》中,矣字皆作奚,《戰國縱橫家書》248行以下尤爲明顯。等禮即有等級、有差別的禮。《經典釋文》謂《繫辭》京房本作‘等禮’。”

按,張先生所釋,就字形而言,應無疑義,但這一字形在帛書《繫辭》中出現過四次,在第十一行和二十九行中都是和“禮”字聯在一起,故釋其爲“等禮”完全没有問題;這裏是“以挨客”,如果將“挨”解釋爲“等”的通假字,當然也未嘗不可,也許是張先生擔心這裏所釋的“等”和前面的解釋没有區别,故换了一個同義詞“待”。這樣,“挨”和“待”就純粹是語音的通假關係了。竊以爲與其純從語音相通的關係上考慮,還不如兼及形音義而求通假更好些,因此,這個“挨”字當是“俟”的通假字,“俟”猶待也,其義相同,而字形亦相近矣。

又“捄”字,張先生徑釋爲“旅”,《篇海》曰:“捄,音義同旅。”是知此説不可移易。但從釋文通例考慮,此處的釋文,似應仍用注明通假古今的常用辦法標示之爲好,即“以挨(俟)捄(旅)客”。

4、“天地之大思曰生,耵(聖)人之大費曰立立(位)。”

這兩句見於帛書《繫辭》第三十二行,黄沛榮先生譏爲“大思",今本作"大德",疑帛書本原作"大恩",誤爲"大思"耳。

張政烺先生的校讀中則簡注曰:

"大思",韓本作"大德",思疑是恩之誤。

費字"韓本作寶","立字不當有重文符號,可删去後一立字。"

按,以上所作的考注,都是依據韓本或通行本立論,似有強古人就今人之嫌。其實,就文尋釋其意,帛書所作,似並不是字形之誤,也不是誤加重文符號。筆者以爲,這兩句話中"思"、"費"兩字的詞義,乃可用古漢語中常見的語義互補現象來解釋。爲什麽説"天地之大思曰生"呢。《繫辭》云:"是故天生神物,聖人則之。"可見天地間生出來的東西,非同一般,乃是聖人效法的對象,豈可不費思量? 又聖人所最注重的,乃是定尊卑貴賤,尤如《繫辭》開篇所云: 庳(卑)高已陳,貴賤立(位)矣。"聖人設卦現象,繫辭焉而明吉凶"。可見,貴賤定位,正是聖人最費思索的事情,因此,這裏的"大思"、"大費",正語義互補,乃是大費思量的意思。而如果我們按照通行本的文字去解釋,其前後兩句的語義就欠呼應。至于立(位)的重文符號,竊以爲亦並非妄加,去掉重文符號,固然句式上比較對稱,語義也通暢,但加上這個重文符號,不僅没妨礙文意,而且更突出了聖人對貴賤定位的重視,因此,帛書原本爲此,似亦不必強加删除之。

5、"木爲耒槈,槈耒之利以教天下。"

此句見于帛書《繫辭》第三十三行,槈字下有重文符號,故筆者釋文時,將其分屬上下句之尾首。張政烺先生在校讀中則認爲:"槈槈耒之利,衍一槈字。"按,原文中僅有重文符號,並没衍出一字。帛書的抄寫者作這一重文符號,只有兩種可能,一是其抄本原就衍出一字,一是其行文中本應有兩個槈字。如果參照通行本定是非,那這裏不僅是多了一個字,而且"槈"字的位置亦應挪後,即作"耒槈",而不是"槈耒"。但如果我們從帛書本身思考問題,那這個重文符號放在這裏就並非是隨意所爲。《説文·木部》："槈，薅器也。"段注："蓐部曰：薅，披去田草也。者，所以披去之器也。槈，刃廣六寸，柄長六尺。"可見槈和耒都是古代從事農作的必備之具，與耨相通，從語法上説，槈耒是近義並列詞，按照漢語習慣，並列詞可换位，説"槈耒"，稱"耒槈"都未嘗不可，例如通行本即稱耒耨。因此，帛書此句的重文符號，正標明此處應釋爲"耒槈"和"槈耒"兩個詞。而如果認爲這個重文符號是衍文的話，那後面的"槈耒"，緊承前面的"楺木爲耒"而來，突然出現一個"槈"字，就有突兀的感覺。從這些方面考慮，筆者仍以爲這裏不是什麽衍文，而應以帛書原文釋文較妥。

6、"[雜物撰德，辨]是與非，則下中教(爻)不備，初，大要，存亡吉凶，則將可知矣。"

這幾句見於帛書《繫辭》第44行，通行本作："雜物撰德，辨是與非，則非中爻不備，噫，亦要存亡吉凶，則居可知矣。"兩相校勘，不僅字詞相差很大，而且文意亦完全不同，可以説是兩種完全不同的易學觀點。張先生的校讀則作了另一種句讀：

"若夫雜物撰德，辨是與非則下，中教(爻)不備，初大要，存亡吉凶則將可知矣。"

這樣句讀，雖可作些不同的解釋，但其釋文已明確了帛書與通行本的根本不同，筆者在拙文《帛書〈繫辭〉初探》(見《道家文化研究》第三輯)一文中曾論及這段釋文，認爲帛書所強調的是"初，大要"。即以初爻爲推知事物存亡吉凶的"大要"，也就是帛書前面所提到的要善于"見幾而作"，見微知著以推知事物的未來發展趨勢。通行本所強調的則是"非中爻不備"，也就是要以中爻的中不中，正不正，當不當，應不應，比不比作爲判斷"存亡吉凶"的依據，這是兩種截然不同的易學觀點，而這也正可作爲判斷帛書本和通行本孰先孰後的絶好證據。張先生的句讀，將"則下"二字屬上讀，則文意有了明顯的不同，那這"下"字就不是易學術語中的"下爻"，而是一個評價不高的形容詞，照此理解，後面的"中爻不備，初大要”在語義上也就略嫌費解了。因此，筆者仍以爲此句應句讀爲：

“若夫雜物撰德，辨是與非，則下中教（爻）不備；初，大要，存亡吉凶，則將可知矣。”

7、關於帛書《繫辭》的篇題。

筆者在作帛書整理時，曾特別注意過這個問題，因帛書《繫辭》最後的“辭屈”兩個字，是從原拼綴錯了的帛片上剪下來綴上去的，這塊帛片上共只有六個字，另四個字正跟第四十六行上的文字相屬，而“屈”字後是一塊相對完整的空帛（見《馬王堆漢墓文物》圖版），至少有兩個字以上的空間沒有墨跡，根據帛書《要》、《繆和》、《昭力》題寫篇名多只空一格的慣例，故筆者在釋文中沒敢擅填篇題。張先生在校讀中末尾特別加上了“[系]□□□□□”，並注曰：“原有尾題，字已殘損，不知共是幾字。”這不禁令我愕然良久，但不知這個尾題的殘損字樣與篇尾的“屈”字到底隔幾個字的距離？如果正好就隔兩個字的空間，那就太棒了；如果不是，這就非常奇怪。當然，如果真如張先生所注，那帛書《繫辭》的篇幅問題，也就無需再作什麼討論了。

作者簡介　陳松長，1957年生，湖南新化人，文學碩士。湖南省博物館館員。編著有《馬王堆漢墓文物》（合著）等書，發表有《帛書〈繫辭〉初探》、《帛書〈刑德〉略說》等論文多篇。

帛書本《易》説讀後

朱伯崑

内容提要 馬王堆帛書《易》説的出土,提供了研究漢代易學發展歷史的新材料。從内容上來看,帛書《易》説不僅解釋經文,而且解釋傳文,因而不屬於《易傳》。文中稱引"孔子"、"子曰",表明其屬於儒家傳易系統,且與荀學解《易》學風相一致。本文還概述了《要》、《易之義》、《二三子問》、《昭力》及《繆和》各篇的主要特點,認爲它們用《彖》、《象》、《文言》的觀點來解《易》,代表了漢初儒家解《易》的一種傾向,是《易傳》發展到漢代易學的過渡環節。

馬王堆漢墓出土的《要》、《易之義》、《二三子問》、《繆和》、《昭力》等帛書,都是關於《周易》經傳的解釋,屬於易學領域,可統稱之爲易説。這部份文獻,文句殘缺較多,難以窺其全貌。就其中可讀部分,談幾點意見。

一、凡歷史上對《周易》經傳的解釋,都屬於易學領域。從儒家經學史上看,漢代是易學確立的時期。漢代的易學也經歷了一個發展的過程。此部分帛書論《易》的文獻,可代表漢初或秦漢之際易學發展的一種傾向。此部分文獻,所以屬於易學領域,因爲其不僅解釋經文,而且解釋傳文。如《要》的主題是講學易之道,主張以德爲占,故引《易傳》或《繫辭》文"安不忘危"以及"顔氏之子其庶幾乎"一大段文句,作爲立論的依據。其中談到"損益之道"説:"損之始,凶,其終也吉。"此是依益卦《彖》文"損上益下,民説無疆;自上下下,其道大光”以及通行本《序卦》文中“損而不已必益,故受之以益”。又其中談到有關三才之道,對“易有天道焉”,“有地道焉”,“有人道焉”,分别作了解説。如説“易有天道焉,而不可以日月生(星)辰盡稱也,故爲之以陰陽”;“有地道焉,不可以水火金土木盡稱也,故律之以柔剛”。此是依通行本《繫辭》文中“易之爲書也,廣大悉備,有天道焉,有人道焉,有地道焉”。又如《易之義》,其主題是講乾坤兩卦的卦義。爲了説明其論點,其中插入見於通行本《繫辭》文中“乾坤其易之門邪”一大段文句。其中談到“二與四同功而異位”和“柔之爲道,不利遠者”時,則稱其爲“易曰”。此又是引《易傳》或《繫辭》文。又如《二三子問》中,對鼎卦九四爻辭“鼎折足”的解釋則説:“孔子曰:此言下不勝任也。非其任而任之,能毋折乎”。此又是對通行本《繫辭》中“鼎折足”釋文的發揮。又《昭力》解釋涣卦,則説“元者善之始也”,又是依乾卦《文言》文。以上表明,帛書中這部分文獻,不是屬於《易傳》,而是屬於易學的領域。

二、此部分文獻解釋《周易》經傳時,有的稱爲“子曰”,有的稱爲“孔子曰”,有的提到“夫子”或“孔子”,此説明這部分文獻,屬於儒家易學系統。關於儒家傳《易》的譜系,司馬遷於《史記·儒林傳》説,孔子卒,商瞿傳易六世,至齊人田何。漢興,田何又傳於王同,王同又傳於楊何。司馬遷提到的先秦儒家傳易的儒者,大都不可考。就儒家傳《易》者説,戰國末到漢初,有文獻可據者,有《荀子》、《禮記·經解》和《韓詩外傳》,反映了這一時期的易學傾向。《荀子》中解《易》語,共有四處。兩處爲解釋經文:一處引坤卦六四爻辭“括囊,無咎無譽”,斥責“腐儒”,“好其實不恤其文”(《非相》);一處引小畜卦初九爻辭“复自道,何其咎”,解釋《公羊春秋》以秦穆公爲賢,能悔過自新(見《大略》)。一處爲解釋咸卦《彖》文,謂“易之咸,見夫婦”(《大略》)。一處爲解釋《易》的精神,所謂“善爲書者不説,善爲易者不占,善爲禮者不相”(同上)。這些解釋表明,荀子及其門人是傳授《周易》的,視《易》爲儒家經書之一。《禮記・經解》解説作爲六經之一的《易》説："絜静精微，易教也"；"易之失，賊"；"絜静精微而不賊，則深於易者也"，其前冠以"孔子曰"。此文結尾，又引"易曰：君子愼始，差若毫厘，繆以千里，此之謂也"。又《韓詩外傳》説："故易有一道，大足以守天下，中足以守其國家，近足以守其身，謙之謂也。夫天道虧盈而益謙，地道變盈而流謙，鬼神害盈而福謙，人道惡盈而好謙"（卷三）。又説："孔子曰：易先同人後大有，承之以謙，不亦可乎"（卷八）。此是依謙卦《彖》文和通行本《周易》卦序，解釋謙卦義。以上所引對《周易》經傳的解釋，都取人道教訓之義。冠以"孔子曰"，表明是闡發儒家易學的傳統。帛書解《易》的文獻，或談孔子言《易》事，或冠之以"孔子曰"，與上述解釋《周易》經傳的傾向是一致的，屬於儒家傳《易》系統。

三、按《史記・儒林傳》和《漢書・儒林傳》，漢初至武帝時，傳《易》的人物，始於齊人田何，後又傳至菑川人楊何，楊何於武帝元光元年爲中大夫。此外還有周王孫，丁寬，齊人服生；齊人即墨成，廣川人孟但，魯人周霸，莒人衡胡，臨菑人主父偃等。司馬遷説："然要言易者，本於楊何之家"。《漢書》，楊何，作田何。《漢書・藝文志》著録《易傳周氏》二篇，《服氏》二篇，《楊氏》二篇，《蔡公》二篇，《韓氏》二篇，《王氏》二篇，《丁氏》八篇。蔡公即周王孫，服氏即服光，楊氏即楊何，韓氏即韓嬰，王氏即王同，丁氏即丁寬。這些人的著述，除韓嬰《子夏傳》的一些佚文外，其它皆已失傳，無法知其内容。按《漢書・儒林傳》，這些人的易學皆本於齊人田何。田何是否荀門弟子，已不可考。其易學當來於齊學。韓嬰雖爲燕人，但其經學，頗受荀學的影響，《韓詩外傳》可以爲證。前引其解《易》的言論，同《荀子》書中以義理釋《周易》經傳的傾向是一致的。其易學也可以歸於齊學。

齊學荀子解《易》的特點，有三：其一，解釋卦爻辭時，只闡發卦爻辭中的義理，並取其人道教訓之義。前引荀學對坤卦爻辭和小畜卦爻辭以及咸卦《彖》文的解釋，即是如此。又如韓嬰《子夏傳》解釋乾卦辭"元亨利貞"説:"元始也,亨通也,利和也,貞正也"(《周易正義》引)。此是依《象》文義,解説乾卦辭,亦談義理。又其於《韓詩外傳》中,解釋《繫辭》文"易簡而天下之理得矣"説:"忠易爲體,誠易爲闢,賢易爲民,工巧易爲材",亦是解釋其義理,從中吸取教益。此種解《易》傾向,不同於後來的孟喜、京房派以卦氣和象數解《易》的學風。其二,荀派易學,以《周易》爲提高人的智慧和思想境界的典籍,不以其爲占卜吉凶禍福之書,此即《荀子·大略》所説:"善爲易者不占",此是闡發孔子説的"不占而已矣"的解《易》傳統。《大略》中還説:"以賢易不肖,不待卜而後知吉凶"。是説,由於實行尚賢政治,所以不以卜筮決定國家大事。此種不信占卜的思想,也是受了齊國道家黄老之學的影響。如《管子·心術下》所説:"能專乎,能一乎!能毋卜筮而知吉凶乎!"其三,荀學解《易》,由於重視變化,又以《周易》爲講剛柔相蕩的法則。前引對咸卦的解釋,認爲此卦之義體現了"夫婦之道",爲"君臣父子之本",因爲"以高下下,以男下女,柔上而剛下",體現陰陽相感之義。又《禮記·樂記》一文,許多辭句,見於《荀子·樂論》。其中談到禮樂的起源時,依《繫辭》開頭一章"天尊地卑"説,解釋禮以别異;依"剛柔相摩"説,解釋樂以和同。其中説:"地氣上齊,天氣下降,陰陽相摩,天地相蕩……而百化興焉"。此段言論,當出於荀子後學。因爲其中説的"天地官矣","性命不同矣",皆荀子常用詞彙。其論"陰陽相摩"一段,也是本於《荀子·禮論》文"天地合而萬物生,陰陽接而變化起"。《禮記·樂記》中此段文字,可以視荀子後學解易的代表。

以上所談荀學易學的特點,對漢初易學頗有影響。如《淮南子》中引《周易》經傳文,其解釋,亦是此種傾向。如《繆稱訓》解釋同人卦辭説:"至德者,言同略,事同指,上下一心,無歧道旁見者"。又其解釋屯卦上六爻辭"乘馬班如,泣血漣如"説:"言小人處非其位,不可長也。"此是取《象》文義。又解釋乾卦上九爻辭"亢龍有悔"説:"動於上不應於下者,情與令殊也。"此是取《文言》義。又《齊俗訓》,引坤卦初六爻辭"履霜,堅冰至",解釋周公因主"尊尊親親"治魯,結果魯日以削,至三十二世而亡。以上這些同荀子和韓嬰解《易》的學風也是一致的,即探討卦爻辭的義理,以明人事之得失。帛書本《易》説文,究爲何人所作,已不可考。但其解《易》的傾向,屬於上述的傳統。

四、帛書《要》解《易》,主要討論了學《易》的目的以及易之道的特征。其中假托孔子和子貢的對話,闡述學易的要領。文中提出"夫子老而好易"。此是對《論語·述而》:"假我數年,五十以學易,可以無大過矣"的闡發。此説與司馬遷所説"孔子晚而喜易"説是一致的。並且表明其所依據的《論語》本子,是《齊論》而非《魯論》。因爲《魯論》本,"易"作"亦"。其論孔子學易説,《周易》中"有古之遺言焉"(指卦爻辭),學《易》的目的是"非安其用而樂其辭"。"用"指卜筮吉凶禍福。"樂其辭"本於《繫辭》文"所樂而玩者,爻之辭也"。因爲卦爻辭含有義理,可以提高人的道德修養境界。如其所説:"易,我後其祝卜矣,我觀其德義耳也。"關於占筮,借孔子的話説:"贊而不達於數,則其爲之巫;數而不達於德,則其爲之史。""史"指史官以筮數占人事之吉凶。此文認爲,孔子學易,不同於史巫:"後世之士疑丘者,或以易乎!吾求之德而已。吾與史巫同塗而殊歸者也"。"同塗而殊歸",是説,同來於《周易》,但走的道路不同,即史巫追求占卜個人吉凶禍福,而孔子則研究和學習卦爻辭中的"德義"。即提倡學易,不是追求占易。《要》對《易》的解釋,可以稱爲"以德爲占"説。爲了闡明這一觀點,又説:"仁義焉求吉,故卜筮而希也"。此種《周易》觀,即荀學所説的"善爲易者不占"。爲了説明學易的重要性,故文中又引述通行本《繫辭下》中對否卦九五爻辭,鼎卦九四爻辭,復卦初九爻辭以及益卦上九爻辭的解釋,作爲"樂其辭"和"觀其德義"的範例。關於"易之道",此文説:"故易剛者使知瞿,柔者使知剛。"此是以剛柔變易,即陰陽推移,解釋"易之道",本於《繫辭》文"剛柔相推而生變化"。進而認爲,"損益之道"即體現了陰陽變易的法則。所謂"損之始,凶,其終也吉"。是説,損益兩卦可以轉化,損可以帶來益,益可以招來損。從天時到人事的變化都是如此。認爲懂得損益之變的人,遇事"不可動以憂喜",所以"明君不時,不宿,不日,不月,不卜不筮",意謂不因天時和人事的變易,而去卜筮吉凶。從而得出結論説:"損益之道,足以觀得失矣。"《要》對損益之道的解釋,同荀子提出的"陰陽接而變化起"的觀點也是相通的。

五、《易之義》,乃通論乾坤兩卦之大義,如其所説,"易之義,唯陰與陽,六畫而成章"。認爲乾卦"六剛無柔",爲天之道;坤卦"六柔無剛,此地之義"。此以剛柔釋陰陽和乾坤兩卦義。但乾坤兩卦並非截然對立,其剛柔之德,又相互補充。此即其所説:"天地相衛(率),氣味相取,陰陽流刑(形)"。此文論證説:"萬物之義,不剛則不能動,不動則無功"。但"不柔則不静,不静則不安,久静不動則沉,此柔之失也"。此是講萬物需動静相濟。此文又説:"勾(姤)之離角,鼎之折足,豐之虛盈,五爻者剛之失也,動而不能静者也"。是説,只動而無静,有剛而無柔,乃剛之過失。"姤之離角",即姤卦上九爻辭:"姤其角,吝,無咎。"以其爲"剛之失",本於《象》文:"姤其角,上窮,吝也。"是説,此卦上九爻,爲剛,又居此卦之上位,剛而又剛,故爲"吝"。"鼎之折足",乃鼎卦九四爻辭,認爲鼎足過於剛,便要折斷,故爻辭爲"凶"。"豐之虛盈",本於此卦《彖》文"明以動,故豐"和"天地盈虛,與時消息"句。此卦上六爻辭説:"豐其屋,蔀其家……凶。"《象》文解釋説:"豐其屋,天際翔也",意謂陰處於此卦上位,動極而反於陰静,要走向反面,故爲凶。此文接着又説:"肫(屯)之泣血,五爻者,陰之失也,静而不能動者也。"此是依經文義,解釋只静而不動爲陰柔之過失。"泣血"乃屯卦上六爻辭,《象》文解釋説:"泣血漣如,何可長也",表示陰柔居上位,無陽剛相應,故難以長久。帛書所謂"陰之失也",即本於此。此文進而討論剛柔或動静的關係説:"故天之義,剛健動發而不息,其吉保功也。無柔救之,不死必亡。重陽者亡,故火不吉也。""地之義,柔弱沈静不動……重陰者沈,故水不吉也。"是説,剛強而無陰柔輔之,陰柔而無剛陽濟之,都要走向死亡。此文,還以武爲剛,以柔爲文,以文武相成,説明剛柔互補之理。如其所説:"柔而不枉,然後文而能勝也;剛而不折,然而後武而能安也。"是説,文中有武,武中有文,文武方能各發揮其作用。此文,還以乾坤兩卦的爻辭,説明剛柔相蕩之理。如釋乾卦用九爻辭説:"群龍無首,文而聖也。"釋坤卦上六爻辭説:"龍戰於野,文而能達也。"還説:"川(坤)之至德柔,而反於方。鍵之至德剛而能讓,此鍵川(坤)之參説也。""反於方",指坤卦六二爻辭"直方大",有剛陽之德。此種解釋,本於坤卦《文言》文"坤至柔而動也剛,至静而德方"。以上是《易之義》關於剛柔或陰陽互補的觀點。因此,此文爲了論證其觀點,又插入了見於通行本《繫辭下》六章"乾坤其易之門邪"一大段文句,以其中的"陰陽合德而剛柔有體",説明乾坤兩卦和剛柔二德的關係。爲了説明這一論點,其中還插入了通行本《説卦》前三章的文句。以其中的"觀變於陰陽而立卦也,發揮於剛柔而生爻也","分陰分陽,迭用柔剛,故易六畫而爲章也"以及"山澤通氣,水火相射,雷風相薄,八卦相錯"等文句,説明剛柔或陰陽相互配合或滲透。故下文緊接着提出"萬物之義,不剛則不能動",闡發其義理。此説明,其中有關《説卦》前三章文字,亦係抄録《易傳》文,因爲其中有些文句,如"數往者順,知來者逆",與主題是無關的。就此文對卦爻辭的解釋説,多取於《彖》、《象》、《文言》義,如其釋坤卦六四爻辭"括囊,無咎"説:"不言之謂也",此是本於《文言》文"蓋言謹也",以"言"爲語言。其釋坤卦六五爻辭"黄裳,元吉"説:"尉文而不發之謂也"。此又是本於《文言》文"正位居體,美在其中"。就此而言,此文的下限,當在《文言》之後。其中引通行本《繫辭下》九章,"二與四同功而異位",稱其爲"易曰",又是出於通行本《繫辭》文之後。

六、《二三子問》、《繆和》、《昭力》這三篇帛書,都是解釋《周易》卦爻辭。其解釋同《荀子》和漢初儒者解易的學風也是一致的。《二三子問》釋卦爻辭,亦多依傳文義。如其釋乾卦上九爻辭"亢龍有悔"説:"聖人之立正(政)也,若循木,愈高愈畏下。"此是取《文言》"知進退存亡而不失其正者,其唯聖人乎"義。如其釋蹇卦六二爻辭"王臣蹇蹇,非今之故"説:"王臣蹇蹇者,言其難也"。以蹇爲"難",是取《象》文義。此條釋文中又説:"見幾而務之,□有功矣","務幾者,成存其人,不言吉凶焉"。此又依《繫辭》"君子見幾而作"文。又其釋乾卦九三爻辭説:"君子之務時,猶馳驅也,故曰君子終日鍵鍵。"此依《文言》義:"終日乾乾,與時偕行。"又此文解釋坤卦六四爻辭"括囊,無咎無譽"説:"孔子曰:此言箴小人口也。小人多言,多過,多事,多患。"以此爻辭爲指小人之事。"聖人之言也,德之首也。聖人之有口也,猶地之有川谷也,財用所則出也","唯恐其不言也,有何箴焉"。此種解釋,可能受到荀子以此爻辭爲"腐儒"的影響。此文釋卦爻辭,也有新意。如其釋坤卦上六爻辭"龍戰於野,其血玄黄"説:"言大人之廣德而下接於民也。""其血玄黄者,見文也。聖人出法教以導民,亦猶龍之文也,可謂玄黄矣。"其以"戰"爲"廣德",突出了儒家的德治主義;以玄黄爲"文",又是受了《文言》"夫玄黄者,天地之雜也"的影響。又其釋鼎卦上九爻辭"鼎玉鉉,大吉,無不利"説:"鼎之舉也,不以其趾","必人舉之";"賢以舉忌也,則君立正,賢輔弜(弼)之,將何爲而不利,故曰大吉"。此以舉賢説釋此爻辭之義。此文還對乾卦爻辭中的"龍"作了頌揚,認爲"龍之德",其上昇於天,"高尚行乎星辰日月而不眺,能陽也";其下入於地,"潛深淵之淵而不沫,能陰也"。"龍既能雲變,又能蛇變,又能魚變"。以龍能陽能陰,善於變化,解釋乾卦爻辭的不同。按《淮南子·人間訓》釋乾卦九三爻辭説:"終日乾乾,以陽動也。夕惕若厲,以陰息也。因日以動,因夜以息,惟有道者能之。"帛書文以龍德能動能静,與《淮南》説是相通的。又此文對"龍"德的頌揚,頗類似荀子的《雲》賦。荀子描寫"雲"德説:"充盈大宇而不窕,入郄穴而不偪者歟"(《荀子·賦篇》)。"不偪",謂無不容。"不窕",謂無有間隙。帛書文謂龍德其上"不眺",其下"不沫",可能受荀文影響。《繆和》和《昭力》對卦爻辭的解釋,亦取傳文義或引《易傳》文。如其釋渙卦九二爻辭"賁(奔)其階(機),悔亡"說:"渙者,赫也。賁(奔)階(其)幾(機)也,時也。古人之君子時福至,則難取。"又說:"聖人知福之難得而賁(奔)也,是以有矣。"此以"渙"爲渙發義,以時至而求其福,如願以償,釋此爻辭。這是本於此爻《象》文:"渙,奔其機,得願也。"又如其釋渙卦六四爻辭"渙其群,元吉"說:"思下天下之士而貴其渙者口,元者善之始也,吉者百福之長。"此以"渙"爲賢,以尚賢義,解釋此爻辭,又見於《呂氏春秋·召類》。"元者善之始"是依《文言》乾卦文"元者善之長也"。又其釋謙卦初六爻辭"謙謙君子,用涉大川,吉"說:"聖人不敢有立也,以有知爲無知也,以有能爲無能也,以有見爲無見也。"又說:"守以卑若此,故能君人"。此是依此爻《象》文"卑以自牧也"義。其中還說:"謙者,謙然不足也,亨者嘉好之會也"。其對"亨"的解釋亦是引乾卦《文言》文。文中還說:"天道毀盈而益嗛,地道……"。顯然,此又是引謙卦《彖》文,雖稱其爲"子曰"。又其釋恆卦六五爻辭"恆其德,貞,婦人吉"說:"婦德一人之爲口可以有心,有心矣,凶。"此是本於《象》辭:"婦人貞吉,從一而終也。"以上所引,說明此部分帛書,同樣出於《彖》、《象》、《文言》三傳後,其上限亦在《文言》之後。《繆和》、《昭力》解易,也有其特點,即引史證經,援引歷史事蹟和歷史人物的遭遇,說明卦爻辭的意義。如引文王拘羑里,越王勾踐困於會稽,解釋困卦卦辭。引魏文侯、段干木事,解釋此卦九五爻辭。引楚莊、晉文、齊桓稱霸事,釋豐卦九四爻辭。這是因此部分文獻是通過對卦爻辭的解釋,講治國之義和君臣之道。此亦是帛書易說的特色之一。

七、以上所談帛書本易說,雖不屬於《易傳》範圍,但在易學史上有重要的意義。從《易傳》至漢易孟京一派象數之學的建立,其間經歷了一個發展過程。但由於這一時期有關解《易》的著述已失傳,無法窺其真象。帛書本易說的出土,填補了這一空白。其解《易》的傾向,可以歸結爲四點: 其一,帛書各篇對卦爻辭所作的解釋,多依《彖》、《象》和《文言》義,除釋明夷卦引取象說外,都未論及象辭之間的關係,而是直接解釋卦爻辭中的義理,闡發人道教訓之義,特別是治國平天下之道。此種解《易》傾向,同漢易中以象數和卦氣解易的學風是不同的。其二,《要》區別學易和占易,提出與史巫"同塗而殊歸"說,可以說是繼荀子後,發展了儒家的易學觀,不同於後來京房一派所宣揚的占侯術,即利用卦氣說推測人事特別是政事之吉凶得失。其三,《易之義》提出了陰陽變易說和剛柔相濟說,認爲乾卦爲陽,其中有陰,坤卦爲柔,其中有剛,論證動靜相含、文武相成是事物發展的基本法則,堅持了《易傳》的"陰陽合德"說,揭示出中華辯證思維的一大特色。此說可以說是上繼《易傳》,下開漢易陰陽說的先河。其中特別指出"剛健而不息",如無陰柔以裁之,"不死必亡",說明中國傳統思維方式並非只是以"剛健不息"爲美德。其四,帛書易說解釋卦爻辭,引入"五行"觀念,如《要》以"水火金木土"解釋地道有剛柔,《易之義》提出"子曰: 五行",《二三子問》又說"理順五行天地","天道始,必順五行"。此是對《易傳》解經的發展,當是受了齊學陰陽五行說的影響。帛書解《易》的這些特征,不同於京房一派的象數之學,也不同於漢易中的章句之學,而是與後來古文經學派費直解易的學風相通的。《漢書・儒林傳》論費直易學說:"亡章句,繼以彖、象、繫辭十篇文言解說上下經。"帛書《易》說,有助於了解以《易傳》文解經的特色。總之,帛書《易》說的出土,爲研究漢代易學發展的歷史提供了新史料,其價值遠高於帛書本《周易》經傳文獻。

作者簡介　朱伯崑,1923年生,河北寧河人。1951年畢業於清華大學哲學系。現爲北京大學哲學系教授,博士生導師。著有《易學哲學史》等。

《要》篇略論

王 博

馬王堆漢墓帛書《易傳》中有《要》篇，書於《繫辭》、《易之義》後，《昭力》、《繆和》之前，共一千六百余字。文章雖短，卻極有價值，故頗受學界矚目。就目前所見，《要》篇釋文共有兩種：一爲陳松長、廖名春所作，刊於《道家文化研究》第三輯；一爲日本東京大學教授池田知久所作，尚未正式刊出，但國內學界已有複印本流傳。兩種釋文相比，雖細節處各有短長，但從整體上來看，似以後者爲優，現擇要論説於下：

1. 第九行上，陳、廖本"安得益吾年乎"，池田本"年"作"身"，從下文據今本《繫辭》所補"身"字來看，"身"較"年"於義爲長。

2. 陳、廖本誤將第二十行之部分文字移至第九行，當據池田本在陳、廖本第二十行"道窮"後補"焉而産，道□焉益"等字，使該行文字可以通讀。

3. 第十三行，陳、廖本"悳行亡者，神靈之趨；知謀遠者，卜筮之蔡"。池田本"蔡"作"蘩"。考"蔡"作名詞時，有卜龜之義，與卜筮雖可連言，但上引二句對仗工整，前句"趨"爲動詞，則後句"蔡"不能作名詞解。而"蔡"字的動詞用法有"減殺"、"流放"等義，與文不合。此字當從池田本釋爲"蘩"，"蘩"即"繁"，衆多之義。整段話的意思是：趨於神靈則無德行，勤於卜筮則遠智謀。

4. 第十六行，陳、廖本"子曰：吾百占而七十當"，池田本"七十"作"干"，義爲"罕"，當從池田本。"子曰"後之語在回答子貢

“夫子亦信其卜筮乎”之問，意在說明卜筮之不可信，若說“百占而七十當”，於義正相反，與後文亦不合。

5. 第二十一行，陳、廖本於“不卜不”與“地之也”之間缺九字，池田本則補上“筮，而知吉與凶，順於天”等，使全句連貫。池田氏並指出這九字在拼接時誤置於第十行，這意見無疑是正確的。

此外，兩種釋文之間有許多異文，因不能看到照片，僅據文義難斷是非。如第十三行末，陳、廖本有“前羊(祥)而至者，弗羊而好(？)也”句，池田本作“前手而至者，弗手而巧也”，即一顯例。

總之，《要》篇釋文尚有完善的必要。以下，主要依據池田本，參考陳、廖本，就與該篇有關的一些問題略抒己見。

論《要》篇主旨

大凡著文，皆有宗旨。就《要》篇而論，其主旨約有二端，一明學《易》態度(詳後)，二明爲君之道，而以後者爲主。

從形式上來看，《要》篇是幾部分文字的拼湊，文體不甚協調。開頭幾行字殘缺太甚，姑不論。九行以後至十二行中，依次引否卦九五、鼎卦九四、復卦初九、損卦六三、益卦上九的文辭，闡明義理，屬於一組。十二行至十八行尾，記孔子與子貢對話，談對《易》的態度及學《易》至方法，爲一組。十九行至二十四行，圍繞損、益二卦進行論述，闡明易道，屬於一組。這幾組之間，文體雖異，內容上卻有一貫者，即以闡明君道爲中心。

先說第一組。該組引五條爻辭，中心在說明君主安身保國之道。其中又貫穿兩個基本觀念，一是德，一是位，強調德與位的統一。第一條講君子安不忘危、存不忘亡、治不忘亂，方可以安身保國，重在強調有位者應有德，方可保其位。第二條講德薄而位尊，則不勝任，導致失位。第三條講“見幾有不善，未嘗不知。知之，未嘗復行之”，迺修身之義，就德之一而言。第四條講至一，亦此義。第五條言“君子安其心而後動，易其心而後評，定其位而後求”,又説“無位而求,則人弗予也。莫之予,則傷之者必至矣”,強調“位”之重要性。總之,此組文字重在説明德與位的結合,是安身保國之基礎。

第二組主要説明對《周易》應取之態度,其中“悳行亡者,神靈之趨;知謀遠者,卜筮之蘩”,也表現出了重德行、智謀而輕卜筮之義。此組可與下組“故明君不日不月、不卜不[筮,而知吉與凶,順於天]地之 □ 也”合看,迺知也與君道有關。

第三組以談損、益之道爲中心展開。先是講“損益之道,足以觀天地之變,而君者之事已。”後面又談《易》中有天道、地道、人道及四時之變等,而最後歸結到君道,更是點明了主題。

《要》篇的此種主旨表現了儒生經世的願望,同時也表現了他們解釋《周易》的用意所在。結合其他的線索,《要》篇很可能産生在反思秦代統治方法及尋找新的統治方法的漢代初年。

《要》與《易之義》的關係

《要》與《易之義》同抄一帛之上,而位於《易之義》後。學者已注意到二者之間的聯繫,如王葆玹先生曾撰文,以爲《繫辭》與《易之義》、《要》思想傾向不同,前者屬道家作品,後二者則爲道家易學。暫不論學派歸屬,即以指出《繫辭》與《易之義》、《要》之差異而言,便有功於學界。此種差異可從多方面論述,以其對卜筮之態度來看,《繫辭》屢言卜筮之神妙,故一曰“玩其占”,再曰“易有聖人之道四焉……以卜筮者尚其占”;《易之義》、《要》則輕卜筮而重德義,如《要》托孔子之口講“予非安其用也”,又説“君子德行焉求福,故祭祀而寡也;仁義焉求吉,故卜筮而稀也。祝巫卜筮其後乎?”此處強調仁義等與卜筮的對立,與《繫辭》以卜筮爲聖人之道迥異。

《要》與《易之義》的聯繫,首先即表現在對《周易》的態度問題上。二者均以爲研究《周易》,主要是從卦爻辭中觀其德義,故文中多有對卦爻辭意義的闡釋與發揮,而少見對卦象、爻位等的説明。(此點亦與《繫辭》講象講位有别。)二篇之中,又以《要》論此原則最爲直接而簡單,一句"我觀其德義耳",足以表現《易之義》與《要》解釋《周易》之方法。實際上,德與義的提法在《易之義》中也有出現,它開篇就説"易之義惟陰與陽",點出一個"義"字。後文總論履等九卦,又説"贊以德而占以義者也"。而《易之義》對《周易》的解釋也完全貫穿着"觀其德義"的原則。

其次,在對《周易》産生及興起問題的看法上,《易之義》與《要》也是一致的。這裏,我們可以先看一下《繫辭》的有關説法,以作比較。《繫辭》認爲,作爲《周易》基礎的八卦是遠古帝王伏羲氏仰觀俯查等的結果,它並認爲,伏羲氏、神農氏、黄帝堯舜氏的許多發明均得之於重卦卦象,如罟取諸離,耒耜取諸噬嗑等。這種説法表明,伏羲氏時不僅有了八卦,而且還有了六十四卦。帛書《繫辭》中並未提及周文王,而《易之義》和《要》則都把《周易》與他聯繫了起來。《易之義》云:"子曰:易之用也,殷之無道,周之盛德也。恐以守功,敬以承事,知以避患,□□□□□□□□□文王之危知……",這大概是説,在文王興周滅殷的過程中,《周易》發揮了重大作用。《要》篇亦云:"文王仁不得其志,以成其慮。紂迺無道,文王作謹而闢咎,然後易始興也。"這裏的表述,如"無道"、"闢咎"等,與《易之義》顯然有關。而且二者都提及文王與易的關係,表明它們間存在着先後的影響。

第三,《易之義》中有一段文字,見於今《説卦》,其文曰:"□贊於神明而生占也,參天兩地而義(倚)數也,觀變於陰陽而立卦也,發揮於[剛]柔而[生爻也,和順於道德]而理於義也。窮理盡生[性]而至於命□□□□□□□□□□□□□理也。是故立天之道曰陰與陽,立地之道曰柔與剛,立人之道曰仁與義。"內中部分文字及説法,都被《要》篇加以運用或發揮。如《要》説:"幽贊而達乎數,明數而達乎德……贊而不達於數,則其謂之巫;數而不達於德,則其謂之史"。從幽贊到數進而到德,與《易之義》講贊、數、道德及義是一致的。（而二者又可能均與《荀子》有關，這點後面再談）另外，《要》還對《易之義》所説天道、地道、人道的提法提供了解釋，其中關於人道的內容還做了改動。《要》説："故易又天道焉，而不可以日月星辰盡稱也，故爲之以陰陽。又地道焉，不可以水火金土木盡稱也，故律之以柔剛。又人道焉，不可以君臣父子夫婦先後盡稱也，故要之以上下。"從語氣上來看，應該是先有天之道爲陰與陽的提法，而後纔有解釋性的文字。因此，《要》篇的年代似應較《易之義》爲晚。又《要》關於人道的論述，池田知久曾引今《序卦》"有天地然後有萬物，有萬物然後有男女，有男女然後有夫婦，有夫婦然後有父子，有父子然後有君臣，有君臣然後有上下，有上下然後禮儀有所措"做比較，可知二者的文字表述非常一致。《要》篇改人道仁義爲上下，表現出對禮儀的重視與強調。從思想上來看，與荀學較接近，或是受其影響。另一方面，也可能主要與《要》篇產生的時代背景及其要解決的問題有關。

《要》與荀學的關係

從年代上來考慮，《要》篇的產生當在荀子以後，秦末漢初。《要》中提到"尚書多於矣，周易未失也"，這當是秦始皇焚書以後的情形。而《尚書》作爲一個固定書名的出現，從目前材料來看，是在漢初。這些，很多學者都已了解，此不多談。

漢初的儒家經學，多與荀子有關。因此，學者談到《要》等時，也往往和荀子聯繫起來，這是很自然的。仔細地考察一下，《要》篇還有幾處確可能受到了荀子的影響，除上節談到的以人道爲上下外，我們還可以再舉出幾例來。如《要》説："幽贊而達乎數，明數而達乎德，又仁□□者而義行之耳。贊而不達於數，則其爲之巫。數而不達於德，則其爲之史。"此中"仁"字後面兩缺字當補"守之"，這樣全句爲"又仁守之者而義行之耳"，與《荀子·不苟》"唯仁之爲守，唯義之爲行"義同。上引《要》篇文字主要在説明贊、數、德的區别，它們又相應於巫、史、君子三個層次。其中“贊”爲《周易》特有，姑毋論。而數與德，以及史(官人百吏)與君子的區分，在《荀子》書中是屢見不鮮的。《勸學篇》說：“其數則始乎誦經，終乎讀禮；其義則始乎爲士，終乎爲聖人……故學數有終，若其義則不可須臾舍也。”《榮辱篇》說：“循法則、度量、刑闢、圖籍，不知其義，謹守其數，慎不敢損益也，父子相傳，以持王公……是官人百吏之所以取禄秩也。”其中數與義的分别也就是《要》篇所講數與德的區别，因《要》篇經常“德義”並舉。而說官人百吏“不知其義，謹守其數”，與《要》說“數而不達於德，則其爲之史”，從文字到內涵，都是一致的。

另一方面，《要》表現出的輕卜筮，重德義的精神與荀子所主張的“善爲易者不占”一致。當然，更遠地追溯，與孔子對《周易》的態度也是一致的。因此，與其說《要》篇這裹受到了荀子的影響，不如把它歸之於始於孔子的儒家傳統。

儘管《要》與荀子有着這樣或那樣的聯繫，但前者受後者的影響並不能過高地被估計。這首先是因爲《要》是一篇解《易》的作品，而易學在荀學中卻没有什麽地位。很多學者都統計過，在《荀子》書中，與《易》有關的文字只有三段，一處講“善爲易者不占”，是對孔子“不佔而已矣”的重複；一處引《彖傳》對咸卦的解釋；還有一處引《易經》坤卦六四爻辭：“括囊，無咎無譽”，認爲這是講“腐儒”的。與荀子大量地稱引《詩》、《書》、《禮》、《樂》、《春秋》相比，他關於《周易》的言論實在是微乎其微的。《荀子》書中經常將五經並舉，而不及《周易》。今人謂荀子有易學，恐怕是高估了他。

《要》篇對《詩》、《書》、《禮》、《樂》的態度也能說明一些問題。它一方面說：“《尚書》多於矣”，以《尚書》多所遺失來否定其地位，另一方面又說“《詩》、《書》、《禮》、《樂》不□百篇，難以致之”，此中缺字可補“足”或“讀”字。似當以“足”字爲是。無論如何，這裹都有貶抑《詩》、《書》、《禮》、《樂》等價值的傾向。而這種傾向與荀子對《詩》、《書》、《禮》、《樂》等的頻繁徵引是截然不同的。

《易傳》與孔子

從漢代到今天，學者對孔子與《易傳》關係的看法有了很大的改變。漢人都以《易傳》爲孔子所作，而今天的大部分學者都否認這一點，認爲《易傳》是戰國中期以後陸續形成的。雖然還有極少數學者主張《易傳》保存了孔子的遺説。由於帛書《要》篇中有孔子與子貢對話的記載，因此隨着它的出土，學界中又出現了一種重新估計孔子與《易傳》關係的傾向。有人甚至提出，孔子老而好《易》，此時作《易傳》也並非没有可能。

這其實是又回到了司馬遷在《史記》中的主張。《孔子世家》説："孔子晚而喜《易》，序《彖》、《繫》、《象》、《説卦》、《文言》。讀《易》，韋編三絶。"以前，我們不知道司馬遷説孔子晚而喜易的根據，現在發現了馬王堆帛書《易傳》，知道《要》篇就是這根據，至少是根據之一。《要》説："夫子老而好易，居則在席，行則在囊。"又借子貢之口發問"夫子何以老而好之乎？"雖然没提"韋編三絶"，也不過是措辭的不同。《要》篇還詳細地記載了孔子與子貢的對話，表現出孔子對《周易》態度的轉變過程——由起初的不談《易》到後期的喜好《易》，以及他之喜好《易》與巫史之喜好《易》的不同。簡言之，巫史是安其用，而孔子則是樂其辭，即從卦爻辭中發揮、引申出哲理。

問題是，《要》篇所記孔子與子貢的對話是否合於歷史的真實，答案當然是否定的。如果我們不承認《莊子》、《荀子》等書中所記孔子行事的真實性，我們也没有理由單單肯定《要》篇的叙述。在那"世俗之人多貴古而賤今"的習氣中，《要》篇借助於孔子與子貢的對話來表達自己的主張，也是很自然之事。其實，在對話中，即暴露了依托的痕跡。一句"《尚書》多於矣，《周易》未失也"，就證明了這話只能説於秦火之後，而絶不能説於春秋末期。

因此,以《要》篇的記載來證明孔子老而好《易》,並作《易傳》,是不能成立的。同時,我們也可瞭解《史記》部分記載的不可靠性。其實,我們不必急急忙忙地把《要》的依托說成是歷史事實,把《要》放在一特定的歷史環境中,其依托的價值自然會顯現出來。

這種依托首先表現出學派的特色,它像一個標籤,標明這是儒生的作品。其次,它想抬高儒家傳統中易學的地位,這一點應該是更爲重要的。我們知道,在整個先秦時期,儒者對《周易》都没有太大的興趣。孔、孟、荀對《詩》、《書》、《禮》、《樂》、《春秋》都奉若圭臬,借微言明大義,但對《周易》卻甚冷淡。孟子一句不提,孔子、荀子也只是偶而提及。與其對《詩》、《書》等的徵引不成比例。可以這樣說,詩書禮樂之學在先秦儒學傳統中都佔有重要地位,而易學還没有被納入到這一傳統中來,至少是没有成爲主流傳統。

但是,秦始皇的焚書坑儒給這種情形帶來了轉折。儒家所依據的幾部主要經典都被禁止閱讀,而《周易》卻因是卜筮之書,傳授不絕。因此,它對愛好古代典籍的儒生來說,無疑具有很大的吸引力。當然,由於孔子(及荀子)“不占而已矣”的教訓在,他們之愛好《周易》也不是安其用,而是樂其辭,就像孔子引恆卦九二爻辭“不恆其德,或承之羞”來說明立心必須恆一樣。

但比起《詩》、《書》、《禮》、《樂》來,《周易》之於儒家仍顯得是較外在的東西,或者說異己的東西。《要》篇所記孔子與子貢對話,要解決的便是這一問題。它說,孔子最初也排斥《周易》,但晚年卻喜好起來,認爲其中有古之遺言,可從中觀其德義。這分明是對《周易》之進入儒家傳統的合理性所作的論證。

前面我曾說,《要》中有貶抑《詩》、《書》、《禮》、《樂》的傾向。但它卻極力頌揚《易》,認爲其中包含了天道、地道、人道、四時之變及君道。這與其假托孔子與子貢對話的意義是一致的。

簡要地說,《要》所記孔子與子貢的對話並非歷史事實,而是新進入儒家傳統的易學爲爭取正統地位而進行的努力。因此,它也不能證明孔子與《易傳》有任何肯定的關係。

《要》與漢代易學

《要》篇作於秦火之後,或在漢初,因而表現出漢易的某些特點。或者説,它的內容對漢代易學等有很大影響。如其對損、益二卦的重視,在《淮南子·人間訓》、《説苑·敬慎》、《孔子家語·六本》等中都有表現。更重要地,它把《周易》與四時之變聯繫起來,開了漢易以八卦或六十四卦配四時、十二月、二十四節氣等的先河。

《要》篇的這類論述,表現在兩處。一處是講"益之爲卦也,春以授夏之時也,萬物之所從出也,長日之所至也,産之室也。故曰益。授(損)者,秋以授冬之時也,萬物之所 □ 也,長[夜之]所至也。故曰産〈損〉。"這是以從春到夏爲益,從秋到冬爲損,以損、益兩卦配四時。另一處是説"(易)有四時之變焉,不可以萬物盡稱也,故爲之以八卦"。這是認爲八卦表現了四時的變化。兩處相較,後者更有價值。

案以八卦配四時,目前所見最早的材料是《説卦》。《説卦》講"帝出乎震,齊乎巽,相見乎離,致役乎坤,説言乎兑,戰乎乾,勞乎坎,成言乎艮",並以八卦配八方,從震到艮,依次爲東、東南、南、西南、西、西北、北及東北。其中還提到"兑,正秋也",露出以八卦配四時的痕跡。推算起來,《説卦》迺是以震爲春、離爲夏、兑爲秋、坎爲冬。其中還談到萬物於各個季節的不同樣態,顯示出與《要》篇所説"不可以萬物盡稱也"的關係。《要》篇這裏可能受到了《説卦》的影響,同時又影響了漢代的易學。

論《易》之名“易”

—— 兼談帛書《要》篇

劉昭瑞

内容提要　《易》之所以名“易”,自西漢以來有各種觀點,但迄今仍然是易學史上一個懸而未決的問題。本文利用古文字研究成果,認爲“易”、“益”本爲一字,《易》之名“易”,迺係取象於二器之物的一損一益。並通過對帛書《要》篇的分析,認爲《要》是一篇專講損、益二卦的易學文獻,與帛書《易》卦序的始乾終益相呼應,與其他出土易學文獻也可相互補充,在更古老的諸家解《易》中,損、益二卦可能具有與乾、坤二卦同等重要的地位。

一

《易》之所以名“易”,是一個老題目了,至少在西漢晚期就有人做過,但可以説至今還是一個没有解決的問題。和研究《易》分爲象數與義理兩大派一樣,研究《易》之所以名“易”也有類似的兩種方法,這兩種方法至少在西漢時期也已經流行。

分析“易”的字形來探討《易》之所以名“易”,接近於象數的方法。較早而又有代表性的看法,認爲易字“從日下月”,如許慎《説文解字》易下引“秘書”云:“日月爲易,象陰陽也。”所謂“秘書”,即西漢以來盛行的讖緯書,《易乾坤鑿度》亦云:“易名有四義,本日月相銜。"鄭玄注："日往月來，古日下有月爲易。"[①]可見這種解釋方法出現得相當早。東漢時期的《周易參同契》以及唐陸德明《經典釋文》引虞翻注易字，均從此說。宋人不取"日月爲易"之説，但卻有用這種方法解"易"的人，如陸佃、羅泌等，從許慎《説文解字》，釋易爲蜥蜴之象形字。近人更有以爲"日出爲易"者[②]，其立論是建立在對商代甲骨文"易"字結構的理解上，也是用這種方法。用義理的方法談《易》之所以名"易"，最具代表性的，是易有"三義"説，也是出於漢代讖緯書，即《周易乾鑿度》，所謂"三義"，即易簡、變易、不易，鄭玄著《易贊》、《易論》取之，後世多遵之。南宋朱熹在《周易本義》中於"三義"之外，又提出義爲"對待之易"的"交易"義。

比較兩種方法，後一種方法往往會滲入後人的成見，而前一種方法解"易"之義，更可能接近《易》之所以名"易"的本義。近代以來學者研究中西方哲學中許多重要範疇的起源和形成，借用語言學中尋找語源、字根或分析字形的方法，往往會收到很好的效果，這是人們都熟悉的。用分析字形的方法探討《易》之所以名"易"，用的正是這種方法。近一個世紀以來，由於商、周古文字的大量發現以及研究的進展，使得我們對《易》之所以名"易"，可能做出較爲接近其本義的合理解釋。

二

易字，甲骨文作彡形，西周金文基本相同，主要用途皆爲賞賜義的錫字。就其字體結構看，決不是漢人所説的"日月爲易"、許慎和宋以來人所説的蜥蜴象形字以及近人所説的"日出爲易"。該字的本義，由西周成王時的一個名叫德的人所作的一方

① 黄奭輯本《易緯》。

② 黄振華：《論日出爲易》，見黄壽祺主編《周易研究論文集》第一輯，北京師範大學出版社，1987年。

鼎、一圓鼎、二帶座方簋這四件器物上的銘文得到了證明。四件器物中，有三件用作賞賜義的“易”字作□等，方鼎上的“易”字則作□，五十年代，郭沫若先生根據這四件器物中不同形而同義的“易”字，認爲易字的本義爲溢，“引伸爲增益，故再引伸爲錫予。”①由於郭文論證有缺陷，一些學者提出了質疑②。以後郭若愚先生撰《德器益字探源》一文③，對郭沫若説進行了修訂，認爲□或□的初文應爲甲骨文的□□類字④，易的造字本義爲增益之益，字像一器之物注入另一器中。此説基本上可以視爲定論。但近來又有學者撰文，認爲上舉甲骨文、西周金文該字當爲青銅器的匜的象形字⑤，該文全部的立論就是建立在這一基礎之上。但是，這一基礎是完全靠不住的，因爲建立在科學考古發掘基礎上的現代古器物學研究證明，匜這種器物的出現，要晚到西周中期。最早的例子就是前些年在陝西扶風莊白發現的微氏家族器中的倗匜，而該器器形雖然與後來的匜相同，但該器銘文卻自名爲同樣爲水器且早已出現的盉，不少學者已指出，至少在西周中期，在人們的概念中，還没有匜這種器物。另外，其他古文字及古文獻材料也都證明了匜字的出現要遲到西周晚期。所以，商代甲骨文、西周早期金文中的□類字不可能是匜字，而祇能是一個省形的會意字，也就是增益義的益字。

由甲骨文、西周早期金文益字的考定，可以説《易》之“易”與“益”也就是同一個字。現在還没有證據證明，我們今天所能見到的《易》這種占卜書什麼時候開始稱作“易”，但易學研究的成果表明，《易》的編定成書，大概不會遲於西周中晚期，按照常理，人們稱這種占卜方法爲“易”，應該還要早一些，這一點與上述《易》之“易”即“益”，在時代上是相合的。

---

① 《由周初四德器的考釋談到殷代已在進行文字簡化》，《文物》1959 年第 7 期。
② 見周法高主編《金文詁林》第 11 册“易”字下。
③ 《上海師範學院學報》1982 年第 1 期。
④ 《甲骨文編》附録上五四。
⑤ 趙平安：《釋易與匜》，《考古與文物》1991 年第 3 期。

一器之物注於另一器，是爲益即易，有益則有受益，是生變化，也即"生生之謂易"（繫辭下）。《易》以象言，是歷來易學研究者的共識，"《易》者，象也"，"聖人有以見天下之頤，而擬諸其形容，象其物宜，是故謂之象。"（繫辭上）又"是故易者，象也，象也者，像也。"（繫辭下）李鼎祚《集解》引崔憬云："象者，形象之象。"這種"象"，正是取象於"益"字所表達的二器之物互易義。二器之物互易，一益必有一損，《易》有損、益二卦，《損》云："有孚，元吉，無咎可貞。利有攸往。曷之用，二簋可用享。"《集解》引崔憬云："可用二簋而享也，以喻損上益下。"又引荀爽云："簋者，宗廟之器，故可享獻也。"以二簋喻損上益下以見損卦之義，該卦辭也許還保留了《易》之名"易"也即益的本義。《易》本爲卜筮之書，卦象的形成是建立在爻數的變化損益上，這應該就是《易》之所以名"易"的由來。易、益本爲一字之分化，易既以名書，益則用以名卦而保留在《易》中。

三

由上述《易》之名"易"迺取象於二器之物的一損一益的變化上，使我們聯想到了長沙馬王堆三號墓出土的帛書《易》類文獻中損、益二卦的地位問題。

帛書《易》六十四重卦的卦序是始於乾而終於益，與通行本《易》的始於乾而終於未濟不同，而通行本《易》置未濟於六十四卦之末，顯示的是《易》的"生生"之意，自有其特殊意義，帛書《易》的益卦也應有着非同尋常的地位。1987 年發現於陝西淳化縣石橋鎮的一筮數陶罐，年代估計在西周晚期①，該罐肩部線刻十格，共刻筮數十一組，其中一格刻二組，李學勤先生以爲係一卦變②，可以視爲一組。由於十組筮數循環刻於罐肩部，故其起迄不易確

① 姚生民：《淳化縣發現西周易卦符號文字陶罐》，《文博》1990 年第 3 期。
② 《周易經傳溯源》第 172 頁，長春出版社 1992 年。

定，將筮數轉寫爲《易》卦名，則乾、益二卦適相鄰，按照順時鍼始於乾的排列方式，則筮數陶罐的排列也是始於乾終於益，與帛書《易》相同。筮數陶罐的這種排列方式是否有其深義，現在還不清楚，它與帛書《易》的相同，也許純屬巧合，但帛書《易》的始於乾終於益，其意義則由同出的帛書《要》篇得到了充分闡述。

通行本《易傳》諸篇，用大量文字強調乾、坤二卦的重要性，並指出未濟卦置於六十四卦之尾的意義，見《繫辭》、《序卦》等。而帛書《繫辭》、《易之義》、《要》等篇，則既強調乾、坤二卦的重要性，又以整個《要》篇專論損、益二卦的意義，稱“損，益之道”是“易道”，即《易》精神的主要體現者。下對《要》篇作一大致分析。

《要》篇文字業已整理發表[1]，根據整理者釋文，前六行僅存數字，第七行與第八行之大半亦缺。第八行下半至第九行之半有云：“子曰：吾好學而毚(纔)聞要，安得益吾年乎？吾□焉而產道，□焉益之，□而貴之。”文中“產道”與“益之”相對爲文，“產道”即第二十行“損者……故曰產”之“產”。第九至十二行引《易》爻辭，並加解說，一爲“其亡、其亡，毄(繫)於枹(苞)桑。”迺《否》卦九五之爻辭；二爲“鼎折足，復(覆)公莡(餗)。”迺《鼎》卦九四之爻辭；三爲“不遠復，無葚(祇)誨(悔)，元吉。”迺《復》卦初九之爻辭。所引雖非損、益二卦之辭，但皆與損、益之義相關，俱見今本《繫辭》下。又引兩條爻辭，一爲“三人行則損一人，一人行則[得]其友。”迺《損》卦六三之爻辭；一爲“莫益之，或繫之，立心勿恆，凶。”迺《益》卦上九之爻辭。可見上述都與損、益之義有關。第十二行之半至第十八行，述“夫子老而好《易》”而子貢質之，孔子答以欲觀《易》之“德義”，與“史巫同途而殊歸”，隱含孔子老而欲知損、益之道，故而好《易》之意，與前引第八行、九行語意亦相因。第十九行至第二十一行之半，係孔子總論損、益之義語，並稱其爲“易道”，文云：

① 《道家文化研究》第3輯，上海古籍出版社。

> 孔子繇(籀)易,至於損、益一〈二〉卦,未尚(嘗)不廢書而嘆,戒門弟子曰:二厽(參)子! 夫損益之道,不可不審察也,吉凶之□也。益之爲卦也,春以授夏之時也,萬勿(物)之所出也,長日之所至也,産之(?)室也,故曰益。損者,秋以授冬之時也,萬勿(物)之所老衰也,長[夕之]所至也,故曰産。道窮□□□□□□□□。[益之]始也吉,其冬(終)也凶。損之始凶,其冬(終)也吉。損益之道,足以觀天地之變,而君者之事已。是以察於損益之總(?)者,不可動以憂(憙)。故明君不時不宿,不日不月,不卜不□□□□□□□□□□地之也,此謂易道。

論者已指出,與上述文字相似的亦見於傳世古籍《淮南子・人間》、《説苑・敬慎》、《孔子家語・六本》等,《淮南子・人間》云:“孔子讀《易》,至損、益,未嘗不喟然而嘆,曰:益、損者,其王者之事與? 事或欲利之,適足以害之;或欲害之,迺反以利之。利害之反,禍福之門,不可不察也。”可以與上引文對讀。

接“此謂易道”後,帛書又云:“故易又(有)天道焉……”,述“天道”以陰陽論,“地道”以柔剛論,“人道”以上下論,“四時之變”以八卦論,“君道”則難以一言盡之。對以上欲總而把握之,則須“能者繇(由)一求之,所謂得一而君(羣)畢者,此之謂也。”這裏的“一”,也就是帛書結語的“損益之道,足以觀得失矣。”最後爲篇題“《要》千六百卌八”,並記字數。所謂“要”,也就是“損益之道”,也同樣是《易》之要,“《易》之要”亦見於同出帛書《易之義》,記孔子云:“《易》之要,可得而知矣。”下述乾、坤二卦的重要性。《繫辭》又有“大要”,也是指《易》之“大要”。

由上述觀之,可以説,《要》是一篇結構嚴謹的專論損益二卦之義的易學著作,它既與帛書《易》卦序始乾終益相呼應,又與《易之義》等篇強調乾、坤二卦語相補充,可見馬王堆三號墓出土的這組易學文獻,是一相互聯繫的整體,可能是戰國時期某一易師的傳《易》文獻。

強調損、益的意義,是合乎孔子所處的時代特徵的。老子《道德經》對損、益之義也極爲欣賞，帛書本《老子》云：“爲學者日益，聞道者日損，損之又損，以至於無爲，無爲則無不爲。將欲取天下也，恆無事。及其有事也，又不足以取天下矣。”①這與《要》篇所記孔子云“損、益之道，足以觀天地之變，而君者之事已”語義是相合的。帛書《老子》又云：“天之道，其猶張弓者也，高者抑之，下者舉之，有馀者損之，不足者補之。故天之道，損有馀而益不足；人之道則不然，損不足而奉有馀。”②強調的也是損益之道爲“天之道”。不少研究老子的學者都指出，上引老子之語，迺是根據《易》損、益二卦所作的發揮。③

由上述《易》之名“易”及老子、孔子對《易》損、益之道的重視來看，我們懷疑，在更古老的諸家解《易》中，損、益二卦至少與乾、坤二卦具有同等重要的地位。從古人思維發展的邏輯看，具體的“象其物宜”，往往先於抽象的比喻，顯然，“易”的一損一益“足以觀得失”的取象，要早於陽剛（乾）、陰柔（坤）諸義。同樣，用古文字研究的成果來解《易》之所以名“易”，至少在方法上更會接近商周實際。帛書《易之義》記孔子解“九”爻之象，云：“乾也者，八卦之長也，九也者，六肴（爻）之大也。爲九之狀，浮首兆（頫）下，蛇身僂曲，其爲龍類也。”熟悉古文字的人稍加聯想即可知道，孔子在這裏描述的“九”的形狀，完全是古文字中“九”的象形。不論帛書中的孔子是歷史上的孔子，還是戰國人塑造的孔子，上引文都證明，以解析文字的方法談《易》象，是有着古老的淵源的。

作者簡介 劉昭瑞，1955 年生，文學博士，現任中山大學人類學系副教授。

①② 采自許抗生《帛書老子注譯與研究》，浙江人民出版社 1985 年。

③ 卿希泰、詹石窗：《道教與〈周易〉的關係初探》，黄壽祺主編《周易研究論文集》第 4 輯。

《鶡冠子》與帛書《要》

邢　文

內容提要　《鶡冠子》與帛書《要》篇有着深刻的可比性。從《鶡冠子》"一"、"類"對舉的思路出發，最有可能把握《要》篇相應章句的原義。《鶡冠子》的思想傾向與用詞多與《要》篇相近，不僅爲《要》篇吉凶得失觀、"五官六府"、"五正"等概念的通解提供了線索，而且使人們注意到周、漢之際學術發展的重要特徵——地域性。比較《鶡冠子》與帛書《要》篇的真正意義，在於從學術史、文化史的高度，對漢初南方學術地域性所包含的豐富的學術底蘊，開始作總體研究。本文相信，馬王堆漢墓帛書作爲一個整體，有着獨立的學術史意義。

一

《鶡冠子》是解讀馬王堆帛書《要》篇的重要文獻。

《漢志》把《鶡冠子》列道家，陸佃《鶡冠子序》以其"初本黄老，而末流迪於刑名。"馬王堆帛書出土以後，學者們發現帛書多有語句與《鶡冠子》相合。①李學勤先生從馬王堆所出全部帛書的整體入手，認爲《鶡冠子》與"帛書作爲整體所反映的思想[illegible]相一

① 凌襄(李學勤)：《試論馬王堆漢墓帛書〈伊尹・九主〉》,《文物》1[illegible]年第11期。唐蘭：《馬王堆出土〈老子〉乙本卷前古佚書的研究》,《考古學報》1975年第1期。

致",指出:"馬王堆三號墓墓主的思想傾向主要是道家黄老之學,並帶有陰陽數術、兵家及縱横的色彩。這樣的學術思想,在戰國到漢初的楚地確實存在,《鶡冠子》一書即其明證。"①

自柳宗元作《辨鶡冠子》,歷代學者多以《鶡冠子》爲僞書。②1973年底馬王堆帛書出土,證明了《鶡冠子》的可信,海内外學人即對此書給予了極大的關注。③但是,比論馬王堆帛書《周易》與《鶡冠子》的文字,迄今未見。

帛書《周易》係漢文帝初年的寫本,漢初流傳於長沙一帶。而"《鶡冠子》成書甚晚,在漢文帝時的長沙,鶡冠子一派道家正在流傳。"④我們知道,時代相近的學説,往往更具有可比性。研究古代文獻,尤其應該"采用根據某一時代的證據來闡述同一時的概念

---

① 李學勤:《馬王堆帛書與〈鶡冠子〉》,《江漢考古》1983年第2期;《李學勤集》第338、335頁,黑龍江教育出版社1989年5月版。

② 詳見錢穆:《先秦諸子繫年考辨》卷四,一五八《鶡冠子辨》。

③ 有關論述除上引以外,又有:

細川一敏:《〈鶡冠子〉と漢初黄老思想との關係とその意義》(《文藝論叢》14:2、1979)。

陳克明:《試論〈鶡冠子〉與黄老思想的關係》,《哲學史論叢》(1981)。

大形徹:《〈鶡冠子〉—— 不朽の國家を幻想とした隱者の書》(《東方宗教》59、1982)。

大形徹:《〈鶡冠子〉の成立》(《大阪府立大學紀要・人文社會科學》31、1983)。

杜寶元:《〈鶡冠子〉研究》,《中國歷史文獻研究集刊》1984年第5期。

吳光:《秦漢之際的黄老之學代表作・〈鶡冠子〉》,《黄老之學通論》,浙江人民出版社1985年版。

譚家健:《〈鶡冠子〉試論》,《江漢論壇》1986年第2期。

K.K. Neugebauer, Hoh-kuan tsi: Eine Untersuchung der dialogischen Kapitel, Frankfurt am Mein: Peter Lang, 1986.

Bruce C. Williams, "Ho-kuan tzu: Authenticity, Textual History and Analysis Together with an Annotated Translation of Chapter1 through 4" (Master's Thesis, University of California, Berkeley, 1987).

A. C. Graham, "A neglected pre-Han philosophical text: Ho-kuan-tzu," Bulletin of the School of Oriental and African Studies 52:3 (1989).

R.P.Peerenboom, "Heguanzi and Huan-Lao Thought." Early China 16 (1991).

李學勤:《〈鶡冠子〉與兩種帛書》,《道家文化研究》第1輯(1992)。

④ 李學勤:《再論楚文化的傳流》,《李學勤集》第348頁。

的研究方法。"[①]細讀帛書《周易》傳文《要》篇，不難發現《要》篇的用詞與思想，頗有與《鶡冠子》相類之處。這樣，帛書《要》篇與《鶡冠子》的比較研究，就非常必要了。

二

"一"、"類"概念的對舉，是《鶡冠子》的一個特點。從"一"、"類"對舉的角度去看《要》篇，會發現我們目前對《要》篇的理解，或有需要重新考慮之處。

《要》"損益之道"章，孔子論《易》有天道、地道、人道、四時之變後，緊接着説："故易之爲書也，一類不足以極之，變以備其情者也，故謂之易。"[②]這是《要》篇釋文的讀法。從行文上分析，文辭暢通，"變"、"易"相應，似可以成立。

但是，這樣的斷讀理解，是否切合《要》篇的原義呢？

討論這一問題，可以分帛書《要》篇"損益之道"章爲三層：第一層，從 18 行"孔子繇易"到 21 行"此謂易道。"所論始於"損益一卦"，進而暢論"損益之道"、"損益之總"，最後歸於"易道"。文中緊扣的一個中心，是很明確的。第二層，從 21 行"故易有天道焉"到 23 行"故謂之易。"所論始於天道、地道、人道與四時之變，終於"易之爲書"與"易"。其論述由分而合的軌跡，非常清晰：分而至於天、地、人、四時之變，合而歸於"易之爲書"。第三層，從 23 行"有君道焉"至 24 行"損益之道足以觀得失矣。"所論始於"君道"，至於"繇一求之"、"得一而羣畢"，歸於"損益之道"。這裏，不論是"君道"、"損益之道"重複的兩個"道"，還是"繇一求之"、"得一而羣畢"强調的兩個"一"，貫穿的都是一個中心——"損益之道"。

---

① 美·夏含夷(Edward L. Shaughnessy)：《〈周易〉乾卦六龍新解》，《文史》第二十四輯。

② 陳松長、廖名春：《帛書〈二三子問〉、〈易之義〉、〈要〉釋文》，陳鼓應主編：《道家文化研究》第三輯《馬王堆帛書專號》，第 435 頁。通假字徑以本字寫出，標點如釋文。

不難發現,"損益之道"章層層相扣、貫穿始終的都是一個中心:"損益之道"。在《要》篇中,不同的論述角度,使"損益之道"有不同的稱名,諸如"君者之事"、"損益之總"、"易道"、"易"、"君道"等。諸多稱名中,隨"損益"而貫穿始終的,是另一個詞——"一";第三層中"繇一求之"、"得一而羣畢"之"一"即是明例。

第三層中,"一"反覆出現,見其重要。但須注意,"一"始見於第一層——"孔子繇易,至於損益一卦",再見於第二層——"易之爲書也一……"。目前發表的釋文認爲第一層的"一"繫"二"誤,第二層的"一"與其後的"類"字連讀而爲"一類"一詞,或許有悖於《要》篇本義。

第一層"損益一卦"的"一",小文《孔子論"損益"及其意義》中已有考論。"一"字不誤[①]。如此,纔能通達崔東壁"反對"、尚節之"反象"之説[②],這也是理解沈有鼎先生卦序理論的一種思路。[③]重要的是,第一層"損益一卦"之"一",在《要》篇"損益之道"章開篇即見,提示全章大義;這一大義,至第二層"易之爲書也一……"漸趨顯著;至第三層"繇一求之"、"得一而羣畢",方了然明白。

沿着這條線索,重讀釋文:"故易之爲書也,一類不足以極之,變以備其情者也,"就不能不斟酌其句讀了——"一類"讀作一詞,是否恰當?

《鶡冠子》有"一"、"類"對舉。

《泰録》:"神明所以類合者也,故神明錮其紘。類類生成,用一不窮。"陸佃注:"或作'用不窮一'。"[④]這裏的"類合"或"類類生成",陸注:"所謂仲尼神明也,小以成小,大以成大,至於山川、鳥

① 待刊。按稿中箋疏"損益之道"章,分爲四層,與本文有别。即本文所分的第一層,又分作二層:從第20行末"君者之事已"後分開,第21行首"是以……"起别爲一層。

② 崔述:《崔東壁遺書》,第672—673頁,中華書局1983年6月版。尚秉和:《焦氏易詁》第53頁,中華書局1991年12月版。

③ 可參見小文《沈有鼎先生卦序論——兼論帛書〈周易〉的卦序特征》,《中國哲學》第十七輯。

④ 本文所引《鶡冠子》,均係明《正統道藏》本。

獸、草木，裕如也。”《泰録》所謂：“影則隨形，響則應聲。”可見，這裏的“一”、“類”對舉，實際上是抽象的道與具體的萬物之間的相對。

《泰録》“類類生成，用一不窮”前後，仍有一些值得注意的文字。其前：帝制神化，治之期也。……易姓而王，不以祖籍爲君者，欲同一善之安也。彼天地動作於胸中，然後事成於外，萬物出入焉，然後生物無害。闓闔四時，引移陰陽，怨没澄物，天下以爲自然，此神聖之所以絶衆也。

這一段説的就是“類類生成，用一無窮。”“欲同一善之安”拈出個“一”字，其後“天地動作於胸中，”就是“用一”，也即前文所謂“帝制神化”的“神化”與後文所謂的“神聖”“絶衆”。“類類生成”，就是“事成於外，萬物出入焉，然後生物無害。”下文的四時開合、陰陽引移，正是在説“類類生成”；而“神聖之所以絶衆”云云，仍是説“用一無窮。”

又其後：

四時之功，陰陽不能獨爲也。聖王者不失本末，故神明終始焉。……天者，氣之所總出也；地者，理之必然也。故聖人者，出之於天，收之於地，在天地若陰陽者，杜燥濕以法義，與時遷焉。三者聖人，存則治、亡則亂者，天失其文，地失其理也，以是知先靈王百神者，上德執大道，凡此者物之長也。

前一段以“類類生成，用一不窮”爲中心，論以天地、萬物、四時、陰陽；這一段承前文所論，從“類類生成”出發，由四時、陰陽而至於天、地、聖人，最後道斷：“上德執大道，凡此者物之長也”——“大道”，一也，所以“長物”；“物”，類也，所以爲“大道”所“長”。依舊説的是“類類生成，用一不窮。”

上引兩段文字所以值得注意，不僅僅在於它們貫穿着“一”、“類”之論；比照帛書《要》篇“損益之道”章“易之爲書也一……”句前所論，兩者在內容上的類似，是不能輕視的。

《要》篇所論，以三才、四時爲線索，這明顯地受到今本《易傳》

的影響。[1]《繫辭下》:"《易》之爲書也,廣大悉備,有天道焉,有人道焉,有地道焉。"雖然今本《易傳》天地人的順序不同於帛書,但兩者在總體思路上的傳承、遞變之跡,還是清楚的。上引《鶡冠子·泰録》的"一"、"類"之論,及於天地、萬物、四時、陰陽;帛書《易傳·要》申論三才、四時,則及於陰陽、柔剛、上下、萬物。《泰録》"一"、"類"對舉,《要》篇"一"、"類"並出。兩者近似的論述背景,不能不使人想到兩者的"一"、"類"在用法與含義上有着可能的近似。

其實,與《泰録》相應,今本《繫辭下》也含有"一"、"類"之論。前引《繫辭》三才之論後,接有:"兼三材而兩之,故六。六者非它,三材之道也。道有變動,故曰爻。爻有等,故曰物。""道"即"一","道有變動"就是"用一";"等"即"類","爻有等"就是"類類生成","故曰物。"《環流》:"物無非類者。"《天則》:"天之不違,以不離一;天若離一,反還爲物。"

今本《易傳·繫辭》如此,帛書《易傳·要》是否也可以循同一思路加以考察呢?

與《繫辭下》不同,帛書《要》篇已經出現了"一"、"類"二字。結合以上的討論,《要》與《泰録》中"一"、"類"二字的可比性,是顯而易見的。因此,不妨據此把前引《要》篇中"一類"一句,試作斷讀如下:

> 故易之爲書也一,類不足以極之變以備其情者也,故謂之易。
>
> "一",上承"損益一卦"之"一",下啟"能者繇一求之"、"得一而羣畢"之"一",與"類"對舉;"類",承上文天道、地道、人道、四時、陰陽、萬物,與"一"對舉。

這樣斷讀,從《要》篇"損益之道"章全章三層層義來看,更見其中心不移、文氣一貫:"一"的含義,層層深入;"損益之道"的中心,層層緊扣。同時,從與《鶡冠子·泰録》及今本《易傳·繫辭

---

① 關於帛書《易傳》與今本《易傳》的關係,請見李學勤先生的重要論文:《帛書〈周易〉的幾點研究》,《文物》1994 年第 1 期。

下》的對比來看，《要》篇的“一”、“類”作對舉理解，不論是在思想背景、概念表述、還是在整體思路上，彼此都有着內在的呼應。

這樣斷讀，還可以在《鶡冠子》中發現行文上的參證。《天權》篇有：

……以一宰萬而不總，類類生之，耀名之所在，究賢能之變，極蕭楯之元，謂之無方之傳。

“以一宰萬”、“類類生之”，也是“一”、“類”對舉。《度萬》篇有：“以一度萬也”，《泰鴻》篇又有：“天度數而行，在一不少，在萬不衆。”“一”、“萬”相對，通於“一”、“類”。《天權》“一”、“類”之後，是“究……之變，極……之元，謂之……”；《要》篇“一”、類”之後是“極……變”，“備……情”，“故謂之……”，句式的相近是顯見的。

這樣斷讀的類似句式，也見於《鶡冠子》。《王鈇》篇有：

易一，故莫能與争先。

這與“易之爲書也一，類不足以極之變以備其情者也”，在句式上也是可以參看的。

必須指出，《要》篇“損益之道”章“易之爲書也一，類不足以極之變以備其情者也，故謂之易”之後，緊接着論述“君道”問題，這與《鶡冠子·泰録》有着很大的相似。

前引《泰録》以“類類生成，用一不窮”爲中心，分引文爲前後兩段，重在比較《泰録》“一”、“類”對舉的背景(思想的、語言的)與《要》篇“一”、“類”背景的相似。然而，在“一”、“類”之論結束之後，《泰録》與《要》篇又都轉入了一個相同的問題——君人南面之術。

《泰録》前引“上德執大道，凡此者物之長也”之後：

至乎祖籍之世，代繼之君，身雖不賢，然南面稱寡，猶不果亡者，其能守宗廟、存國家者，未之有也。

論“南面稱寡”之“君道”於“一”、“類”對舉之後，目的是要強調“一”——《鶡冠子》所謂“用一”，《要》所謂“繇一”、“得一”。

至此，不能不承認《鶡冠子》與帛書《要》篇的深刻的可比性了。

"一"、"類"作爲各各獨立的概念,在《鶡冠子》中頗多其例。前引《泰録》、《天權》而外,又有《環流》:

空之謂一,無不備之謂道;立之謂氣,通之謂類。

《世兵》:

昔善戰者,舉兵相從,陳以五行,戰以五音,指天之極,與神同方,類類生成,用一不窮。

《鶡冠子》與帛書《要》篇,不論是成書年代、流傳地域還是思想傾向,都有很大的相似性與可比性。[①]通過以上的檢討,我們相信兩者在"一"、"類"概念的對舉方面,其思想特征與總體思路有着深刻的比論意義。可以說,從《鶡冠子・泰録》"一"、"類"對舉的思路,去理解帛書《要》篇的相應章句,最有可能接近《要》篇的本義。

三

李學勤先生在《馬王堆帛書與〈鶡冠子〉》一文中,分析馬王堆三號墓墓主與《鶡冠子》的共同的思想傾向,在於兩點:一爲陰陽數術的傾向,一爲兵家和縱橫家的傾向。[②]帛書《要》可與《鶡冠子》加以對比的,是第一點。

陰陽術數的意義,在趨吉避凶。《要》篇論及吉凶,有一個特點:每與爲君之道相關。

《要》篇第 10 行:"夫子曰:德薄而位尊,筮而知吉與凶。"這裏的"位",或不專指君位,但一定包括君位。第 19—20 行,孔子戒門弟子曰:"二厽子,損益之道不可不審察也,吉凶之□也。……[益之]始也吉,其終也凶,損之始凶其終也吉。損

① 請見李學勤先生以下論文的有關部分:《馬王堆帛書與〈鶡冠子〉》,《李學勤集》第 338 頁;《〈鶡冠子〉與兩種帛書》,《道家文化研究》第一輯,第 336 頁;《帛書〈易傳〉及〈繫辭〉的年代》,《中國哲學》第十六輯,第 2 頁。

② 《李學勤集》第 335 頁。

益之道足以觀天地之變而君者之事已。"這裏就很清楚地把吉凶與損益之道、天地之變和君者之事聯繫在一起了。至第 21 行,明君與吉凶之事的關係,就説得明明白白了:"故明君不時不宿,不日不月,不卜不筮而知吉與凶,順於天地之也。"①

今本《易傳》論及吉凶之處,可以説不勝枚舉,但不象《要》篇這様和"君者之事"聯繫得那麼緊密。《繫辭上》有:"蓍之德圓而神,卦之德方以知,六爻之義易以貢。圣人以此洗心,退藏于密,吉凶与民同患",可以算略有涉及。然而,今本《繫辭》論吉凶,有一點與《要》篇相通,那就是與"得失"並論。《繫辭上》:"是故吉凶者,失得之象也。""彖者,言乎變者也;吉凶者,言乎其失得也。"《要》篇每就損益之道以觀吉凶,上例已詳。《要》篇終篇一句:"損益之道足以觀得失矣",點出了吉凶與得失的關聯。這種關聯,是《要》篇論及吉凶的又一特征。

《要》篇作爲帛書《周易》的傳文,其一部分思想與今本《易傳》相通,不足爲奇。值得注意的是,《要》篇吉凶之論的思想特點,更多的與《鶡冠子》相通,這或許是兩者共同的陰陽數術傾向所致。

《鶡冠子》一書屬黄老學派,所論多聖王"聽微決疑之道"、泰上成鳩氏之制與明主治世之法,可知《鶡冠子》與"君者之事"息息相關。在《鶡冠子》中,聖王明主"臨事而後可以見術數之士","非君子術數之士莫得當前"。②所以如此,就是爲了卜筮求吉。《管子·心術下》所謂:"能專乎?能一乎?能毋卜筮而知凶吉乎?"張舜徽先生指爲"君道之綱"。③不言而喻,明君當知吉凶的君道思想,無疑合於《鶡冠子》。

《環流》篇有:

> 夫先王之道備,然而世有困君,其失之謂者也。……
>
> 同之謂一,異之謂道,相勝之謂埶,吉凶之謂成敗。

---

① 此據日·池田知久:《馬王堆漢墓帛書要篇研究》釋文補。按"天地之"後,帛書原奪一字。

② 《鶡冠子·天則》。

③ 張舜徽:《周秦道論發微》,第 238 頁,中華書局 1982 年 11 月版。

"吉凶"與"成敗"爲一事,又有:

故氣相加而爲時,約相加而爲期,期相加而爲功,功相加而爲得失,得失相加而爲吉凶,萬物相加而爲勝敗。

"得失"與"吉凶"爲因果。

帛書《要》篇論損益之道,每及君者之事與吉凶;篇末申論君道,"損益之道足以觀得失矣",未及吉凶,故可推知《要》篇"吉凶"當與"得失"相通。《鶡冠子·環流》論"先王之道備,然而世有困君,"其下繼以"吉凶之謂成敗",知"吉凶"、"成敗"屬君者之事;《環流》又有"得失相加爲吉凶",此語拈出,使帛書《要》篇損益之道、君者之事、吉凶暨得失之論,豁然貫通。顯然,《要》篇吉凶之論與得失關聯的特徵,並見證於《鶡冠子》。

從總體考察,帛書《要》篇與《鶡冠子》在陰陽數術的思想傾向上,有共同之處。上文的討論表明:《要》篇的觀念與用詞,與《鶡冠子》相通;從《鶡冠子》的吉凶得失觀去理解《要》篇,更易融通領會《要》本義。

四

總體傾向而外,《鶡冠子》與《要》篇還有不少細部可以參比。

如三才、四時、萬物的觀念。

陳鼓應先生已經注意到帛書《繫辭》中天地、四時的並舉,且比論於黃老帛書[①]:

《經法·國次》:"天地無私,四時不息";

《論約》:"四時有度,天地之……理也";

《順道》:"大星(庭)氏之有天下也……不志(識)四時,而天開以時,地成以財";

《道原》:"天地陰陽,四時日月。"

---

① 陳鼓應:《帛書〈繫辭〉與帛書〈黃帝四經〉》,《道家文化研究》第三輯。

這可以爲理解《要》篇三才、四時之論所參取。

《要》篇“損益之道”章，論及天道陰陽、地道柔剛、人道上下、四時之變與萬物、八卦，這在論述的範圍與體系上，都和《繫辭》與黄老帛書的天地、四時之論有所不同。與《要》篇相近的，是《鶡冠子》。《道端》篇曰：

> 天者，萬物所以得立也；地者，萬物所以得安也。故天定之，地處之，時發之，物受之，聖人象之。

所論爲天、地、時、物、聖人。“聖人象之”，意義不在聖人自己，而在下文所謂“是以明主之治世也，急於求人”；“是以先王置士也，舉賢用能”。這正是“三材之道”中的人道。如此，《鶡冠子》所論，即是天道、地道、四時之變、萬物、人道，正合《要》篇。

《鶡冠子·道端》三才、四時、萬物之論的順序，與《要》篇有别，這應該是由於二者論述的目的不同所致。《道端》的重點在講明主如何治世用人，所謂“與天與地，建立四維，以輔國政”，所以把“人道”移至最後，以便申論①；而《要》篇旨在講述《易》道之要，所以盡可以就三才、四時、萬物的順序從容論之。

當然，順序的不同，往往反映了觀念的不同或來源的不同。今本《繫辭下》論三才，取序天、人、地，所謂“《易》之爲書也，廣大悉備，有天道焉，有人道焉，有地道焉”；今本《説卦》則取序天、地、人，所謂“昔者聖人之作《易》也，將以順性命之理，是以立天之道曰陰與陽，立地之道曰柔與剛，立人之道曰仁與義”，與帛書《要》篇有着更多的相似，值得研究。

又如“五官六府”。

《要》篇 23 行有“五官六府”一語：《易》“有君道焉，五官六府不足盡稱之，五正之事不足以至之”。按《國語》有“五官”。觀射父對楚昭王：“於是乎有天、地、神、民、類物之官，是謂五官。”②《左傳》有“六府”。晉郤缺言於趙宣子曰：“水、火、金、木、土、穀，謂之

---

① 《泰鴻》：“天地人事，三者復一也，立置臣義。”可證。

② 《國語·楚語下》。

六府。"①《左》、《國》分言五官、六府,其義代入《要》篇,文義可通。

《鶡冠子》有"五官六府"。《泰鴻》篇泰一答泰皇"天地人事,三者孰急"之問,有:

> 五官六府,分之有道;無鉤無繩,渾沌不分。

所論正是君道,又係五官、六府並舉,必《要》篇所謂"五官六府"無疑。

然《泰鴻》下文未見解釋"五官六府",這種情形同於《要》篇,可見"五官六府"之義爲當時人所習知。陸佃注上引,有"曲者不以鉤,直者不以繩,而渾沌全矣;故曰擢六律塞師曠之耳,散五采膠離朱之目"云云,舉六律、五采來充數,已經不知"五官六府"的本義了。

《淮南子》可見"五官六府"之詳。《天文》:

> 天有九野,九千九百九十九隅,去地五億萬里,五星,八風,二十八宿,五官,六府,……

高誘注:"五官,五行之官。六府,加以穀。"非是。《天文》下有詳釋五星、八風、五官、六府:

> 何謂五官? 東方爲田,南方爲司馬,西方爲理,北方爲司空,中央爲都。
>
> 何謂六府? 子午、丑未、寅申、卯酉、辰戌、巳亥是也。

所論及於天時、人事,與君道相通,也符合《鶡冠子·泰鴻》"分之有道"的說法,應比《左》、《國》所論更適宜《要》篇。

又如"五正"。

《要》篇論"君道":"五正之事不足以至之"。按《鶡冠子·度萬》有"五正":

> 天地陰陽,取稽於身,故布五正,以司五明。

李學勤先生指出這是黄老帛書《經·五正》一章的發揮。②先生

① 《左傳》文公七年。

② 李學勤:《〈鶡冠子〉與兩種帛書》。按馬王堆帛書《老子》乙本卷前佚書第二篇《十大經》(或《十六經》),李學勤先生考定其篇名應作《經》,見《馬王堆帛書〈經法·大分〉及其他》,《道家文化研究》第三輯。

並舉長沙子彈庫楚帛書《天象》篇:“羣神五正,四興堯(饒)祥,建恆懼民,五正迺明”加以考辨,説明其與《管子・四時》等“五政”的區别,指出“‘五正’的本義當爲己身與四方的正。”①先生同時注意到《鶡冠子・度萬》下文對《五正》的申説:

> 龐子曰:“敢問‘五正’?”鶡冠子曰:“有神化,有官治,有教治,有因治,有事治。”

其後,鶡冠子又詳論“五正”之“形”與“五正”之“事”。

帛書《要》篇論“君道”而及於“五正之事”,這與鶡冠子所論的“五正”之事自然可以參看。

《度萬》篇龐子問“五正”之事,鶡冠子答:

> 神化者,定天地,豫四時,拔陰陽,移寒暑,正流並生,萬物無害,萬類成全,名屍氣皇。官治者,師陰陽,應將然,地寧天澄,衆美歸焉,名屍神明。教治者,置四時,事功順道,名屍賢聖。因治者,招賢而道心術,敬事生和,名屍後王。事治者,招仁聖而道知焉,苟精牧神,分官成章,教苦利遠,法制生焉,法者使去利就公,同知壹瀓,有同由者也,非行私而使人合同者也。故至治者弗由,而名屍公伯。

這一段“五正”之事,實際上與《度萬》篇鶡冠子對龐子所説的“度神慮成之要”密切相關,所論緊接在“凡問之要,欲近知而遠見,以一度萬也”之後,應該就是“以一度萬”的“一”。這與《要》篇論《易》有“君道”,“五正之事不足以至之……不可順以辭令,不可求以志善,能者繇一求之,所謂得一而羣畢者”,何其相似。“以一度萬”,或正是“得一而羣畢”。

帛書《要》篇僅1600餘字,與《鶡冠子》的相通相合,已可由以上諸例見其大概。凡此足見《鶡冠子》一書於《要》篇研究的重要的比證價值。

---

① 李學勤:《〈鶡冠子〉與兩種帛書》。

五

《鶡冠子》與帛書《要》篇的相通，既非偶見，也非止於表面，這種現象，應從周、漢之際學術流變的角度，從學術史、文化史的高度來把握其意義。

《鶡冠子》與《要》都流傳於楚地，都帶有陰陽術數的思想傾向，都有明確的"君道"思想。這也許不僅僅是這兩種文獻的特徵；馬王堆漢墓所出帛書在學術思想的總體上，有某種一致的傾向，這本身就是發人深思的學術史現象。馬王堆帛書作爲一個整體，有其獨立的學術史意義。從《鶡冠子》和《要》的比較可以推知，周漢之際學術發展的地域性非常顯著，這是此期學術史發展的一個重要特徵。漢初南方學術的地域性所包含的豐富的學術底蘊，尤其需要結合相關的傳世文獻與考古所出文獻，作總體研究。認識到這一點，《鶡冠子》與《要》篇的比較研究纔可能真正有意義；惟其如此，我們也纔可能逼近周漢之際學術發展的歷史真實。

作者簡介 邢文，1965 年生，南京人。中國社會科學院研究生院歷史系博士研究生，先秦秦漢學術文獻專業。導師：李學勤先生。曾在本刊第三輯發表《帛書〈周易〉與卦氣説》。

帛書《要》與《易之義》的撰作時代及其與《繫辭》的關係

王葆玹

内容提要 本文就帛書《要》與《易之義》的作者時代問題詳加考辨,認爲這兩篇的作者生活在秦代焚書事件以後,在秦朝滅亡以前,乃是儒家魯學一系的人物。他們在焚書禁學的恐怖氣氛中,不便採用其舊有的《詩》學或《書》學等形式,祇好利用秦代未焚《易》類書籍的縫隙,用《易》學的形式來闡揚其一貫主張的"德義",與帛書《繫辭》之闡發道家思想這一點有着顯著的區别。關於帛書《易之義》、《要》與通行本《繫辭》共有的、未見於帛書《繫辭》的一些章節,本文也有考辨,認爲這些章節乃是先出現於《易之義》與《要》兩篇,然後纔被補入帛書《繫辭》,而形成通行本《繫辭》。换言之,帛書《繫辭》、《要》與《易之義》,都是漢初儒者編纂通行本《繫辭》所依據的原始素材。

關於馬王堆帛書《繫辭》、《要》、《易之義》諸篇的研究和争論,牽涉到戰國秦漢黄老學説的構成、經學的形成及玄學的起源等問題,已成爲中國傳統文化討論中的焦點。我在 1992 年發表《從馬王堆帛書本看〈繫辭〉與老子學派的關係》一文(見《道家文化研究》第一輯),結論與陳鼓應先生關於《繫辭》爲道家作品的創見不謀而合。翌年又發表《帛書〈繫辭〉與戰國秦漢道家〈易〉學》

及《帛書〈周易〉所屬的文化地域及其與兩漢經學一些流派的關係》兩文(均見《道家文化研究》第三輯),就帛書《繫辭》、《易之義》、《要》的學派問題作了進一步的申論。目前,支持《繫辭》原初爲道家著作的理由,主要是《繫辭》帛書本的可靠性超過通行本;而支持《繫辭》始終爲儒家著作的傳統見解的理由,主要是認爲通行本的可靠性超過帛書本。一些學者爲維護傳統見解,聲稱《繫辭》通行本的許多章節未出現於帛書本,乃是帛書抄寫者的遺漏;而這些章節之出現於《要》與《易之義》兩篇,則屬兩篇作者對於《繫辭》祖本的摘引。由於這種說法一時頗爲流行,探討《繫辭》所屬學派問題遂不能不與《要》、《易之義》的各種問題相牽連。下面爲適應這種討論重點的轉移,從考辨《要》與《易之義》兩篇的撰作時代及其時代背景等等入手,論證這兩篇所屬的學派與原始的《繫辭》有敵對的性質,這兩篇佚書當是漢儒改編《繫辭》所依憑的素材,通行本《繫辭》即是這種改編的結果。

一、《要》與《易之義》的撰作時代

關於帛書《要》與《易之義》兩篇,有人說爲先秦作品,有人說爲漢初作品。今試辨析這兩篇的措辭用語和撰作宗旨,可推斷其寫作時間在秦代焚書之後,秦朝滅亡之前。

《要》篇有一節文字,提到了《詩》、《書》、《禮》、《樂》[1]的篇數:

> 故《易》之爲書也,一類不足以亟(極)之,變以備其請(情)者也,故謂之《易》。又(有)君道焉,五官六府不足盡稱之,五正之事不足以至之,而《詩》、《書》、《禮》、《樂》不〔足〕百篇,難以致之。

文中"不〔足〕百篇"的"足"字,原本模糊不清,難於辨認。日本學者池田知久所整理的《要》篇釋文寫作"讀",但也加了括號,顯示出是整理者的推測;另一些見過帛書《要》篇照片的學者認爲這是

① 先秦本無《樂經》,此處《樂》當指《樂記》一類的論樂的文獻。

"足"字,但也屬於測度之言。今細玩文義,覺《要》之宗旨在於貶低《詩》、《書》、《禮》、《樂》的價值,稱其不足以反映"君道"。假如《詩》、《書》、《禮》、《樂》的缺陷僅在於"不讀百篇"則"難以致之",如同承認讀過百篇便可"致之",那麼這一缺陷便是微不足道的,因爲戰國秦漢學者閱讀經傳百篇絶非難事,例如《詩經》超過三百篇,秦代前後的許多儒生都能背誦,《漢書·藝文志》説這三百篇"遭秦而全者,以其諷誦,不獨在竹帛故也",意謂《詩經》三百篇廣泛地存在於戰國秦漢儒者的記憶之中。西漢中期的著名經學家孟卿説:"《禮經》多,《春秋》煩雜"(見《漢書·儒林傳》),卻不説《詩經》"多"或"煩雜",也顯示出秦漢儒者的看法,《詩》三百篇在他們眼裏根本算不上"多",更何況《要》篇所講的不過是一百篇!即便將討論範圍擴充到儒門以外的學派,結論也是一樣,例如道家的《太公》一書廣泛流傳,竟多達二百三十七篇;陰陽家鄒衍及鄒奭的學説爲"學者所共術"(見《史記·孟荀列傳》),兩人著作總數也在百篇以上。由此而論,《要》篇原文一定是"不足百篇"。正由於《詩》、《書》、《禮》、《樂》"不足百篇",纔對《易》中的"君道""難以致之"。

這一字的出入,有極大的意義,因爲經書中《詩》的篇數在秦代以前遠不止三百篇,在秦以後經過儒生的隸寫,也超過了三百篇,唯在秦代焚禁"《詩》、《書》、百家語"的時期,經書纔焚燒殆盡。伏生壁藏的《尚書》不過二十八篇,而這二十八篇在秦代後期還處於藏匿的、不爲時人所知的狀態。西漢今文《禮經》僅十七篇,古文《禮經》有五十六篇,古文《禮記》有二百餘篇,則在秦代前後,禮類典籍也在百篇以上,孟卿所謂"《禮經》多"蓋即就此而言。唯在秦代,這些禮文獻不得流傳,多數恐爲《要》篇作者所不瞭解。樂本無經,僅有"記"、"論",而且這些記、論有很多還是產生於漢代,在秦代的數目一定十分有限。統計之下,可以肯定,在秦代焚書以後、秦朝滅亡以前的一段時間裏,《詩》、《書》、《禮》、《樂》的總數在一般人的眼中,的確是"不足百篇"。

《漢書·惠帝紀》記載，惠帝四年"除挾書律"。顏注引應劭說："挾，藏也。"又引張晏說："秦律：敢有挾書者，族。"這是否意味着禁止流傳藏匿《詩》、《書》的局面到漢惠帝四年纔結束呢？絶對不是！《史記·儒林列傳序》說："漢興，然後諸儒始得脩其經藝，講習大射鄉飲之禮。叔孫通作漢禮儀，因爲太常，諸生弟子共定者，咸爲選首，於是喟然嘆興於學。"叔孫通擔任太常始於漢高帝七年（前200），而漢高帝五年（前202）始滅項羽，即帝位而建立漢朝，則叔孫通在漢朝建立之後第二年已爲太常，諸儒修習經藝又在此之前。《史記·儒林列傳序》説，劉邦誅項羽後，舉兵圍魯，"魯中諸儒尚講誦習禮樂，弦歌之音不絶"，可見儒學的復興以及經藝的講習，在劉、項滅秦之時已然開始，而《詩》、《書》、《禮》、《春秋》諸經在劉邦即位之時已得隸寫，遠在百篇以上。漢惠帝宣佈"除挾書律"，不過是對儒家經典廣泛流傳的現狀予以法律上的承認而已！明白了這一點，便可對於"《詩》、《書》、《禮》、《樂》不足百篇"的時代加以限定，其上限在秦始皇三十四年頒佈焚書令之時（前213），下限在秦朝滅亡之時（前206）。在這段時間的前後，《詩》、《書》的數目都是超過一百篇的。

這一結論顯然意味着《要》篇撰於秦始皇三十四年至漢高帝元年（前213至前206）這一短暫的時期之內。不過在這裏，有一個問題是必須澄清的，那就是《要》篇提到《尚書》之名，而《尚書》之名起於何時乃爲史學舊案。迄今爲止，多數經學家相信《尚書》一名在西漢纔出現，在西漢以前人們僅稱其爲《書》。然而這一成見的依據其實是很脆弱的，《墨子·原鬼下篇》提到："故尚書《夏書》，其次商周之書，語數鬼神之有也"，王念孫認爲文中的"'尚'與'上'同"，測度"尚書《夏書》"當爲"上者《夏書》"之誤，孫詒讓遂根據這一推測作了校正。然而"尚"意爲"上"原本合乎《尚書》一名的含義，《尚書》本義即爲"上古之書"。當然，先秦文獻提及"尚書"之名僅此一例，尚難據此推斷《尚書》之名是否起自先秦，但推斷此名産生於秦代，總是可以成立的。《太平御覽》卷六百九引劉歆《七略》説："《尚書》，直言也，始歐陽氏先名之。"所謂歐陽氏當爲歐陽和伯，是伏生的弟子和倪寬的老師，略早於司馬談。《太史公自序》説："余聞之先人曰：……堯舜之盛，《尚書》載之"，則司馬談已用《尚書》之名，他這樣做自然是追隨歐陽和伯。考慮到歐陽和伯在《書》學方面並無顯著的創新，他的歷史作用主要是將伏生的學問傳給後人，那麼《尚書》一名的出現時間便可上溯到伏生的時代。僞孔安國《尚書序》説："濟南伏生，年過九十，失其本經，口以傳授，裁二十餘篇，以其上古之書，謂之《尚書》。"僞書所説往往不全是憑空編造，此處説伏生"謂之《尚書》"，不論從史料來看，還是從情理來看，都是可以成立的。伏生在漢文帝時已九十餘歲，在劉邦稱帝時大約五十歲左右，在秦代焚禁《詩》、《書》的時期約四十歲左右，正是著書立説的年齡。而伏生所以能在漢初擁有學術權威，是由於他"故爲秦博士"(《史記·儒林列傳》)，則杜撰《尚書》名稱的創舉，一定發生在秦代，並且有可能在焚書以前。講到這裏，應注意"尚"字略有比較之意，揣測其比較的對象，大概只能是《秦誓》。《秦誓》附於今文《尚書》二十八篇之末，當爲秦朝官方學者所作，爲秦朝之《書》，意在使秦帝勝過五帝三王。爲與秦代之書相區别，伏生遂不得不將秦代以前的"書"命名爲《尚書》。至於《秦誓》竟得編入《尚書》之中，當是西漢中葉學者的造作了。帛書《要》篇中的"尚書"兩字，絶不應妨礙我們將它判定爲秦代後期的作品。

《易之義》的文字風格及思想内容與《要》篇接近，例如《易之義》篇中提到："子曰：易之要，可得而知矣！"與《要》之篇名有明顯的聯繫。《要》篇注重闡發易卦所潛含的"德義"，《易之義》篇中則屢次論述"天之義"、"地之義"、"文之義"、"武之義"、"湯武之德"、"周之盛德"等。《要》篇中的"子"是子貢的老師，非孔子莫屬；《易之義》篇首則稱引"孔子曰"，也是連篇假託孔子。大致上看，這兩篇的作者當是出自同一師門，即便有先後的不同，也不過相距十年左右，斷言兩者都是秦代自焚書至滅亡的時期的儒家著作,是不會錯的。

二、《要》與《易之義》的撰作主旨
及其與《繫辭》的歧異

李學勤先生曾指出帛書《要》篇卷後的《繆和》篇,可能由荀子的再傳弟子穆生而得名(見《帛書〈繫辭〉略論》,刊於《齊魯學刊》1989年第4期)。在這之後,我寫了《帛書〈周易〉所屬的文化地域及其與西漢經學一些流派的關係》一文(見《道家文化研究》第三輯),在李先生的論斷的基礎上繼續推論,認爲帛書《要》、《易之義》及《繆和》諸篇都是荀子後學的作品,而荀子晚年定居講學的蘭陵,在春秋時期原爲魯邑,在戰國晚期才被春申君併入楚國疆域,故《要》與《易之義》諸篇在經學當中屬於魯學的系統,與齊學有着較大的差别。今既斷定《要》與《易之義》撰於秦代後期這一短暫的時期之內,便可進一步考察其時代背景,推敲其撰作的意圖及思想主旨,同《繫辭》進行比較。

帛書《要》篇假託孔子說:

> 《尚書》多勿矣,《周易》未失也,且又(有)古之遺言焉。予非安其用也。

其中"《尚書》多勿"的"勿"字是根據池田知久先生所整理的釋文,在廖明春先生所整理的釋文裏,寫作"《尚書》多於(閼)"。由於無法見到帛書原件或照片,應當作"勿"抑或作"於"尚無從論定,但"勿"、"於"兩字的意義在這裏十分接近。"勿"通"物",而"物"有"無"、"没"之義,古書所謂"物故",即是就此而言。"勿"、"物"兩字又都與"歾"通用,而"歾"乃是"殁"的異體字。《要》之原文若爲"《尚書》多勿",便意味着《尚書》多已淹没或佚失。再看"於"字,"於"通"閼"是顯而易見的,而且廖氏釋文已指明了這一點。《呂氏春秋·古樂篇》高誘注說:"閼,讀曰遏止之遏。"《要》之原文若爲"《尚書》多於(閼)",便意味着《尚書》遭到禁止。看來不論《要》

篇此字如何，原意都是説《尚書》在秦代焚禁《詩》、《書》的時期遭到禁止而多數亡佚。

《要》篇在稱引孔子"《尚書》多勿矣，《周易》未失也，……予非安其用也"一席話之後，又假託子贛(貢)提問："夫子今不安其用而樂其辭，則是用倚於人也，而可乎?"然後假託孔子作出回答，其中説："文王仁，不得其志，以成其慮，紂乃無道，文王作，諱而辟(避)咎，然後《易》始興也。"由這對白，可以體會到《要》篇作者所處的環境是如何嚴酷！《史記·秦始皇本紀》、《李斯列傳》、《漢書·藝文志》、《儒林傳》都指出，秦代嚴令焚禁六國史書及"《詩》、《書》、百家語"，對易卜之書卻未作任何的觸動。《漢書·楚元王傳》説："楚元王交……少時嘗與魯穆生、白生、申公俱受《詩》於浮丘伯。伯者，孫卿門人也。及秦焚書，各别去。"其中的浮丘伯在秦代以前已是成名的學者，穆生、白生及申公在焚書事件以前已是他的弟子。到焚書時，這一師弟團體受到巨大的壓力，只好"各别去"。"别去"之後，他們當然不會停止學術活動，但又不能再公然採用《詩》學或《書》學的形式，自然會利用易卜之書不受限制的縫隙，採用《易》學的形式來使他們的《詩》學及禮樂之學等等延續下去。"《尚書》多勿矣，《周易》未失也，且又古之遺言焉"一席話無疑可使當時的儒生在嚴峻的壓迫之下見到一線光明，"不安其用，而樂其辭"兩句則使儒生懂得不必拘泥《周易》在占筮上的實踐，重要的不過是利用卦爻辭來闡揚儒家固有的學説。帛書《易之義》有一節與此有關："《易》曰：'或從王事，無成有冬(終)'，子曰：言《詩》、《書》之謂也。"此節上文又説："'龍單(戰)于野'，文而能達也；'或從王事，无成有冬(終)'，學而能發也。"對照上下文，可知"學而能發"意即表面上學習《周易》，實際效益卻在於由此闡揚儒家原有的《詩》、《書》、禮、樂之學。儒家魯學一派得以渡過秦代焚書的劫難，實有賴於《易》學形式的藉用。而《周易》所以能同《詩》、《書》、《禮》、《春秋》並列，也是由於它在秦代危難之際起到了掩護儒學使之得以繼續生存的作用。魯學一派製造出《要》和《易之義》兩篇，意圖全在於此。

一旦對《要》與《易之義》的撰作背景、意圖有此體會，便會注意到這兩篇的思想內容與《繫辭》的差異。例如《要》篇假託孔子說："《易》，我後其祝卜矣，我觀其德義耳也。……史巫之筮，鄉之而未也，好之而非也。後世之士疑丘者，或以《易》乎？吾求其德而已，吾與史巫同涂而殊歸者也。君子德行，焉求福？故祭祀而寡也；仁義，焉求吉？故卜筮而希也。祝巫卜筮其後乎！"此語之輕貶占筮，幾至驚世駭俗，與《繫辭》"居則觀其象而玩其辭，動則觀其變而玩其占"的宗旨大相逕庭。《要》篇所謂"德義"當何指呢？考察其篇中所謂"易道"、"天道"、"地道"、"人道"、"損益之道"等等，意頗含混，似爲儒道兩家的共有的思想，然而其中關於"文王仁"、"文王作"的議論，卻有鮮明的儒學特色，這使我們不能不相信《要》篇之所謂"德"就其社會政治及倫理的層面而論，即指《易之義》所謂的"周之盛德"；《要》篇之所謂"義"則主要指《易之義》篇中所謂的"天之義"、"地之義"、"文之義"、"武之義"等等。《要》篇關於"德義"的闡發雖較之《易之義》深刻而抽象，但終究不離周文王與武王的"德義"，完全合乎孔子"從周"的志願以及戰國秦漢儒家"憲章文武"(《漢書・藝文志》)的原則。與此相反，帛書《繫辭》未提周代聖王①，僅提到伏羲、神農、黃帝、堯、舜，對羲、農、黃三者的論說尤詳。在戰國至漢初的一段時間裏，"百家言黃帝"，儒家則對黃帝"難言之"(《史記・五帝本紀贊》)。道家著作如《莊子》、《文子》等，則稱頌伏羲、神農等，貶低周代聖王。比較之下，《要》及《易之義》所支持的聖王系統，與原始的《繫辭》所稱述的聖王系統當分屬於儒道兩家。

《易》中的"德義"往往出自對乾坤兩卦的闡釋，帛書《易之義》篇即是如此，篇中指出：

---

① 通行本《繫辭》雖提到周王，但很簡略並且含混，僅有"易之興也，其當殷之末世、周之盛德邪？當文王與紂之事邪"及"易之興也，其於中古乎？作《易》者其有憂患乎"等數語。而且這兩節不見於帛書本並非遺漏，而是後儒補入的。參見拙文《從馬王堆帛書本看〈繫辭〉與老子學派的關係》，載於《道家文化研究》第一輯。

是故天之義剛建(健)僮(動)發而不息,其吉保功也。……地之義柔弱沈静不僮(動),其吉〔保安也〕。……故武之義保功而恆死,文之義保安而恆窮。是故柔而不狂,然後文而能勝也;剛而不折,然後武而能安也。……子曰:鍵(乾)六剛能方,湯武之德也。……川(坤)六柔相從,順文之至也。

將乾坤之義歸結爲“文之義”與“武之義”,顯然是儒家“憲章文武”的原則在《易》學領域的體現。而通行本《繫辭》的説法則相反:

乾以易知,坤以簡能。易則易知,簡則易從。易知則有親,易從則有功。有親則可久,有功則可大。可久則賢人之德,可大則賢人之業。易簡而天下之理得矣。

此節亦見於帛書本而文字稍異,其説乾坤性德爲“易簡”,與道家崇尚“簡易”的傳統頗有關聯。《要》、《易之義》與《繫辭》的這種“文武”與“易簡”的歧異,正是儒道兩家學説的不同之處。

《要》、《易之義》兩篇與《繫辭》的區别還有一些,例如《要》篇提到“水火金土木”,《繫辭》則不提五行,即是其一。上述這些區别表明《要》、《易之義》確實出自儒者之手,原始的《繫辭》則爲道家作品。

三、關於《要》、《易之義》與通行本《繫辭》共有文字的解釋

通行本《繫辭》有一些章節不見於帛書《繫辭》,而見於《易之義》與《要》兩篇。有的學者説這些章節當是《繫辭》祖本的原文,其出現於《易之義》、《要》兩篇,當屬這兩篇作者關於《繫辭》祖本的摘引;其未見於《繫辭》帛本,當屬帛本抄寫者的遺漏。然而我們知道,帛書《繫辭》、《易之義》、《要》三篇乃是連續地抄寫在同一張帛上,當是由同時代的抄者寫就,李學勤先生甚至認爲是由同一位抄手完成的。上述“遺漏”、“摘引”的説法雖有影響,但這説法不能掩蓋四個疑點:第一,生活在“反古”時代的帛書抄寫者,

爲何抄寫成書較早、權威較高的《繫辭》竟遺漏許多重要的章節，而抄寫成書較晚的《易之義》和《要》兩篇卻没有類似的遺漏呢？第二，假如這些成問題的章節確爲《繫辭》祖本所包括，那麼帛書抄寫者爲何大量遺漏《繫辭》的"原文"，卻未遺漏《要》和《易之義》中的"引文"？第三，所遺漏的"原文"和未遺漏的"引文"爲何竟大致相同？這樣的巧合在浩如烟海的歷史文獻中極其罕見，從邏輯上說有可能發生嗎？第四，秦漢之際宗教迷信思想興盛，當時人們多對亡靈持虔敬態度，挑選珍品隨葬，貴族的隨葬品尤爲奢侈，馬王堆出土的《繫辭》用帛抄寫，在帛貴竹賤的時代即是一種敬意的表示。帛書抄寫者爲何不怕遭到墓主人和《繫辭》作者魂靈的責難，而竟遺漏大量的文字？由此四點可以看出，上述的"遺漏"說及"摘引"說不論如何舉證，都難免臆測之嫌。

這種臆測是以《繫辭》通行本先於帛書本的假定爲前提的，而這假定卻很難證實。由今古文的角度是不能證實的，因爲秦代未焚《周易》，先秦《易》學典籍假如在漢初得到隸寫，那麼隸寫本與先秦古文本不會有顯著的出入，例如漢成帝時劉向用秘府所藏的古文《易經》核校西漢官方的今文《易經》，僅有"無咎"、"悔亡"等微不足道的脱誤。尤爲值得注意的是，迄今尚無法找到關於《繫辭》古文寫本的文獻記載，《漢書·藝文志》說：

> 劉向以中古文《易經》校施、孟、梁丘經，或脱去"無咎"、"悔亡"，唯費氏經與古文同。

其中的三個"經"字，表明此處的同與不同僅是就《周易》上下經而言，與《易傳》中的《繫辭》無關。《漢書·藝文志》乃是依據劉向《別録》及劉歆《七略》撰集而成，在劉向父子的時代，"經"、"傳"的區分一直十分嚴格，例如《漢書·景十三王傳》說，河間獻王所得的古文先秦舊書"皆經、傳、說、記"，即爲一證。劉歆本人作《移書讓太常博士》，對"經書"與"傳"、"說"區別而論，抨擊博士"信口說而背傳記"，徵引《論語》而稱其爲"傳"，都表明他和追隨他的班固不會將《周易》之經與《繫辭》之傳相混淆。《漢志》連續指稱"古文

《易經》"、"施、孟、梁丘經"和"費氏經"，一定只限於經文，不包括傳文。由此而論，西漢"中秘"所藏的古文《易經》是不包括《繫辭》的。至於汲冢竹書《周易》以及阜陽漢簡《周易》殘本，也未包括《繫辭》在內。這些情況顯示出，帛書《繫辭》乃是現存的以及見諸文獻記載的最早的、最珍貴的《繫辭》寫本。我曾兩次著文説明帛書《繫辭》行文古樸，通行本則注意行文對偶平衡及錯綜變化，經過了後人的修飾加工；帛書《繫辭》的文句多與這部著作原初的含義相合，通行本《繫辭》則有違其作者原意，爲整理者所誤改[①]。

讓我們再來仔細地考察一下通行本《繫辭》與《易之義》及《要》篇所共有卻不見於《繫辭》帛本的章節。通行本《繫辭下傳》説："《易》之興也，其於中古乎！作《易》者其有憂患乎！是故履，德之基也；謙，德之柄也；復，德之本也；恆，德之固也；損，德之修也；益，德之裕也；困，德之辨也；井，德之地也；巽，德之制也。……"此節對履、謙等九卦反覆議論三次，通稱爲"三陳九卦"。帛書中此節唯見於《易之義》一篇，其中"是故"兩字，在《易之義》寫作："上卦九者，贊以德而占以義者也。"此種訴之德義的説法，與三陳九卦當中"德之基"、"德之干"一類説法相合，當是此節原文，通行本改爲"是故"兩字，當是漢儒所爲。又按《易之義》論及德義的章節極多，如説："容(訟)者，得之疑也；師者，得之栽也；比者，得鮮也；小蓄者，得之未 □ 也；……"其中"得"字均與"德"通，句式也都與"三陳九卦"一致，可見"三陳九卦"一節乃是《易之義》原文，而非有些學者所謂的引文。

通行本《繫辭下傳》第七章也見於《易之義》，而字句不同。通行本此章"既有典常"一句在《易之義》寫作"無又(有)典常"，鑒於此句上文提到"不可爲典要，唯變所適"，與"無有典常"意思相同，可見包括"無又(有)典常"句在內的這一章乃是《易之義》原文，通行本《繫辭》中的"既有典常"當是漢儒所誤改。

---

① 見拙文《帛書〈繫辭〉與戰國秦漢道家〈易〉學》，載於《道家文化研究》第三輯。

《易之義》說："子曰：《易》之要，可得而知矣。鍵(乾)川(坤)也者，易之門户也。鍵(乾)，陽物也；川(坤)，陰物也。……"通行本《繫辭下傳》也有此節，唯脱"易之要，可得而知矣"兩句。這兩句顯即《易之義》原文，因爲《易之義》屢言"易之義"或"易之要"，通行本《繫辭》缺這兩句，當是漢儒在改編補添時漏掉的。

通行本《繫辭下傳》第七章末句至第八章說："知者觀其彖辭，則思過半矣。二與四同功而異位，其善不同，二多譽，四多懼，近也。柔之爲道，不利遠者，其要無咎，其用柔中也。三與五同功而異位，三多凶，五多功，貴賤之等也。其柔危，其剛勝邪！"此節見於《易之義》，而字句不同：

> 子曰：知者觀其緣(彖)辭，而說過半矣。《易》曰：二與四同〔功而異位，其善不同，二〕多譽，四多瞿(懼)，近也。近也者，嗛(謙)之謂也。《易》曰：柔之〔爲道，不利遠者，其〕要無〔咎，其用〕柔若〔中也。《易》〕曰：三與五同功異立(位)，其過 □□，〔三〕多凶，五多功，〔貴賤〕之等 □。

有的學者說，《易之義》將通行本的"知者觀其彖辭"一句稱爲"子曰"，將"二與四同功異位"一節稱爲"易曰"，則定是引自《繫辭》，理由是既能被稱引爲"子曰"而又能被稱引爲"易曰"的著作非《繫辭》莫屬。今按此說將"易曰"與"子曰"混淆，實爲大誤。不論是《繫辭》還是《易之義》等佚書，都是"易曰"與"子曰"並見，其所謂"易曰"均爲卦爻辭或權威性的《易》學典籍，其所謂"子曰"均爲傳《易》先生之語。在《易之義》篇內，先引"易曰"後引"子曰"的句式以及先引"子曰"後引"易曰"的句式達十餘例，其中的"子"和"易"明顯不同，當有不同的出處。上述《易之義》文字先稱："子曰：觀其緣(彖)辭則說過半矣"；後引："易曰：二與四同功而異位……"，足見"觀其彖辭"一句和"二與四"一節原是出自不同的著作，兩者同見於《繫辭》通行本，並删去"易曰"、"子曰"等字，都是後起之事。另外，《易之義》此節上文有"易之義"三字，與篇首相呼應，當爲原文；通行本《繫辭》此句寫成"《易》之爲書也"，當爲後人追改。《易之義》此節"其過 □□"四字,或爲"其過不同",與上文"其善不同"遥相呼應,爲原文無疑,通行本《繫辭》不見此句,顯爲誤脱。

此例還有一點值得注意,即在通行本《繫辭》中,"其用柔中"句與"三與五同功異位"是前後銜接的,而在《易之義》"其用柔若中"句下,"三與五"句前,多出"易曰"兩字。假如通行本《繫辭》此節即爲原始面貌,則《易之義》連續引述,何必多加"易曰"的贅文? 問題的答案只有一個,即此處"易曰"之前的"其要無咎,其用柔若中"兩句不是所引《易》書的原文,而是《易之義》作者關於引文的闡釋。通行本《繫辭》的編纂者竟將這兩句一併抄録,足見《易之義》乃是通行本《繫辭》所賴以編纂的藍本之一。

通行本《繫辭下傳》第四章有一節提到"君子安而不忘危,存而不忘亡,治而不忘亂,是以身安而國家可保也",此節不見於帛書《繫辭》而見於《要》。有的學者斷定這是《繫辭》祖本的原文,理由是此節上文提到"善不積不足以成名,惡不積不足以滅身"等等。但這理由是很勉強的,因爲在戰國秦漢時期,安危和善惡是兩個截然不同的論題,《繫辭》作者主張去惡從善以防止"滅身",絶不意味着他一定會有"安不忘危"、"存不忘亡"的認識。"安不忘危"一節在通行本《繫辭》中出現,稍嫌突兀,而出現在《要》篇裏卻顯得自然,《要》篇"安不忘危"一節的上文説:"子曰: 吾好學而纔聞要,安得益吾年乎?"這一發問富於危機感,豈不正是"安不忘危,存不忘亡"一節的前提? 此節的結論是"身安而國家可保","身安"豈不正是"安得益吾年"的問題的答案? 這樣看來,"安不忘危"一節應當是先出現於《要》,然後才被補入《繫辭》裏。

通行本《繫辭》"顔氏之子"一節也見於《要》:"夫子曰: 顔氏之子其庶幾乎? 見幾又(有)不善,未嘗弗知。知之,未嘗復行之。《易》曰:'不遠復,無祇悔,元吉。'"[1]其中"見幾"二字不見於

① 祇字原作"葚",悔字原作"誨"。

通行本《繫辭》,而這兩字與"庶幾"二字相關,似是不可缺少的。有的學者認爲此節"知之未嘗復行"乃是《繫辭》所謂"見幾而作,不俟終日"的典型行爲,斷定帛本既有"君子見幾而作"一段話,其祖本也當有"顔氏之子"段。然而,"顔氏之子"一節循由"子曰……易曰"的句式,其中的"易曰"是復卦初九"不遠復"的爻辭,可見此節中心論題不在"見幾",而在於"不遠復"或"未嘗復行"。由"顔氏之子"到"不遠復",意思已很完整,不必與"見幾而作,不俟終日"一句發生聯繫。有的學者很重視"知幾其神"一節,認爲是"君子見幾而作"的前提,斷定只有在提出"知幾"一説之後,才能説"君子見幾而作,不俟終日"。帛本既有"見幾而作"兩句,則一定有"知幾其神"一節。這一論斷也很勉強,因爲"見幾"的説法在戰國時期極爲流行,例如《莊子·齊物論》提到"知幾",《墨子》提到"祭祀不敢失時幾",《荀子》説"不知幾者不可與及聖人之言";"幾"通"機",《荀子》提到"人君之樞機",《韓非子》提到"存亡治亂之機"。若按廖文所言,則墨、莊、荀、韓諸書必須先講"知幾其神"、"幾者動之微",意思才算完整,但這可能嗎?由此而論,"顔氏之子"一節和"知幾其神"一節絶不是《繫辭》祖本所必不可少的內容,這兩節出現於通行本《繫辭》應當是漢儒改編的結果①。

通行本《繫辭下傳》説:"《易》曰:三人行則損一人,一人行則得其友。言致一也。"此節不見於帛書《繫辭》而見於《要》,文中"三人行"、"一人行"兩句爲損卦六三爻辭,"言致一也"是後人對爻辭的解釋。然而這兩句爻辭爲何有"致一"之意,歷代注家的解

① 據《漢書·楚元王傳》,漢文帝時穆生提到"知幾其神"一節,這被廖文當作此節爲《繫辭》祖本原文的證據。其實對穆生的議論可以有兩種解釋,第一,漢文帝時《繫辭》可能已被改編,故出現"知幾其神"一節而爲穆生所引用。第二,穆生之言可斷句爲:"《易》稱'知幾',其神乎!幾者,動之微,吉凶之先見者也。'君子見幾而作,不俟終日'。"若如此斷句,則"幾者動之微,吉兇之先見者也"本爲穆生個人的議論,而爲《繫辭》改編者所利用。我在《帛書〈周易〉所屬的文化地域及其與西漢經學一些流派的關係》一文(見《道家文化研究》第三輯)中論證穆生可能是繆和,與帛書《易之義》、《要》諸篇的撰作可能有密切的關係,則穆生之言成爲《繫辭》通行本的來源並非没有可能。

釋各不相同，可説是個有争議的疑難問題。今按《要》篇末節有云：“能者繇(由)一求之，所謂得一而君畢者，此之謂也。損益之道，足以觀得失矣。”解釋損卦而議論“由一”、“得一”，可見上述用“致一”解釋損卦爻辭的説法，乃是先出現於《要》，然後才出現於通行本《繫辭》。

以上種種，都證明上述關於《易之義》與《要》摘引《繫辭》祖本的論斷不能成立，事實應當是通行本《繫辭》的編纂，原是以帛書《繫辭》、《易之義》和《要》爲籃本。

四、“子曰”的問題

在帛書《繫辭》、《易之義》、《要》以及與此有密切聯繫的《二三子問》、《繆和》諸篇裏，屢見“子曰”。如何看待這些“子”字，對於《要》、《易之義》與《繫辭》所屬學派的問題關涉甚大，不能不稍加探討。

帛書《二三子問》屢屢出現“孔子曰”，未省稱“子曰”。帛書《要》篇起始六字模糊不清，然後出“德之□也，地”數字，“地”爲第一行第十一字，此字以下，直至第六行上，絶大多數文字無法辨認，在池田知久所整理的釋文裏都用方塊“□”表示，因而《要》篇之首有無“孔子曰”字樣，尚是無法解決的問題。《要》篇當中“子曰”很多，雖無“孔”字，但許多“子曰”是答弟子“子贛”之問，則篇中的“子曰”顯然都是“孔子曰”的省稱。推敲這兩篇中孔子言論的內容，《二三子問》篇中孔子主張聖人“理順五行”，稱“德與天道始，必順五行”，提到“聖王各有三公、三卿”，以及“黄帝四輔”等，與《論語》中的孔子言論相去甚遠。《要》篇所引孔子言論有“尚書”兩字，並連續議論“天道”、“地道”、“人道”、“水火金土木”及“五正”等，與《論語》中的孔子言論也有很大的差異。由此可以肯定《要》與《二三子問》之稱引孔子，都是假託。若與上文的分析相聯繫，可以推斷這種假託都是秦代後期儒者所爲。

帛書《要》卷後的《繆和》一篇與此稍異，篇首一句爲“繆和問於先生曰”，以下出現“呂昌問於先生曰”、“吳孟問於先生曰”、“李平問於先生曰”、“張射問於先生曰”等，對於先生的回答，或稱“先生曰”，或稱“子曰”，可見篇中的“子曰”必非孔子之言，而是繆和等人的老師的言論。上文已沿襲李學勤先生之説，指出繆和其人很可能是《漢書·楚元王傳》所提到的穆生，則《繆和》篇中的“子”或“先生”當是穆生的老師浮丘伯。在《鹽鐵論·毀學》篇裏，大夫和文學都稱浮丘伯爲“包丘子”，其中的“子”字很值得注意。浮丘伯在西漢惠帝死後仍在從事學術活動，而西漢儒者卻很少稱“子”。《史》、《漢》中的《儒林傳》詳載儒門傳承譜系，《詩》學方面有申公、穆生、轅固生、韓生等，《書》學方面有伏生、張生、歐陽生等，禮學方面有徐生及高堂生等，《易》學方面有田生、服生、費公等，《春秋》學方面有胡毋生、董生、江公等，竟無一稱“子”之例。《儒林傳》以外的文獻偶或稱“子”，也不多見。浮丘伯被學者以及儒門以外的朝廷大臣尊稱爲“子”，似與衆不同。《鹽鐵論》中大夫和文學在尊稱浮丘伯爲“子”的同時，稱荀子爲“荀卿”，更顯示出包丘之“子”絶非泛泛的尊稱，而是沿襲成例的特定的尊稱。《繆和》篇中的“子”字肯定是指浮丘伯，而《繆和》一篇以及與其接近的《要》、《易之義》諸篇都應當是浮丘伯與穆生這一師弟團體的作品。

帛書《繫辭》中的“子曰”，卻是與儒家無關的。講到這一點，有必要擺脱過去人們關於“子曰”都指孔子語或都出自儒家的成見。陳鼓應先生指出《繆和》、《昭力》兩篇有二十餘例“子曰”不指孔子，即已雄辯地説明了這一問題。今按《論語》中或稱引“子曰”，或稱引“孔子曰”。其中“孔子曰”有四十餘例，有些在《上論》，多爲應答國君之問，稱“孔子曰”有可能是出於尊君的考慮。另一些“孔子曰”見於《下論》，其中《季氏》一篇始終稱“孔子”。如果説其中的“子曰”是孔子弟子的記録，那麼《季氏》篇中的“孔子曰”便應當是出自春秋以後的儒者的手筆。這道理很簡單，春秋時期老子可能没有從事教學授徒之事，不存在門徒稱其爲"子"的情況，當時私學授徒者僅有孔門，"子曰"非孔子莫屬，故不必贅加"孔"字。時至戰國，學派蜂起，墨、莊、孟、荀均可稱"子"，如墨莊諸書屢見"子曰"，爲墨、莊諸人尊稱，儒者在這情況下稱引至聖先師之言，必指明爲"孔子曰"才不會與他人混淆。孟、荀諸書均稱"孔子曰"，罕有稱引孔子而省稱"子曰"之例，即可爲證。有鑒於此，可以大致上推斷戰國典籍凡稱"子曰"，多非孔子；唯稱"孔子曰"，才指孔子。當然，像《要》篇以對話者子貢來顯示"子曰"爲何人言論的情況，與稱引"孔子曰"的情況同類。帛書《繫辭》僅稱"子曰"，無"孔"字，顯然是戰國經師之言。由於帛書《繫辭》内容富於道家特色，篇中的"子曰"當然是戰國時代道家學者的言論。關於戰國時期道家《易》學的存在，以及《易》本不限於儒門等情況，我已兩次著文説明，此處不再重複。

以上的論述可使我們更加相信這樣的結論：帛書《要》、《易之義》及《繆和》諸篇是秦代後期儒家魯學的作品，其作者當是浮丘伯、穆生師弟團體中的人物；帛書《繫辭》則是戰國時期黄老學派的作品，通行本《繫辭》是以帛書《繫辭》、《要》、《易之義》爲原始素材改編而成的，改編者應是西漢前期的儒生。

作者簡介 王葆玹，1946 年生，北京人。中國社會科學院哲學所副研究員，撰有《正始玄學》一書及《天人三策與西漢中葉的官方學術——再話"罷黜百家，獨尊儒術"的時間問題》等文。

馬王堆帛書《繆和》、《昭力》釋文

陳松長

《繆和》释文

繆和問於先生曰：請問《易》涣之九二曰：涣，賁其階，每(悔)亡。此辭吾甚疑焉。請問此之所胃(謂)。〔先生〕曰：夫《易》，明君(一行上)之守也。吾 □□ 不達，問學不上與(歟)？恐言而貿易，失人之道，不然，吾志亦願之。繆和(一行下)曰：請毋若此，願聞其説。子曰：涣者，散也。賁階，幾也，時也。古之君子，時福至則進取，時亡則以讓，夫福(二行上)至而能既焉，□ 走其時，唯恐失之，故當其時而弗能用也。至於其失之也，唯欲爲人用(二行下)，剴(豈)可得也才(哉)？將何無每(悔)之又(有)？受者昌，賁福而弗能蔽者窮，逆福者死。故其在《詩》也曰：女弄不敝(三行上)衣常(裳)，士弄不敝車輪。无千歲之國，无百歲之家，无十歲之能。夫福之於人也，既焉，不(三行下)可得而賁也。故曰賁福又(有)央(殃)。耶(聖)人知福之難得而賁也，是以又(有)矣。故《易》曰：涣，賁其階，每(悔)亡。則 □(四行上)言於能賁其時，悔之亡也。·繆和問於先生曰：凡生於天下者，无愚知(智)賢不宵(肖)，莫不(四行下)願利達顯榮。今《周易》曰：困，亨，貞，大人吉，无咎，又(有)言〔不〕信。敢問大人何吉於此乎？子曰：此耶(聖)人之(五行上)所重言也。曰又(有)言不信，凡天之道，壹陰壹陽，壹短壹長，壹晦壹明，夫人道厷(雠)之。是故(五行下)湯□□王，文王絢(拘)於(牖)里，〔秦繆公困〕於〔殺，齊桓(桓)公〕辱於長飭(勺)，戉(越)王勾賤(踐)困於〔會稽〕，晉文君困〔於〕(六行上)驪氏，古古(衍一字)至今，柏(伯)王之君，未嘗憂困而能□□曰美亞(惡)不□□□也。夫困之爲達也，亦猶(六行下)□□□□□□□其□□□□□□□□□□□□□□□□，故《易》曰：困，亨，貞，大人吉，无〔咎，又(有)言〕不信，〔此〕(七行上)之胃(謂)也。繆和問於先生曰：吾年歲猶少，□□□□□□□□□□□□□敢失忘吾者。子曰：何(七行下)⧄(八行上)□□□《書》、《春秋》、《詩》語蓋⧄(八行下)者莫不願安⧄(九行上)⧄者⧄(九行下)以高下，故□□禹之取天〔下者〕，當此卦也。禹□其四枝(肢)，苦其思□，至於手足騈(胼)胝，顏(顏)色□□□□，(十行上)⧄能□細，故上能而果□□(十行下)下□號耶(聖)君，亦可胃(謂)冬(終)矣，吉孰大焉？故曰：勞〔嗛〕，君子又(有)冬(終)，吉，不亦宜乎？今又(有)土之君，及至布衣(一一行上)□□□□□□□□其妻奴(孥)粉白黑涅□□□□□□□□□□□矣，日中必傾(?)，□非能□而(一一行下)又(有)功名於天下者，殆无又(有)矣。故曰：勞嗛，君〔子又(有)〕冬(終)，吉，此之胃(謂)也。·翏(繆)和問先生曰：吾聞先君其□(一三行上)義錯(措)法，發〔號〕施令於天下也，皎焉若□□□□□□□世，循者不惑眩焉。今《易》〔豐〕之(一三行下)九四曰：豐其剖，日中見斗，遇其夷主，吉，何胃(謂)也？子曰：豐者，大也；剖者，小也，此言小大之不惑也。□(一三行上)君之爲爵、立賞慶也，若體(禮)埶然，大□□□□□□□□□使下，君能令臣，是以動則又(有)(一三行下)功，静則又(有)名，死埶尤奠，賞禄甚厚，能弄傅君而國不損敝者，蓋无又(有)矣。日中見斗，夫日者，君(一四行上)也；久〈斗〉者，臣也。日中而久〈斗〉見，君將失其光□□□□□□幾失君之德矣。遇者，見也。見夷(一四行下)主者，其始夢(萌)兆而亟見之者也。其次秦翏(繆)公、荆莊、晉文、齊桓(桓)是也。故《易》曰，豐其剖，日中見斗，(一五行上)遇其夷主，此之胃(謂)也。·呂昌問先生曰：《易》屯之九五曰：屯其膏，小貞吉，大貞凶，將何(一五行下)胃(謂)也？夫《易》，上耵(聖)之治也。古君子處尊思卑，處貴思賤，處富思貧，處樂思勞。君子能思此四者，是(一六行上)以長又(有)其〔利〕而名與天地俱。今《易》曰：屯其膏，此言自閏(潤)者也。夫處上立(位)厚自利而不自(一六行下)血(恤)下，小之猶可，大之必凶。且夫君國又(有)人而厚僉(斂)致正以自封也，而不顧其人，此除也。夫能見其將(一七行上)□□□□□□，未失君人之道也，其小之吉，不亦宜乎？物未夢(萌)兆而先知之者，耵(聖)人之志(一七行下)也，三代所以治其國也。故《易》曰：屯其膏，小貞吉，大貞凶，此之胃(謂)也。·呂昌問先生曰：〔天〕下之士，皆欲會(一八行上)□□□□□□□□□ 樓與以相高也，以爲至是也。今《易》渙之六四曰：渙其羣，元吉，此(一八行下)何胃(謂)也？子曰：異才(哉)，天下之士所貴。夫渙者，散；元者，善之始也；吉者，百福之長也。夫羣黨傰(朋)□□(一九行上)□□□□□□□ 比 □ 相譽，以奪君明，此古亡國敗家之法也，明君之所行罰也，將何(一九行下)元吉之又(有)矣？呂昌曰：吾聞類大又(有)焉耳，而未能以辨也，願先生少進之，以明少者也。子曰：明君(二一行上)□□□□□□□□ 然立爲刑辟，以散其羣黨，埶爲賞慶爵死，以勸其下羣臣，黔首男(二〇行下)女，夫人，渴(竭)力盡知，歸心於上，莫敢傰(朋)黨侍(待)君，而主將何求於人矣？其曰渙其羣，元吉，不亦宜乎？故(二一行上)□□□□□ 小星，參(三)五在東，蕭(肅)蕭(肅)宵正(征)，蚤(早)夜在公，是命不同，彼此之胃(謂)也。·呂昌問先生曰：(二一行下)夫古之君子，其思慮舉錯(措)也，內得於心，外度於義，外內和同，上順天道，下中地理，中適人心，神(二二行上)□□□□□□□□ 管之聞。今《周易》曰：蒙，亨，非我求董(童)蒙，董(童)蒙求我，初筮吉，再參讀(瀆)，讀(瀆)則(二二行下)不吉，利貞。以昌之和〈私〉，以爲夫設身無方，思索不察，進退無節，讀(瀆)焉則不吉矣，而能亨其利者，(二三行上)古又(有)之乎? 子曰: □〔又(有)〕也,而又(有)不然者。夫內之不咎,外之不逆,筲筲然能立志於天下,(二三行下)若此者,成人也。成人也者,世無一夫,剴(豈)可強及輿才(哉)? 故言曰: 古之馬及古之鹿,今之馬〔及〕(原缺)今之鹿。夫任人(二四行上)□ 過,亦君子 □。〔呂〕昌曰: 若子之言,則《易》蒙上矣。子曰: 何必若此,而不可察也。夫蒙者(二四行下),然少未又(有)知也。凡物之少,人之所好也,故曰: 蒙,亨。非我求童蒙,童蒙求我者,又(有)知(智)能者不求无能者,无能者(二五行上)〔求又(有)〕能者,非我求童蒙,童蒙求我。初筮吉者,聞其始而知其冬(終),見其本而知其〔末,故〕(二五行下)曰初筮吉。再參讀(瀆),讀(瀆)則不吉者,反覆問之而讀(瀆),讀(瀆)弗敬,故曰不吉。弗知而好學,身之賴也,故曰利〔貞〕。(二六行上)君子於仁義之道也,雖弗身能,剴(豈)能已才(哉)。日夜不休,冬(終)身不卷(倦),日日載載,必成而(二六行下)後止,故《易》曰: 蒙,亨,非我求童蒙,童蒙求我,初筮吉,再參讀(瀆),讀(瀆)則不吉,利貞,此之胃(謂)也。·吳孟問先(二七行上)〔生曰〕《易》中復之九二,其辭曰: 鳴鶴在陰,其子和之,我又好爵,吾與璽(爾)羸之,何胃(謂)〔也? 子〕(二七行下)曰: 夫《易》,耶(聖)君之所尊也,吾庸與焉乎? 吳子〈孟〉曰: 惡又(有)然,願先生式(試)略之,以爲毋忘,以匡弟子。□(二八行上)□□□□□□□□ 者所獨擅也,道之所見也,故曰在陰。君者,人之父母也;人者,君之子(二八行下)也。君發號出令,以死力應之,故曰其子和之。我又(有)好爵,吾與璽(爾)羸之者,夫爵祿在君在人 □ 君不徒 □(二九行上)□□□□ 臣 □□ 其人也,訢焉而欲利之;忠臣之事其君也,驩然而欲明之。驩訢交迵(通),(二九行下)此耶(聖)王之所以君天下也,故《易》曰: 鳴鶴〔在〕(原缺)陰,其子和之,我又(有)好爵,吾與璽(爾)羸之,其此之胃(謂)乎? ·莊但(三〇行上)〔問〕於先生曰: 敢問於古今之世,聞學談説之士君子,所以皆牧焉勞其四枳(肢)之力,渴(竭)其腹心(三〇行下)而索者,類非安樂而爲之也。以佀之私心論之,此大者求尊嚴顯貴之名,細者欲富厚安樂〔之〕(三一行上)實,是以皆 □□ 必勉輕奮(?)其所殺幸於天下者,殆此之爲也。今《易》謙之初六,其辭(三一行下)曰: 嗛嗛〔君子〕,用涉大川,吉,將何以此論也? 子曰: 夫務尊顯者,其心又(有)不足者也。君子不然,畛焉不〔自〕(三二行上)明也,不自尊 □□ 高世 □ 嗛之初六,嗛之明夷也。耶(聖)人不敢又(有)立(位)也,以又(有)知爲无知(三二行下)也,以又(有)能爲无能也,以又(有)見爲无見也,憧焉无敢設也。以使其下,所以治人請(情),牧羣臣之僞也。□□(三三行上)君子者,夫(?)□□□□然以不 □□ 於天下,故奢多(侈)廣大斿(游)樂之鄉不敢渝其身焉,(三四行下)是以而〈天〉下驩然歸之而弗猒(厭)也。用涉大川,吉者,夫明夷離下而川(坤)上。川(坤)者,順也。君子之所以折其身(三四行上)者,明察所以 □□□□□,是以能既致天下之人而又(有)之。且夫川(坤)者,下之爲也。故曰用(三四行下)涉大川,吉。子曰: 能下人若此,其吉也,不亦宜乎? 舜取天下也,當此卦也。子曰: 葱(聰)明夐知守以愚,博(三五行上)聞強試(識)守〔以〕□,□□□ 貴而守以卑,若此故能君人,非舜其孰能當之? ·張射問(三五行下)先生曰: 自古至今,天下皆貴盛盈。今《周易》曰: 嗛,亨,君子又(有)冬(終),敢問君子何亨於此乎? 子曰: 所(三六行上)問是也。□□□□□□□ 埶死爵立(位)之尊,明厚賞慶之名,此先君之所以勸其力也(三六行下)宜矣。彼其貴之也,此非耶(聖)君之所貴也。夫耶(聖)君卑醴(體)屈貇以舒孫(遜),以下其人,能至天下之人而又(有)之(三七行上),□□□□□□ 孰能以此冬(終)? 子曰: 天之道,稟(崇)高神明而好下,故萬勿(物)歸命焉;地之(三七行下)道,精博以尚而安卑,故萬勿(物)得生焉;耶(聖)君之道,尊嚴夐知而弗以驕人,嗛然比(?)德而好後,故(三八行上)□□《易》曰: 溓,亨,君子又(有)冬(終)。子曰: 嗛者,溓然不足也;亨者,嘉好之會也。夫君人(三八行下)者,以德下其人,人以死力報之,其亨也,不亦宜乎? 子曰: 天道毀盈而益嗛，地道銷〔盈而〕流嗛，〔鬼神害盈(三九行上)而福嗛〕，〔人道〕惡盈而好溓。溓者，一物而四益者也；盈者，一物而四損者也，故耶(聖)君以(四〇行下)爲豐茬，是以盛盈。使祭服忽，屋成加昔，宮成枒隅，溓之爲道也，君子貴之，故曰嗛，亨，君〔子又(有)冬(終)。〕(四〇行上)盛盈 □□ 下，非君子其孰當之？·李羊問先生曰：《易》歸妹之上六曰：女承匡，无實，士(四〇行下)刲羊，无血，无攸利，將以辭，是何明也？子曰：此言君臣上下之求者也。女者下也。士者，上也。承者，□□，(四一行上)〔匡〕者 □ 之名也。刲者，上求於下也。羊者，衆也。血者，卹也。攸者，所也。夫賢君之爲死埶爵立(位)(四一行下)也，與實俱，群臣榮其死，樂其實，夫人盡忠於上。其於小人也，必談博知其又(有)无而□□□□□□(四二行上)□ 行，莫不勸樂以承上求，故可長君也。貪亂之君不然，羣臣虛立(位)，皆又(有)外志，君无賞禄(四二行下)以勸之。其於小人也，賦斂無根(限)，耆(嗜)欲无猒(厭)，徵求无時，財盡而人力屈，不朕(勝)上求，衆又(有)離 □□□□□□(四三行上)□ 所以亡其國以及其身也。夫明君之畜其臣也不虛，忠臣之事其君也又(有)實，上下迵(通)實，此(四三行下)所以長又(有)令名於天下也。夫忠言請(情)愛而實弗隋(隨)，此鬼神之所疑也，而兄(況)人乎？將何所利？〔故《易》〕曰女承，〔匡〕(四四行上)〔无〕實，士刲羊，无血，无攸利，此之胃(謂)也。孔子曰：夫无實而承之，无血而卦(刲)之，不亦不知(智)乎？(四四行下)且夫求於无又(有)者，此凶之所產也。善乎胃(謂)□ 无所利也。·子曰：君人者又(有)大德於臣而不求其報，□ 則不 □(四五行上)□ 要，晉齊宋之君是也。臣人者，又(有)大德〔於〕□□□□□□□□□□□□□□□□□□□(四五行下)□□ 王子比干，五(伍)子(？)□□ 子胥是也，君人者，又(有)大德於臣而不求其報，□ 道也，臣者〔有德於人〕(四六行上)而不求其報，死道也。是故耶(聖)君求報 □□□□□□□□□□□□□□□□□□(四六行下)□□□□□□□□□ 也，□ 其在《易》也復之六二曰：休復，吉，則此言以□□□□□也,又(有)□□□□□□(四七行上)□▨將何吉之求矣。·子曰：昔者先君□□□□□□□□□□□□□□□□□□□(四七行下)□□□□□□不相□□□前不相▨正之成也,故人□□□□□□□□□□□□□□□□□(四八行上)□猶恐人之不順也,故其在《易》▨□□□□□□□□□□□□□□无成,子(四八行下)〔曰〕□□□□□□□□□□□□□□幹事,食舊德以自厲□□□□□□□□□□□□□(四九行上)□□□□□也,夫產於今之世而□□□□□□□□□□□□□□□不亦宜乎?(四九行下)〔故曰：食〕舊德,貞,厲。或從王事,无成。·子曰：恆之初六曰：夐恆,貞凶,无[攸利。子]曰,夐,治□□□□□(五〇行上)□□□□□□□用人之所非也,凶必▨,〔故曰：夐恆,貞凶,无攸〕利。·子曰：恆之九三曰：(五〇行下)〔不恆其德〕,或承之羞,貞〔藺〕。子曰：不恆其〔德〕(原缺)者,言其德行之無恆也,德行無道,則親疏無辨,親疏無辨〔則〕必將□□(五一行上)□□□□□不藺,故曰：不恆其德,或〔承之羞,貞藺。子曰：烜之〕九五曰：恆其德貞,婦人(五一行下)吉,夫子凶。婦德一人之爲,〔不〕可以又(有)它;又(有)它矣,凶□產焉,故曰,恆其德,貞,婦人吉,其男德不▨□□□□(五二行上)□又(有)□德必立而好比於人,賢不宵(肖),人得其宜□則吉,自恆也則凶。故曰,恆其德,貞,婦人(五二行下)吉,夫子凶。

·子曰：川(坤)之六二曰：直方大,不習,无不利。子曰：直方者,知之胃(謂)也;不習者,□□□□□□□(五三行上)□也;无不利者,无過之胃(謂)也。夫羸德以與人過,則失人和矣。非人之所習也,則近害矣,故(五三行下)曰：直方大,不習,无不利。·湯出輣(巡)守,東北又(有)火,曰：彼何火也?又(有)司對曰：漁者也。湯遂□□□□子之祝(五四行上)〔曰：古者蛛〕蝥作罔(網),今之人緣序。左者、右者,尚(上)者、下者,率突乎土者皆來(離)乎吾罔(網)。湯(五四行下)曰：不可,我教子祝之曰：古者蛛蝥作罔(網),今之〔人〕(原缺)緣序。左者使左,右者使右，尚（上）者使尚（上），下者使下，□（五六行上）□□□□□□□。諸侯聞之曰：湯之德及禽獸魚鱉矣，故共（供）皮敝（幣）以進者卌又（有）（五五行下）餘國。《易》卦其義曰：顯比，王用參毆，失前禽，邑〔人〕（原缺）不戒，吉，此之胃（謂）也。·西人舉兵侵魏野而□□□（五七行上）□□□□□□□□而遂出見諸大夫，過段干木之閭而式，其僕李義曰：義聞之，諸侯（五七行下）先財而後財，今吾君先身而後財，何也？文侯曰：段干木富乎德，我富於財；段干木富〔於義〕，（五七行上）〔我富於地。財不如德，地不如義。德而不吾〕爲者也，義而不吾取者也，彼擇取而不我與者也，我求而弗（五七行下）得者也，若何我過而弗式也？西人聞之曰：我將伐无道也。今也文侯尊賢□□□□□兵（五八行上）□□□□□□□□□□何何而要之，局而㝛（？）之，獄獄吾君敬女，而西人告不足。《易》卦其義（五九行下）曰：又（有）覆惠心，勿問，元吉，又（有）復惠我德也。·吳王夫䟦（差）攻當夏，大子辰歸冰八管，君問左右，冰□（五九行上）□□□□□□□□□□□□，注冰江中上流，與士飲，其下流江水未加清而士人大説（悦），（五九行下）斯壘爲三遂而出毄（擊）荆人，大敗之，襲其郢，居其君室，徙其祭器。察之，則從八管之冰始也。（六〇行上）〔易卦其義曰：鳴溓，利用〕行師征（征）國。·越王句賤（踐）即已克吳，環周而欲均荆方城（六〇行下）之外。荆王聞之，恐而欲予之。左史倚相曰：天下吳爲強，以戉（越）戔（踐）吳，其鋭者必盡，其餘不足（六一行上）□也。是知晉之不能以踐尊□，齊之不能隃（踰）騶（鄒）魯而與我爭於吳也，是恐而來觀（六一行下）我也。君曰：若何則可？左史倚相曰：請爲長轂五百乘，以往分於吳地。君曰：若（諾）。遂爲長轂五（六二行上）〔百〕乘，以往分〔於吳地〕，其先君作□而不服者，請爲君服之。曰旦，越王曰：天下吳爲強，吾（六三行下）既戔（踐）吳，其餘不足以辱大國。士人請辭，又曰：人力所不至，周（舟）車所不達，請爲君服之。王胃（謂）大夫重（六三行上）□□□不退兵□□□□□□不可。天下吳爲強，以我戔（踐）吳，吾鋭者既盡,其餘不足用(六三行下)也,而吳衆又未可起也,請與之分於吳地。遂爲之封於南巢至於北蘄,南北七百里,命之曰倚(六四行上)〔相之〕封。《易》卦〔其義曰:睽〕孤,見豕負途,載鬼一車,先張之柧,後説之壺,此之胃(謂)也。(六四行下)·荆莊王欲伐陳,使沈尹樹往觀之。沈尹樹反(返),至令曰:其城郭脩,其倉實,其士好學,其婦人組疾,君(六六行上)〔曰〕:如是則陳不可伐也。城郭脩,則其守固也;倉廩實,則人食足也;其士好學,必死上也;(六五行下)其婦組〔疾〕,其財足也,如是陳不可伐也。沈尹樹曰:彼若若君之言則可也,彼與君之言之異。城郭脩,〔則〕(六六行上)人力渴(竭)矣;倉廩實,〔則 □〕之人也;其士好學,則又(有)外志也;其婦組疾,則士禄不足食也,(六六行下)故曰陳可伐也。遂舉兵伐陳,克之。《易》卦其義曰:入於左腹,穫(穫)明夷之心,于出門廷。·趙閒(簡)子欲伐衛,使(六七行上)史黑〔往睹之,期以〕卅日,六十日焉反(返)。閒(簡)子大怒,以爲又(有)外志也。史黑曰:吾君殆乎大過矣。衛使(六七行下)據(蘧)柏(伯)王〈玉〉相,子路爲浦(輔),孔子客焉,史子突焉,子贛出入於朝而莫之留也。此五人也,一,治天下者也,而(六八行上)皆在衛 □□□□□□□□ 又(有)是心者,侃(況)□□ 而伐之乎?《易》卦其義曰:觀國之光,利用(六八行下)賓於王。《易》曰:童童往來,仁不達也;不克征(征),義不達也;其行塞,道不達也;不明晦,明不達〔也〕。□□□□□□(六九行上)□□□□□□□□□□ 善(?),義達矣;自邑告命,道達矣;觀國之光,明達矣。 《繆和》(六九行下)

《昭力》釋文

昭力問曰:《易》又(有)卿大夫之義乎?子曰:師之左次,與闌輿之衛,與豶豕之牙,參者,大夫之所以治其國而安其(一行上)□□。昭力曰:可得聞乎?子曰:昔之善爲大夫者,必敬其百姓之順德,忠信以先之,脩其兵甲(一行下)而衛之,長賢而勸之,不乘腁(勝)名以教其人,不羞卑喻以安社禝(稷),其將督誥(?)也,吐(?)言,以爲人次;其將報□,(二行上)□□□一,以爲人次;其將取利,必先其義,以爲人次。《易》曰:師左次,无咎。師也者,人之聚也;次(二行下)也者,君之立(位)也。見事而能左(佐)其主,何咎之又(有)?問闌輿之義。子曰:上正(政)衛國以德,次正(政)衛國以力,下正(政)衛(三行上)〔國〕以兵。衛國以德者,必和其君臣之節,不〔以〕(原缺)耳之所聞,敗目之所見,故權臣不作。同父子之(三行下)欲,以固其親,賞百姓之勸,以禁諱(違)教,察人所疾,不作苛心,是故大國屬力焉,而小國歸德焉。城郭弗(四行上)脩,五兵弗□,而天下皆服焉。《易》曰:闌輿之衛,利又(有)攸往。若輿且可以闌然衛之,侃(況)以(四行下)德乎?可(何)不吉之又(有)?又問豶豕之牙何胃(謂)也?子曰:古之伎強者也,伎強以侍(待)難也。上正(政)衛兵而弗用,次正(政)用兵(五行上)而弗先也,下正(政)銳兵而後威。幾兵而弗用者,調愛其百生(姓)而敬其士臣,強爭其時而讓其(五行下)成利。文人爲令,武夫用國。脩兵不解(懈),卒伍必固;權謀不讓,怨弗先昌。是故其士驕而不頃(?),其人調而不(六行上)野,大國禮之,小國事之,危國獻焉,力國助焉,遠國依焉,近國固焉。上正(政)陲(垂)衣常(裳)以來(六行下)遠人,次正(政)橐弓矢以伏天下。《易》曰:豶豕之牙,吉。其豕之牙,成而不用者也。又(有)笑(笑)而後見,言國脩兵不單(戰)(七行上)而威之胃(謂)也。此大夫之用也,卿大夫之事也。·昭力問曰:《易》又(有)國君之義乎?子曰:師之王參賜命,(七行下)與比之王參毆,與柰(泰)之自邑告命者,三者國君之義也。昭力曰:可得聞乎?子〔曰〕:昔之君國者,君親(八行上)賜其大夫,親賜其百官,此之胃(謂)參袑。君之自大而亡國者,其臣厲以最(聚)謀,君臣不相知,(八行下)則遠人無勸矣,亂之所生於忘者也。是故君以愛人爲德,則大夫共(恭)悳(德),將軍禁單(戰);君以武爲德,則(九行上)大夫薄人矣,□□□柢(?);君以資財爲德,則大夫賤人,而將軍走利,是故失國之罪必在君之(九行下)不知大夫也。《易》曰：王參賜命，无咎。爲人君而能亟賜其命，无〈夫〉國何失之又(有)？又問比之三毆何胃(謂)也？子(十行上)曰：□□□□□□□人以褱(?)，教之以義，付之以刑，殺當罪而人服。君乃服小節以先人曰義(十行下)，爲上且猶又(有)不能，人爲下，何无過之又(有)？夫失之前，將戒諸後，此之胃(謂)教而戒之。《易》〔曰比〕之王參毆，失(一一行上)前禽，邑人不戒，吉。若爲人君毆省其人，孫(遜)戒在前，何不吉之又(有)？又問曰：柰(泰)以(衍一字，已塗去)之自邑告命(一一行下)何胃(謂)也？子曰：昔之賢君也，明以察乎人之欲亞(惡)，詩書以成其慮，外內親賢以爲紀岡(綱)，夫人弗告，則(一二行上)弗識，弗將不達，弗遂不成。《易》曰柰(泰)之自邑告命，吉，自君告人之胃(謂)也。・昭力問先(一二行下)生曰：君卿大夫之事既已聞之矣，參(?)或又(有)乎？子曰：士數(疑衍一字)言數百，猶又(有)所廣用之，兄(況)於《易》乎？比卦六十又□(一三行上)，冬(終)六合之內，四勿之卦，何不又(有)焉？□之潛斧，商夫之義也；無孟之卦，邑途之義也；(一三行下)不耕而穫(穫)，戎夫之義也；良月幾望，處女之義也。　《昭力》六千(一四行上)

整理説明

帛書《易傳》的最後兩篇釋文在學術界的一再催促下，經過多方面的努力，今天總算基本整理完畢以饗學人。爲了便於學界同道對帛書《易傳》整理經過的瞭解，廓清有關亂人耳目的現象，特在此做一個簡要説明。

帛書《周易》和《易傳》本是文物出版社擬定要出的六輯本《馬王堆漢墓帛書》的第貳輯，但由於種種原因，這一輯一直未能問世。1991 年下半年，爲紀念馬王堆漢墓挖掘 20 周年，湖南省博物館擬定由筆者和傅舉有先生一起合編一部較全面介紹馬王堆一、

二、三號漢墓文物精華的圖録，筆者即負責帛書、帛畫等內容的編選和介紹。當時考慮到海內外學人對帛書《周易》、《易傳》的關注和研究熱潮，故編選了帛書《周易》的全部圖版，同時在不影響文物出版社原定出版計劃的前提下，有選擇性地編發了帛書《繫辭》的圖版和釋文。但由於時間匆促，筆者未能多方請教，同時亦未能反覆校對清樣，故在《馬王堆漢墓文物》一書中留下了許多不應有的遺憾。

1992年8月，馬王堆漢墓國際學術討論會在長沙召開，會上推出了剛出版的《馬王堆漢墓文物》一書，書中首次公佈的帛書《繫辭》圖版和釋文在與會學者中産生很大的反響。當時參加會議的陳鼓應先生即找到筆者，反覆強調哲學界對帛書《易傳》的關注和重視，並希望能在他主編的《道家文化研究》上作一期專刊集中討論這次刊發的帛書《繫辭》和有關內容，同時一再鼓動筆者將其他幾篇的釋文作出來同時刊發。我當時考慮帛書拼綴的工程太大，而自己功力有限，故並没應允下來。

會後，陳鼓應先生以極大的熱情在北京方面親自奔波，登門向有關專家約稿，組織馬王堆帛書研究專輯的學術論文；同時，多次打長途電話來長沙，希望刊發帛書《易傳》的釋文。筆者被陳先生致力學術研究的熱情所感動，在徵得有關方面同意後，才答應試作《二三子問》和《要》的釋文，並要求陳先生在北京方面請有關專家審定後才可刊出。

1992年12月，陳鼓應先生特請當時在清華大學思想研究所工作的廖名春專程來長沙，找我索要《二三子問》和《要》的釋文及帛書原大照片。廖説，他也搞了一個初淺的釋文，希望和我合作。我當時考慮到本人身在長沙，北京方面無法直接向有關專家請教和及時修訂，廖氏和我既是同鄉又曾是同學，他既然有此熱情，爲保證釋文的質量，我也就同意兩人合作整理。隨即將我所作的《二三子問》和《要》的釋文原稿及帛書原大照片交給他帶回北京送交陳鼓應先生。當時我認爲《易之義》篇殘損較多，拼綴難度較大，本人没什麽把握，不要急着刊布。但廖説他已整理了一個初稿，只要請有關專家審訂認可便行。他回京後，又通過陳鼓應先生多次來電話，要求同時刊發《易之義》的釋文，並説釋文已經有關專家審訂，没什麽大問題。我出於無奈，只得勉強同意，但堅持要讓本人核對原件。

就這樣，帛書《二三子問》、《要》、《易之義》三篇釋文在經過有關專家審訂，再經過筆者核對照片和原件，最後經廖名春之手送交《道家文化研究》第三輯刊發。但令人困惑的是，廖名春在根本没和筆者商量的情況下，竟以他個人的名義在同一期上刊發了對帛書《易傳》的四篇"簡説"，特别是那《帛書〈繆和〉、〈昭力〉簡説》一文，釋文尚没整理好，文中有關引文明顯不確，大有急功好利、貽誤學人之病。但筆者遠在長沙，人微言輕，根本無法勸阻這種不慎重的違反學術規則的現象出現。

1993 年夏天，廖氏再次回湖南，帶回了帛書《二三子問》、《要》、《易之義》的原大照片，同時帶來一份他所作帛書《繆和》、《昭力》的釋文草稿，他説没有照片，看不太清楚，希望我早點校對照片和原件，訂正釋文，以便早日刊發出來。我在初步校對後，發現其釋文問題較多，而且很多地方都没認真拼綴，覺得不宜太草率，因此就將釋文一事擱了下來。1993 年底，陳鼓應先生又多次來電話，反覆索要刊發這兩篇釋文，並聲稱帛書材料已知許多人手頭都有，我不發人家也會發出來。鑒於這種形勢，筆者曾電話詢問過有關專家，他們認爲，現在學術界壓力太大，先把釋文發出來問題不大，反正是供大家研究，日後以帛書整理小組的定本爲準即可。這樣，筆者才同意重新整理這兩篇釋文。

1994 年元月至 5 月，筆者在新加坡參加文物隨展期間，用了兩個多月的時間對帛書照片進行了認真的拼綴，然後重新做了釋文，回國後，又反覆多次核對原件，並查稽有關文獻作了一些修訂。同時還以書信的方式，向有關學者討教過一些語詞的釋讀問題，最後，遲至 1994 年下半年，才將這兩篇釋文直接寄往北京，請專家審訂。在經過專家認真而詳密的修訂後，才送交本期發表，總算完成了學術界催之甚急，盼了又盼的這一份珍貴資料的初步整理。但筆者學識淺陋，釋文中不當之處一定還不少，故在此慎重聲明，該釋文（包括帛書《繫辭》、《二三子問》、《要》、《易之義》的釋文）僅供學術界研究參考、最後定本當以文物出版社將出的《馬王堆漢墓帛書》的第貳輯爲準。

最後，關於帛書《繆和》、《昭力》釋文中的有關符號的使用一仍帛書《繫辭》釋文（見《道家文化研究》第三輯）前注明的二、三、四條，這裏不再重複。

海德格論“道”與東方哲學

張祥龍　編譯

内容提要　本譯文第一部分收集了海德格在公開出版物中討論“道”的四處文字。這是編譯者到目前爲止關於這個問題能找到的所有出處。此外,海德格談及東西方思想關係的言論及別人回憶海德格與道和東方思想關聯的材料被收入本文的第二部分和第三部分。第一部分全部依據德文原文譯出,並注意到每一出處的意思的完整。第二、三部分則基本上譯自英文譯本和文獻。

一、海德格論“道”

1. 人與存在 (Sein) 以相互引發的方式而相互歸屬 (Zusammen gehoeren)。這種相互歸屬令人震驚地向我們表明人如何被讓渡給 (vereignet ist) 存在、存在也如何被人的本性所佔有 (zugeeignet ist) 這樣一個事實。在這個機制 (Ge-stell) 中盛行的乃是一種奇特的讓渡 (Vereignen) 和佔有 (Zueignen)。讓我們只去經歷這個使得人與存在相互具有 (ge-eignet ist) 的構成着的具有 (dieses Eignen,特有);也就是說,去進入那被我們稱之爲[自身身份]緣起發生 (Ereignis) 的事件。“緣起發生”(Ereignis) 這個詞取自一個從出的語言用法。“Er-eignen”原本意味着："er-aeugen"，即"看到"(er-blicken)，以便在這種看 (Blick) 中召喚和佔據 (an-eignen，獲得) 自身。出於思想本身的需要，"緣起發生"現在就應該被視爲一個服務於思想的主導詞而發言。作爲這樣一個主導詞，它就如同希臘的主導詞"邏各斯"(logos) 和中國的主導詞"道"(Tao) 一樣難於翻譯。"緣起發生"這個詞在這裏並不意味着我們通常叫做一個事件或一次顯現那樣的東西。這個詞現在是作爲一個只以單數形式出現的名詞而被使用。它所指稱者只在單數中 —— 不，更確切地說，不在任何數目中而只是唯一地 —— 緣起發生而具有了自身 (ereignet sich)。我們通過現代的技術世界而經歷的存在與人的命運機制只是這個所謂"緣起的發生"(Ereignis) 的序幕。這個緣生卻並不必然保持在它的序幕中，因爲在此自身緣生中，這樣一個可能性出現了，即此緣起的發生將這種[技術]機制的統治轉化爲一種原發的緣起發生。一個在這樣的緣生中發生的對於這個機制的轉化 —— 它絶非單靠人的力量可以做成 —— 帶來的是一個此技術世界的緣生式的 (ereignishafte) 回復，即從它的統治地位轉回到在一個境域中的服務。通過這樣一個境域，人更真態地進入到此緣起發生中。

這條道路將我們引到哪裏來了呢？它將我們的思想引入了"緣起發生"這個詞刻意要表達的那種單純和質樸 (Einfache) 中。現在似乎出現了這樣的危險，即我們將我們的思想漫不經心地帶到了某種疏遠的普遍性中來了；但實際上"緣起發生"這個詞所直接表達的乃是所有近鄰中的最切近者，而我們也早已經居住在此鄰里之中了。還有什麼比這個自身身份的緣起發生離我們更近 (naeher) 的呢？它使我們逼近 (naehert) 我們所屬於者和我們歸屬的地方。

這個自身的緣起發生是這樣一個自身擺動着的域 (Bereich)。通過它，人和存在在其本性中相互達到對方，並通過脱開形而上學加給它們的那些特性而贏得它們的緣生本性。將此緣起發生思想爲自身的緣起意味着對於這個自身擺動的境域的構造進行建構。思想從語言得到去建構這種自身懸蕩着的構造的工具,因爲語言乃是最精巧的、但也是最易受感染的擺動。它將一切保持在這個自身緣起的懸蕩着的構造之中。就我們的本性是在這個懸蕩着的構造中所造成的而言,我們就居住在此自身緣起之中。

——馬丁·海德格(Martin Heidegger): *Identitaet und Differenz* (《同一與區別》),Pfullingen: Guenther Neske, 1957; 28—30頁。

2. 這三個演講意在使我們可能去經歷語言。第一個演講傾聽一個憑藉語詞的詩的經歷,並思索這個經歷。如此這般,這個演講將自己保持在與思想相互毗鄰之處。在那裏它驅動着自身舒卷開合(Er bewegt sich in ihr hin und her)。

第二個演講思索這種驅動(Bewegung)的道路或方式(Weg)。照現在的說法,知識的對象是屬於某個方法的,即將一切都按照科學技術的計算法而衡壓成形的方法。這種方法所跟隨的實際上是"道路"的最極端的蛻變和退化的形式。

與此相反,對於思想着的思想來說,此道路(Weg)應被視爲一種域(die Gegend)。打個比喻,作爲域化(das Gegnende)的這個域是一塊給予着自由的林中空地,在其中那被照亮者與那自身隱藏者一起達到此自由。這個給予自由並同時遮蔽的域的特點即是那個造路的驅動(Be-wegung)。在這一驅動中,那屬於此域的各種路出現了。

在一種到底的思想中,此道路乃是那達到我們自身[之路](was uns gelangen laesst,或那移動和發送我們的力量);正是在這個意義上,它是那夠得着我們的東西;在此道路中,我們被涉及或傳訊到庭(indem es uns belangt)。我們常將"belangen"[詞意爲"追究責任"、"起訴"、"與……有關"、"涉及"]這個詞只在其一般意義上理解,即去將某人交付審訊和盤問。但是,我們也能在一個更深刻的意義上來思考"Be-langen"這個詞,即將它理解爲"屬於"(be-langen)、"召集"(be-rufen)、"照看(保護)"(be-huten)和"保持(留下)"(be-halten)。這個"Be-langen"意味着:那伸出來達及(auslangend)我們本性者;它要求並因此而被移交給它所屬於之處。此道路即是那將我們移交給我們所屬之處,讓我們被牽涉到或被傳訊[的力量]。我們這樣來理解"Be-langen"似乎有任意曲解語言之嫌。如果我們將"Be-langen"的這個意思與人們對它的通常解釋比較,那麼我們的理解確是一種曲解。但是對於語言的深思熟慮的使用不能被一般俗常的解釋所左右,而必須被語言本身所蘊含着的豐富性引導,以便讓它將我們移送給(召喚到)語言的説(Sagen)之中。正因爲它是域,此域產生出道路。它驅動[我們]並造出道路(Sie beweegt)。我們在這樣一個意義上聽到"Be-weegung"這個詞:提供和建造最初的道路。此外,我們將"bewegen"理解爲:引起某種位置上的改變,引起增加或減少,引起一般性的改變。但是"Be-weegen"這個詞意味着:此域給出道路。根據施瓦本地區和阿雷曼族的方言的古老用法"Weegen"可以表示建造一條道路,比如通過深雪覆蓋的曠野而建造出一條道路。

具有"提供道路"這個意義的"Weegen"和"Be-weegen"這兩個詞,以及具有"使[我們]被移送、被牽涉進去"(Ge-langenlassen)這個意義的"Weg"(道路)這個詞與後面這幾個動詞一樣,都屬於發源地域和河流流域的類别;這幾個動詞是:"wiegen"(搖晃、掂量)、"wagen"(冒風險)、"wogen"(波動、鼓漲)。"道路"(Weg)很可能是一個語言中古老和原初的詞,它向深思着的人發話。在老子的詩的(創構的)思之中,主導的詞在原文裏是"Tao"(道)。它的"真正的"(eigentlich,原本的)含義就是"道路"(Weg)。但是,因爲人們將這道路輕率和浮淺地説成是連接兩個地點的路徑(Verbindungs—strecke),他們就倉促地認爲我們講的"道路"(Weg)不適合於"Tao"的含義。於是"Tao"就被翻譯爲"理性"、

"精神"、"理智"(Raison)、"意義"(Sinn)、或"邏各斯"。

可是此"Tao"能夠是那移動一切而成道 (allesbe-weegende) 之道路。在它那裏,我們才第一次能夠思索什麼是理性、精神、意義、邏各斯這些詞所真態地、即出自它們自身本性地要說出的東西。很可能,在"道路"、即"Tao"這個詞中隱藏着思想着的說(Sagen) 的全部秘密 (das Geheimnis aller Geheimnisse,玄之又玄者),如果我們讓這名稱回復到它未被說出 (Un-gespochenes, 未道) 的狀態,而且使此"讓…回返"本身可能的話。今天在方法的統治中存在的令人費解的力量可能也是和正是來自這樣一個事實,即這些方法,不管其如何有效,也只是一個隱蔽着的巨大湍流的分枝而已;此湍流驅動和造成一切 (alles be-weegenden),並作爲此湍急之道 (reissenden Weg) 爲一切開出它們的路徑。一切都是道(Weg,道路)。

—— 海德格:"Das Wesen der sprache"("語言的本質"),收於《在通向語言之路上》(*Unterwegs zur Sprache*),《全集》本第 12 卷,Frankfurt am Main: Vittorio Klostermann, 1985, 185－187 頁。單行本,196－198 頁。此文章來自海德格 1957 年 12 月和 1958 年 2 月在弗萊堡大學做的演講。

3. 我們冷靜地承認:思想的基本原則的源泉、確立這個原則的思想場所 (Ort)、這個場所和它的場所性的本質,所有這些對我們來講都還裹藏在黑暗 (Dunkel) 之中。這種黑暗或許在任何時代都參與到所有的思想中去。人無法擺脱掉它。相反人必須認識到這種黑暗的必然性而且努力去消除這樣一種偏見,即認爲這種黑暗的主宰應該被摧毀掉。其實這種黑暗不同於昏暗 (Finsternis)。昏暗是一種赤裸裸的和完全的光明 (Licht) 缺失。此黑暗卻是光明的隱藏之處(Geheimnis,隱秘),它保存住了這光明。光明就屬於這黑暗。因此,這種黑暗有它本身的純潔和清澈 (Lauterkeit)。真正知曉古老智慧的荷爾德林在他的詩"懷念"第三節中說道:"然而,它遞給我 / 一只散發着芬芳的酒杯,/ 裏邊盛滿了黑暗的光明。"

此光明不再是發散於一片赤裸裸的光亮中的光明 (das Lichte) 或澄明 (Lichtung):"比一千個太陽還亮"。困難的倒是去保持此黑暗的清澈;也就是説,去防止那不合宜的光亮的混入,並且去找到那只與此黑暗相匹配的光明。《老子》(28 章,V.v. 斯特勞斯譯)講:"那理解光明者將自己藏在他的黑暗之中"["知其白,守其黑"]。這句話向我們揭示了這樣一個人人都曉得、但鮮能真正理解的真理:有死之人的思想必須讓自身没入深深泉源的黑暗中,以便在白天能看到星星。更困難的是將這思想的清澈性作爲收攏來的光亮去保持。此光亮只願如此這般 (als solche) 地發光 (scheinen) 而已。那只願發光者卻並不閃耀 (leuchtet)。對於合乎思想規範的知識的嚴格表述也只願這樣發光或顯現,以使得這規範的內容和它的絶對有效性對於每一個人都是明白無誤的。

——M. 海德格:"Grundsaetze des Denkens"("思的基本原則"),發表於《心理學和心理療法年鑒》(*Jahrbuch Fuer Psychologie und Psychotherapie*),第 6 集,年度合訂本 1/3,慕尼黑: Kark Alber 出版社,1958 年;40－41 頁。

4. 這個演講[報告]的題目,"流傳的[傳統的]語言和技術的語言,"可能令人感到奇怪,爲了提示某種東西,這個題目應該這樣來稱呼這些在其中出現的名稱——"語言"、"技術"、"流傳"("傳統"),以便讓人感到它們需要一個充分的決定。在何處達到這種充分性呢?就在那樣一個地方,在其中我們通過對這些概念的深思熟慮而經歷到今天所存在着的、以及那牽涉、威脅和困擾我們的緣在 (Dasein) 的東西。這樣一種經歷是必要的。因爲如果我們對今天所存在者置若罔聞並僵板地受製於關於技術的語言的流行看法,我們就會從學校(它的任務和工作)那裏抽走適合於它的決定力量或將兩者割裂開來。

"學校"意味着從公立學校[八年制小學和中學]到大學的所

有教育事業。就其結構的落後而言，此種學校在當今也許是最僵化的，它的“(綜合性)大學”的名字只不過是一個被艱難維持的假名稱罷了。同樣，“職業學校”這個名字也陳腐了，落後於這類學校在這個工業化時代所從事的東西。令人懷疑的還有關於職業教育學校、普遍教育或一般意義上的教育的言論是否還符合這個被技術時代衝壓成的實際情況 (Sachverhafte)。人們可能會這樣反駁：名字所包含的東西取決於實情 (Sache)。說得不錯。但如果情況竟是這樣，即如果沒有與之相應的語言，對於我們就會沒有實情以及與實情的充分關聯；或者反過來，沒有這種正確的實情關聯，就沒有真正的語言，那又會怎麼樣呢？正是在我們所達到的無言說狀態面前，存在着這種實情關聯，如果這言說的意義將我們帶到了此語言的邊界的話。此邊界也還是語言的，並在自身中包含着詞和實情的關聯。

因此，“技術”、“語言”、“流傳”這些名稱所說的東西、我們如何傾聽它們、它們是否在其自身中告知我們今天正存在着的東西(即那會在明天與我們遭遇者並在昨天已向我們透露者)，就都不是無關痛癢的。所以，讓我們現在就做一次冒險的研究，以便喚醒我們的知覺。在什麼意義上這是一次冒險呢？就是在這樣一個意義上，即知覺意味着去喚醒無用 (Nutzlose) 的意義。在一個只有那些直接有用的東西才行得通並以需求和消費的增大爲目的的世界裏，對於無用者的提示馬上就會顯得大言無當。一位受人尊敬的美國社會學家大衛・瑞斯曼在他的著作《孤獨的大衆》[原注：D. Riesmann: *Die Einsame Masse*，《霍渥爾兹德語百科全書》，72/73 號，漢堡，1958 年，H.Schelsky 撰寫前言。參閱第 13 頁。]中斷言：爲了保證當代工業化社會的生存，必須優先考慮消費潛能，而不是原材料和生產潛力的獲得。然而這種[消費]需求是被那些所謂直接有用的東西所決定的。在這種有用者的統治地位面前，無用者還會有和能有什麼份量呢？但是，在它不讓自身被直接的實用性質所決定的意義上，無用就是物(Ding，又可譯爲“事態”、“事情”)的意義。因此,深思物的意義的理智儘管無法利用實踐的有用性,這物的意義卻仍然是最必要的。没有這個意義,可用者就會是無意義的,並因此毫無用處。在探討和回答這個問題之前,讓我們先來聽一聽一位古代中國的思想家、老子的學生莊子作品中的一段話:

(無用之樹)

惠子謂莊子曰:“吾有大樹。人謂之樗。其大本臃腫而不中繩墨,其小枝卷曲而不中規矩,立之途,匠者不顧。今子之言,大而無用,衆所同去也。”莊子曰:“子獨不見狸狌乎?卑身而伏,以候敖者;東西跳梁,不辟高下;中於機辟,死於網罟。今夫斄牛,其大若垂天之雲。此能爲大矣,而不能執鼠。今子有大樹,患其無用,何不樹之於無何有之鄉,廣莫之野,徬徨乎無爲其側,逍遥乎寢卧其下。不夭斤斧,物無害者;無所可用,安所困苦哉![譯者注:此段在“逍遥游第一”的末尾。]

在《南華真經》[即《莊子》]文本的另一處,還有兩段類似的、文字上有所變化的話。[譯者注:這應該是“人間世第四”後半中的“匠石之齊,至於曲轅,見櫟社樹。……‘……而以義譽之,不亦遠乎?’”和緊接着的“南伯子綦游乎商之丘,見大木焉有異,……‘……此乃神人之所以爲大祥也’”兩段話。這兩段話都是講“無用”之“大用”。在“山木第二十”的一開始也有一段關於“大木”的話,但那裏主要是講“處乎材與不材之間”和“與時俱化”的道理,並未特别强調“無所可用”的益處。]這些段落説出了這樣一個識度:人對於無用者無需擔憂。無用性的力量使他具有了不受侵犯和長存的能力。因此,以有用性的標準來衡量無用者是錯誤的。此無用者正是通過不讓自己依從於人[的標準]而獲得了它自身之大(Groesse)和決定性的力量。以這種方式,無用乃是物或事情的意義。

因此,當我們冒險去思考“技術”、“語言”、“流傳”這些詞所表達的實情和實際情況時,這樣的一種研究就並非要直接地導致一種在教學中引入實用性課程形態的思想。通過這種研究,一個視野(Gesichtskreis)倒是能夠在無用中向認知開啟,如果我們自己對之還没有注意到的話。這個[在無用中開啟的]視野或地平域,時時處處地決定着所有關於教學和實用的思考。

—— 海德格: *Ueberlieferte Sprache und Technische Sprache*,《流傳的語言和技術的語言》,*Erker, Herausgegeben von Hermann Heidegger*,1989年,第5-8頁。此小册子出自海德格於1960年7月18日在國家教師進修科學院爲職業學校的理科教師舉辦的培訓班上發表的演說手稿。

二、海德格關於東、西方思想關係的言論

1. 在1934年的夏季學期,我開了一個以“邏輯”爲題的系列講座。但事實上,這是一個對“邏各斯”的思考,通過它我試圖發現語言的本質。但是我又用了十年的時間才能夠說出我那時想的。實際上,直到今天,我仍然缺乏合適的語詞來說出我所想的。這也就是我無法肯定我對於語言本質的思索是否也切中東方語言的本質,是否最終 —— 這也是一個開端 —— 語言的本質能達到思想的經驗的原因。這個本質本應提供這樣一種保證,使歐洲和西方的說(Sprache,道出)與東方的說進入對話,以便在此對話中有某些東西從一個共同的本源中湧流出來、被歌唱出來。

——M. 海德格:“在一個日本人與一個研究者之間發生的關於語言的對話”,《在通向語言之路上》,英文版,紐約:Harper & Row, 1971年,第8頁。德文單行本93-94頁。此對話發生於1953-1954年中。

2. 對於我,與那些相對於我們來說是東方世界的思想家進行對話是一樁一再顯得急迫的事情。在這個事業中的最大的困難,就我所見,來自這樣一個事實:在歐洲或在美國,除了很少幾個

例外，幾乎就没有什麽［思想家能］通曉東方的語言。另一方面，將東方的語言翻譯爲英文，就如任何譯作一樣只是一種權宜之計。

——M. 海德格 1970 年寫給在夏威夷召開的"海德格與東方思想"的會議的信，見《東西方哲學》雜誌，20 卷，3 期，1970 年 7 月。

3. 今天，無論誰敢發問式地、有思想地、因而是積極卷入地對我們每個小時都在經歷的這個世界的震蕩之深刻性做出反應，都必須不僅注意到我們當今的世界已完全被要知曉現代科學的慾望所主宰；他還必須首先認識到，任何一個現實的思考要能有所作爲，都一定要通過與古希臘思想家們和他們使用的語言的對話而在我們歷史存在的基地上紮下根子。那樣一種對話至今還未開始，它差不多還没有被人們想到。可是，它卻是我們與東亞世界進行不可避免的對話的前提。

——M. 海德格："科學與沉思"，《關於技術的問題和其他文章》，英文版，W. Lovitt 譯，紐約和倫敦：Garland 出版社，1977 年，157－158 頁。此文章來自海德格 1954 年 8 月做的一次演講。

三、關於海德格與中國及東方思想的關聯的一些報道與事實

1. 1930 年海德格在居住於 Bremen 的 Kellnerp 家中舉辦了一個講座。當討論涉及"一個人是否能將自己放到另一個人的地位上去"時，遇到了困難。海德格當場向 Kellnerp 索取一本德文本的《莊子》，讀出其中第十七章"秋水"末尾的"莊子與惠施濠上觀魚"的故事。（參見 Otto Poeggeler："東西對話：海德格與老子"；《海德格與亞洲思想》，英文，G.Parkes 編輯，夏威夷大學出版社，1987 年，52 頁。）

此演講的一位參加者,H.W.Petzet 回憶到:“通過解釋這個故事,海德格出人意外地使他的令人費解的演講變得明白起來。對於那些仍不理解海德格關於真理本質的思想的人,思索這個故事就會知道海德格在這個問題上的觀點。(G. Parkes:“在道中思想:從老莊到《在與時》”,同上書,105 頁。)

2. 據一位日本學者 Nishitani 報導:在 1938 年時他曾給海德格看鈴木大拙所著《關於禪宗的論文》一書。後來,海德格邀請他去家裏談論這本書,並自己到大學圖書館借了僅有的一本關於禪宗的書。也覺得“很有趣”。(同上書,10 頁。)

3. 1946 年,海德格與中國學者蕭師毅合作將《老子》(《道德經》)譯爲德文。海德格學者 Poeggeler 說:“雖然這次對老子的翻譯沒有進行很久,它是一個要使西方思想的起源與偉大的東亞傳統中的一個起源相交遇的努力。這次經歷在一個關鍵的形勢中改變了海德格的語言並給予他的思想一個新的方向。”(Otto Peoggeler:“東西對話:海德格與老子”,同上書,52 頁。)

這次合作在完成了《老子》中有關“道”的八章翻譯後,由於蕭師毅的退出而於當年夏季中止。當蕭師毅於 60 年代再次與友人一起訪問海德格時,海德格又一次提及此事和蕭的退出。(見蕭師毅:“海德格與我們的《道德經》翻譯”,同上書,97 頁。)

4. Peoggeler 報導海德格在 1960 年於 Bremen 做的題爲“象與詞”的演講中,使用《莊子》“達生第十九”章中的“梓慶爲鐻”的故事來拒絕在美學討論中流行的質料與形式的二元區別。(同上書,55-56 頁。)

5. 海德格在 1966 年接受《明鏡》雜誌的訪問(此訪問記於海德格死後發表)時講:“我並不認爲在這個全球性的技術世界中的情況是不可改變和無法逃脫的命運。相反,我正是在這裏看到思想的任務。即思想在其限度之內幫助本來意義上的人取得一個與技術本質的滿意的關係。……

記者問:美國人今天具有這種關係沒有?

海德格：他們也不具有。在實用主義的指導下，他們仍然陷於有關如何對發展技術的操作和控制的思想中。這樣一來，他們就堵死了思考現代技術的真正本質的道路。當然，在這同時，在美國也有一些人從實用主義和實證主義的思想中解脱出來。我們中間又有誰能斷言，是否有一天在俄國和中國，那非常古老的思想傳統將復興，並因而有助於使人與技術世界具有一種自由的關係？

……

海德格："……我相信只有在現代技術世界發源之處，我們才能爲技術世界的轉向做準備。換句話説，這種轉向不能通過采取禪佛教或其他東方世界的經驗而發生。爲了這種思想的轉向，我們需要歐洲傳統的幫助和對於這個傳統的新的理解。思想的轉變只能通過同源同種的思想。"

（"'只有一個神能救我們'：《明鏡》訪問記（1966 年）"，W.J. Richardson 英譯；載於《作爲一個人和一個思想家的海德格》，T. Sheehan 編輯，芝加哥：先例出版社，1981 年，61－62 頁。）

6. 海德格的書房中掛着兩張條幅，上面是蕭師毅爲他書寫的《老子》十五章中的兩句話："孰能濁以止，静之徐清？孰能安以久，動之徐生？"蕭師毅並在中間加一横批："天道"。（《海德格與亞洲思想》，100 頁。）

海德格在他 1947 年 10 月 9 日給蕭師毅的短信中用德文講出他對這兩句話和横批的理解。他寫道："誰能寧静下來並通過和出自這寧静將某些東西移動給道，以使它放出光明？誰能通過成就寧静而使某些東西進入在？天道。"（同上書，102－103 頁。）

道、佛關於經驗的形而上學及其挑戰

［美］Kenneth Inada（稻田龜男）

内容提要 道、佛兩家關於經驗實在的深層形而上學的學説在很大程度上塑造了亞洲心靈。這種學説在刻劃西方形而上學基礎的"存在"之外，又敏鋭地感到"非存在"(或"無")對於我們經驗的更關鍵的貢獻。可以説，東方主要是通過非存在來理解經驗或生成的本性。這是一條追索我們經驗根源的不常見的道路，在道家的"明"和佛家的"涅槃"("無執"或"般若智")中達到了非俗常的真理，即"在非存在之中的存在"這個東方的動源(Oriental dynamics)。實際上，生成就是由對稱成分與非對稱成分構成的，後者即非存在(無)的根源。這兩者的生死攸關的相交合成就了我們對事物的知覺經驗(包括美學經驗)。這是一個在對稱與非對稱構成的動源中打開着的和運作着的本體論。

我想以一則關於橋的軼事來開始這篇論文。這座橋位於英國劍橋大學的女王學院，木製拱形，用螺栓結合在一起，横跨那條穿過女王學院校園的劍河 (Cams River)。當聽到導游開始講述這座橋的來歷時，我立刻於其中感受到了某種具有諷刺意味的東西。即：一方面，這座橋代表了中英這兩個分屬東西方的國家之間的友好關係；另一方面，恰恰在這件事上反映出來了不同文化之間的交往和理解是何等地困難。

故事是這樣的：十九世紀七十年代，爲了表示友好，清朝政府派出了一隊工程師和木匠,前往劍橋大學修建一座拱型木橋。這座橋在較短的時間內就被造好,並吸引了來自全英國的訪問者。原因在於它的新奇的結構:這是一座不用釘子、螺母和螺栓,完全榫合的木頭橋!

對這件事最好奇的人是劍橋大學的一批科學家。他們非常仔細地研究這座橋的結構,分析每一塊榫接件的應力,但還是無法了解它的支撑力的基礎和部件的結合方式。過了一段時間,有人想出了一個好主意:干脆把這座橋一塊塊地拆開,在此過程中將每一部件拍下照片並詳加分析。因此,這些科學家向有關當局提出了拆橋的申請,理由只是爲了通過研究它推動科學技術的進步。這個申請得到了批准。

這批科學家以極大的興趣和百分之百的信心來投入這項工作,堅信這個所謂"榫接木橋的秘密"將很快地被公布於世。拆橋的工程進展得非常平穩有序;每一塊部件都被照相、編號並詳細地記下有關的一切信息。整個工作都是以最小心和最精細的方式完成的。

現在終於到了該重新組裝這座橋的時候了。可是,當這些科學家開始組裝較大的部件時,他們陷入了完全的困境。這些部件無法憑藉自身而相互支撑起來,尤其是當有重量壓在上面時就更是這樣。他們從不同的角度、用不同的方法嘗試了無數次,但毫無結果。要重新組裝這座跨度大約爲50英尺的橋的努力就這樣以失敗而告終。科學家們也只得承認這個對他們而言是災難性的事實。在一籌莫展的情況下,他們最終決定還是用螺母和螺栓這些屬於科學時代的東西把所有部件組合起來。這就是關於女王學院的橋的故事。它今天還站在那裏,很不自然地綳緊着自己,將學生們載過劍河的狹窄拐彎處。令人深思的是,曾產生過像牛頓和羅素這樣光輝人物的劍橋大學的智力居然無法解開這個特殊的中國之謎。

但是這個故事並沒有就此結束,因爲它已成爲東西方進一步對話的尖銳生動的象征,它的含義是豐富的。

首先,爲什麼劍橋的科學家們不去請教原來的中國建橋者們呢? 那本是最容易的一個解決辦法,是傲慢、固執、恥辱感,還是無知妨礙了這種調查? 很明顯,這些科學家没有超出技術的範圍去進行這項研究。他們本應知道生命不僅限於科學和科學方法的本質。一旦失敗,他們就乾脆關上了那扇本來會讓他們窺測到傑出的中國文化傳統的門。我們是一些並不直接涉足硬性科學領域的人。但是,也許在這件事上我們可以扮演一個比通常所認爲的更重要的角色。說得更具體一點,這個問題的解決要求一種素樸的基於徹底的自然主義的生命哲學。這裏,最重要和最有影響力的中國思想的流派當然是道家。它的一些基本思路是: 無、虛、化、反、無爲、陰陽(相關的動源)、素樸以及道(自然之路)。

劍橋的科學家們所忽視的乃是道的地位和功能。這道通過它的動源 (dynamics) 而表露於天、地、人的和諧的三相關係之中。這個動源實際上就是"非存在之中的存在"(無中之有)的獨特功能。我將這種功能稱爲"東方的動源"("Oriental dynamics")。東方動源的新異性在於它並不否定也不限制任何東西,而是讓所有的存在者在一個綜合的構架中進入它們的角色。正如已故的方東美表達中國的生命方式時所說的,它代表了一種"廣大的和諧"。

我們如何理解和實現廣大的和諧呢? 這是一個關鍵的挑戰。爲了正面回答這個挑戰,我們必須首先重新安排形而上學的優先性;因爲到今天爲止我們在形而上學優先性這個問題上不是太清楚了,就是太含糊了。說它太清楚了,是因爲我們接受事物時不去追問其認識論的基礎,盲目地采用對待事物的經驗的和理智的方法論。依靠這些方法,我們已經積纍了極多的信息;但卻不去追求這些常規知識的身份,也不去檢討獲得這些知識的方式。這些反過來加強了我們對於自己日常認識論態度的過分自信和缺乏根據的優越感。說我們對於形而上學的優先性的考慮是太含糊了,是因爲我們已被那些看得見、摸得着和可操縱的因素淹没了,以至我們對於知覺的來源和方法的感受變得遲鈍,並偏斜得不準確和不充分了。我們必須改變這個局面。因此,本文將致力於提出與此形勢有關的問題,並通過理解佛家、道家關於經驗的形而上學的動源而做出自己的貢獻。

存在 (being) 和生成 (become) 的概念是我們知覺和理解的基礎。它們是我們的知覺模式在其中形成的形而上學的支柱概念。值得我們關注的是,許多人没有認識到,這兩個概念所表達的意思並没有耗盡那制約着我們的認識論範疇。妨礙我們脱開這個受局限的形而上學方向的最基本原因之一可以回溯到古希臘的哲學傳統。在此傳統中,柏拉圖頗有根據地主張事物的絶對本源,即存在的本源高於生成。他的論據是令人信服的,因爲每個人都被事物的守常性 (permanence) 而非無常性 (impermanence)、絶對主義而非相對主義所吸引或震攝住。所以,從一開始,一種基於存在概念的形而上學就成爲一切經驗論的、理性的和邏輯理智的原則。同時,生成和變異的概念因其緣生的和相對的本質而被降到第二等的位置上。結果就是存在與生成的分裂。説得更準確一些就是存在對生成的壓制。這種壓制在西方傳統中早早地出現,並一直不被嚴肅置疑地延續到今天。沿着這樣一條道路,思想家們毫無顧忌地只關注那些守常的和不變動的實體;通過它們,經驗論的和理智的知覺模式能夠有效地運作。成果是巨大的,特别是在科學和有關的領域中。

令人感興趣的是這樣一個事實,我們從總體説來仍然在柏拉圖式地思想和行動,因爲柏拉圖的形而上學與科學的方法論更相合。但是,時代在前進。我們已經在過去的幾個世紀中目睹了各個方面的長足進步。近代思想開始於托勒密的天文學向哥白尼天文學理論的轉變。它對於整個科學來説是一次巨大的突破,因爲它引發了新的識度和發現。於是就出現了牛頓的物理學,從它又開啓出了更多的門徑。在本世紀,另一個極重要的發展通過愛因斯坦的物理學而實現。從牛頓物理學到愛因斯坦物理學的轉換不僅是值得注意的,而且是戲劇性的,因爲它引發了我們知覺方向的真實轉變,即從存在的本質轉到生成,或從絶對主義到相對論。

在許多方面,佛家和道家在多少個世紀之前就發現了一個類似於愛因斯坦的領域,並且進而將這個生成的領域整合入日常經驗之中。關於生成的基本原則和學説在印度和中國文明中幾乎是同時地被孕育了出來。儘管在最近的幾個世紀之中,這兩個文明在科學技術方面變得落後於西方,但它們的文化成就及其對於人類的影響是無可估量的。什麽是那個新出現的關於知覺的特殊模式的形而上學根基呢?要回答這個問題,我們必須回溯到佛家與道家的基本思想中去。這兩個思想系統通過它們關於經驗實在的形而上學基礎的學説在很大程度上塑造了亞洲心靈。由於這兩者都關注那具有相似的經驗基礎的功能,我將它們放在了一起,稱爲"道佛(或佛道)形而上學";儘管我也認識到不應在更嚴格的意義上將這兩者等同。

首先,我們必須認識到亞洲形而上學並不限於存在與生成的概念;它還涉及第三個重要因子 —— 非存在或無 (nonbeing)。對於不明就理的人,非存在的概念不是被完全忽視,就是得不到嚴肅的對待。然而,在亞洲思想那裏,它卻是一個關於存在的中心概念和所有經驗的真實基礎。正如前面説到的,這些亞洲人是愛因斯坦主義者,因爲他們認爲生成是經驗的最基本和最原初的本質。經驗是作爲一個生成的而非静態的片斷組成的。而且,一旦對於它作出任何實體性的解釋,這經驗就會被降爲二流的角色,從根本上變得膚淺和抽象。所以,如果將生成作爲經驗的基礎,存在與非存在(有或無)就成爲這個生成功能的兩個主題。西方通過存在的本質來闡述和看待生成;與此同時,東方則是通過非存在的本質來理解生成的本性。因此,這非存在就成爲東方人討論存在問題的焦點。這個區别確實是巨大的,但它的後果在今天的西方還沒有被充分地理解和評價。我們必須采取一個大膽的步驟,去徹底地解釋我們知覺的機制以及由此而來的對事物的理解。

生成的本性在佛家中被表達爲"無常"(anitya)或"瞬時性"(ksanikatva);在道家中則由"易"或"化"來表示。在中國,《易經》最有力地塑造了中國人的心靈。就是孔夫子在發展他的思想、比如講行爲的"時中"時也没有偏離此變易的概念。道家的思想家們則從一開始就極爲關注這個概念,並用陰陽共構的動源來刻劃道的微妙運作。

我們的日常經驗具有比我們的感官加上心智所能提供的更豐富和更深入得多的內容。我們傾向於不加考察地就認定知覺和知覺的內容是總是按一定的次序發生,具有相宜的功能,並因此在日常生活中總是可依靠的。①但這一切僅是知覺的表面。我們需要更深入地探測衆知覺本身的構成,以便理解它們所具有的徹底的整體論的(holistic)本性。如果只被"冰山的尖頂"所吸引,就會搪塞掉經驗的更廣更深的本質。

由東方人提示出來的所謂"深層形而上學"(depth metaphysics)揭示了經驗實在的一個既微妙又新奇的新的維度。如上所說,經驗的本性是非存在或無。但是,在西方此非存在總是被作爲存在概念的對立面而使用;前者(非存在)具有否定含義,而後者則具有肯定意義。如果這就是非存在的全部含義的話,那麼我們就是很不幸也很盲目地落入了二元分叉(dichotomy)思路的圈套。實際上,西方對非存在的理解没有達到佛道兩家關於經驗實在的微妙維度的思想。說得更具體一些,佛家對於這種經

① 一般說來,我們仍然固守英國經驗論的傳統。按照它,知覺通過主客關係而開始和結束。由於依重存在(being)而非生成,我們仍舊不去嚴肅地追究此主客體的存在論的或本體論的本質。兩千五百年前,釋迦牟尼就反對這種經驗主義,因爲從他的萬物無常的觀點看來,主客體也都不是持恆不變的。這促使他闡述了著名的無我學說(anātman)。如果深究的話,佛的這一思想是相當有道理的,並被當代科學或愛因斯坦的物理學所支持。

驗實在的觀念在梵文中表達爲"sūnyatā",被譯爲英文的"空"(emptiness)、"無"、"空虛"(voidness),等等。道家的説法則是"無",被譯爲英文中的"無"(nothingness)、"虛空"(vacuity)、"非實體"(nonentity),等等。當然,無與空 (sūnyatā) 並不完全相同;但是它們在實現和成就經驗實在的整體論的無執本性方面扮演着很近似的角色。在這方面,它們都否認存在概念的優先地位。但是,它們又穿透和吸收了存在的領域。這樣一個在無或空的境域中的存在的內動源永遠是所有經驗的出發點和結尾。由於佛教的長期影響,中國人能夠理解"空"的含義並將它與道家的"無"結合起來。因此,無與空在很多情況下成爲可互換的概念;儘管中國人更喜歡用"無"來表達真切的整體論的經驗。在下面的討論中我將使用現在流行的詞: "非存在"(nonbeing);但是是在佛家和道家關於經驗的形而上學的特殊意義上使用這個詞。

我用一個簡略的圖象(見"圖 1")來展示我們經驗事物的兩條路徑,即常見的 (commen) 和不常見的 (uncommen) 道路。這兩條道路都起於"生成"的本性或經驗的所在地,但一邊是按照存在的本性來構造安排一切,另一邊卻是通過非存在的本性來開端和結束。它們的含義很多。一邊是靠事物的有限性滋生,另一邊卻是靠事物的非有限性繁榮。兩邊都要顯現,但卻依靠不同的方式。一邊由於只注意事物的有限方面沉溺於對知覺材料的分析,另一邊則探索這些材料的基礎,以便顯現它們存在的更充分的本質。換句話説,常見的道路是通過經驗論和理智的能力去理解和解釋這些被顯現的材料,而基於非存在的不常見的道路則將這"顯現"視爲指向真理的俗常的(相對的)和非俗常的(非相對的或絕對的)領域。俗常真理的領域很自然地是由日常的經驗論的和理智的分析所闡述的,但真理的非俗常領域卻不屈從於任何分析,因爲没有任何可把捉的材料可以獨立於經驗的本性。而且,這非俗常的領域乃是最高形式的知識的基礎。在道家中,這種知識就是"不知之知"或"明"。在佛家中,它是無執、無別 (prajnā,

或譯爲"般若智")、或"涅槃"(nirvāna)。這確實是些奇特的說法，但卻表達了先於任何形式的二元分叉的知識的本性。①

圖 1:

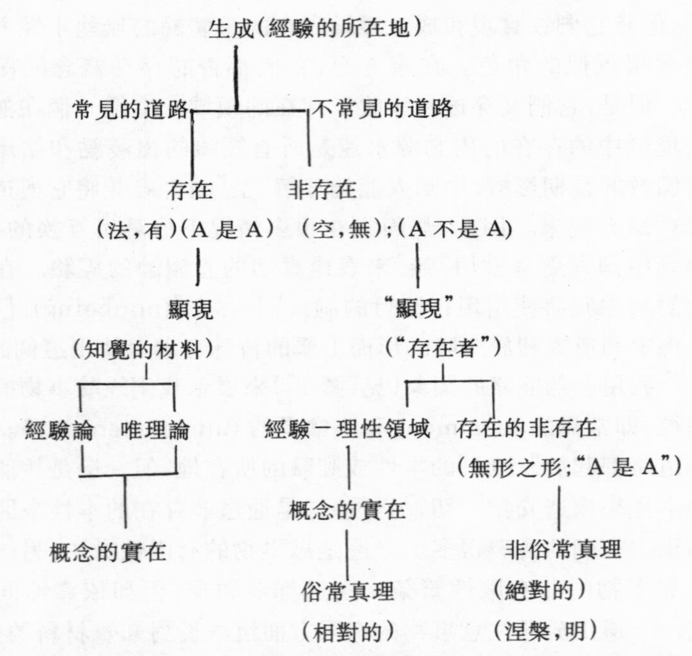

應該注意到,通過了經驗論的和理智的分析對常見道路的任何説明和加工都不能使它與不常見道路相匹配 (commensurability)。之所以是這樣,有許多理由。其中最基本的就是本質上有限的存在概念無法合併和包含非存在的領域。然而,相反的作法卻完全可能;即非存在從本質上能夠包含存在的領域,因爲前者具有更廣更深的開放特性。實際上,將存在收容到非存在之

① 應該注意的是,存在與生成並不相互反對和矛盾。它們並不在存在與不存在(並非"非存在")那樣的意義上構成了一個二元叉分。從經驗上講,是生成而非存在揭示了這個動態本源。在這方面,生成是一切事物,包括存在的任何特性和方面所從出的形而上學基礎。

中乃是“深層形而上學”的主要任務。這是表達事物現象中的真理的另一種方式。在這種現象中,存在物被安頓在非存在的本性之中。因此,雖然表面上顯得詭譎,可匹配性是一個基於非存在而不是存在的概念。所以,除非非存在的形而上學的姿態成爲所有經驗的中心,對於經驗的一切説明就只能是無結果的、狹隘的、受限制的和無根的。

讓我們回到圖1。存在與非存在的區别,以及它們動源本性能夠通過對所謂“禪宗的邏輯”的典範運用而得到説明。[1]A是A是我們理智正常運作的方式。但是禪宗大師馬上會指出這是基於存在概念的日常思維。[2]他要求我們超過這種思維,因爲思想的真性要比在日常思維中被清楚定義的有限結果更爲廣闊;也就是説,覆蓋更多的“基地”。因此,他引入了似乎是荒謬的陳述:“A不是A”。之所以這樣做,只是爲了顯明這樣一個事實,即A是A應該在非存在的更大和更深的上下文(context)中被觀看和知覺。换句話講,只當A的存在性從它的非存在性方面被觀察到的時候,A是A才具有意義。這也就是説,對於A的獨立身份的否定會立即打開比“A”(或一個)維度更多的存在維度。[譯注1]用圖象化的語言來説,“A”被視爲一個凸出的字母,被遮暗了以便強調它的形象;但同時又完全知道它的被遮暗了的部分乃是經驗實

① 就我所知,鈴木大拙(D.T.Suzuki)第一個使用西方三段論式來闡述中國禪宗大師們所使用的所謂“禪宗的邏輯”。這就是:A是A,A不是A,所以A還是A。在本文的討論中,我使用引號,比如“A不是A”和“A是A”來表示基於非存在的一種更深的本質和意義。

② 日常思維在亞里士多德的邏輯三規律上運作。這三規律是:同一律,矛盾律,和排中律。這些在東方的思維方式中也是自明的“真理”。但是,通過基於非存在的經驗本質,存在或實體的邏輯擴展到非存在邏輯,或被這非存在的邏輯置換掉。此非存在的邏輯承擔那似乎是矛盾的或反邏輯的東西,即“A不是A”。這種非存在的邏輯也可被稱爲統一的邏輯。

[譯注1]這句話的原文是:“The negation or denial of its independent status would immediately open up the more-than-A-dimension of existence”。這裏Inada教授故意在雙重意義上使用大寫的“A”。它既指稱上面講到的A是A中的“A”,又代表量詞“一個”。所以,對於A的獨存身份的否定既意味着打開比A維度(即存在性維度)更多的維度,又意味着打開比日常知覺到的那一個維度更多的存在(existence)維度。

在的基礎。的確,這遮暗了的部分也是此經驗實在的一部分。

值得注意的是：不平常的道路最終以非俗常的真理結束;這種真理被表達爲某些似非而是的矛盾語,例如：存在的非存在,或無形式的形式。在禪宗大師的語言中,這種真理被表達爲與簡單的 A 是 A 相對的加引號的"A 是 A"。這個"A 是 A"是通過事物的非存在,空或無的那一面被理解的。對於大多數人來講,這是一種令人困惑的知識,因爲我們的習慣與知覺深植於經驗論的和理智的,或兩者兼有的嚴格框架之中。在這種情況下,知識只能被限制於對表面材料的概念化之中,也就是概念的實在之中。確實,在絶大多數情況下,我們滿足於概念的過程,毫不關心如何深化我們的知覺習慣。

我們基於概念實在的平常理解在俗常性和相對性中得到加強。[①]圖 1 中的常見路線表明,我們無批判地就接受了經驗論的和唯理論的實在觀和真理觀。從這裏出發,我們偏离到進一步分化了的真理形式,比如一致性 (coherence) 意義上的真理,符合性 (correspondence) 意義上的真理,實用主義的真理,或它們的結合形式。這些真理形式很有吸引力。但也就是在這一點上,東方人會停下來,警惕地反對輕易地接受没有經過考察的事物的真實基礎,或没有知覺到所有實體所源出的整體論 (holistic) 域而得到的真理。我們通常總是依附於事物的相對本質,仿佛它們整體論的(絶對的)本性完全不存在似的。這就如同老話所説的：只見樹而不見林。但是,就在這一點上,關於知覺過程的整體性問題出現了。整體如何能與部分共存呢？或者,部份如何能夠在保持住完整性的情況下仍然從事於知覺過程？簡言之,什麽是絶對和相對的身份？

---

① 在大乘佛教中,特别是中觀思想裏,龍樹(大約公元 150－250 年)清楚地表述了真理的兩重本質,即俗常的或相對的真理 (samvrti-sat) 和非俗常或絶對的真理 (paramārthasat),以便展示知覺運作其中的綜合方式。(《中論》,24 章,8 節)。早期佛教也贊同一種知識的雙重本質的學説。即(a)按照俗常或日常知覺的知識;和(b)透入事物本性的真知。(W. 羅胡拉：《佛教導的是什麽》,44 頁,紐約：叢林出版社,1974。)

這些問題使我們面對如何看待認識論和形而上學(本體論)的功能的問題。實際上,它們的功能緊密相關。比如,每個認識論的功能都是涉及一個形而上學實體的例證,而每一個形而上學實體也只是涉及某個認識論功能的結果。兩者在相互穿透的意義上①而動態地和發生性地關聯起來。但是,我們卻傾向於將兩者分割爲清楚分明的學科,並不意識到它們從根本上構成着一個經驗的統一體。笛卡爾的沉思在這裏就可以被解釋爲通過犧牲經驗的根本統一性而去精致化事物的認識論和形而上學的本質。從"我思"所推導出來的實際上不是笛卡爾所説的"故我在";這個命題應該倒過來,讀爲"我在,故我思"(I exist, therefore I think)。换句話説,存在的基礎 (existential grounds) [譯注 2]總是大於和先於思想的基礎。能被思想的當然能夠被思想;但是不能被思想的卻不一定不能存在 (exist)。雖然這在表面上似乎有些不通,但實際上那不能被[概念性地]思想者確能成爲那能被思想者的基礎。這類推理或境況在俗常邏輯中一直没有找到實行的機會。可是,在東方的思想方式中,人們從來就認爲那不能被思想的(比如那對於非存在本性的關注)總是在與表現出來的實體打交道的過程中得到了實行和貫徹。在這個意義上,任何認識論的功能當下就卷入了經驗的完整形而上學的[本體論的]基礎。换句話,對於東方人來講,認知的本質永遠預設和隱含了非存在的本質。以這種方式,存在與非存在所構成的動源得到了理解。但不幸的是,我們不意識到這個動源的存在,也不知如何去實現它。東方人天生就對此存在與非存在共同構成的動源十分

① 相互穿透並不意味着兩個分開的實體,比如 X 和 Y,簡單地相互穿透以形成一統一體;而是意味着它們憑借事物中已經存在的統一性而相互卷入。這就是方東美的多方面和諧的唯一性哲學基礎。請看他的《中國人的生命觀》一書(香港: 聯合出版社,1956 年)。這也與我已經説到的統一的邏輯或非存在的邏輯相一致。

[譯注 2]本文中"being"(相對於"nonbeing"或"非存在")和"existence"的意義很不同,前者代表西方傳統哲學理解經驗本性(生成)的路子,後者則是作爲一個整體的經驗的基礎。但是,這兩個詞在中文中都譯作了"存在"。爲了不引起誤解,在後一個詞出現的地方基本上都給出了英文。

敏感,儘管在日常生活中,他或她並不這麼直接地指稱它,也不是通過清楚定義了的詞語去談它。從根本上來説,它就無法被描述,因爲經驗的統一抵制了邏輯的分析和精確性。爲了進一步闡明這一點,我們還是返回到圖 1。

佛家與道家分别稱存在 (being) 爲"法"(dharma) 和"有"。"法"在英文中曾被譯爲"存在 (existence 或 being) 的元素"、"經驗的因子"、"現象"、"知覺的材料"和"知覺的實在"。它在佛教中具有一種特殊的含義,與在印度教和耆那教中的標準用法不同。在後兩者中,法意味着一種行爲的準則或附屬於最高秩序的倫理行爲的價值。佛教當然並没有丢棄這個詞中的"行爲準則"的意義,但也同時在"存在 (existence) 的真性"的意義上來使用它。在這後一種情況下,這個詞的第一個字母是被大寫的。這個大寫了的"法"構成了佛家三寶(佛、法、僧)之一。只是在佛教中,這同一個詞被用於描寫兩種極爲不同的現象。它代表了佛家思想的獨特之處,也是其特殊的貢獻。當我們回想到存在與非存在共構的動源時,這一思想特點就很好地得到了理解。在那裏,法在其最終的意義上隱藏到了開悟存在 (enlightened existence) 的整體本質中。因此,早期佛教的阿毗達磨 (Abhidharma) 衆流派發展出了一種由小(寫的)法和大(寫的)法 (dharma-Dharma) 共同構成的功能結構。這些流派提出了 75 至 100 種法。這裏没有時間詳究它們。所應説的只是,這樣一個結構在"被創造,被操縱的"(samskrta) 法與"不被創造和不被操縱的"(asamskrta) 法之間做了範疇性的區分。後者是達到存在 (existence) 的開悟境地的道路,因爲它與非存在或空的本性相關。因此,在"存在與非存在"、"小法和大法"這兩種關於動源的表達式之間,我們可以清楚地看出一種平行關係。①

① 這再次表明此動源在生成中涉及到兩個方面,以便保持住相互穿透性、整體論與和諧。以這種方式,此被創造的與不被創造的方面並不衝突,而是透入和樹立起事物的生成性。它還意味着日常知覺能夠具有開放、更廣闊和更深刻的視野。

從許多方面看,阿毗達磨的思想家們是首批通過精致的心理和物理結構來分析我們經驗的多重因子和方面的人。而且,在這樣做時,他們也没有失去這樣一個識度,即這些因子或方面都屬於存在 (existence) 的完全整體論的本質,並在此本質中相互作用。整個大乘佛教並没有明顯地偏離這樣一個由小法和大法構成的動源。如果有什麼事情發生了的話,那就是大乘很好地運用了這樣一個動源。這一點可以在般若波羅密、中觀和唯識的發展中看到。華嚴的思想則是另一個例證,表明這個動源如何以相互認同和相互穿透的方式而起作用。其後佛教在西藏、中國內地、朝鮮和日本的發展都運作於這個動源之中,儘管各自在相應的文化背影中進行了不同的調整和定形。在當今的世界中,佛教以不同的形式而存在。我相信這一現象證明了它的富於彈性,流動和連續性的特點。

在一個相似的意義上或思想脈絡中,我發現涉及有(存在)和無(非存在)的道家的動源,它揭示出道家體驗的唯一性。例如,作爲道家思想提要的《道德經》第一章這麼講:[①]"無名,天地之始;有名,萬物之母。故常無,欲以觀其妙;常有,欲以觀其徼。此兩者同出而異名。"這兩者 —— 存在與非存在 —— 內在地相互交織;一邊是可見的(徼),一邊則是不可見的("妙")。儘管是通過不同的方式,兩者卻是一起構成了經驗實在的全域。然而我們的二元分叉的傾向卻很快地將此實在分割爲清楚定義的範疇概念,並且通過我們對事物的日常知覺而維持住這些概念。老子和莊子一致強調變化("易"或"化"),認爲它比獨自的存在或非存在都更基本。例如,《莊子》中著名的夢蝶故事這樣結束:"周與胡

① 陳文燦(音譯,Wing-tsit Chan):《中國哲學原著選》,第 139 頁,普林斯頓大學出版社,1963 年。這"有"和"無"構成的動源令人自然想起更被人熟悉的陰陽構成的動源。然而,這兩個動源儘管不盡相同,卻以相似的方式運作於事物的生成性之中。

蝶,則必有分矣,此之謂物化。”①即便在夢的微妙領域,涉及存在與非存在的變化動源也在運作。道家就這樣激發我們去開拓動源本身的更深本性。

所以,現在到了進一步探測東方的深層形而上學的時候了。我們必須有充分的徹底性,以便能夠思索生成的本質;這生成本來是先於常見道路與非常見道路的分裂的。從許多方面看來,我們傾向於相信這種分裂是自然而然地出現的。可是,對此一定要持批判性的態度,超過表面的現象。簡言之,生成或即時性(momentariness)必須在其初始本性中被更確切地認識,以便更多地了解經驗的深層機制。

所以,我們在這裏提出生成本身具有的某些特性或維度來。在缺少更合適的詞匯的情況下,我們指稱這些特性或維度爲“對稱的 (symmetric) 成分”和“非對稱的 (asymmetric) 成分”。它們是生成的動態方面,並構成了存在域與非存在域的初始基礎。圖 2 標明這兩個成份的所在之處。

圖 2:

生成

對稱成分　　　　非對稱成分

（秩序,時間,空間,量化
關閉,有限,特殊化,等等。）

（非秩序,非時間,非空間,非量化,
整體論,開放,無限,等等。）

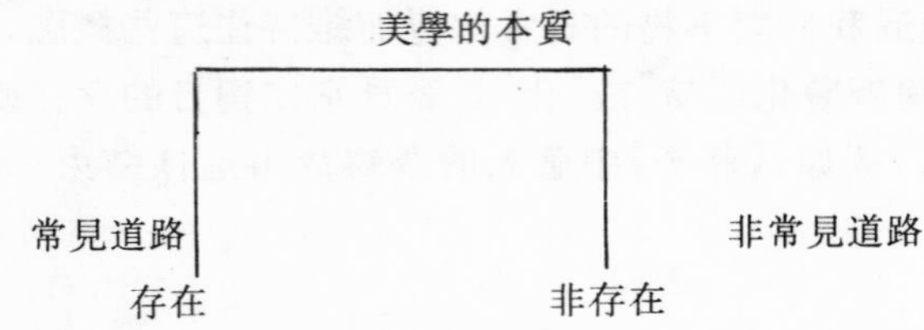

① 同上書,190 頁。莊子同老子一樣熱衷於在宏觀和微觀層次上的變化動源。此變化就如驟馬奔馳一般地飄逸。然而,在最終的意義上,所有變化的事物在道的大化裏都是平等的,正如“周與蝴蝶”的區別在事物的生成中被化去一樣。因此我將莊子所說的解釋爲指向一個更深的和整體論的生成本質。

注解：美學的本質是生成本身包含的對稱與非對稱成分的平衡。然而，由於某些還不清楚的原因，在這個過程中二元化的傾向卻統治了我們的日常經驗，並偏離到對稱成分的那個方向上去。

實際上，這兩種成分刻劃了生成的動源，並因而被圖象化爲圓圈狀的；這些圓圈的交疊則表現出此動態現象的流動性。佛家中，這種生成特性就體現在"緣起"(pratitya-samutpada)和生命輪回的學說之中。道家則認爲它是在陰陽動源裏的道的流動。而且，引入對稱的和非對稱的因子應該能使我們更清晰地看到日常經驗的流動性。所以，讓我們在這方面做更多一些的探討。

這對稱成分即我們一般認爲的知覺的日常本質。它是有尺度的、有空間的、有時態的、可量化的、有序的、有限的和服從因果律的。它代表了所有那些與經常發生的對事物的主客型知覺有關的東西，完全集中於經驗論和理智構造之中。很明顯，它有其局限；因爲與這種知覺有關的只是那些由感官和理智的功能所造成的東西。當然，這在日常存在中是被廣泛接受的和合乎習慣的方式。但是，它在我們的分析中是根本不充分和不確切的。

爲了了解知覺的完全和飽滿的狀態，我們需要知道在知覺中的另一個維度。由於只關注經驗論和唯理論視野中可把捉的東西，不少偉大的心靈都不意識到這一維度。這一新異的維度即由知覺中的非對稱的成分所構成。當然，這是一種看不見的成分，但它的在場能夠由看的方式或日常知覺的因素推想出來。如果我們要刻劃它，就要通過這樣一些詞：非尺度的、非空間的、非時態的、不可估量的、不可排列的、無限的、開放的和非因果的。

具有諷刺意味的是，日常知覺之所以是日常知覺，即是因爲這個非對稱的本性。說得更清楚一點就是，此非對稱成分以兩種方式補足了對稱成分：(1) 它爲日常知覺提供了連續性；不然的話，每個知覺就會是一個分開的行爲；(2) 它給日常知覺提供了實質性；不然的話，每個知覺就會是沒有"是其所是"的基礎的空疏行爲。所以，在這兩種說法中，此非對稱本性都與對稱成分生死攸關地相交合，並因而成就了對事物的知覺。從對稱的這一面看，我們可以說它在動態循環的業力流動 (karmic flow)①中供養了非對稱的因子。總之，這兩種成分或因子是相互穿透和交纏着的。而且，我們總須記住，每一個生成都具有一個不能被剖分開的內在反身本性。這個對稱與非對稱的關係突出了這樣一個事實，即微小的瞬間亦超出了經驗論所能展現的。

關於這種內在的關聯，我們還可以這樣講，即此對稱成分與非對稱成分的關係類似於拍岸水浪的本質和內容。這既指其可見的方面，又指其不可見的方面。一般說來，可見的方面指對稱的成分，而不可見的方面則指非對稱的成分。不過這樣一種指稱並非嚴格意義上的。此外，還是在一般的意義上，對稱者指謂運動的、可觸的和可操縱的那一面。因此我們所熟悉的所有經驗論的和理智的成分都屬於這個方面。而且，此對稱性如果被認作是知覺的全部，我們的理解就一定是部分的和受到極大局限的。要克服這種局限，就必須前去分析非對稱因子的作用。

如果將日常經驗中的對稱因子比作拍岸浪的前衝的話，那麼其中的非對稱因子則是此浪濤的反衝；只是切須記住，此衝力的本性是一種無二元分叉和不執着某一邊的純動作。從某種意義上說，非對稱性代表了內容的"純粹的"流動，相對於對稱一面的"不純粹的"內容。純粹或不純粹的區別就在於在知覺的瞬間是否有業力的執着。由於其非執着的本性，非對稱成分不僅是純粹的，而且是充分打開的。因此，當它反衝時，它吸收，容納和協調了一切，包括過去的內容。在它讓位於對稱成分之前，這個開啓的和純粹的非對稱衝力已經整合成了全新的基礎，以便對稱的前衝繼續進行下去。非對稱因子就這樣提供了所謂"在瞬間中的純粹潛能"；也就是說，這充分實現出來的瞬間在向前之前，先充滿

① 這種循環的動態流動是造業的 (karmic)，因爲每一瞬間的知覺都是從這個流動中"割取下來"一塊的行爲，而且這種割取的方式是執着的，即執着於知覺的因素。這一切都是對稱成分的本性。但非對稱因子卻打開了一個非執着的存在 (existence) 領域，並同時形成了業力行爲本身的基礎。

勢態地回撤。以這種方式,這對稱與非對稱的關係就是一個輪轉現象的連續統,一個相互纏結的瞬間性的獨特脈動,很類似於那拍向岸邊的浪花。在更技術性的意義上,我們可以說瞬間性是一個在對稱與非對稱構成的動源中打開着的和運作着的本體論。

下面簡單地談一下美學的本質。對於佛道兩家,美學的本質就在於實現對稱與非對稱所共構的動力源的合適功能或平衡。這種功能或平衡是非常微妙的。從存在與非存在(圖 1)表現出來的領域看,它是指去捕捉這兩者之間的有節奏的平衡,不允許對稱的或存在的這一邊壓倒另一邊,並因此決定我們對美學因素的分析。太多的美學理論都只關注事物的對稱本質或就構造於其中。上面已說到,對於東方人來講,居住於非存在之中就相當於不斷地保持住這個平衡。這裏沒有時間來詳細討論任何東方的藝術。能説的只是,所有東方文化的形式都從事於無形式之形式的創造,以及在事物的對稱的(存在的)本質中充滿活力地展現那非對稱(非存在)的本性,没有這種展現或平衡,任何藝術品就會是不自然的、不協合的、呆板的和奇形怪狀的。

這個對稱與非對稱動源的含義是無窮盡的。①我們在本文中主要討論了經驗的形而上學基礎,但這裏的思路完全可以延伸到其他的領域中,比如我們剛剛簡述的美學的本質以及倫理學的重要領域。在最終的意義上,人的行爲是一切問題的中心,因此它必須被置於真實的形而上學動源的基礎上。無法否認的是,經驗的形而上學基礎是任何討論中的關鍵因素。因此,本文展示了佛家和道家在關於經驗的寧静而又動態的哲理這個問題上所做出的貢獻。

---

① 在這以前的兩篇論文中,即提交給劍橋大學關於佛學和現代思想的學術會議(1992 年 7 月 3 日－5 日)的“作爲對話橋梁的美學本質”,和提交給中華佛學院關於傳統佛學的教益和現代世界的學術會議 (1992 年 7 月 18 日－21 日,臺北)的“佛學的教益與科學的挑戰”,我進一步探討了生成的本質以及對稱與非對稱構成的動源。當然,在這方面還有許多工作要做。

作者簡介 Kenneth Inada(稻田龜南),美國紐約州立布法羅大學哲學系教授。二次大戰時爲美軍442步兵師戰士,在法國黑森林戰鬥中負傷,引發他思索人生和哲學問題。1951年獲芝加哥大學哲學系碩士,1960年獲東京大學哲學博士。主編影響廣泛的紐約州立大學出版的佛學系列叢書,是東西方哲學比較和佛學研究方面國際知名的學者,曾任國際中國哲學會會長。1990年初作爲第一位美國學者被授予日本 Bukkyo Deudo Kyokai 文化獎,表彰他向西方世界傳播佛學和東方思想的貢獻。

(此論文由作者在國際中國哲學會第八屆大會[1993年8月,北京]上宣讀,原文爲英文。北京大學外國哲學研究所張祥龍翻譯。)